De vergetenen

Van dezelfde auteur verschenen in chronologische volgorde:

Het rituele bad
Een onreine dood
Melk en honing
Verzoendag
Valse profeet
De doodzonde
Toevluchtsoord
Gerechtigheid
Gebed voor een dode
Het zoete gif
Jupiters resten
Slachtoffer

Faye Kellerman

De vergetenen

2005 – De Boekerij – Amsterdam

Oorspronkelijke titel: The Forgotten (William Morrow, HarperCollins Publishers)
Vertaling: Els Franci-Ekeler
Omslagontwerp en beeld: marliesvisser.nl

ISBN 90-225-4103-7

Published by arrangement with Lennart Sane Agency AB

Voor Andy, Joanne and Miriam
Ter nagedachtenis aan Shira – *aleha ha'sjalom*

Verklarende woordenlijst

aron hakodesj	de heilige ark in de synagoge; kast voor de thorarollen
baroech Hasjeem	letterlijk 'gezegend zij de Naam'; goddank
choemasj	Thora, de vijf boeken van Mozes, in de vorm van een gebonden boek
chok	wet; regel
davvenen	bidden
Gemore	verzameling van de amoraïtische discussies bij de Misjna, deel uitmakend van de Talmoed
gojim	meervoud van 'goj', niet-jood
halacha	de godsdienstige jurisprudentie
ima	mamma; moeder
jarmoelke	keppeltje
jesjiva	talmoedhogeschool
kapara	verzoening
kiboed av	eert uw vader
kiddoesj	heiliging; bepaalde ceremonie ter inwijding van sabbat of feestdag
kreplech	gekookte gevulde deegballen
mamzerim	meervoud van 'mamzeer': 1. kind uit niet-geoorloofde relatie; 2. kwajongen
Misjna	oudste, maatgevend geworden verzameling van 'alachot' (meervoud van 'halacha'), samengesteld rond het jaar 200 door Rabbi Jehoeda Hanasi
sefarim	meervoud van 'sefer', boek
sjoel	synagoge
tefilien sjel jad	de gebedsriemen die om de arm worden gewonden
tefilien sjel rosj	de gebedsriemen die om het hoofd worden gewonden
tsjolent	warm eten voor sabbat, dat tevoren wordt bereid en vervolgens warm wordt gehouden

1

HET WAS DE POLITIE DIE BELDE. NIET RINA'S ECHTGENOOT, DE INSPECteur, maar het bureau. Ze luisterde naar de agent en slaakte een zucht van verlichting toen ze begreep dat het niets te maken had met Peter en de kinderen. Maar nadat ze had gehoord wat de reden voor het telefoontje was, was ze lang niet zo geshockeerd als ze had moeten zijn.

De joodse gemeenschap van L.A.'s West Valley was al vaker opgeschrikt door antisemitische gewelddaden, die een paar jaar geleden een dieptepunt hadden bereikt toen een smerig stuk tuig uit een lijnbus was gestapt en het vuur had geopend op het Joodse Wijkcentrum. Het wijkcentrum was een toevluchtsoord, een centrum van groepsactiviteiten voor alle leeftijden, toen en nu nog steeds. Het bood een verscheidenheid aan diensten, van crèches tot danslessen en bejaardengymnastiek, en het mocht een wonder heten dat er bij die aanslag niemand om het leven was gekomen. Maar de monsterlijke kerel – die later op diezelfde dag ook nog een gruwelijke moord had gepleegd – had wel verscheidene kinderen verwond en de hele wijk het beklemmende gevoel van angst bezorgd dat zoiets makkelijk nóg een keer zou kunnen gebeuren. Sindsdien namen veel joden in Los Angeles voorzorgsmaatregelen om de leden van hun gemeenschap en hun instellingen te beschermen. Op de deuren van wijkcentra en synagogen waren extra sloten geplaatst. In Rina's sjoel, die was gevestigd in een klein winkelpand, was men nog verder gegaan: daar was een hangslot aangebracht op de *aron hakodesj*, de heilige ark waarin de thorarollen worden bewaard.

De politie had Rina gebeld omdat haar nummer op het antwoordapparaat van de sjoel stond. Ze was de onofficiële huismeester van de synagoge, degene die tot taak had de loodgieter te bellen wanneer een kraan drupte en de timmerman als het dak lekte. De sjoel bestond nog maar pas en de leden konden voorlopig alleen maar een parttime rabbijn bekostigen. Wel leverden ze vaak een bijdrage door op de sabbat een preek te houden, of gaven ze geld voor een *kiddoesj*. Mensen waren altijd vrijgeviger wanneer er iets te eten viel. De kleine gemeenschap had veel pit en juist daardoor was het afgrijselijke nieuws zo moeilijk te verteren.

Rina was één bonk angst en bezorgdheid toen ze naar haar bestemming reed. Negen uur 's ochtends en ze had nu al een branderig gevoel in haar maag van de zenuwen. De agent had de schade niet beschreven en had alleen steeds het woord 'vandalisme' gebruikt. Ze had dan ook de indruk dat het eerder om oppervlakkige pesterij ging dan om echte schade, maar misschien was de wens de vader van de gedachte.

Ze passeerde woonhuizen en winkelcentra, maar ze had nauwelijks oog voor de omgeving. Ze zette haar zwarte baret wat vaster op haar hoofd en duwde er een paar loshangende lokken van haar gitzwarte haar onder. Ze bracht nooit veel tijd door voor de spiegel, maar vanochtend was ze onmiddellijk vertrokken nadat ze de telefoon had opgehangen, gekleed in de eenvoudigst denkbare kledij: zwarte rok, witte bloes met lange mouwen, instappers en hoofdbedekking. Gelukkig stonden haar blauwe ogen helder. Voor make-up was geen tijd geweest. De politiemannen zouden de ongecensureerde Rina Decker te zien krijgen. Ze had zo'n haast om op haar bestemming te komen, dat het een eeuw leek te duren eer de stoplichten op groen sprongen.

De sjoel betekende heel veel voor haar. De sjoel was de belangrijkste reden waarom ze Peters boerderij hadden verkocht en waren verhuisd. Omdat ze de sabbat in acht namen, had Rina een synagoge gewild op loopafstand van haar woning – écht op loopafstand, niet bijna vier kilometer, zoals het geval was geweest toen ze nog in Peters boerderij woonden. Niet dat ze het erg had gevonden om te voet naar haar oude sjoel, Jesjivat Ohavei Thora, te gaan, en voor de jongens was het helemaal geen probleem geweest, maar Hannah was vijf toen ze hadden besloten te gaan verhuizen. Het nieuwe huis was perfect voor Hannah: een kwartiertje lopen van de sjoel, en er waren veel buurtkinderen met wie ze kon spelen. Er woonden alleen niet veel tieners in de buurt, maar dat was niet zo erg, want haar zonen waren bijna volwassen. Shmueli was naar Israël vertrokken, en Yonkie, die in de één na hoogste klas van de middelbare school van de *jesjiva* zat, zou het laatste jaar waarschijnlijk in New York op school gaan en daar gelijktijdig aan zijn universitaire studie beginnen. Peters dochter, Cindy, had na een bijzonder traumatisch jaar haar vuurdoop bij de politie overleefd en kwam soms voor de sabbatmaaltijd en om haar zusje te zien, wat ze heerlijk vond, omdat ze zelf als enig kind was opgegroeid. Rina was moeder van een erg gemengd gezin en dat maakte het leven soms wat chaotisch.

Haar hart begon te bonken toen ze het pand naderde. De kleine synagoge bevond zich in een winkelpromenade waar ook een makelaardij, een stomerij, een nagelstudio en een Thais restaurant gevestigd waren. Boven huisden een reisbureau en het kantoor van een advocaat, die 's avonds laat op kabeltelevisie reclame maakte door verhalen van tevreden cliënten uit te zenden. Twee zwart-witte surveillancewagens stonden schuin voor de deur en namen het grootste deel van het kleine parkeerterrein in beslag. De blauwe en rode banen van hun zwaailichten zwiepten door de lucht. Er had zich een kleine menigte gevormd voor de synagoge en tussen de mensen door kon Rina al een deel van een zwart hakenkruis zien.

Het werd haar zwaar te moede.

Ze reed voorzichtig zo ver mogelijk door en stopte naast een van de surveillancewagens, maar voordat ze de gelegenheid kreeg uit de Volvo te stappen, gebaarde een agent in uniform dat ze achteruit moest rijden. Het was een zwaargebouwde man van in de dertig. Rina herkende hem niet, maar dat wilde niets zeggen, want ze kende de meeste geüniformeerde agenten van het bureau Devonshire niet, omdat Peter daarnaartoe was overgeplaatst als rechercheur, niet als gewoon agent.

De agent zei: 'U mag hier niet parkeren, mevrouw.'

Rina draaide het raampje naar beneden. 'De politie heeft me gebeld. Ik heb de sleutels van de synagoge.'

De agent wachtte; zij wachtte.

Toen zei ze: 'Ik ben Rina Decker, de vrouw van inspecteur Decker...'

Onmiddellijke herkenning. De agent knikte bij wijze van verontschuldiging en mompelde: 'Jongelui!'

'U weet dus wie het heeft gedaan?' Rina stapte uit.

Een blos kroop omhoog over de wangen van de agent. 'Nee, nog niet, maar daar komen we wel achter. Het zullen wel baldadige tieners zijn geweest.'

Een andere politieman kwam naar haar toe. Ze zag aan zijn strepen dat hij een brigadier was. Op zijn badge stond *Shearing*. Hij had een gedrongen figuur, peenhaar en een rossig gezicht. Hij was ouder dan de andere agent: midden of eind vijftig. Ze herinnerde zich vaag hem een keer tijdens een picknick of een andere sociale gelegenheid te hebben ontmoet. De naam Mike kwam in haar op.

Hij stak zijn hand uit. 'Mickey Shearing, mevrouw Decker. Het spijt me erg dat ik u hierheen heb moeten laten komen.' Hij leidde haar door de kleine menigte nieuwsgierigen, zichtbaar geërgerd dat ze hem in de weg liepen. 'Achteruit! Iedereen achteruit! Ga liever naar huis.' En tegen zijn mannen schreeuwde hij: 'Zet onmiddellijk het terrein af!'

Toen er wat mensen afdropen, zag Rina de buitenmuur. Er was een groot hakenkruis op geverfd, met aan weerskanten een paar kleintjes. *Dood aan de smerige minderwaardige rassen* was op de muur gespoten. Boze tranen welden op in haar ogen. 'Hebben ze de deur opengebroken?' vroeg ze aan de brigadier.

'Helaas, ja.'

'Bent u al binnen geweest?'

'Ja. Het is...' Hij schudde zijn hoofd. 'Het is nogal erg.'

'Mijn ouders hebben in de concentratiekampen gezeten. Dit is niet nieuw voor mij.'

Hij trok zijn wenkbrauwen op. 'Kijk uit waar u loopt. We mogen niks verstoren voor de technische recherche.'

'Wie gaat het onderzoek leiden?' vroeg Rina. 'Wie zit er op de afdeling Discriminatiezaken?' Maar ze wachtte niet op het antwoord. Toen ze over de drempel stapte, voelde ze haar spieren verstrakken, en haar kaken klemden zich zo stijf op elkaar dat het een wonder was dat haar kiezen niet barstten.

De muren waren beklad met de ene hatelijke leus na de andere, vernederende oproepen om de joden op allerlei afgrijselijke manieren uit te roeien. Er waren zo veel hakenkruisen dat het een behangpatroon had kunnen zijn. Eieren en ketchup waren tegen het pleisterwerk gesmeten en hadden smerige vlekken achtergelaten. Maar de muren waren het ergste niet; veel erger was dat de heilige boeken uit elkaar gerukt waren en over de vloer verspreid lagen. En zelfs de heiligschennis van de religieuze werken en gebedsboeken was nog niet zo erg als het feit dat er afgrijselijke foto's van concentratiekampslachtoffers boven op de vernielde Hebreeuwse teksten lagen. Rina wendde snel haar blik af, maar ze had al te veel gezien: zwartwitfoto's van lijken met verwrongen gezichten en open monden. Sommigen gekleed, anderen naakt.

Shearing stond er ook naar te staren, terwijl hij zijn hoofd schudde en zachtjes ''t Is toch wat, 't is toch wat' prevelde. Hij leek haar aanwezigheid helemaal te zijn vergeten. Rina schraapte haar keel, om Mickey uit zijn trance te halen, maar ook om haar tranen te bedwingen. 'Ik kan beter even rondkijken om te zien of er iets waardevols is gestolen.'

Mickey keek haar aan. 'Eh, ja, dat is goed. Worden hier dan waardevolle dingen bewaard? Nu ja, ik weet dat de boeken veel waarde hebben, maar ik bedoel dingen waaraan je kunt zien dat ze veel geld waard zijn. Bijvoorbeeld oecumenische voorwerpen van zilver... Is "oecumenisch" het juiste woord?'

'Ik weet wat u bedoelt.'

'Het spijt me heel erg, mevrouw Decker.'

De verontschuldiging werd zo oprecht geuit dat ze haar tranen niet meer kon bedwingen. 'Niemand is gedood, niemand is gewond. Dat helpt om de dingen in perspectief te zien.' Rina veegde met de rug van haar hand langs haar ogen. 'We bewaren de meeste van onze zilveren en gouden voorwerpen in een afgesloten kast... die daar, met het hek ervoor. Dat is onze heilige ark.'

'U boft dat u dat hek ervoor hebt laten maken.'

'Dat hebben we gedaan na de schietpartij in het Joodse Wijkcentrum.' Ze liep naar de *aron hakodesj*.

'Raak het slot niet aan, mevrouw Decker,' zei Shearing.

Rina bleef staan.

Hij glimlachte op een vermoeide manier. 'Vingerafdrukken.'

Rina bekeek het slot met haar handen op haar rug. 'Iemand heeft geprobeerd het open te breken. Er zitten krassen op.'

'Ja, ik heb het gezien. Juist omdat er een slot op zit, begrepen ze natuurlijk dat alle waardevolle spullen daarin zitten.'

'En dat klopt dus.' Een korte stilte. 'U zegt "ze". Meer dan één?'

'Lijkt me wel, gezien de enorme schade, maar ik ben geen rechercheur. Dat laat ik over aan de beroeps, zoals uw man.'

Opeens werd ze duizelig; ze leunde tegen het hek om zich staande te houden. Mickey kwam snel naast haar staan.

'Voelt u zich niet goed, mevrouw Decker?'

Haar stem was slechts een fluistering. 'Het gaat alweer.' Ze richtte zich op en bekeek de ruimte als een aannemer. 'De meeste schade lijkt oppervlakkig. Met een paar emmers zeepsop en wat potten verf komen we een heel eind. De boeken zijn natuurlijk een ander verhaal.' Om die te vervangen hadden ze minstens duizend dollar nodig, precies het bedrag dat ze hadden gespaard voor een parttime jeugdleider. Zoals bij liefdewerk altijd het geval was, hadden ze voor de sjoel een zeer beperkt budget. Een traan rolde over haar wang.

'In ieder geval hebben ze de boel niet platgebrand.' Ze beet op haar lip. 'We moeten positief blijven denken, nietwaar?'

'Zeker weten!' zei Mickey meteen. 'U houdt zich echt geweldig.'

Weer wierp Rina een snelle blik op de vloer. Tussen de foto's lagen gekopieerde pentekeningen van joden met overdreven haakneuzen. Ze kwamen waarschijnlijk uit oude exemplaren van *Der Stürmer* of *De Protocollen van de Wijzen van Zion*. Ze keek naar de korrelige foto's en nu viel het haar op dat de zwartwitfoto's er niet uitzagen als kopieën, maar als originele foto's, gemaakt door iemand die erbij was geweest. De gedachte alleen al – dat iemand dode mensen op de gevoelige plaat had vastgelegd – vervulde haar met afschuw. En nu had iemand ze hier achtergelaten, ter herinnering of als dreigement.

Van woede welden weer tranen op in haar ogen. Ze was zo kwaad, en zo wanhopig, dat ze het liefst was gaan krijsen. In plaats daarvan pakte ze haar mobiele telefoon om haar man te bellen.

De gedachten tolden door Deckers hoofd, en de meeste daarvan hadden te maken met de vraag of Rina zich een beetje staande kon houden. Maar er was ook ruimte voor zijn eigen gevoelens. Woede? Nee. Het ging veel verder dan woede en dat was geen goed teken. In de greep van blinde razernij kon je makkelijk fouten maken en dat kon Decker zich niet veroorloven. Dus besloot hij niet te piekeren over een plaats delict die hij nog niet eens had gezien en zocht hij afleiding door door de voorruit de omgeving te bekijken: de rijen huizen die de plaats van sinaasappelboomgaarden hadden ingenomen, de pakhuizen en winkelcentra langs Devonshire Boulevard. Hij onderdrukte gedachten aan zijn stiefzoon in Israël, en aan zijn andere stiefzoon die op een joodse middelbare school zat. En aan Hannah, die in de tweede klas van de lagere school zat – even jong, onbevangen en onschuldig als de kleuters die een paar jaar geleden bij het Joodse Wijkcentrum naar buiten waren geleid na die afgrijselijke schietpartij.

Hij merkte dat hij transpireerde. Hoewel het een normale, bewolkte meidag was, koel en grijs, zette hij de airconditioner in de hoogste stand. Men had hem het adres gegeven, maar ook als hij niet bekend was geweest in de buurt, zou hij aan de surveillancewagens hebben gezien waar hij moest zijn.

Hij zette zijn auto op een plek waar een parkeerverbod gold, stapte uit en haalde diep adem. Hij moest kalm blijven, niet alleen om een gedegen onderzoek te kunnen instellen naar de misdaad, maar ook omwille van Rina. Hij zag vier agenten bij de deur van de synagoge rondscharrelen als mieren. Decker had nog maar een paar stappen gedaan, toen hij werd aangeschoten door Mickey Shearing.

'Waar is ze?' gromde Deckers.

'Binnen,' antwoordde Shearing. 'Wilt u eerst de details?'

'Heb je dan details?'

'Ik heb het volgende...' Mickey bladerde in zijn notitieboekje. 'De melding van de man van de stomerij kwam om halfnegen binnen. Ik ben ongeveer tien minuten daarna hier aangekomen en zag dat het slot van de deur was opengebroken. Ik heb het nummer van de synagoge gedraaid om te zien of er een rabbijn aanwezig was of iemand anders die erover gaat. Ik kreeg een antwoordapparaat met een telefoonnummer. Dat bleek het nummer van uw vrouw te zijn.'

'En je vond niet dat je eerst *mij* moest bellen, en daarna *haar*?' Decker keek hem bars aan.

'Het was alleen maar een telefoonnummer, inspecteur. Ik begreep later pas dat het het nummer van uw vrouw was.'

Decker keek weg en wreef over zijn voorhoofd. 'Oké. Misschien is het beter om het van jou te horen. Hebben jullie al mensen ondervraagd?'

'Daar zijn we nu mee bezig.'

'Nog geen resultaat?'

'Nee. Het is waarschijnlijk midden in de nacht gebeurd.' Shearing schraapte met de neus van zijn schoen over de grond. 'Het zullen wel tieners zijn geweest.'

'Tieners? Meer dan één?'

'Volgens mij wel, ja. Er is nogal veel schade aangericht.'

'Vertel me over de man van de stomerij.'

'Hij heet Gregory Blansk. Hij is zelf ook nog bijna een tiener. Negentien, geloof ik...' Hij bladerde in zijn boekje. 'Ja, negentien.'

'Zou het kunnen zijn dat híj het heeft gedaan en in de buurt is gebleven om te zien wat men van zijn kunstwerk vindt?'

'Ik geloof dat hij joods is, meneer.'

'Dat *geloof* je?'

'Eh... moment. Hier heb ik het. Ja, hij is joods.' Shearing keek op van zijn boekje. 'Hij is nogal van streek en ook bang. Hij is van Russische afkomst. Twee dingen in zijn nadeel: hij is joods en een immigrant. Geen wonder dat hij bang is.'

'Rechercheur Wanda Bontemps is van Jeugdzaken overgeplaatst

naar Discriminatiezaken. Ik zal tegen haar zeggen dat ze hem aan de tand moet voelen. Hou het publiek op een afstand. Ik kom zo terug.'

Decker had een aantal jaar op Jeugdzaken gezeten en wist alles van ontspoorde jongeren en vandalisme. Hij had gewerkt in een wijk die berucht was om zijn werkloze *bikers*, blank uitschot, Mexicaanse gangsters en tieners die de school niet afmaakten. Maar dit? Dit was nét even te dicht bij huis. Hij ging zo op in zijn gedachten dat hij Rina pas opmerkte toen ze zijn naam zei. Hij schrok op, deed een stap achteruit en botste tegen haar aan, zodat ze bijna omviel.

'Wat is dit vreselijk.' Hij greep haar hand en trok haar in zijn armen. 'Het spijt me zo. Hoe is het met je?'

'Ik...' Binnen zijn omhelzing haalde ze haar schouders op. *Niet huilen!* 'Hoe lang denk je dat het zal duren voordat we kunnen beginnen met schoonmaken?'

'Daar is voorlopig nog geen kijk op. Alles moet gefotografeerd worden, we moeten zoeken naar vingerafdrukken...'

'Ik kan het niet aanzien!' Rina maakte zich van hem los en wendde haar blik af. 'Hoe lang schat je?'

'Ik weet het echt niet, Rina. De technische recherche moet komen, maar omdat er geen doden of gewonden zijn, krijgt dit geen voorrang.'

'O. Ik snap het. Er moet eerst iemand worden vermoord.'

Decker deed zijn best zijn stem in bedwang te houden. 'Ik wil net zo graag als jij deze vuiligheid schoonmaken, maar als we de zaak goed willen aanpakken, mogen we geen haast maken. Zodra alle ploegen weg zijn, zal ik in eigen persoon hierheen komen met een bezem en een dweil en iedere centimeter van dit walgelijke misdrijf wegschrobben. Goed?'

Rina drukte haar hand tegen haar mond en knipperde tranen weg. Ze fluisterde: 'Goed.'

'Zijn we weer vrienden?' Decker glimlachte.

Met betraande ogen glimlachte ze terug.

Deckers gezicht betrok toen het afgrijselijke ten volle tot hem doordrong. 'Lieve god!' Hij liet zijn hoofd achterover zakken. 'Wat... vreselijk!'

'Ze hebben de kiddoesjbeker meegenomen, Peter.'

'Wat?'

'De kiddoesjbeker is weg. Die stond in een kast. Het is een verzilverde beker met sierstenen van turkoois. Echt iets wat een dief zou meenemen: hij ziet er duur uit en stond voor het grijpen.'

Decker dacht even na. 'Tieners.'

'Dat zegt iedereen. Maar het kan toch net zo goed een kwaadaardige extremistische groepering zijn?'

'Ja, dat kan natuurlijk ook. Ik durf echter nu al officieel te verklaren dat het hoogstwaarschijnlijk niet het werk van een drugsverslaafde is. Als iemand iets wilde stelen om te ruilen voor drugs, zou het bij een eenvoudige inbraak zijn gebleven.'

'Misschien ligt de beker onder de rotzooi.' Rina haalde haar schouders op. 'Ik weet alleen dat hij niet op z'n plek staat.'

Decker pakte zijn notitieboekje. 'Verder nog iets?'

'Krassen op het hangslot van de *aron* – de heilige ark. Ze hebben geprobeerd die open te breken, maar dat is ze niet gelukt.'

'Gelukkig.' Hij klapte het notitieboekje dicht en keek aandachtig. 'Gaat het een beetje?'

'Ik... ja, het gaat wel. Maar ik zal me een stuk beter voelen wanneer we de boel hebben schoongemaakt. Ik moet Mark Gruman maar eens bellen.'

Decker slaakte een zucht. 'Ik heb samen met hem de eerste keer de muren geschilderd. Nu zullen we het nog een keer moeten doen.'

Rina zei zachtjes: 'Zodra dit bekend wordt, zullen zich meer dan genoeg vrijwilligers melden.'

'Ik hoop het.' Decker stampvoette. Een kinderachtige reactie, maar hij was ook zo verrekte kwaad. 'Ik ben woest! Ik zou bijna gaan vloeken, maar ik wil deze plek niet verder ontheiligen.'

'Wat is de eerste stap bij dit soort onderzoeken?'

'Kijken naar jongeren die zich al eerder schuldig hebben gemaakt aan vandalisme.'

'Zijn de dossiers van minderjarigen niet geheim?'

'Jawel, maar dat wil niet zeggen dat de agenten die bij de arrestaties betrokken waren, er niet over kunnen praten. Een paar namen is voldoende om een begin te maken.'

'Gaan jullie ook naar extremistische groeperingen kijken?'

'Uiteraard. We gaan alle mogelijkheden onderzoeken. Ik ken in deze wijk geen extremistische groepering. Wel in Foothill – de Hoeders van de Etnische Integriteit of zoiets. Het is al een tijdje geleden. Ik moet de dossiers erop naslaan, en daarvoor moet ik terug naar het bureau.'

'Ga dan maar gauw. Ik red me wel.' Ze draaide zich om en keek hem aan. 'Wie komt hierheen?'

'Wanda Bontemps van de afdeling Discriminatiezaken. Probeer geduldig te blijven. Ze heeft in het verleden slechte ervaringen met joden gehad.'

'En ze sturen háár om een antisemitisch misdrijf te onderzoeken?'

'Ze is een negerin...'

'Zwart én een antisemiet. Moet ik daar blij mee zijn?'

'Ze is geen antisemiet. Ze is een aardige vrouw die me, toen ze bij ons kwam werken, meteen eerlijk heeft verteld waar haar frustraties liggen. Ik... ik had er niets over moeten zeggen.' Hij keek om zich heen en trok een gezicht. 'Ik moet leren mijn mond te houden. Het zal wel komen doordat ik van streek ben. Wanda is bij ons nog nieuw, maar heeft door hard werken wél al haar gouden penning gekregen. Geen geringe prestatie voor een veertigjarige negerin.'

'Dat geloof ik graag,' antwoordde Rina. 'Maak je geen zorgen, Peter. Als ze gewoon haar werk doet, komt het tussen ons wel goed.'

2

De foto's van de concentratiekampslachtoffers moesten érgens vandaan zijn gekomen. Het kon zijn dat ze waren gedownload van een website van neonazi's en zodanig waren bewerkt dat ze eruitzagen als originele foto's. Het kon ook zijn dat ze afkomstig waren van een plaatselijke fascistische groepering. De randgroepering die Decker zich herinnerde uit de tijd dat hij op bureau Foothill werkte, noemde zichzelf de Hoeders van de Etnische Integriteit. Toen hij op Jeugdzaken had gezeten, was het niet veel meer dan een postbus en eens in het halfjaar een bijeenkomst in het park. Na een paar snelle telefoontjes wist hij dat de groepering nog steeds bestond en nu een adres had aan Roscoe Boulevard. Decker wist niet precies wat ze deden en wat hun filosofie was, maar de naam wees erop dat die te maken had met blanke superioriteit.

Hij keek op zijn horloge en zag dat het bij elven was. Hij stond op en liep de recherchekamer in. Er waren veel lege stoelen, wat wilde zeggen dat de meeste rechercheurs van bureau Devonshire naar misdrijven waren geroepen, maar het toeval wilde dat Tom Webster achter zijn bureau aan de telefoon zat. De jonge rechercheur van de afdeling Moordzaken was blond, had blauwe ogen en sprak met een lijzig accent. Als er íémand was die zich voor een aanhanger van een arische groepering kon uitgeven, was het Webster... afgezien van zijn kleding. Neonazi's liepen niet rond in haute couture. Vandaag droeg Tom een donkerblauw pak met een wit overhemd en een bruine das met een werkje erin – waarschijnlijk een Zegna. Decker droeg zelf geen stropdassen van honderd dollar, maar hij kende het merk, omdat Rina's vader van Zegna hield en Sammy en Jake steeds afgedankte exemplaren gaf.

Webster keek op. Decker ving zijn blik op en wees naar zijn kantoor. Een minuut later kwam Tom binnen en deed de deur achter zich dicht. Hij had zijn haar van achteren kort laten knippen, maar van voren reikten een paar lokken nog tot zijn wenkbrauwen, wat hem een jongensachtig uiterlijk gaf.

'Rottig, die toestand van vanmorgen.' Webster ging op de stoel tegenover Deckers bureau zitten. 'We hebben gehoord dat het nogal een puinhoop was.'

'Dat hebben jullie goed gehoord.' Decker ging achter zijn bureau zitten en klikte met de muis tot hij had gevonden wat hij zocht. Toen klikte hij op Afdrukken. 'Wat heb jij op je programma staan?'

'Ik ben bezig met een follow-up over Gonzalez. De schietpartij. Gesprekken met de weduwe...' Hij zuchtte. 'De rechtszaak is weer uitgesteld. De advocaat van Perez is opgestapt en nu heeft hij een nieuwe pro-Deoadvocaat toegewezen gekregen die de zaak niet kent. De arme mevrouw Gonzalez wil zo graag dat er nu eindelijk een punt achter wordt gezet, maar dat zal voorlopig nog niet gebeuren.'

'Ellendig,' zei Decker.

'Ja, en typerend,' zei Webster. 'Ik moet om halftwee in de rechtbank zijn en wilde mijn aantekeningen nog even doornemen.'

'Je hebt gestudeerd, Webster. Voor die aantekeningen zul je niet al te veel tijd nodig hebben.' Decker gaf hem de uitdraai. 'Ik had graag dat je hier een kijkje ging nemen.'

Webster keek naar de tekst. 'De Hoeders van de Etnische Integriteit? Wat is dit? Een nazi-groepering?'

'Dat moet je juist uitzoeken.'

'Wanneer? Nu?'

'Graag.' Decker glimlachte.

'Heeft het te maken met het vandalisme in de synagoge?'

'Ja.'

'Moet ik net doen alsof ik een voorstander ben van etnische zuivering?'

'We moeten informatie inwinnen, Tom; doe wat je doen moet. Het lijkt me een goed idee als je Martinez meeneemt. Jij bent blank, hij is een latino. Tegenover racisten kun je het spelletje van de goede en de kwade agent spelen door alleen maar je huidskleur uit te buiten.'

Bontemps belde Decker vanuit de synagoge en vertelde hem over drie jongeren die ze ooit wegens vandalisme had opgepakt. De dossiers van alle drie waren verzegeld.

'Kun je me de namen geven?' vroeg Decker.

Bontemps zei: 'Jerad Benderhurst, een vijftienjarige blanke jongen. Volgens de laatste informatie die ik over hem heb gekregen, woont hij nu bij een tante in Oklahoma. Jamal Williams, een zestienjarige neger, die niet alleen wegens vandalisme is opgepakt, maar ook wegens diefstal en drugsbezit. Ik geloof dat hij naar het oosten van het land is teruggegaan.'

'Daar hebben we dus niks aan. En de derde?'

'Carlos Aguillar. Ik meen dat hij veertien is en ik geloof dat hij nog in de jeugdgevangenis Buck zit. Dit zijn de jongens van wie ik me herinner dat ze zijn veroordeeld wegens vandalisme. Als u Sherri en Ridel ernaar vraagt, krijgt u misschien nog wat namen.' Ze zweeg even en zei toen: 'Aan de andere kant, inspecteur, zou u, wat het bekladden van muren aangaat, ook iets verder kunnen kijken.'

Decker wist precies op wie ze doelde: een groep blanke jongeren uit de middenstand en zelfs uit de betere kringen, die tjokvol testosteron zaten en zich stierlijk verveelden. Nog maar kort geleden waren ze opgepakt en hadden ze de dure advocaten van hun vaders ingeschakeld voordat er zelfs maar een proces-verbaal was opgemaakt. De groep was in zijn geheel vrijgelaten en de inhechtenisneming was uit hun dossiers verwijderd. En dat alles in een recordtijd. De meesten van de tieners zaten op privé-scholen. Voor hen waren zelfs drugs en seks saai geworden. De misdaad was het laatste restje rebellie.

'Vorig jaar was er ook zo'n groep,' zei Wanda. 'Een stuk of twintig opgeschoten jongens die zich kleedden als leden van een straatbende en probeerden er *errug* slecht uit te zien. Ze hebben heel wat muren beklad. Als ik diep nadenk, komen er misschien wat namen boven.'

'Pas op met al die namen; eigenlijk overtreed je zélf de wet,' zei Decker. 'Wat mij betreft bestaan ze niet. Maar ik weet wie je bedoelt.' Een blik op zijn horloge vertelde hem dat het tien voor halftwaalf was. 'Schieten jullie al op daarginds?'

'De fotografen zijn bijna klaar. De jongens van de technische recherche ook. Uw vrouw staat samen met een stelletje mensen ongeduldig te wachten, gewapend met emmers sop, schoonmaakmiddelen, dweilen en bezems. Ze staan te popelen om met het schrobben te beginnen, en ze zijn erg kwaad. Als de politie niet opschiet, spietsen ze er zo dadelijk een aan een bezemsteel.'

'Dat klinkt als iets voor Rina,' antwoordde Decker.

'Wilt u haar even spreken? Ze hangt over mijn schouder.'

'Ik hang niet,' hoorde hij Rina zeggen. 'Ik sta. Ik sta te wachten.'

Wanda gaf haar de telefoon. Rina zei: 'Rechercheur Bontemps heeft aangeboden haar lunchuur op te offeren om ons met het schoonmaken te helpen.'

'Bedoel je daar iets mee?'

'Je zou het kunnen beschouwen als een hint.'

Decker glimlachte. 'Ik kom meteen na mijn werk. Ik zal de hele nacht helpen schoonmaken en schilderen als dat nodig is. Goed?'

'Prima, hoewel het tegen die tijd misschien niet meer nodig zal zijn.'

'Ja, ik heb gehoord dat er aardig wat mensen zijn komen opdagen.'

'Om precies te zijn hebben we hier een hele vrouwenclub met emmers en bezems. Iemand heeft het nieuws doorgegeven aan het wijkcentrum. Er zijn zes mensen gekomen voor het schuren en schilderen en een van hen is huisschilder van beroep. Wanda, die echt een schat is, heeft naar haar kerk gebeld en een paar vrijwilligers hiernaartoe gekregen. Zelfs mensen van de pers hebben aangeboden te helpen. We staan te popelen om te beginnen.'

'Rechercheur Bontemps zei dat de technische recherche bijna klaar is.'

'Het is... zo verschrikkelijk, Peter. Iedere keer dat ik ernaar kijk, draait mijn maag om. En dat geldt voor iedereen hier.'

'Wie is er van de pers?'

'*L.A. Times, Daily News* en wat televisieploegen, maar die mogen er van Wanda nog niet bij.'

'Goed gezien van haar.'

'Heb je al verdachten op het oog?' vroeg Rina.

'Ik ben bezig met telefoontjes. Als we de dader vinden, hoor je het meteen van me.' Hij wachtte even. 'Ik hou van je, lieveling. Ik ben blij dat je daarginds zo veel steun hebt.'

'Ik hou ook van jou. En die *mamzerim* zijn met mij nog niet klaar. Dit zal *niet* nog een keer gebeuren!'

'Ik heb bewondering voor je betrokkenheid.'

'Er valt niets te bewonderen. Dit is geen keuze, dit is een plicht. Hebben jullie al navraag gedaan bij de pandjeshuizen?'

'Wat?'

'De zilveren kiddoesjbeker. Misschien heeft iemand geprobeerd die te verpanden.'

'Nee, eerlijk gezegd hebben we dat niet gedaan.'

'Dat zou ik dan maar gauw doen. Voordat de pandjesbazen er lucht van krijgen dat ze met gestolen goederen te maken hebben.'

'Verder nog iets, commandant?'

'Nee, dat was het voorlopig. Ik word geroepen, Peter. Ik geef je rechercheur Bontemps weer.'

Wanda zei: 'Ze kan goed organiseren.'

'Zeg dat wel. Bedankt voor je hulp.'

'Het is het minste wat ik kan doen.'

Decker zei: 'Wat de jeugdige vandalen betreft, Wanda. De meesten zitten op privé-scholen.'

'Ja... Foreman Prep... Beckerman's.'

'Dat kan in ons voordeel werken. Het zou moeilijk zijn geweest om op een openbare school te zoeken naar gestolen goederen en die in beslag te nemen. Op privé-scholen is dat anders. Daar hebben ze vaak huisregels die het bestuur het recht geven de kastjes van de leerlingen open te maken om naar ongeoorloofde spullen te zoeken.'

'Waarom zou de directeur van een privé-school dat voor ons doen, meneer?'

'Omdat het een slechte indruk zou maken als hij ons niet helpt. Alsof ze iets te verbergen hebben. Ik zal waarschijnlijk niet veel vinden... alleen wat drugs.'

'Naar wat voor ongeoorloofde spullen bent u op zoek, meneer? Antisemitisch propagandamateriaal?'

'Een zilveren wijnbeker.'

'Ach, natuurlijk.'

'Het is de moeite van het proberen waard,' zei Decker.

Maar het zou een poging zijn die niet zonder controverse en consequenties was. Want om de indruk te wekken objectief te zijn – en de politie moet altijd de indruk maken objectief te zijn – zou hij meerdere van de privé-scholen moeten doorzoeken, inclusief Jacobs joodse middelbare school. Hij besloot daar te beginnen.

3

'WAAR IS HET PRECIES?' VROEG WEBSTER.

Martinez gaf hem het huisnummer terwijl hij een grote hap nam van zijn broodje met kalkoenvlees, tomaat en mosterd. Kruimels van het volkorenkadetje bleven in zijn borstelige snor hangen. Hij had erover gedacht de snor af te scheren, nu die meer grijs dan zwart was, maar zijn vrouw had gezegd dat hij, na al die jaren dat de snor zijn mond had opgesierd, waarschijnlijk geen bovenlip meer over had. 'Is er een bepaalde reden waarom Decker dit laat onderzoeken door rechercheurs van Moordzaken?'

'Waarschijnlijk omdat ik toevallig in de recherchekamer zat.' Hij keek naar het broodje van zijn partner. 'Heb je er toevallig nog een, Bertie?'

'Toevallig wel.' Martinez haalde een tweede broodje uit de papieren zak. 'Heb je niet geluncht?'

'Wanneer had ik moeten eten?' Hij viel op het brood aan en werkte het met drie grote happen naar binnen. 'Decker strikte me toen ik net de weduwe Gonzalez aan de telefoon had gehad. Hij is fel op deze zaak.'

'Ja, het is iets persoonlijks.'

'Iets persoonlijks en iets bijzonder onaangenaams, vooral na Furrows schietpartij op het Joodse Wijkcentrum en de moord op de Filippijnse postbode. Volgens mij wil Decker aan de hele wereld laten zien dat de politie wel degelijk bekwame mensen in dienst heeft.'

'Er is niks mis mee als wij een stelletje raddraaiers oppakken.' Martinez stak het restant van zijn broodje in zijn mond en spoelde het weg met cola light. 'Hoeveel weet jij over die grapjassen?'

'Alleen wat er op de uitdraai van Decker stond. De groep bestaat al vrij lang. Het lijkt me een zootje maffe figuren.'

Webster remde af voor een rij winkels waarvan de grootste een 99 Cents Store was, een winkel waar – je raadt het al – ieder artikel 99 dollarcent kost. Verder zat er een Payless Shoes, een Vitamins-R-Us en een Taco Tio die als specialiteit Big Bang Burrito had. Kosmologie die je brandend maagzuur bezorgde: mooi gedachtevoer. 'Ik zie geen Hoeders van de Etnische Integriteit.'

'Het huisnummer heeft een a,' zei Martinez. 'Ik denk dat we aan de zijkant van het gebouw moeten zijn.'

Webster sloeg een zijstraat in en zag een smalle glazen deur aan de zijkant van de 99 Cents Store. Een wit, geplooid gordijn voorkwam dat voorbijgangers naar binnen konden kijken. Geen huisnummer, maar in het stucwerk zat een intercom. Webster zette de auto langs de stoeprand en ze stapten uit. Martinez drukte op de bel, die een zoemer bleek te zijn.

Iemand antwoordde door de krakende intercom: 'We zijn tussen de middag gesloten.'

'Politie,' baste Martinez. 'Opendoen!'

Een stilte, toen een lange zoemer. Webster duwde tegen de deur, die tegen een muur knalde voordat hij helemaal open was. Hij perste zich naar binnen. Martinez moest zijn adem uitblazen voordat hij naar binnen ging en kreeg zijn dikke pens nauwelijks door de opening. De receptie had de afmetingen van een vijfdeursauto. Er stonden een krakkemikkige bridgetafel die bijna de gehele ruimte in beslag nam en een klapstoel. Ze bleven staan tussen de muur en de tafel en staarden naar het iele meisje dat aan de andere kant van de tafel zat. Haar gezicht werd omlijst door lange lokken asblond haar. Ze droeg geen make-up en had een kleine, smalle neus die nauwelijks groot genoeg was om haar metalen brilletje te dragen.

'De politie?' Ze stond op en keek naar links, naar een deur die op een kier stond. 'Wat is er aan de hand?'

Martinez liet zijn blik over de inrichting gaan. Twee oningelijste reproducties – *American Gothic* van Grant Woods en een zeegezicht van Winslow Homer – waren met plakband aan de muur bevestigd. Op de tafel stond een telefoon en er lagen kleurige stapeltjes folders. Met een afwezig gebaar pakte Martinez een babyblauw velletje bedrukt papier. De laatste paragraaf was schuin gedrukt en vermeldde dat de schrijver van het stukje een ex-marinier was die psycholoog was geworden. Martinez besloot de rest op een later tijdstip te lezen.

'Er is vandaag een synagoge vernield.' Martinez maakte oogcontact met het meisje. 'We vragen ons af wat jij daarvan weet.'

Haar ogen gingen achter de brillenglazen heen en weer als ruitenwissers. 'Ik weet niet waar u het over hebt.'

'Het is op het nieuws geweest,' zei Webster.

'Ik kijk niet naar het nieuws.'

'Je hebt een radio aanstaan. Ik neem aan dat die staat afgesteld op een station dat actualiteiten uitzendt.'

'Die radio is niet van mij, maar van Darrell. Waarom bent u hier?'

'Omdat we weten wat voor soort organisatie dit is,' zei Martinez. 'We vragen ons af welke rol jij hebt gespeeld bij het vandalisme.'

Nu kwam er door de halfopen deur een man te voorschijn. Hij was ongeveer één meter tachtig lang en erg mager, had koffiekleurig kroeshaar en lichtbruine ogen, een brede neus en brede jukbeenderen. Martinez vroeg zich af hoe deze man een etnische purist kon zijn terwijl zijn uiterlijk zo'n mengeling van rassen liet zien.

'Wie bent u, als ik vragen mag?' vroeg hij.

'Politie,' zei Webster. 'We willen u een paar vragen stellen, als u er niets op tegen hebt.'

'Daar heb ik wél iets op tegen,' zei de man. 'Want wát ik ook zeg, mijn woorden zullen verdraaid en vervormd worden. Als u gerechtelijke bevelen hebt, laat die dan zien. Zo niet, dan kunt u vertrekken.'

'Dat is niet erg gastvrij,' zei Webster.

De man richtte zijn woede op het meisje. 'Hoe vaak moet ik je nog zeggen dat je geen mensen mag binnenlaten tenzij je precies weet wie het zijn!'

'Ze zeiden dat ze van de politie waren, Darrell! Wat moest ik dan? Ze laten bellen?'

'Sinds wanneer geloof jij alles wat de mensen zeggen? Je weet best dat er mensen zijn die het slecht met ons voor hebben. Heb je om identiteitspapieren gevraagd?' Darrell keek hen weer aan. 'Mag ik uw penning zien?'

Webster haalde zijn penning uit zijn binnenzak. 'We hebben op dit moment geen belangstelling voor uw filosofie, hoewel we uw ideeën best zouden willen aanhoren. We willen het met u hebben over een synagoge die vanochtend is vernield. Weet u daar iets van?'

'Absoluut niet!' zei Darrell met klem. 'Waarom zou ik?'

'Is er iemand die kan bevestigen waar u gisteravond of vanochtend vroeg was?' vroeg Martinez.

'Daar moet ik over nadenken,' zei Darrell. 'Als ik had geweten dat me de duimschroeven zouden worden aangedraaid, zou ik voor een alibi hebben gezorgd.'

'Pardon?' zei Webster. 'Noemt u dit de duimschroeven aandraaien?'

'U dringt hier binnen...'

'Zij heeft ons binnengelaten,' viel Martinez hem in de rede. 'En u hebt geen antwoord gegeven op de vraag. Waar was u gisteravond?'

'Thuis.' Darrell smeulde van woede. 'In bed. Ik sliep.'

'Alleen?'

'Alleen, ja. Tenzij u mijn poes meerekent. Haar naam is Shockley.'

'En vanochtend?' vroeg Webster.

'Even denken. Ik ben om halfnegen of daaromtrent wakker geworden. Ik weet niet exact hoe laat.'

'Ga door,' drong Webster aan.

'Ik heb een poosje gesport, op de loopband... toen ontbeten... de krant gelezen. Ik ben om ongeveer kwart over tien, halfelf hier aangekomen. Erin was er al.' Hij wendde zijn blik af van de gezichten van de politiemannen en vestigde hem op de hooivork op de bekende poster van Grant Wood. 'Wat wilt u precies?'

'Om te beginnen uw volledige naam.'

'Darrell Holt.'

Martinez keek naar het meisje. 'En u bent?

'Erin Kershan.'

Holt tikte nerveus met zijn voet op de vloer en liet opeens een stortvloed van agressie los. 'Ik heb niets te maken met vernielingen in synagogen! Zo'n groepering zijn wij niet! Wij doen niet aan haat! We doen niet aan vervolging! Als u dat is verteld, bent u verkeerd geïnformeerd. We moedigen etnische integriteit aan. Ik juich het toe wanneer joden met elkaar willen omgaan. Joden horen bij joden. Negers horen bij negers, latino's bij latino's, blanken bij blanken...'

'Tot welke etnische groep behoort u zelf?' vroeg Webster.

'Ik ben een Acadian, als u het per se wilt weten.'

'U klinkt anders niet als de Cajuns die ik ken,' zei Webster.

'De oorspronkelijke Acadians kwamen uit Canada, Frans-Canada. Nova Scotia, om precies te zijn.' Holt liet een geoefende glimlach zien. Een minachtende, onaangename glimlach. 'Ik ben trots op mijn erfgoed en daarom ben ik ook zo'n groot voorstander van het bewaren van culturele zuiverheid. En het heeft niets te maken met racisme, want zoals u zelf kunt zien,' en hij wees naar zijn haar en neus, 'heb ik negerbloed in me.'

'U geeft dus toe dat u een bastaard bent,' zei Webster.

Holt zette zijn stekels op. 'Ik heb het niet over stambomen, ik heb het over etniciteit. Mijn etniciteit is Acadian en ik wil mijn etnische zuiverheid graag bewaren. Wij zijn van mening dat het mixen van etnische groeperingen de beschaving, het individualisme en de trots al van te veel culturen heeft vernietigd. Door de immigratie is alles één grote, vormeloze klont geworden. Neem nou de verschillende keukens! Je gaat naar een Frans restaurant wanneer je zin hebt in Frans eten. Naar een Mexicaans restaurant wanneer je enchilada's wilt. Naar een Italiaans, Amerikaans of Tunesisch restaurant wanneer je trek hebt in een van die keukens. Denkt u zich eens in hoe de wereld eruit zou zien als je al die nuances, al die smaken vermengt. Apart doen ze het goed; samen zouden ze een afgrijselijke hutspot worden.'

'We zijn geen Boeuf Stroganoff, meneer,' zei Martinez. 'Het gaat hier niet om voedsel, maar om misdaad. Vandalisme is een misdaad. Wat er vandaag in de synagoge is gebeurd, valt onder *discriminerende misdaden*. De vandalen zullen gevonden worden en ze zullen gestraft worden. Als u dus iets weet, raad ik u aan er meteen mee voor de dag te komen. Want als we terug moeten komen, zal het er voor u niet best uitzien.'

'U ziet het helemaal verkeerd.' Holt pakte een handjevol pamfletten en gaf ze aan Martinez. 'U gooit ze waarschijnlijk meteen weg, maar als u zo goed zou willen zijn er iets van te lezen teneinde ons rechtvaardig te kunnen behandelen, zult u zien dat wat we zeggen heel logisch is.'

Erin mengde zich in het gesprek. 'We hebben allerlei soorten leden.'

'Uit allerlei etnische groepen,' voegde Holt eraan toe. 'We voorzien in de behoeften van mensen die in hun rechten als staatsburger zijn aangetast.'

'Zoals?' vroeg Martinez.
'Lees onze pamfletten maar. De artikelen worden geschreven door onze leden.' Hij griste er een paar van de tafel. 'Dit – over de beproevingen van positieve discriminatie van minderheden – is geschreven door een neger, Joe Staples. Dit gaat over Engels als tweede taal in Amerika en is geschreven door een ex-marinier die psychologie is gaan studeren.' Hij richtte zijn blik op Martinez. 'Meneer Tarpin licht een bekend gegeven toe. Dat we in de Verenigde Staten maar één officiële taal hebben, namelijk het Engels. Als u dit leest, zult u zien dat hij niets tegen latino's heeft. Maar iedereen die in de VS woont, zou Engels moeten spreken.' Hij glimlachte. 'Net zoals u op dit moment doet.'
'Ik ben blij dat meneer,' Martinez keek naar het pamflet, '... Tarpin tevreden zou zijn over mijn kennis van de Engelse taal.'
'Logisch ook, gezien het feit dat rechercheur Martinez een Amerikaan is,' zei Webster. 'Als u inderdaad een Canadees bent, meneer Holt, is rechercheur Martinez veel meer Amerikaan dan u. Als u er zo'n voorstander van bent dat iedereen bij zijn eigen soort moet blijven, moet u misschien teruggaan naar Canada.'
Holt liep rood aan van woede en balde zijn handen tot vuisten. Martinez bleef daarentegen volkomen kalm en las vluchtig de tekst van meneer Tarpin over waarom Engels zo'n prachtige, expressieve en brede taal was. Dat was zeker waar. Vergeleken bij de ontluikende knoppen van het Spaans was het Engels een volledig boeket, omdat het woorden gebruikte uit een hele reeks andere talen. De ironie daarvan was volkomen aan de schrijver van het stukje voorbijgegaan.
'Hebt u deze pamfletten zelf gedrukt?' vroeg Martinez.
'Ja, dat wil zeggen, de HEI.'
'In de verwoeste synagoge zijn allerlei spullen achtergelaten,' zei Martinez. 'Onder andere nazi-propaganda die op precies dezelfde velletjes papier is afgedrukt als deze pamfletten.'
'Ongeveer anderhalve kilometer verderop is een Kinko's,' beet Holt hem toe. 'Daar verkopen ze zulk papier.'
Webster zei: 'Als we uw computerbestanden zouden bekijken, zouden we geen neonazi-groeperingen vinden in uw favorietenlijstje?'
'Nee,' zei Holt vol zelfvertrouwen. 'Maar zelfs als u iets zou vinden dat u aanstootgevend zou vinden, bewijst dat niets. *Ik* heb nergens vernielingen aangericht!'
'Er zijn in de synagoge ook foto's achtergelaten,' zei Martinez. 'Gruwelijke foto's van holocaustslachtoffers...'
'Wat vreselijk,' piepte Erin. 'Wij doen niet aan zulke dingen.'
'Waar doen jullie dan wel aan?'
'Erin, laat mij maar,' zei Holt.
Ze negeerde hem. 'Wij willen de etnische identiteit zuiver houden. Dat wordt met dieren toch ook gedaan? Volbloed dit, volbloed dat. Waarom zou het dan verkeerd zijn als mensen zuiver willen blijven? U

noemt het racisme, maar zoals Darrell al zei, we zijn geen racisten! We zijn natuurbeschermers. We hebben niets tegen joden zolang die zich bij de joden houden en niet de hele aandelenmarkt willen...'

'Erin!'

'Ik zeg alleen maar wat Ricky zegt. Dat de joden de macht over alle computers hebben. Kijk maar naar Microsoft!'

'Erin, de directeur van Microsoft is William Gates III,' zei Holt. 'Klinkt dat als een joodse naam?'

'Nee.'

'Omdat Bill Gates niet joods is! Als Ricky dat zegt, kletst Ricky uit zijn nek!'

Erins mond vormde een geluidloze O.

'Wie is Ricky?' vroeg Martinez.

'Een eikel...' Holt trok een gezicht tegen Erin. 'Waarom haal je hem er nou bij?'

'Je zei dat hij een vriend van je is. Jullie hebben toch samen aan Berkeley gestudeerd?'

Holt hief zijn ogen ten hemel. Tegen de politiemannen zei hij: 'Ricky Moke staat aan Hitlers kant. Ga hém maar lastigvallen.'

'Waar kunnen we hem vinden?'

'Dat is een goede vraag,' zei Erin. 'Hij houdt zich meestal verborgen.'

'Erin, hou je mond!'

'Je hoeft niet zo lelijk tegen me te doen, Darrell. Je hebt zelf aan de politie verteld hoe hij van zijn achternaam heet.'

'Is die Moke een voortvluchtige?'

Erin en Darrell keken elkaar aan. Holt zei: 'Moke heeft elke keer een ander verhaal. Soms zegt hij dat hij door de politie wordt gezocht.'

'Waarvoor?'

'Omdat hij dingen opblaast. Met explosieven.'

Nu keken de agenten elkaar aan.

'Wat blaast hij zoal op?' vroeg Webster. 'Synagogen?'

Holt schudde zijn hoofd. 'Dierenlaboratoria. Niet de hokken met de dieren, maar de datacentra. Ricky noemt zichzelf een dierenvriend.'

4

De Thora Academy in West Hills was gevestigd in een voormalige dierenkliniek. Het moest een goedlopende kliniek zijn geweest en was blijkbaar ook voor grote dieren bestemd geweest, want de behandelkamers waren erg groot, al waren ze nog altijd te klein om als klaslokalen te dienen. Daarom waren de meeste klassen ondergebracht in geprefabriceerde gebouwtjes die het halve parkeerterrein in beslag namen. Voor de exacte vakken waren er laboratoria ingericht in het oude dierenmortuarium. In de rest van de kamers van de kliniek zat de administratie van de school. Decker wist dat de school, zoals alles in deze gemeenschap, draaide op hoop, vrijwilligers en donaties.

Rabbijn Jeremy Culter ging over de niet-religieuze vakken. Hij was midden dertig en voor een orthodoxe rabbijn erg modern. Hij had niet alleen voor rabbijn gestudeerd, maar had ook een doctorsgraad in de pedagogie, en wat eigenlijk nog veel meer over hem zei, was het feit dat hij zijn baard niet liet staan. Hij had een lichte huid en was tenger en vrij klein van stuk, maar had lange, sterk ontwikkelde armen. Zijn kantoor was eenvoudig ingericht: een bureau, wat stoelen en een boekenplank vol joodse boeken, *sefarim*, en boeken over psychologie, sociologie en filosofie. De muren waren bekleed met beschot van cederhout, maar roken nog steeds een beetje naar antiseptische middelen en hier en daar zelfs naar urine.

Decker droeg altijd een *jarmoelke* – een keppeltje – wanneer hij naar de school ging, maar vandaag was hij hier niet als vader, maar als politieman. Hij droeg naar zijn werk nooit een jarmoelke, omdat hij vaak te maken had met mensen die de politie in het algemeen en hem persoonlijk haatten en hij psychopathische misdadigers en antisemieten niet nóg meer ammunitie wilde geven om tegen joden te gebruiken. Toch voelde hij zich wat naakt toen hij zonder hoofdbedekking tegenover Culter zat. Culter liet niet merken of het ontbreken van het keppeltje hem was opgevallen.

Culter zei: 'Ik vind het moeilijk te geloven dat u denkt dat een van onze eigen jongens – een klasgenoot van uw zoon – een sjoel zou hebben ontwijd en foto's van concentratiekampslachtoffers zou hebben achtergelaten. Onze jongens hebben allemaal grootouders die de kampen hebben overleefd!'

Decker keek hem aan. 'Hoe komt het dat u zo veel over dit misdrijf weet?'

'Dit is een kleine gemeenschap. Moet ik dat echt aan u uitleggen?'

'Heeft mijn vrouw u gebeld?'

De rabbijn schudde zijn hoofd.

'Dan moet het een lid van de poetsbrigade zijn geweest.' Decker glimlachte. 'Ik stel u hierbij aan als mijn vertrouwensman, maar dan moet alles wat we bespreken wel onder ons blijven. Afgesproken?'

De rabbijn zei: 'Goed.'

'Het gaat hierom. Ik doe net alsof dit een steekproef is en ik naar drugs zoek. Die smoes ga ik op alle scholen gebruiken die we gaan doorzoeken. In werkelijkheid ben ik op zoek naar bewijsmateriaal over wie er in de synagoge heeft huisgehouden. Als u en uw school meewerken, rabbi, is dat een pre wanneer ik naar de andere privé-scholen ga.'

Culter knikte. 'De wet en de politie moeten objectief zijn.'

'Precies,' zei Decker. 'Als ik de school van mijn eigen zoon doorzoek, blijven er voor de directeuren van de andere scholen weinig uitvluchten over.'

'Hebt u tegenwerking ondervonden?'

'Dit is de eerste school, dus weet ik nog niet hoe ze zullen reageren. Maar ik kan u nu al vertellen dat geen enkele van die elitaire privé-scholen vrijwillig zal toegeven vandalen onder de leerlingen te hebben. Dat zouden de ouders, die veel schoolgeld betalen, niet op prijs stellen.' Hij legde zijn hand op zijn borst. 'Dat kan ik persoonlijk beamen.'

'Bent u er zeker van dat jongeren het misdrijf hebben gepleegd?'

'Nee. De politie onderzoekt diverse aanwijzingen. Ik heb mezelf de taak van schoolspeurder toebedeeld. Al heb ik mezelf ermee. Ik zal er bij mijn stiefzoon geen hoge ogen mee gooien dat ik zijn privacy en die van zijn vrienden ga schenden. Maar als het iets oplevert, is het me dat wel waard. Wat voor uitvluchten kunnen de andere schoolhoofden nog verzinnen als ze zien dat een religieuze man geen pogingen doet zijn eigen kroost te beschermen?'

'Dat zullen de ouders niet leuk vinden.'

'Rabbi, ik wil die schoften te pakken krijgen. Ik weet dat u dat ook wilt.'

Culter trok zijn wenkbrauwen op. 'Ik moet dus zeggen dat de politie een steekproef komt nemen om te zien of iemand hier drugs verstopt.'

'Ik zou er erg mee geholpen zijn als u dat zou willen doen.'

'Stel dat...' De rabbijn vouwde zijn handen en legde ze op zijn bureau. 'Stel dat u iets belastends vindt met betrekking tot uw zoon.'

'U bedoelt?' Decker hield zijn gezicht neutraal.

'Ik geloof dat u wel weet wat ik bedoel. Ik heb van Jaakov de indruk gekregen dat u met hem over erg persoonlijke dingen praat.' Hij zweeg en wreef met zijn wijsvinger langs zijn neus. 'Misschien had ik dit niet mogen zeggen.'

'U hebt het over drugsgebruik?'

Culter haalde zijn schouders op.

Decker zei: 'Jake heeft me verteld dat hij marihuana heeft gerookt. Als hij méér doet dan dat, weet ik daar niets van.'

De rabbijn keek stoïcijns. 'Wat gaat u doen, inspecteur, als u iets in zijn kastje vindt?'

Het was een goede vraag, die Decker een onaangenaam gevoel bezorgde. 'Daarover zal ik een besluit nemen als ik ermee word geconfronteerd. Ik ben bereid het risico te nemen, omdat ik de vandalen achter de tralies wil hebben. Helpt u me, alstublieft. Help de gemeenschap. We willen niet alleen de daders vinden, we willen ook dat dit niet nogmaals zal gebeuren.'

'Dat ben ik helemaal met u eens.'

'Dus u bent bereid me te helpen?'

'Ja, zij het met enige tegenzin.'

'Dank u, dank u!' Decker stond op. 'Laten we dan meteen beginnen.'

'Gaat u het zelf doen?'

'Ja. Als alles in orde is, kan ik de eer opstrijken. Zo niet, dan zal ik de schuld op me nemen. Waar wilt u zijn gedurende deze beproeving?'

'Ik zal u vergezellen,' zei Culter. 'U bent niet de enige die in gerechtigheid gelooft.'

De contrabande bestond uit een paar pornoblaadjes en wat plastic zakjes met verdacht ogende gedroogde kruiden, voor Decker voldoende om de boze agent uit te hangen en ervoor te zorgen dat een paar jongens van schrik hun leven zouden beteren. Hij joeg hun liever angst aan dan dat hij straffen uitdeelde; uit ervaring wist hij hoe effectief dat was. Yonkies kastje was letterlijk en figuurlijk schoon: keurig opgestapelde boeken en geen beschimmelde etensresten. Het recente gedrag van de tiener wees op een positieve verandering en Decker was blij dat hij zich hierover alvast geen zorgen meer hoefde te maken. Maar hij kreeg het niet makkelijk, omdat de jongens niet begrepen waarom Decker – een orthodox-joodse inspecteur – juist hun school kwam doorzoeken. Voor de jongens was het te vergelijken met de Gestapo die joodse kapo's gebruikte om hun eigen mensen te vervolgen. Yonkie was zo verstandig zijn mond te houden, maar zijn ogen brandden van woede en vernedering.

Er zou thuis rotzooi van komen, maar dat kon Decker wel hebben. Zijn strategie had het gewenste resultaat. Voordat hij de jesjiva verliet, belde hij directeur Keats Williams van de exclusieve jongensschool Foreman Prep om een afspraak te maken. Als rabbijnen het goed vonden dat hun school werd doorzocht, konden de anderen moeilijk weigeren.

Decker was net bij zijn auto toen Yonkie hem inhaalde. De jongen was bijna zeventien en razend knap om te zien met zijn felle blauwe ogen en gitzwarte haar. In het schooluniform – wit overhemd en donkerblauwe broek – leek hij meer op een idool uit een soap dan op een nog onzekere tiener. Hij wierp een snelle blik over zijn schouder; zijn hele lichaam sidderde, als vet op een kookplaat.

Hij zei: 'Dit heeft niets te maken met het feit dat ik aan de drugs ben geweest, hè?'

'Nee.'

'Want je had dit nooit kunnen regelen om alleen maar te controleren of ik nog steeds drugs gebruik.'

'Klopt.'

'Ik bedoel, zelfs jij hebt niet zo veel macht.'

'Nee, ik heb niet zo veel macht en het zou bovendien een kwalijk misbruik van die macht zijn geweest.'

'Ja... Dus moet er een andere reden zijn.'

Decker kon hem wel zoenen. 'Inderdaad.'

'Maar mijn vrienden weten dat niet. En die gaan helemaal over de rooie. Ze denken dat je kwaad op mij bent en dat je dat op hén afreageert.'

'Dat slaat nergens op.'

'Ik heb hun al verteld dat je niet bij de zedenpolitie zit. Dat dit er los van staat. Het zoeken naar drugs moet dus een rookgordijn zijn voor iets anders. Heeft het te maken met wat er in de sjoel is gebeurd?'

Decker aarzelde. 'Van wie weet je dat?'

'Pap, de hele school weet ervan. Iedereen is nerveus. En nu ben jij hier... Je denkt toch niet dat een van ons het heeft gedaan? Ik kan niet geloven dat je zoiets kunt denken. Dat is absurd.'

Decker gaf geen antwoord.

'Jemig!' Yonkie wendde zich af, maar draaide zich toen weer om. Zijn gezicht was rood aangelopen en bezweet. 'Ze zullen zich tegen je keren. Ze zullen zeggen dat je je eigen mensen op de korrel neemt, omdat we makkelijke doelwitten zijn. Ima zal de wind van voren krijgen. Misschien moest dit gedaan worden, maar waarom heb je het dan zelf gedaan? Om aan je meerderen te laten zien dat je niet bevooroordeeld bent? Je zou juist bevooroordeeld moeten zijn! Je had je eraan moeten onttrekken. Je had naar Beckerman's of Foreman Prep moeten gaan. Of worden de rijken soms voorgetrokken?'

Yonkie was één bonk vurige verontwaardiging, maar Decker probeerde zijn woorden van zich af te laten glijden. Hij moest doen wat er gedaan moest worden. Toch stak het hem meer dan hij bereid was toe te geven. 'Ik reageer hier liever niet op. Je kunt beter teruggaan naar je klas.'

'Alsof het nog niet erg genoeg is dat ze je achter je rug uitlachen,' beet Yonkie hem toe. 'Waarom moet je van mij en ima en Hannah ook nog eens paria's maken?!'

De woorden sneden diep. Wat een venijn uit de mond van een jongen die hij had grootgebracht en als zijn eigen zoon beschouwde. 'Jacob, het spijt me dat mijn functie als politieman wrijving veroorzaakt tussen jou en je vrienden, maar daar is niets aan te doen. Ik moet nu echt gaan.'

'Waar ga je naartoe?' wilde Yonkie weten.

'Het gaat je eigenlijk niets aan, maar ik ga nu naar Foreman Prep.'

De jongen zweeg abrupt, met zijn mond vol tanden. Hij kreeg een kleur van schaamte. 'Dus je gaat... alle scholen af?'

Decker glimlachte vergevingsgezind. 'We onderzoeken alle mogelijkheden. Het vandalisme was ernstig. Het kan beschouwd worden als een extremistische antisemitische daad, wat geldt als een zwaar misdrijf waarop zware straffen staan. Ik wil de daders te pakken krijgen. Ik neem aan dat jij dat ook wilt. Daar kunnen we het in ieder geval over eens zijn. Tot kijk.'

Jacob flapte eruit: 'Ben ik erg stom geweest?'

'Maakt niet uit.'

De jongen wendde zijn gezicht af, maar bleef staan. 'Vroeger zei ik nooit wat. Ik zei nooit wat ik dacht.' Hij krabde aan zijn gezicht. Plekjes waar zijn baard begon te groeien legden een schaduw over zijn wang en irriteerden hem. Jacob had altijd een prachtige huid gehad. Zo glad als porselein, met een vleugje roze op de jukbeenderen. Zijn huid was nog steeds vrij van smetten, maar was nu wat ruwer, de huid van een man. 'Waarom ben ik zo veranderd?'

'Je durfde nooit iets te zeggen omdat je geheimen had. Nu heb je geen geheimen meer. De keerzijde daarvan is dat je alles zegt wat er in je opkomt. Maar dat geeft niets, Jake. Ik kan heel wat hebben, zelfs een brutale bek van mijn zoon. Tot vanavond.'

'Het is dus een truc.' Jacob fluisterde nu, meer tegen zichzelf dan tegen Decker. 'Zodat je naar de andere scholen kunt gaan en zeggen: "Ik neem alles en iedereen onder de loep, zelfs de school van mijn eigen zoon." Dan kunnen ze niet weigeren.' Hij keek zijn stiefvader aan. 'Klopt dat?'

'Hou je mond en ga terug naar je klas.'

'Wat ben ik stom!'

'Eerder impulsief.'

'Ook dat.' Instinctief stak de jongen zijn armen uit en omhelsde zijn vader kort. Toen holde hij weg, gegeneerd door zijn emoties.

Decker beet op zijn lip en keek hem na. Alleen achtergebleven fluisterde hij: 'Ik hou ook van jou.'

5

DECKER REED DE OPRIT VAN FOREMAN PREP OP EN WERD METEEN OP pijnlijke wijze met zijn neus op het feit gedrukt hoe groot het verschil was tussen religieuze en privé-scholen. Foreman besloeg een enorm terrein met groene gazons in de schaduw van prachtige wilgen en statige platanen. Achter rijen beschuttende bomen stonden grote, in zuidelijke stijl uitgevoerde, bakstenen gebouwen. Of misschien waren de bakstenen alleen voor de sier, want in het voor aardbevingen gevoelige Los Angeles ontwierpen architecten geen bakstenen gebouwen. Ze zagen er in ieder geval indrukwekkend uit en omdat ze voor een groot deel met klimop waren begroeid, riepen ze beelden op van de universiteiten aan de oostkust. De buitenkant interesseerde Decker echter veel minder dan wat zich ín de school bevond. Foreman Prep bood keuzepakketten waarmee de school zich kon meten met die van de meeste *colleges*, zowel die in Californië als daarbuiten. Deckers stiefzonen hadden hier allebei op school kunnen gaan, maar Rina was er pertinent op tegen geweest. Een religieuze opleiding ging boven alles, zelfs als hun jesjiva op een piepklein terrein stond en met wisselende leerkrachten werkte. Wat haar betrof – mede omwille van de nagedachtenis van haar overleden man – kon er over sommige dingen eenvoudigweg niet onderhandeld worden.

De directeur van Foreman Prep, Keats Williams, was een dubbelganger van Basil Rathbone, afgezien van zijn kale hoofd. Een topografie van aderen en bulten rees op onder zijn glanzende huid. Zijn ogen waren bruingroen en hij sprak met een licht Engels accent. Aangeleerd? Vermoedelijk wel. Maar hij stelde Decker in ieder geval zonder laatdunkende opmerkingen in de gelegenheid hem zijn plan voor te leggen. Toen de directeur daarna aan zijn prekerige antwoord begon, keek Decker tersluiks om zich heen en had hij moeite geen grote ogen op te zetten bij het zien van de gerieflijke inrichting van Williams kantoor – een comfort waarin Churchill zich thuis zou hebben gevoeld. Hij was niet alleen het hoofd van de school. Hij was ook niet alleen doctor in de sociologie, zoals op zijn Ivy League-diploma te lezen viel. Nee, Williams was méér dan dat. Véél meer. Williams had de allure van een CEO.

'De school is onlangs nog helemaal op drugs doorzocht,' deelde de directeur aan Decker mede. 'We hebben hier een zero tolerance-beleid wat betreft drugs. Drugs, wapens en pornografie. De jongens mogen zelfs het nummer van *Sports Illustrated* waarin de nieuwe badmode wordt getoond, niet meebrengen naar school, hoewel het de eerste keer nog geen reden is voor schorsing. Het is onmogelijk jongens in de tienerleeftijd ervan te weerhouden aan seks te denken. De gedachten zijn er altijd, net als de hartslag. Maar dat wil nog niet zeggen dat je het er voortdurend over moet hebben. Ons streven is de jongens progressief te leren denken.'

Decker zei: 'Daar heb ik over gehoord. Ik heb ook gehoord dat uw school een bijzonder liberaal beleid voert inzake de vrijheid van meningsuiting, inclusief discussies over abortus, legalisatie van verdovende middelen en prostitutie, en euthanasie.'

'Dat hebt u dan goed gehoord.'

'U gaat controverses niet uit de weg.'

'Dat klopt. Maar ik hoef u er vast niet aan te herinneren dat dit slechts een klein deel is van de onderwerpen die aan de orde zijn gekomen in het wetgevende orgaan van onze staat. We houden onze leerlingen graag up-to-date, we praten over actuele zaken. Discriminerende gewelddaden behoren echter niet tot de controversiële onderwerpen. Discriminerende gewelddaden zijn weerzinwekkend en onwettig. Ik weet dat u het zoeken naar drugs gebruikt als een smoes om in de kastjes van onze leerlingen te kijken, maar als u bewijs mocht vinden... *en het maakt niet uit wat voor bewijs*, dat erop duidt dat een van onze jongens achter deze walgelijke daad zit, wens ik daar onmiddellijk van op de hoogte gesteld te worden. Ik zal dan de nodige maatregelen nemen om ervoor te zorgen dat het onderwerp met de leerlingen wordt besproken.'

'Dr. Williams, als ik bewijs vind dat een van uw leerlingen schuldig is aan het vandalisme van vannacht, wordt die leerling in hechtenis genomen.'

Williams zweeg. Leerlingen een standje en zelfs straf geven, was voor hem geen probleem. Het was een heel andere zaak als hun misdaden via radio en televisie bekendgemaakt zouden worden. Dat was niet het soort pr waar Foreman op zat te wachten. 'Wat verstaat u precies onder bewijs?'

'Dat hangt ervan af.'

'Als u bewijs mocht vinden... of misschien moet ik zeggen "bewijsmateriaal"?'

'Maakt niet uit,' zei Decker.

'En als het nodig mocht zijn... noodzakelijk, stappen te nemen, is het dan mogelijk om dat... zonder al te veel ophef te doen?'

'Ik ben echt niet van plan de pers erbij te halen.'

'En als de pers *u* mocht bellen?'

Decker gaf daarop geen antwoord.

De directeur legde zijn handen, met gespreide vingers, op het glanzend gepoetste walnoten blad van zijn bureau. 'Onze leerlingen zijn allen minderjarig. Als hun namen aan de pers worden doorgegeven, komen er moeilijkheden.'

'Dr. Williams,' zei Decker berispend, 'u wilt toch niet zeggen dat u er een voorstander van bent informatie achter te houden voor het grote publiek?'

'Men is onschuldig tot het tegendeel is bewezen,' antwoordde Williams.

Decker glimlachte. Typisch de woorden van een Amerikaan die met zijn rug tegen de muur staat.

'Ik ben dr. Jaime Dahl, onderdirecteur, belast met de sociale begeleiding.'

Decker stak zijn hand uit. 'Hartelijk dank dat u tijd hebt vrijgemaakt om...'

'Ik heb me niet vrijwillig beschikbaar gesteld voor deze heksenjacht. Die is me opgedrongen.' Een zwaai van het blonde haar. 'Laat me allereerst duidelijk maken dat ik tegen doorzoekingen ben. Ik beschouw die als een schending van de burgerrechten.'

Alweer een dwarsligger. Maar het was niet helemaal haar schuld. Op Deckers uitdrukkelijke verzoek had dr. Williams haar noch anderen verteld wat het ware doel van de doorzoeking was. Extremistische misdaden zouden haar vast en zeker met ontzetting vervullen, hoewel ze vermoedelijk zou zeggen: 'De ene wandaad rechtvaardigt de andere niet.'

Vanachter haar designbril keek ze hem met een venijnige blik aan. Daar kwam bij dat ze erg sexy was: een jaar of vijfentwintig, met sensuele lippen en prachtige benen. Ze was gekleed in een zakelijk zwart mantelpakje en zag eruit als een actrice die de rol van onderdirecteur van een school speelt. Als dit een filmscript zou zijn, zouden Decker en zij binnen een uur in bed liggen. Hij moest ongemerkt hebben geglimlacht, want haar ogen kregen een nog bozere uitdrukking. Ze keek hem vuil aan. Jammer voor haar. Hij had er een gruwelijke hekel aan met te weinig respect behandeld te worden, in het bijzonder door sexy dames.

Ze sprak afgemeten: 'Komt u maar mee.'

Ze liepen een trap af en een lange, brede, met berbertapijt beklede gang door waar de kastjes van de leerlingen zich bevonden. Ze stonden op hem te wachten: rijen jongens, ieder voor zijn kastje, handen langs hun lichaam. Twee bewakers in uniform hielden toezicht. Decker kreeg het gevoel dat hij de agressor was en dat zat hem niet lekker. Hij bleef staan. 'Maakt het iets uit waar ik begin?'

'Nee, dat is me om het even.' Jaime tikte met de neus van haar schoen op de vloer. Haar linkerbil bewoog mee met de ritmische bewegingen van haar voet. 'Laten we eerst de lagere klassen doen en dan de eindexamenklas. De jongens weten wat hun te doen staat. We hebben dit een paar weken geleden ook al gedaan.'

'*Zij* weten misschien wat hun te doen staat, maar *ik* weet dat niet.'

Jaime slaakte een ongeduldige zucht. 'De leerling opent zijn kastje, doet het deurtje helemaal open en loopt twee stappen achteruit. U doorzoekt het kastje. Wanneer u klaar bent, loopt *u* achteruit, zodat de jongen zijn kastje weer kan sluiten. Op die manier krijgen ze nog íéts van hun aangetaste waardigheid terug.'

'Dat klinkt prima.'

'Ik ben blij dat u onze methode goedkeurt,' was Jaimes vinnige antwoord. 'Zullen we dan maar beginnen?'

'Graag. Hoe eerder ik hier weg ben, hoe liever het me is.'

'Ik denk er precies zo over.'

'Waarom bent u hier zo op tegen, dr. Dahl? Het zoeken naar drugs maakt deel uit van de normale procedures van deze school. Dat moet u geweten hebben toen u hier kwam werken.'

'Het is heel wat anders wanneer een school zijn eigen reglement ten uitvoer brengt, dan wanneer de politie ons komt vertellen hoe we ons werk moeten doen.'

'Ah...'

'Ja. Ah!'

Decker glimlachte. Hij probeerde zich in te houden, maar daardoor werd ze alleen maar nog nijdiger. Ze liep met driftige passen naar de eerste jongen – een veertienjarige met een vollemaansgezicht en sproeten op zijn neus – en verzocht hem zijn kastje open te maken.

Hij deed dat precies zoals Jaime Dahl had beschreven. Decker was ervan onder de indruk.

In het kastje lagen stapeltjes papier, schriften, pennen, een paar autobladen en een groot aantal snoeppapiertjes.

'Dank je,' zei Decker. Hij deed een stap achteruit.

De jongen deed zijn kastje dicht. Jaime zei dat hij kon gaan.

De jongen liep weg.

Dat was nummer één. Ze hadden er nog een kleine driehonderd te gaan.

De tiende jongen had twee flesjes met pillen in zijn kastje. Zo te zien kreeg hij ze op recept. Decker vroeg Dahl om toelichting.

'Wanneer medicijnen worden voorgeschreven door een arts, mogen de leerlingen ze meebrengen naar school.'

'Mag ik de flesjes eruit pakken?' vroeg hij haar.

'Waarom vraagt u dat aan mij? U hebt hier de leiding.'

Hij pakte de flesjes. 'In beide flesjes zit hetzelfde medicijn.'

'Ik heb een briefje,' zei de jongen benauwd. 'U kunt mijn moeder bellen.'

Decker bekeek hem. Een mager joch, dat stond te trillen op zijn benen. 'Ik vraag me alleen af waarom je het nodig vindt zestig tabletten van welk medicijn dan ook *op school* te bewaren wanneer de voorgeschreven dosis één tablet per dag is. En dat je die *'s avonds* moet innemen.'

De jongen zei niets.

Decker zette de flesjes terug in het kastje. 'Denk daar maar eens over na. Iemand zou er een verkeerde indruk van kunnen krijgen... bijvoorbeeld, dat je het overschot verkoopt. Ik weet dat je dat niet doet, maar... het maakt geen goede indruk.'

De jongen mompelde op aangeslagen toon: 'Ja, meneer.'

'Rustig maar, Harry,' zei Jaime troostend. 'We praten hier later nog wel over.'

'Goed, dr. Dahl.'

Decker bekeek het volgende kastje, en nog een en nog een. Gedurende het daaropvolgende uur zag hij een heleboel verdacht uitziende flesjes. Soms waren het officiële flesjes van een apotheek, maar kwamen de pillen niet overeen met wat er op het etiket stond, en soms zaten er doodleuk vervalste etiketten op. Aangezien medicijnen toegestaan waren, liet Decker het aan Dahl over de jongens erover aan te spreken. Meestal was een strenge blik van de knappe onderdirecteur voldoende om de jongens ineen te laten krimpen. Decker voelde met hen mee, net zoals hij met Jacob had meegevoeld toen die hem had opgebiecht dat hij drugs gebruikte. Dat had hij nou altijd met kinderen: ze gaven hem een schuldig gevoel, zelfs wanneer hij gewoon zijn werk deed.

Er waren kastjes bij met rottende etenswaren, verfrommelde paperassen, snoeppapiertjes en andere rommel. Er waren kastjes met klamme gymkleren die nog erger stonken dan rotte papaja's. Behalve de medicijnen vond Decker heel wat gerolde sigaretten – met tabak of iets anders. Hij deed net alsof hij die niet zag. Hij vond ook pakketjes condooms, waarvan de meeste ongeopend waren. Verder veel pin-ups – de meeste van meisjes, maar er zaten ook wat stoere mannen bij. Ze lachten hem allemaal breed toe en waren allen naar behoren gekleed. Hij vond een paar indiscrete polaroidfoto's waar hij maar liever overheen keek. Het duurde niet lang voordat Jaime Dahl zich bewust werd van al die omissies. Ze werd er niet vriendelijker door, maar wel nieuwsgierig.

Ze zei: 'U maakt geen aantekeningen.'

'Pardon?'

'Ik zie dat u niets opschrijft over de spullen die u vindt.'

'Ik heb nog niets gevonden wat de moeite waard is.'

'Wat is in uw ogen dan de moeite waard?' De blauwe ogen vernauwden zich. 'U bent duidelijk niet van Narcotica. Wat komt u hier doen?' Opeens greep ze zijn arm en trok hem opzij, buiten gehoorsafstand van de wachtende leerlingen. Ze fluisterde: 'Een inspecteur heeft vast wel iets beters te doen dan naar een school te gaan om daar de met experimentele vrijheden worstelende jonge geesten lastig te vallen.'

'Vast wel.'

'U geeft geen antwoord op mijn vraag.'

Nu vernauwde Decker zijn ogen. Daarvan leek ze iets uit haar evenwicht te raken. 'We hoeven geen vrienden te worden, maar kunnen we het in ieder geval beschaafd houden?'

'Ik ken uw type. Als u me soms voor een avondje uit wilt vragen, *vergeet het maar!*'

Hij staarde haar even aan en begon toen te lachen. *Zit je ergens mee, schatje?* Hij zei: 'Mijn vrouw zou er beslist iets op tegen hebben als ik dat zou doen.'

Haar blik ging naar zijn hand.

Decker zei: 'Niet alle getrouwde mannen dragen een trouwring.'

'Alleen mannen die niet willen laten merken dat ze getrouwd zijn, dragen geen ring.'

'Dr. Dahl, ik heb een vrouw, vier kinderen voor wie ik het schoolgeld moet ophoesten, een hypotheek, en de onkosten van een Volvo station wagon van een model dat niet eens meer wordt gemaakt. We zijn een typisch voorbeeld van het doorzonwoninggezin. En toch blijf ik lachen, omdat ik, ondanks mijn cynische kijk op de planeet die we Aarde noemen, erg gelukkig ben. Kunnen we nu verdergaan? Ik heb het druk, en ik neem aan dat voor u hetzelfde geldt.'

Ze nam hem aandachtig op zonder iets te zeggen. Decker vatte haar zwijgen op als een instemming om het doorzoeken van de kastjes af te ronden. Hij was bezig met de eindexamenklas en had ongeveer de helft van de leerlingen gehad en nog steeds niets van belang gevonden. Hij voelde zich ontmoedigd door zijn falen, maar vond het aan de andere kant ook een troost. Misschien was deze school inderdaad de allerbeste.

Hij was bijna klaar met de laatste rij. Een van de kastjes was van een knappe, gespierde zeventienjarige jongen van zeker één meter tachtig lang. Hij had gemillimeterd donker haar en ogen die je aan zwaar weer deden denken: erg donkerblauw met knetterend onweer. Zijn kastje bevatte geen verboden spullen en zag er erg netjes uit. Geen foto's, geen pillen, alles op z'n plek. Maar op het gezicht van de jongen lag de licht smalende trek van superioriteit. Decker keek hem aan en hield zijn blik vast.

'Ik wil je schooltas zien.'

'Wat?' De jongen knipperde met zijn ogen, maar herstelde zich snel.

'Dat is niet volgens de regels,' zei Jaime.

'Dat weet ik,' zei Decker. Hij keek de jongen weer aan. 'Heb je er bezwaar tegen?'

'Ja.' De gespierde jongen tikte nerveus met zijn voet op de vloer. 'Ik ben er principieel op tegen. Het is een schending van mijn burgerrechten.'

Decker hield de blik van de jongen vast. 'Hoe heet je?'

'Moet ik daar antwoord op geven?' vroeg de jongen.

Decker glimlachte en keek naar Jaime Dahl. 'Hoe heet hij?'

Ze zat klem. Het begon erop te lijken dat de macho iets te verbergen had. Als ze niet op z'n minst minimale medewerking verleende, zou het eruitzien alsof ook *zij* iets te verbergen had. Met tegenzin zei ze: 'Geef antwoord op de vraag.'

De naam van de jongen was Ernesto Golding.

Decker zei: 'Ik weet het goed met je gemaakt, Ernesto. Ik ben niet geïnteresseerd in drugs, pillen, wapens... nou, wapens misschien wel. Als je een zak marihuana in je tas hebt zitten en zegt dat het vissenvoer is, zal ik je op je woord geloven.'

'Waarom wilt u dan in zijn schooltas kijken?' vroeg Jaime.

'Daar heb ik een goede reden voor.' Hij glimlachte. 'Hebben we een deal?'

De jongen zei niets. Jaime keek hem aan. 'Je mag het zelf zeggen, Ernie.'

'Dit is een duidelijk geval van intimidatie.'

Decker haalde zijn schouders op. 'Als dr. Dahl je er niet toe dwingt, heb ik geen keus. Maar dan zul je nog van me horen, jochie. En de volgende keer zal ik me misschien niet zo vriendelijk opstellen.'

Ernesto ging op zijn tenen staan en probeerde een stoer gezicht te trekken. 'Is dat een dreigement?'

'Nee. Ik doe niet aan dreigementen.'

'Het klinkt anders als een dreigement.'

'Zullen we dan maar doorgaan, dr. Dahl?'

Maar Jaime bewoog zich niet. In plaats daarvan zei ze: 'Ernie, geef hem je tas.'

'*Wat*?'

'Geef hem je tas!'

Het gezicht van de jongen vertrok en werd vuurrood. Hij liet de tas op de grond vallen en de storm in zijn ogen zat nu vol bliksemschichten. Decker pakte de rugtas op en gaf hem aan dr. Dahl. 'Kijkt *u* maar. Ik wil er niet van beschuldigd worden er iets in gestopt te hebben. Zeg het maar als u iets ziet wat er niet in thuishoort.'

'Zoals?'

'U merkt het vanzelf wel.'

Decker verwachtte aanstootgevende foto's van concentratiekampslachtoffers. Maar wat Jaime Dahl uit de rugtas haalde, was een zilveren kiddoesjbeker.

6

HET VIEL METEEN OP, GLAD METAAL TUSSEN DE BOEKEN EN SCHRIFTEN. Decker hief zijn blik langzaam op naar het gezicht van de jongen. Ernesto Golding was gekleed in een kakikleurige broek en een wit overhemd. Ernesto Golding had ogen met een intense blik, een knap gezicht, een breed voorhoofd en de armen van een gewichtheffer. Ernesto Golding zag er niet uit als een vandaal. Hij zag eruit als een knappe tiener die wel iets anders te doen had dan joden beschimpen. Decker haalde een zakdoek uit zijn zak en tilde de kiddoesjbeker uit de tas. 'Hoe kom je hieraan?'

De tiener sloeg zijn armen over elkaar en liet zijn biceps opbollen door zijn vuisten eronder te plaatsen. 'Het is een erfstuk.'

'Waarom neem jij een erfstuk mee naar school?'

De uitdrukking op het gezicht van de jongen vertoonde een eigenaardige mengeling van angst en minachting. 'Voor een spreekbeurt.'

Ik wil wedden dat het een heel interessante spreekbeurt is, dacht Decker. Jaime kwam tussenbeide. 'Wat heeft dit te betekenen?'

'Daar probeer ik juist achter te komen,' antwoordde Decker, met zijn blik op zijn prooi gericht. 'Op de beker staat iets in het Hebreeuws. Zie je wel?' Hij liet het aan Golding zien. 'Een eenvoudige tekst. Lees eens voor wat er staat.'

'Ik kan geen Hebreeuws lezen.'

'Ik dacht dat je zei dat het een erfstuk was.'

'Mijn familie is van joodse afkomst, maar dat wil nog niet zeggen dat ik Hebreeuws spreek. Dat is net zoiets als denken dat iedere Italiaan Latijn spreekt.'

Decker was een beetje verrast. 'Je ouders zijn joods?'

'Nee, mijn ouders zijn niet joods. We zijn humanisten met voorvaderen die tot het joodse ras behoren.'

Het joodse *ras*: een bekende nazi-term.

'Voor de laatste keer,' zei Jaime kortaf. 'Wat is er aan de hand?'

Decker vroeg: 'Hebt u vanochtend naar het nieuws geluisterd, dr. Dahl?'

'Natuurlijk.'

'Dan weet u dat er in een plaatselijke synagoge is ingebroken en dat er grote vernielingen zijn aangericht. Ik ben er vanochtend geweest. De schade is aanzienlijk, maar kan hersteld worden. Voor zover men heeft kunnen nagaan, is er maar één ding gestolen: een zilveren beker die gebruikt wordt bij zegeningen.'

Jaime keek naar Ernesto en toen weer naar Decker, die de beker omhoog hield. 'Dit *erfstuk* draagt een inscriptie met de woorden "Bet Josef". Dat is de naam van de synagoge waar de vernielingen zijn aangericht.'

'Het is een erfstuk,' hield Ernesto kalmpjes vol. 'We zijn bezig met het onderwerp stambomen. Dr. Dahl weet daarvan. Je kunt er extra punten mee halen voor maatschappijleer. Zou u dat even willen bevestigen, dr. Dahl?'

'Bij maatschappijleer kun je inderdaad een werkstuk maken over stambomen. Dr. Ramparts gaat erover.'

'En ik heb dat vandaag het derde uur.' Ernesto haalde de rug van zijn hand langs zijn neus. 'Ik heb deze beker speciaal meegebracht ter illustratie van de achtergrond van mijn familie en om dr. Ramparts een... authentiek idee te geven over waar ik vandaan kom. Er zal op de wereld heus wel meer dan één Bet Josef zijn.'

O, wat was hij cool! En hij dacht waarschijnlijk dat hij het zou redden. De zweetdruppeltjes op zijn bovenlip waren niet van belang. 'Dat zal best, Ernesto, maar je moet evengoed met me mee.'

'Ik wil een advocaat.'

'Dat kan geregeld worden.'

Ze namen hem mee naar het kantoor van dr. Williams, waar Decker pal achter Ernesto bleef staan toen die zijn ouders – Jill en Carter Golding – opbelde. Decker kon de verontwaardigde stemmen aan de andere kant van de lijn horen. Hij kon niet veel verstaan, maar hij hoorde wel dat ze Ernesto opdracht gaven met niemand te praten. Daarna ging alles erg snel.

Ma was er binnen zes minuten. Ze was een elfachtig vrouwtje met een mager gezicht en lang, lichtbruin, steil haar met een middenscheiding. Ze droeg een bril zonder montuur en had zich niet opgemaakt. Achter de brillenglazen fonkelden haar ogen van woede. Het soort woede dat alleen een ouder weet uit te stralen. Ze wierp allereerst een paar giftige blikken in Deckers richting. Nog bozere blikken waren bestemd voor haar zoon. Decker kende dat.

Pa arriveerde ongeveer tien minuten later. Ook hij was klein en mager. Zijn ogen waren donker en het grootste deel van zijn gezicht ging schuil achter een keurig geknipte, met zilver doorschoten, bruine baard. Hij leek eerder verbijsterd dan boos. Hij gaf Decker zelfs een hand toen die zich aan hem voorstelde. Ernesto leek op geen van beide ouders, wat voor Decker reden was zich af te vragen of hij soms was geadopteerd.

Ter vervolmaking van het tafereel kwam er pal achter pa nog iemand binnen: Everett Melrose, een advocaat uit Encino die naam had gemaakt in de politiek, voor de Democratische Partij. Hij was atletisch gebouwd, perfect gebruind, had precies de juiste dosis oprechtheid in zijn ogen, en distinctie in zijn grijze, krullende haar. Hij droeg maatpakken en kleedde zich met flair. Hij was getrouwd, had zes kinderen en deed goed werk voor de kerk waartoe hij behoorde. Hij had erg belangrijke en erg slechte mensen verdedigd en had altijd gewonnen. Voor zover Decker wist, had Melrose een brandschoon verleden. Het was bijna een wonder: een advocaat én politicus die niets te verbergen had. Melrose gaf alle aanwezigen een hand en vroeg toen of hij onder vier ogen met zijn cliënt, de jonge Ernesto, mocht praten.

Zijn verzoek werd ingewilligd.

De twintig minuten die daarop volgden, leken erg lang te duren en deden de spanning aanzienlijk stijgen.

Toen het tweetal het CEO-kantoor van directeur Williams weer binnenkwam, leek Ernesto van streek, maar viel er op het gezicht van Melrose niets af te lezen. Hij zei: 'Zou u me willen vertellen wat de reden is voor de aanhouding?'

Decker antwoordde: 'Uw cliënt heeft een gestolen beker in zijn bezit.'

'Hebben we vastgesteld dat de beker gestolen goed is?' vroeg Melrose onschuldig. 'Mijn cliënt beweert dat de beker een erfstuk is.'

Decker antwoordde: 'De beker behoort toe aan de synagoge Bet Josef, waar vannacht vandalen hebben huisgehouden.'

'Dat bestaat niet!' riep Jill uit.

'Wat bestaat niet? Dat vandalen in de synagoge hebben huisgehouden of dat uw zoon mogelijk betrokken is bij de misdaad?'

'Niet antwoorden!' zei Melrose snel.

'Ernesto, wat is er aan de hand?' vroeg Carter.

'Ik wou dat ik het wist, pap.' Ernesto tikte nerveus met zijn voet op de vloer en hield zijn blik gericht op de plint.

Aardig gebluft, maar niet goed genoeg. Decker zei: 'De beker zat in Ernesto's schooltas. Dat is een feit. Dr. Dahl is mijn getuige.'

'Had hij u toestemming gegeven zijn schooltas te doorzoeken?'

'Ik niet,' zei Ernesto.

'Het doet niet ter zake of je hem toestemming hebt gegeven of niet!' zei Carter Golding nu. 'Ik wil weten wat jij met die beker deed.'

'Bedoelt u dat de beker *geen* erfstuk is van uw familie?' vroeg Decker.

'Stil, Carter!' zei Melrose. 'Hij bedoelt niets. Hij is niet degene over wie we het hier hebben. Ik heb begrepen dat niemand toestemming had Ernesto's schooltas te doorzoeken!'

Dr. Williams zei nu eindelijk ook iets. 'In de reglementen van de school staat dat leden van de staf op ieder gewenst moment in de kastjes en persoonlijke eigendommen van de studenten mogen zoeken naar verboden goederen. Ernesto kent de reglementen. Hij heeft een erecode ondertekend, waarin hij heeft verklaard van de regels op de hoogte te zijn en heeft beloofd zich eraan te houden. Hetzelfde geldt voor meneer en mevrouw Golding. Het is een vereiste voor toelating op onze school.'

'Inspecteur Decker behoort niet tot de staf.'

'Dr. Dahl wel,' sprak Decker. 'Zij is degene die Ernesto opdracht heeft gegeven zijn rugtas open te maken.'

Een paar seconden stilte. Toen richtte Melrose zijn nieuwsgierige ogen op Jaime Dahl. 'Als u regelmatig naar verboden goederen zoekt, mag ik aannemen dat u een lijst hebt van wat daaronder wordt verstaan?'

'Natuurlijk.'

'Worden alle spullen apart gespecificeerd?'

'Gestolen voorwerpen vallen onder verboden spullen,' kwam Williams tussenbeide.

'Een beker valt er dus niet onder.'

'Een gestolen beker wel,' zei Decker.

'Naar uw zeggen, inspecteur, is er aangifte gedaan dat er uit een synagoge een beker is gestolen,' bracht Melrose naar voren. 'Hoe weet u zo zeker dat *dit* de beker in kwestie is? Er kunnen honderden van deze bekers zijn.'

'Wilt u bewijs dat deze beker in de bewuste synagoge thuishoort? Dat kan geregeld worden. Ik kan waarschijnlijk zelfs de kassabon voor u bemachtigen. Maar één ding kan ik u alvast vertellen, voor het geval uw cliënt zijn verhaal wil wijzigen. Deze beker is geen erfstuk van deze familie. We hebben hem een jaar geleden gekocht toen we zijn begonnen in de synagoge kiddoesjes te houden.'

'Wat zijn kiddoesjes?' vroeg Jaime Dahl.

'Een lichte maaltijd na de sabbatdienst. Een soort hors d'oeuvre. Voordat je iets mag eten, moet je een zegening uitspreken en daarbij wordt wijn gebruikt. Vandaar de zilveren beker.' Decker besefte opeens dat hij in dit gezelschap de deskundige op het gebied van het jodendom was. Aangezien die taak meestal voor Rina was weggelegd, voelde het vreemd aan dat die nu op zíjn schouders rustte.

Melrose zei: 'U weet veel over de synagoge in kwestie. Mag ik vragen of u er lid van bent?'

'Dat mag u vragen en ik zal zelfs antwoord geven. Ja, ik ben er lid van.'

'Dan bent u niet een onbevooroordeelde partij in dit onderzoek.'

'Dat kan zijn. Maar dat neemt niet weg dat ik deze beker herken als de beker die uit de synagoge is gestolen.'

Melrose probeerde hem te overbluffen. 'Dit alles zal bij een rechtszaak geen stand houden. U hebt een onwettige doorzoeking gedaan onder valse voorwendselen. U hebt de leerlingen verteld dat u naar drugs zocht.'

Carter stond op. 'Dwalen we niet een beetje af van het onderwerp?

Wat deed jij met een beker die vandalen uit een synagoge hebben gestolen, Ernesto?'

'Dit is niet het juiste moment om daarover te praten,' zei Melrose.

Jill zei: 'Er moet een vergissing in het spel zijn. Onze zoon kan onmogelijk iets te maken hebben met...'

'Gaat u de jongen in hechtenis nemen, ja of nee?' vroeg Melrose.

Decker leunde achterover en richtte zijn antwoord tot Ernesto. 'Ernesto, dit probleem is niet zomaar van de baan. Ik ga uitzoeken wat er is gebeurd, en als jij erbij betrokken bent, zal ik daarachter komen. Je kunt zelf een beslissing nemen of wachten tot een van je makkers je verraadt. Zeg het maar.'

'Ernie, wat is er aan de hand?' vroeg zijn moeder.

'Niks, mam,' antwoordde Ernesto. Zijn ademhaling werd opeens hoorbaar. 'Hij probeert je gewoon op stang te jagen. Hij maakt deel uit van een organisatie die mensen intimideert. Politiemensen liegen vaak. Je kunt ze niet vertrouwen. Hoe vaak heb je me dat zelf niet verteld?'

Decker zag Jill Goldings wangen rood worden. 'Ernesto,' zei hij, 'als je me de waarheid opbiecht, kan ik de rechter verzoeken coulant op te treden. Dan zul je hooguit een taakstraf krijgen. Nog belangrijker is dat ik, als je meewerkt, kan proberen of je dossier vertrouwelijk behandeld kan worden, ondanks dat je bijna achttien bent. Dan hoeven de universiteiten er niks van te weten.'

'Ik geloof geen woord van wat u zegt,' antwoordde Ernesto. 'Politiemannen zijn ziekelijke leugenaars.'

Decker trok zijn wenkbrauwen op. 'Goed. Zoals je wilt. Mijn aanbeveling zal luiden dat je als volwassene berecht moet worden.'

Ernesto stond op. 'U zult me met bedreigingen niet klein krijgen! Ik heb wel ergere nachtmerries!' Hij beende de kamer uit en sloeg de deur achter zich dicht. Ma vloog achter hem aan. Pa wachtte een ogenblik, vloekte binnensmonds en vertrok toen ook. De stilte tikte een paar ogenblikken door.

Decker vroeg: 'Gaat u hem terughalen, meneer Melrose, of moet ik de handboeien erbij pakken?'

'Ik ga hem wel halen.' Melrose verdween.

Weer bleef het stil in de kamer, tot Jaime Dahl uiteindelijk het woord nam. 'Ik kan het niet geloven! Juist van hem kan ik het niet geloven!' Ze keek Decker aan. 'Er zijn nog een paar kastjes die u niet hebt doorzocht. Zal ik dat soms voor u doen?'

'Nee, ik doe het wel wanneer ik klaar ben met Ernesto. Ik moet de namen van zijn vrienden hebben en...'

'Zover kan ik niet gaan, inspecteur,' antwoordde Jaime. 'Verklikken hoort niet bij de afspraak.'

'Verklikken?'

'Een kind betrappen op het bezit van gestolen goederen valt niet in dezelfde categorie als van een jongen verlangen andere jongens te verklikken.'

'De ravage in de synagoge is onvoorstelbaar,' zei Decker. 'De vloer was bezaaid met foto's van vermoorde joden. Hij heeft het niet in zijn eentje gedaan. Ik wil namen!'

Williams wilde net iets zeggen toen ze abrupt werden onderbroken. De deur ging open en Ernesto stommelde naar binnen. Nog buiten adem hijgde hij: 'Oké, laten we praten.'

Decker wees op zijn borst. 'Bedoelt u met mij, meneer Golding?'

'Ja... meneer.'

' "Meneer" klinkt al heel wat beter,' zei Decker. 'Het laat zien dat je manieren hebt.'

De ouders en Melrose kwamen nu ook weer binnen. Carter Goldings gezicht was rood van woede. 'Ik ben zijn vader. Ik wil weten wat er aan de hand is!'

'Dat probeer ik nu juist te vertellen, pap,' zei Ernesto op nijdige toon. 'Als je je even... gedeisd wilt houden.'

'Jij wordt ervan beschuldigd een godshuis te hebben beklad, en je wilt dat *ik* me *gedeisd* hou?'

'Carter, ik weet dat je van streek bent, maar we kunnen echt beter één ding tegelijk aanpakken,' zei Melrose.

Ernesto zei: 'Ik zal aan deze politieman vertellen wat er aan de hand is, maar ik wil eerst de garantie dat wat u daarnet hebt gezegd, inderdaad zo is. Dat het dossier verzegeld zal worden.'

Melrose zei: 'Ernesto, deze man is een inspecteur van politie. Als je wilt dat iemand je een gunst verleent, moet je je om te beginnen heel wat minder arrogant gedragen.' Hij keek Decker aan. 'Wat kunt u voor hem doen?'

'Ik kan het waarschijnlijk wel voor elkaar krijgen dat zijn rol in de zaak wordt behandeld als kwaadwillig wangedrag, al zal het niet meevallen vanwege het discriminerende element. Als echter achteraf mocht blijken dat hij liegt, hoef ik me aan geen enkele afspraak te houden.'

'Kwaadwillig wangedrag?' zei Jill. 'Wat houdt dat in?'

'Dat het als een overtreding behandeld kan worden en niet als een misdaad,' antwoordde Melrose. 'Ik ben er nog steeds niet van overtuigd dat dit de beste aanpak is.'

'Waarom ben je van gedachten veranderd?' vroeg Decker aan Ernesto.

'Daar heb ik mijn redenen voor,' antwoordde de tiener. 'Als u die wilt horen, moet u mij de garantie geven.'

'Ik zal mijn best doen,' zei Decker.

'Dat is niet goed genoeg,' zei Ernesto.

Decker stond op en pakte zijn handboeien. 'Dan niet. Ik neem je hierbij in hech...'

'Wacht even!' Nu bemoeide Carter zich ermee. 'Ernesto, als deze man je in hechtenis neemt, kan dat niet meer ongedaan gemaakt worden. Besef je dat?'

Ernesto zei niets.

'Dat valt mee, Carter,' zei Melrose sussend. 'Hij heeft hier geen rechten.'

'Kun je me dat garanderen?'

Niemand zei iets.

'Ik zal je vertellen hoe het in z'n werk gaat, Ernesto,' zei Decker. 'Jij praat, ik luister. Als je verhaal me aanstaat, zal ik me voor je inzetten. Als het me niet aanstaat, ben je niet slechter af dan nu, want dan ga ik je evengoed in hechtenis nemen. Wat je me vertelt, zal in ieder geval bij een rechtszaak niet gebruikt worden, omdat je het me gaat vertellen zonder dat je advocaat erbij aanwezig is.'

'Nee, nee, nee!' wierp Melrose tegen. 'Wie heeft gezegd dat zijn advocaat er niet bij zal zijn?'

'Meneer Melrose, als u erbij bent, geldt het als een officiële verklaring. Dan moet ik hem op zijn zwijgrecht wijzen en kan ik de verklaring gebruiken bij een rechtszaak. Dat weet u net zo goed als ik. Als u er níét bij bent, kan ik dat níet doen.'

'Wat gebeurt er als zijn verhaal u aanstaat?' wilde Carter weten.

'Dan zetten we de verklaring op schrift en moet Ernesto die ondertekenen. Vervolgens doe ik de verklaring in een verzegelde envelop en breng ik die naar de officier van justitie en die zal er dan waarschijnlijk voor zorgen dat de jongen er met een tik op de vingers van afkomt.'

'Waarschijnlijk?'

'Ja, waarschijnlijk. Ik kan het niet met zekerheid zeggen. Meer dan dit kan ik niet doen.'

'Ik stem ermee in,' zei Ernesto.

'Ernesto, je bent zeventien. Niet jíj hebt hierover het laatste woord. Begrijp je dat?'

'En u bent hierbij ontslagen, meneer Melrose. Begrijpt ú dat?'

'Ernie, wat heeft dat te betekenen?' riep Jill schril. 'Bied je verontschuldigingen aan!'

'Dit is precies de reden waarom ik hem niet zonder mijn aanwezigheid aan het woord wil laten,' zei Melrose.

Ernesto balde zijn vuisten. 'Het gaat om mijn leven, meneer Melrose. Niet om het uwe, niet om dat van mijn moeder of mijn vader. Het gaat om *mijn* leven.' Hij keek Decker aan. 'Ik kan mijn eigen woordje doen.'

Melrose zei: 'Carter, je kunt dit niet toestaan!'

'Jawel,' zei Ernesto. 'Mijn ouders hebben me altijd voorgehouden zelfstandig te leren denken. Nu moeten ze hun mooie woorden maar eens waar maken en erop vertrouwen dat ik weet wat ik doe!'

Wat moesten de Goldings daar nu op zeggen? Als Decker het script had geschreven, had hij het niet beter kunnen doen. Hij vroeg: 'Waar wil je het gesprek voeren, Ernesto?' Een korte stilte. 'Is er een klaslokaal beschikbaar?'

'U kunt gebruikmaken van de zijkamer van de docentenfoyer,' zei Williams.

Ernesto zei: 'Ik heb het laatste uur een proefwerk differentiaalrekenen. Dat is over één uur. Kunnen we er dan mee klaar zijn?'

'Dat hangt af van wat je me gaat vertellen,' zei Decker.

'Ik wil dat stomme proefwerk niet mislopen,' drong Ernesto aan. 'Ik heb er twee uur voor zitten leren!'

'Ernesto, differentiaalrekenen is op dit moment niet belangrijk!' bemoeide Jill zich ermee.

'Differentiaalrekenen is helemaal niet belangrijk, mam, maar ik moet er wel een goed cijfer voor krijgen op mijn einddiploma, anders kan ik Harvard wel vergeten.' En tegen Decker: 'U zei dat het dossier verzegeld wordt?'

'Als je verhaal me aanstaat, zal ik die aanbeveling doen.'

'En dan hoef ik er niets over te zeggen wanneer ik me inschrijf voor de universiteit?'

'Als het dossier verzegeld is, hoef je er niets over te zeggen.'

'Op de universiteit hoeft niemand er dus iets van te weten?'

'Hou toch eens op over die universiteit!' beet Carter hem toe.

'Hoe kan ik daarover ophouden, pap?' zei Ernesto woedend. 'Seks en de universiteit zijn het enige waar ik aan denk. Omdat *mamma en jij* het constant over de universiteit hebben!'

7

De privé-school bood veel extra's en een van de extra's was de docentenfoyer. Die was ingericht als een café in een boekwinkel, met tafels, stoelen, een paar gerieflijke banken en diverse computerhoeken waar de docenten verbinding konden maken met internet om hun e-mail op te halen. De ingebouwde boekenplanken bevatten een overvloed aan leesmateriaal: romans, non-fiction, tijdschriften en kranten. Aan de muren hingen mooie kunstwerken die door leerlingen waren gemaakt. Maar wat Decker helemaal het einde vond, was de wasserette-service. Toen dr. Dahl hem met open mond naar de balie zag kijken, legde ze uit dat de docenten lange uren maakten en dat dit het minste was wat de school voor hen kon doen.

Decker moest zich trouwens inspannen om haar te verstaan, omdat Ernesto tussen hen in liep. Hij negeerde de koele blikken van de aanwezigen toen ze de foyer door liepen en zei: 'Een school waar ze de was voor je doen. Wat is het beginsalaris hier?'

Dr. Dahl moest daar zowaar om glimlachen. 'Dat ligt vrij hoog, omdat alle docenten een doctorstitel hebben.'

Een laatdunkende toevoeging, bedoeld om hem zijn plaats te wijzen. Decker haalde zijn schouders op. 'Ik ben jurist. Geldt dat ook?'

Ze minderde vaart en wierp een blik in zijn richting. 'U bent jurist?'

'Ooit geweest.'

'Beëdigd en al?'

'Nu moet u me niet gaan beledigen.'

Ze bloosde. 'Zo bedoel ik het niet...'

'Ja, beëdigd en al,' zei Decker.

Jaime trok Ernesto zachtjes mee. 'Deze kant op.'

De zijkamer was een echo van de foyer zelf. Gelambriseerd, met twee tafels, elk met een computer, en een aantal gerieflijke banken. Er waren zelfs aparte toiletten bij, wat Decker erg indrukwekkend vond. Er zaten twee mensen, diep in gesprek gewikkeld. De jonge blonde vrouw stond meteen op, met rode konen en rode ogen, en glimlachte nerveus tegen dr. Dahl. De man, die wat ouder was, in de dertig, bleef op de bank zitten en probeerde er nonchalant uit te zien. Hij kamde met zijn vingers door zijn haar.

Jaime zei: 'We hebben de kamer nodig, Brent.'
De man kwam traag overeind. 'Ja. Goed.' Hij liep op veilige afstand achter de blonde vrouw aan de kamer uit.
Dahl onderdrukte een zucht en vroeg aan Decker: 'Wilt u soms een kopje koffie?'
'Doet u maar water. Voor ons allebei.'
Ernesto zei: 'Ik hoef niks.'
'Ik zal water halen. Voor het geval dat.' Jaime vertrok.
'Waar moet ik gaan zitten?'
'Waar je wilt,' antwoordde Decker.
De tiener keek om zich heen en koos een bank. 'Bent u echt jurist?'
'Ja.'
'Waarom zit u dan bij de politie?' Ernesto keek omlaag. 'Niet dat het mij iets aangaat.'
'Ik hou van het werk.' Decker pakte zijn notitieboekje.
Ernesto zei: 'Ik heb ooit een documentaire gezien over de politie. Dat politiemensen die met pensioen gaan, moeite hebben zich opnieuw aan te passen aan het burgerleven. Zo noemen ze dat toch bij u?' Hij keek op naar Decker, wachtend op een bevestiging, maar Decker zei niets. 'De verteller of commentator, of hoe je dat ook noemt, zei dat politiemensen adrenalinejunks zijn... dat de gewone wereld saai is, vergeleken bij wat ze gewend zijn. Een hoog percentage onder hen pleegt zelfmoord. Omdat ze verslaafd zijn aan adrenaline, zoals andere mensen verslaafd zijn aan drugs.'
Decker zei: 'Ben jij aan drugs verslaafd?'
Ernesto haalde zijn schouders op. 'Nee. Drugs gebruik je alleen voor de lol. Als verzetje, omdat de feestjes zo saai zijn.'
'Heb je daarom huisgehouden in de synagoge? Omdat je je verveelde?'
Jaime Dahl kwam de kamer in met een fles mineraalwater en twee glazen. 'Verder nog iets?'
'Nee, dank u.' Decker slaagde er niet in de scherpe ondertoon uit zijn stem te weren. Hij wilde eigenlijk zeggen: hoepel op!
Dahl voelde het aan. 'Ik ben in de foyer.'
'Waar zijn mijn ouders?' vroeg Ernesto.
'Bij dr. Williams.'
'Is meneer Melrose bij hen?'
'Ja.'
Decker zei: 'Als je tijdens het gesprek wilt overleggen met je ouders of je advocaat, moet je dat zeggen.'
Ernesto haalde diep adem en ademde daarna uit. 'Dat hoeft niet. Ik kan het wel alleen.'
Een stilte. Toen zei Jaime: 'Dan ga ik maar.'
Decker glimlachte. Hij bleef glimlachen, ook nadat ze de deur achter zich had dichtgetrokken, en wachtte tot de jongen zou beginnen. Hij

probeerde oogcontact te maken. Daarin slaagde hij een paar seconden, toen keek Ernesto naar andere dingen: de screensavers van de computers, de snoepautomaat, een schilderij aan de muur. Zijn houding was nonchalant, maar op zijn slaap klopte een ader en hij had zijn kaken stijf op elkaar geklemd. Hij zag er nu allesbehalve hooghartig uit. Integendeel, Ernesto was ongerust... hij zat ergens mee.

'Eigenlijk is dit wel goed.'

'Wat is goed?' vroeg Decker.

'Dat u en ik even samen alleen kunnen zijn. Ik wil niet dat mijn ouders en hun advocaat alle details te horen krijgen over wat er is gebeurd.'

'Hun advocaat is jouw advocaat. Je zult het hem evengoed moeten vertellen.'

'Dat zal ik ook doen, maar hij hoeft geen details te weten. Ik bedoel, hij moet wel details weten, maar niet...' Ernesto zocht naar woorden.

'De precieze details?'

'Ja. Dat bedoel ik. Ik zal het aan u vertellen. Misschien kunt u de scherpe kantjes eraf halen.'

'Je kunt het verhaal voor je advocaat net zo inkleden als je wilt.'

'Er is niemand gewond geraakt.'

'Dat is waar.'

'Denkt u dat we iets kunnen regelen?'

'Dat weet ik pas wanneer ik heb gehoord wat je te vertellen hebt.'

'En als u niets kunt regelen?'

'Dan ben je niet slechter af dan een paar minuten geleden.'

Ernesto vouwde zijn handen op zijn schoot. Een filmpje van zweet glansde op zijn brede voorhoofd. 'Ik ben niet losgeslagen. Ik weet dat u dat denkt, maar het is niet zo. Ondanks wat ik heb gedaan, koester ik geen wrok tegen iemand of zo. Ik heb best een goed leven. Ik haat mijn ouders niet. Ik heb vrienden. Ik ben niet verslaafd aan drugs, al rook ik af en toe een stickie. Ik ben een van de besten van mijn klas, ook in sport. Ik krijg veel zakgeld, heb mijn eigen auto...'

Stilte.

'Maar je verveelt je,' zei Decker.

'Niet echt.' De tiener liet zijn tong over zijn lippen gaan. 'Ik heb een probleem. Ik heb hulp nodig.'

Stilte. Toen zei Decker: 'Wil je dat ik de rechter verzoek je psychotherapie voor te schrijven in plaats van je straf te geven?'

'Nee, ik ben bereid een straftaak te doen. Ik heb me misdragen. Dat weet ik. Het was niets persoonlijks, inspecteur Decker. Echt niet. Ik heb een... obsessie. Ik... moest het doen.'

'Je voelde je gedwongen een synagoge te vernielen?' Decker hield zijn stem neutraal. 'Hoe kwam dat?'

'Ik moest er aldoor aan denken. Al heel lang. Ik kon nergens anders meer aan denken. Ik heb hulp nodig. Maar ik moet zeker weten dat ik de juiste psychotherapeut krijg.'

'Ik begrijp niet goed waar je om vraagt, Ernesto. Ik kan niemand aanbevelen.'

'Mijn ouders zouden het prachtig vinden als ik me onder behandeling liet stellen.' Hoofd naar beneden. 'Ze staan zelf al járen onder behandeling. Ze vinden dat iedereen in therapie moet. Als ik naar een psychiater ga, zullen ze heel blij zijn, denk ik.'

Decker zweeg afwachtend.

'Maar ik wil niet bij hun psychiater en ook niet bij mensen die hij zou aanbevelen,' zei Ernesto. 'Hij is niet wat ik nodig heb... ik wil geen *goede vriend* met wie je over dingen kunt praten. Ik heb hulp nodig. Daarom praat ik ook met u.'

'Ik ben geen psychiater, Ernesto.'

'Dat weet ik, dat weet ik. U wilt alleen maar een bekentenis, zodat u deze zaak kunt afsluiten. Maar als u eenmaal iets meer weet over de achtergrond, kunt u misschien met de officier van justitie overleggen of er iets voor me gedaan kan worden.'

Als de jongen toneelspeelde, deed hij dat geweldig. Hij leek écht van streek. Hij kon niet stilzitten, zat constant te friemelen. Decker, de onverbeterlijke optimist, was bereid naar zijn verhaal te luisteren. Misschien had deze jongen, die een synagoge met afschuwelijke leuzen had beklad en gruwelijke foto's had achtergelaten, een verhaal te vertellen.

'Ernesto, ik zal mijn best doen. Maar eerst moet ik je verhaal horen. Als je bereid bent het me te vertellen, ben ik bereid te luisteren.'

'Goed. Maar het zal niet makkelijk zijn, want ook al kom ik uit een gezin dat zo liberaal is dat het aan het radicale grenst, aan openhartige communicatie doen we niet. Ik weet wat mijn ouders willen, en als ik me daaraan houd, krijg ik mijn beloning. Dus houd ik me koest, veroorzaak ik geen deining. Zal ik dan maar beginnen?'

Decker knikte aanmoedigend.

'Toen u me vroeg of mijn familie joods is, en ik zei "alleen mijn voorvaderen", was dat niet spottend bedoeld. Maar ik sprak niet de volledige waarheid, en dat is het probleem. Mijn achternaam is Golding. De vader van mijn vader, mijn grootvader dus, was joods. Mijn grootmoeder van vaders kant was katholiek. De moeder van mijn moeder behoorde tot de evangelisch-lutherse kerk, haar vader tot de Iers- katholieke. Ik ben een echte bastaard wat religie aangaat. Dus hebben mijn ouders, overtuigd liberaal als ze zijn, me opgevoed zonder religie, met alleen een idee over rechtvaardigheid voor alle mensen. Maar denk niet dat ik mijn ouders afkraak... Weet u wat ze voor hun werk doen?'

'Golding Recycling.'

'Ja. Wist u dat ze tot de top-vijftig van de industriëlen van Los Angeles behoren?'

'Je ouders hebben het helemaal gemaakt.'

'Ze zijn erg oprecht, dat moet ik hun nageven. Alles wat ze doen,

doen ze met in hun achterhoofd het milieu, burgerrechten, daklozen, aids, noem maar op. Ze zijn ook eeuwig aan het geld inzamelen. Soms was dat thuis wel lastig, al was er vijftig procent van de tijd altijd één ouder aanwezig voor mij en mijn broer Karl. Karl schrijf je met een K.'

'Zoals bij Karl Marx. En jij bent genoemd naar Che.'

'Ja. Mijn ouders waren in de tijd dat ze ons namen moesten geven, niet erg subtiel. Daar is door de jaren heen verbetering in gekomen, en alhoewel ze op het hoogtepunt van hun radicale periode altijd op de barricades klommen, hebben ze nooit de wet overtreden. Daarom wonen ze nu in een villa in Canoga Estates en hoeven ze niet steeds valse namen te verzinnen omdat ze voor de politie op de vlucht zijn.'

'Je mag je ouders graag.'

'Ja... ja, inderdaad. Ik... heb bewondering voor hen, hoewel ik me bewust ben van hun tekortkomingen. Daarom is dit allemaal zo beroerd.'

'Wat is beroerd?'

'Ik. Ik zal u over mijn aandeel in de zaak vertellen, maar verder ga ik niet. Ik ben geen verklikker, ik verraad mijn vrienden niet.'

'Er zijn dus anderen bij betrokken?'

'Dat heb ik niet gezegd. Gaat u er maar van uit dat ik de enige dader ben.'

'Nu spreek je jezelf tegen.'

'Maar daar wil ik het op houden. Kan ik doorgaan?'

'Ik ben een en al oor,' zei Decker. De jongen leek niet te weten waar hij moest beginnen. Decker hielp hem op weg. 'Waarom heb je vernielingen aangericht in die synagoge?'

'Dat is een goede vraag. Ik heb niets tegen joden.' Hij wendde zijn blik af. 'Het heeft te maken met mijn eigen problemen. Ik heb altijd dwangneuroses gehad, en nu scherm ik niet zomaar met termen uit de psychiatrie. Mijn hele leven heb ik eigenaardige rituelen gevolgd. Sommige daarvan ben ik inmiddels ontgroeid, maar er zijn dingen... waar ik niks tegen kan doen. We hoeven niet in details te treden, maar mijn obsessies hebben hiermee te maken, omdat ik, wanneer ik eenmaal iets in mijn hoofd heb, er nooit meer van afkom. Dat is het probleem. Ik heb rare dromen... of eigenlijk zijn het fantasieën, want wanneer ik wakker ben, blijf ik erover nadenken. Ze hebben te maken met mijn joodse grootvader, Isaac Golding. Hij bleek namelijk helemaal niet joods te zijn. Ik geloof zelfs dat hij een nazi was.'

Decker hield zijn gezicht in de plooi. 'Isaac is een eigenaardige naam voor een nazi.'

'Dat komt omdat het niet zijn echte naam was. Daar ben ik een half-jaar geleden achter gekomen. Weet u nog dat ik het had over de taak voor maatschappijleer?'

'De stamboom. Dr. Ramparts.'

'Precies. Het is een taak waar je een heel semester aan mag werken. Dr. Ramparts wil gedetailleerd en correct werk zien. Ik ben er nu al een tijdje mee bezig en kreeg aanvankelijk de meeste informatie mondeling van mijn ouders, omdat al mijn grootouders dood zijn. Ik vond echter dat ik wat onderzoek moest doen, om hiaten op te vullen. Dus ben ik gaan neuzen in de koffers met oude documenten die mijn vader op de zolder heeft gezet.'

'Hebben jullie dan een zolder?' zei Decker.

'Ja. Ik weet dat de meeste huizen in L.A. geen zolder hebben, maar zoals ik al zei, wonen wij in een knots van een villa.'

'Sorry dat ik je in de rede viel. Ga door. Je ging oude documenten bekijken.'

'Ja. Volgens mij wist mijn vader nergens van. Hij had de spullen gekregen nadat zijn moeder was gestorven.' Ernesto zweeg en dronk wat water. 'Iedereen dacht dat mijn grootvader in 1937 aan de nazi's was ontsnapt en naar Argentinië was vertrokken. Maar die oude documenten toonden aan dat het verhaal van mijn grootvader er tien jaar naast zat. Voor zover ik het kon bekijken, was mijn opa in 1946 of 1947 pas naar Zuid-Amerika gereisd en heette hij toen Jitschak Golding. Jitschak is Hebreeuws voor Isaac. Maar dat hoef ik u natuurlijk niet te vertellen.'

Decker knikte. Jitschak was de naam van Rina's overleden eerste man, de vader van zijn stiefzonen.

Ernesto haalde diep adem en ging door. 'Dus dacht ik: goed... opa is dus pas na de oorlog naar Zuid-Amerika gegaan. Hij heeft zich vergist. Toen ik hem kende, was hij oud en een beetje seniel, dus kon ik dat aan zijn slechte geheugen wijten. Op een gegeven moment heb ik het aan mijn vader verteld, in de verwachting een logische verklaring te krijgen. In plaats daarvan verstijfde hij en beschuldigde me er vervolgens van dat ik alleen maar moeilijkheden creëerde... wat helemaal nergens op sloeg. Wanneer mijn vader ergens niet over wil praten, kijkt hij je aan met een wat meewarige glimlach en zegt: "Een andere keer, Che." Hij noemt me altijd Che wanneer hij gelijk wil krijgen. Maar ditmaal werd hij kwaad. Hij liep helemaal rood aan en beende de kamer uit. Ik wist niet hoe ik het had. Het betekende dat ik een gevoelige snaar had geraakt, snapt u?'

Stilte.

Decker zei: 'En toen?'

'Toen niks. Ik ben er nooit meer over begonnen en mijn pa al helemáál niet.'

'Maar je bent nieuwsgierig en hebt er geen logische verklaring voor en kunt het aan niemand vragen.'

'*Juist!* Ogenschijnlijk heb ik het van me afgezet, maar het knaagt aan me. Ik moet er constant aan denken. Want ik begon te redeneren: als opa in 1947 naar Zuid-Amerika is gegaan, wil dat zeggen dat hij gedurende de hele oorlog in Europa was. En als hij joods was, moet hij tijdens de oorlog op de een of andere manier geleden hebben. Ik heb vrienden met grootouders die joods zijn en uit Europa komen, en die hebben allemaal oorlogsverhalen. Maar *ik* kan me niet herinneren ooit oorlogsverhalen gehoord te hebben. Niets over de... de holocaust... of de concentratiekampen. En ook geen verhalen over hoe ze het overleefd hebben.'

'Ik begrijp het.'

'Bovendien was de familie van mijn grootvader intact – hij had zijn ouders nog, een zus, een broer – wat heel goed had gekund als ze inderdaad in 1937 naar Zuid-Amerika waren gegaan, want de kampen begonnen daarna pas echt goed te draaien. Maar het is *niet* logisch dat ze nog allemaal in leven waren als opa pas in 1947 was afgereisd. Snapt u wat ik bedoel?'

'Je grootvader heeft zich voor een ander uitgegeven.'

'Tot die conclusie was ik inderdaad gekomen. Mijn vader zei dat ik me in de datum moet hebben vergist. Maar dat geloof ik niet.'

'Heb je de geboorteakte van je grootvader?'

'Nee, en dat is een probleem. Er zijn wel andere documenten. Ik heb gezocht... op allerlei plekken, mensen gebeld. Ik heb een Jitschak Golding gevonden die in 1940 naar Treblinka is gestuurd, een kamp in Polen. Hij is daar nooit meer uit gekomen. Zijn broers en zusters waren ook naar de concentratiekampen gestuurd. Evenals zijn ouders. Geen van hen is teruggekomen. Geen tantes, ooms, neven of nichten... ze zijn allemaal verdwenen. Dood. De familie is net zo definitief uitgestorven als dinosaurussen. Ik draag de naam van joodse geesten. Ze kwellen me, inspecteur Decker. Dag en nacht kwellen ze me. Hun gezichten en hun dode lichamen.' Golding keek op, zijn stormkleurige ogen stonden wild. 'Ik moest van ze af. Daarom heb ik het gedaan.'

'Daarom heb je vernielingen aangericht in de synagoge?'

Hij knikte.

'En zijn de geesten nu verdwenen?'

Hij schudde zijn hoofd. 'Natuurlijk niet. En ze zullen ook niet verdwijnen, tenzij ik vrede met hen sluit. Ik weet niet of dat mogelijk is. Het valt niet mee om met geesten te praten. Ze verschijnen alleen in je dromen, ziet u.' Ernesto haalde de rug van zijn handen langs zijn betraande ogen. 'Ik had een jaar lang een vriendin. Lisa. Ik was gek op haar, ze was geweldig... mooi, intelligent. Nadat ik die dingen over mijn grootvader te weten was gekomen, heb ik het uitgemaakt. Ik kon gewoon niet meer met haar samen zijn.'

'Ze is joods?'

'Ja.'

'En dat is de reden waarom je het hebt uitgemaakt?'

'Natuurlijk. Ik was bang dat ik haar iets zou aandoen. Vanwege die dromen... die fantasieën die ik heb. Ik wilde haar geen kwaad doen. Ik hield van haar. Ik hou nog steeds van haar. Maar ook nadat ik het had uitgemaakt, werd ik door die fantasieën gekweld.

De fantasieën... hebben te maken met seks. Aan de ene kant walg ik ervan, aan de andere kant raak ik er, op een ziekelijke, primitieve manier, opgewonden van. Lisa en ik gingen met elkaar naar bed, maar op de normale manier. Nu kan ik alleen maar denken aan ziekelijke manieren. Haar te kleineren... haar pijn te doen. Ik vind het vreselijk dat ik zo ben, maar ik kan er niets aan doen. En sommige dingen kun je niet verborgen houden.'

De zwelling in zijn broek was zichtbaar.

'Al die dingen spoken rond in mijn hoofd, terwijl ik probeer goede cijfers te halen. *Ik... heb... hulp... nodig!*'

Een fascinerend geval en een sympathieke tiener. Decker was geen psychiater, maar de jongen leek oprecht. Hij legde het er niet te dik op en zat er duidelijk over in. Wat zou Rina ervan denken als ze erachter kwam dat Decker medelijden had met de vandaal?

'Vertel me eens hoe je het hebt gedaan,' zei hij. 'Hoe ben je aan de foto's gekomen? Ze zien eruit als originelen. Heb je ze van een neonazigroep of zaten ze in de koffers op jullie zolder?'

'Wat maakt dat uit? Ik had ze gewoon.'

Decker vroeg op de man af: 'Welke jongens van je school zijn erbij betrokken?'

'Nee, nee, ik geef toe dat ik het heb gedaan, maar verder ga ik niet. Ik sleur niemand met me mee. Dat is uw werk, niet het mijne.'

Decker kon hem onder druk zetten. En misschien zou hij dat in een later stadium ook nog wel doen. Maar zijn motto was: één ding tegelijk. En nu Decker wist dat Ernesto erbij betrokken was, zou de rest vanzelf wel komen. 'Ik weet zeker dat de rechter die over deze kwestie een uitspraak zal doen, zal eisen dat je een basisbehandeling ondergaat.'

'Ik heb méér nodig dan dat.'

'Dat ben ik met je eens.'

Ernesto hief met een ruk zijn hoofd op, verrast door Deckers oprechtheid.

Decker zei: 'Je zult met je ouders moeten praten...'

'Nee, nee, nee, nee! Daar komt niets van in! Ik verbied u hierover iets tegen hen te zeggen. Ik beken dat ik de dader ben, dat ik de synagoge heb vernield. Ik denk dat mijn vader wel zal begrijpen wat erachter zit, omdat ik geloof dat hij, diep in zijn hart, weet hoe het zit met opa's verleden. Maar hij heeft de waarheid nog niet onder ogen gezien. En misschien zal hij dat nooit doen. In ieder geval hoeven mijn ouders niet op de hoogte gebracht te worden van de details. Van mijn fantasieën...'

'Zul je het wel allemaal aan de psychiater vertellen?'

'Als ik er een kan vinden die ik kan vertrouwen.'

Terwijl hij Decker daarover zonder aarzelen alles had verteld.

Ernesto leek aan te voelen wat Decker dacht. 'Mijn ouders hebben een verheven beeld van me. Ik hoef toch niet *alles* voor hen te bederven? Het maakt me niet uit als *u* denkt dat ik een zak ben, een verwend rijkeluiszoontje dat zich inlaat met neonazi's omdat hij zich verveelt en een eikel is. Tegenover u heb ik niets te verliezen. Ik zeg alleen maar wat u al denkt. Al ben ik dus niet zo. Ik bedoel, ik heb problemen, maar ik ben geen aanhanger van de neonazi's. Vraag maar aan Jake.'

Bij het horen van de naam van zijn stiefzoon sloeg Deckers hart een slag over. Hij gaf geen antwoord.

Ernesto zei: 'We gingen een tijdje naar dezelfde feestjes. Iedereen wist dat Jakes vader een hoge ome was bij de politie. We waren niet echt vrienden, maar we kenden elkaar.'

Dat wilde zeggen dat ze waarschijnlijk samen stickies rookten. Decker bleef zwijgen.

'Niet dat Jake over u praatte.' Ernesto keek langs Decker heen. 'Hij praatte nooit over persoonlijke dingen. Hij was in staat een heel gesprek met je te voeren zonder iets over zichzelf te zeggen. Alsof hij oprecht belangstelling had voor wat jíj te vertellen had. Op meisjes werkte dat als een magneet. Plus het feit dat hij zo verrekte knap is, natuurlijk. Maar ik had altijd het idee dat hij iets te verbergen had. Alsof hij een beetje voor politieagent speelde. Ik heb hem trouwens al een tijd niet gezien. Hoe is het met hem?'

'Laten we het gesprek bij jou houden, Ernesto. Wat wil je dat ik aan de officier van justitie voorleg?'

'Als ik nou eens... een officiële verklaring afleg? Dan kunnen we daaraan schaven tot we er allebei tevreden over zijn.'

'Als jij me nou eens gewoon vertelt waarmee ik naar de officier van justitie kan stappen?'

'Kunt u me hiermee niet helpen?'

'Nee. Dan zou ik woorden in je mond leggen.'

'Goed. Dan zoek ik het zelf wel uit. Wat moet ik doen?'

Decker deed zijn tas open en haalde er een vel papier en een pen uit. 'Je kunt om te beginnen alles opschrijven.'

8

HIJ HAD OPDRACHT GEKREGEN HANNAH VAN SCHOOL TE HALEN, OM precies halfvier. Dit was iets waarover niet gediscussieerd kon worden, dit was iets wat hij moest doen, omdat Rina nog druk was met het schoonmaken van de sjoel. Ze weigerde de synagoge te verlaten voordat die was teruggebracht tot zijn maagdelijke staat. Het maakte niet uit dat Decker midden in het onderzoek zat naar de misdaad die de reden was waarom ze de sjoel moest schoonmaken. Hij moest daar gewoon even mee ophouden en zijn rol van vader vervullen.

Hij wist wel waarom zijn vrouw zo gespannen was. De walgelijke obsceniteiten in de synagoge waren iets waar zij – de dochter van holocaustoverlevenden – niet tegen kon. Schoonmaken was niet alleen een manier om teniet te doen wat er had plaatsgevonden, maar ook om doodgewoon iets te dóén. *Actie* als tegenhanger van stilzitten en je als slachtoffer gedragen. De mensen van de technische recherche waren tot ver na het middaguur bezig geweest en de synagoge was nu niet alleen bevuild door wat de vandalen hadden achtergelaten, maar zat bovendien helemaal onder het vingerafdrukpoeder. De haatdragende pamfletten en afschuwelijke foto's waren in zakken gestopt en weggebracht. Alhoewel het misschien een tijdje zou duren om alle puzzelstukjes op hun plaats te leggen, was Decker er zeker van dat het zou lukken. Het was nu alleen nog maar een kwestie van uitzoeken met wie de jongen contact had gehad. Een zaak waar Wanda Bontemps zich mooi in kon vastbijten. Ze was nog nieuw bij hen en zou hiermee een kans krijgen te laten zien wat ze waard was. En als ze mentors nodig had, kon ze zich niemand beter wensen dan Webster en Martinez.

Decker parkeerde zijn auto naast het schoolplein. Eigenlijk was schoolplein een erg groot woord voor het terreintje met de twee basketbalpalen dat de afmeting had van een parkeerterrein voor zes auto's. Tweemaal per dag mochten de kleintjes er twintig minuten op hun driewielers rondjes rijden, touwtjespringen en tikkertje doen. Hij stapte uit de auto en staarde naar het asfalt.

'Waar zijn de schommels en glijbanen?' had hij aan zijn vrouw gevraagd.

'Waar is het geld ervoor? Als je er geld voor kunt vinden, krijgen we schommels en glijbanen.'

Samen met hem stond er een groepje kwebbelende moeders te wachten, waardoor hij zich voelde als een wrat op het gezicht van een schoonheidskoningin. Een van de vrouwen glimlachte bedeesd. Decker glimlachte terug, maar te oordelen naar de uitdrukking op haar gezicht, kwam zijn glimlach over als een grijnslach. Ze keerde hem de rug toe en babbelde verder.

Rina zou zijn afstandelijke houding niet goedkeuren, maar dat zou ze nooit tegen hem zeggen. Ze wist dat zijn hart op de juiste plek zat, evenals zijn handen. Hij had de toiletruimte van de sjoel vrijwel in zijn eentje opgeknapt. Hoewel ze hem hartelijk hadden bedankt, had hij geweten wat ze dachten. *De gojim zijn toch maar wát handig met gereedschap.* Alsof hij niet én intelligent én handig kon zijn.

Alles in hun kleine joods-orthodoxe gemeenschap draaide op zweet en gebeden. De lagere school was een dertig jaar oude kliniek geweest. Vlak voordat die met de grond gelijk zou worden gemaakt, was er iemand naar voren gekomen met een aanbetaling. De architect, die de broer was van een lid van de sjoel, was erin geslaagd alle ruimtes onder één dak te brengen. De klaslokalen waren erg klein, maar het was tenminste hún school. En een arts van de kliniek was zo vriendelijk geweest een skelet achter te laten voor de biologieles – het modernste accessoire dat de school bezat. Er was trouwens nog heel wat te doen geweest over dat skelet. Het lichaam was van plastic, maar de schedel had ooit toebehoord aan een levend mens. Uiteindelijk waren bij de stemming de progressieve orthodoxen in de meerderheid geweest en had meneer Skelet mogen blijven.

Hannah holde door het openstaande hek naar buiten. 'Pappaaaaa!'

'Hannah Rosieeee!' imiteerde Decker haar en hij ving de zevenjarige op in zijn armen. 'Hoe was het op school?'

'Fijn! Hoeveel slechteriken heb je vandaag gevangen?'

'Honderd miljoen.'

'Hoera!' Hannah schopte met haar voetjes. Toen wriemelde ze naar beneden tot ze weer op haar eigen beentjes stond. 'Waar is ima?'

'Die moest ergens naartoe.'

'Naar de sjoel?'

Decker bekeek haar aandachtig. 'Eh, ja.' Hij zakte op zijn hurken en keek zijn dochter in de ogen. 'Wat weet jij over de sjoel?'

'De juffen zeiden dat een nare man er een heleboel rommel heeft gemaakt.' Ze trok haar wenkbrauwtjes samen in een uitdrukking van verdriet en angst. 'Een man die een hekel heeft aan joden. Gaat hij ons iets doen, pappa? Net zoals die boze man die op de kinderen in het wijkcentrum heeft geschoten?'

'Nee, lieverd. Niemand zal ons iets doen. Het is al opgelost.'

'Heb je de boze man gepakt, pappa?'

'Zo ongeveer.'

'Ik ben bang. Waarom is ima daar?'

‘Alleen maar om te helpen met schoonmaken.’
‘Is er echt niemand doodgeschoten?’
‘Nee, lieverd, er is niemand doodgeschoten.’ Wat een wereld! ‘Kom, dan gaan we naar huis, tekenfilmpjes kijken.’
Onderweg was Hannah erg stil. Decker probeerde haar aan de praat te krijgen, maar het meisje reageerde niet. Pas toen ze vlak bij huis waren, begon ze te praten, maar het had niets te maken met de sjoel. Het was een tirade over Mosje die altijd haar potloden pakte... hij griste ze zomaar uit haar hand, zonder te vragen of ze het goedvond!
‘Dat is erg onbeleefd,’ zei Decker.
‘Hij heeft niet één keer gevraagd of hij ze mocht hebben,’ ging ze verontwaardigd door. ‘En... en hij zegt ook nooit dankjewel.’
‘Wat een slechte manieren.’ Decker parkeerde de auto op de oprit, hielp zijn dochter eruit en pakte Hannahs schooltas, die wel tien kilo leek te wegen. ‘Hoe draag je dit?’
‘Op mijn rug.’
‘Nee, ik bedoel, hij is zo zwaar.’
‘Ja,’ zei Hannah instemmend. ‘Soms gebruik ik de wieltjes. Mag ik Fruitella?’
‘Geen snoep voor het eten. Je mag wel een glas melk en wat biscuitjes.’
‘Ik hou niet van biscuitjes. Mag ik een glas melk en Fruitella?’
Decker was te moe om ertegenin te gaan. ‘Vooruit dan maar.’
‘O, pappa!’ kraaide Hannah, terwijl ze haar magere armpjes om zijn middel sloeg. ‘Jij bent de liefste pappa op de hele wereld!’
Vrij vertaald: mamma zou het nooit goedvinden, maar jij bent altijd te paaien. Hij zette haar voor de tv en maakte van de tijdelijke rust gebruik om zijn vrouw op te bellen. ‘Ik wilde je even laten weten dat we thuis zijn.’
‘Fijn. Is alles in orde?’
‘Ja, als je het niet erg vindt dat ze Fruitella zit te smikkelen.’
‘En als ik dat wél erg vind?’
‘Dan ga je haar de volgende keer maar zelf afhalen.’
Rina lachte. ‘Dankjewel dat je haar van school hebt gehaald. Ik heb geen rust zolang de sjoel niet schoon is.’
‘Zijn jullie bijna klaar?’
‘Was het maar waar. Ik weet niet wie er erger heeft huisgehouden: de vandalen of de mannen van de technische recherche. Judith Marmelson en Renée Boxstein zijn hier. Renées man, Paul, komt zo dadelijk met potten verf. Als je Hannah naar haar vriendinnetje Ariella Hackerman brengt, kun je ook komen helpen.’
‘Ik zal helaas verstek moeten laten gaan. Ik wacht op Yonkie, dan kan hij oppassen, want ik moet terug naar het bureau. Ik zat ergens midden-in toen ik Hannah moest gaan halen, al gaf dat niets, want het was eerlijk gezegd wel prettig om even pauze te nemen.’

'Hoe gaat het met het onderzoek?'
'Veelbelovend. Meer kan ik je niet vertellen.'
'Veelbelovend klinkt goed. Veelbelovend klinkt bemoedigend.'
'Dat is het ook.'
'Hebben jullie een verdachte?'
'Meer kan ik je niet vertellen.'
'Aan jou heb ik ook niks, zeg.'
'Nee, maar dat wist je toen je met me trouwde.'

Yonkie was bijtijds thuis. Decker wachtte tot hij naar zijn kamer was gegaan voordat hij hem ging storen. Het duurde niet lang voordat hij keiharde punkrock uit Yonkies stereo hoorde komen. Hij moest hard op de deur bonzen om erbovenuit te komen. Het volume nam een duikvlucht, zijn stiefzoon deed de deur open en keek hem met ernstige ogen aan. 'Hoi.'

'Hoi.' Decker glimlachte, om te zien hoe Yonkies pet stond. 'Mag ik binnenkomen?'

'Tuurlijk.' Hij stapte opzij. 'Wat is er?'

'Ben je nog boos op me?'

'Nee, helemaal niet. Sorry voor vandaag. Ik had moeten nadenken voordat ik mijn mond opendeed.'

'Hebben je vrienden het je moeilijk gemaakt?'

'Valt mee. Ik kan het wel aan.'

Net wat Ernesto had gezegd. Het was het credo van alle tieners.

Yonkie likte aan zijn lippen. 'Ik heb géén hulp nodig. Goed?'

Netjes uitgedrukt. Decker knikte.

Yonkie was rusteloos en wilde hem duidelijk weg hebben. 'Verder nog iets?'

'Ik ben midden op de dag thuis omdat ik Hannah moest ophalen,' zei Decker. 'Maar ik moet nog het een en ander afmaken op het bureau. Kun je op je zusje passen tot ima thuiskomt?'

'Tuurlijk.'

Hij gedroeg zich gewillig, maar er was een onderliggende boosheid merkbaar. 'Alles in orde, Jacob?'

'Ja, best. Maak je geen zorgen.' Een korte stilte. 'Hoe is het met ima?'

Bezorgdheid in zijn stem. De jongen hield veel van zijn moeder. Hij was niet de enige. 'Ze is bezig de synagoge schoon te maken. Het is nogal een klus.'

'Heeft ze hulp nodig?'

'Je kunt het beste helpen door op Hannah te passen. Vind je het echt niet erg?'

'Helemaal niet. Als ze zich gaat vervelen, neem ik haar wel mee ergens naartoe.'

'Bedankt.' Decker legde zijn hand op de schouder van de jongen, maar kreeg geen reactie. Alsof Jacob van steen was. Of misschien was hij stoned. Jacob wist dat Decker hem taxeerde. Het stoorde hem echter niet. 'Eh... ga je nu meteen?'

'Zo dadelijk.'

'Neem gerust de tijd. Roep me maar wanneer je me nodig hebt.'

Hij deed de deur voor Deckers neus dicht. Jakes leven was een gigantisch gezwel van onderdrukte woede. Decker deed zijn best het zich niet persoonlijk aan te trekken, maar voelde zich toch niet lekker bij al die spanning. Hij keerde terug naar Hannah, die gestaag Fruitella's wegwerkte.

'Wil je een tosti?'

Het meisje hield haar ogen op het beeldscherm gericht – Tom en Jerry. Jemig, *die* hielden het vol. De kat en de muis hadden elkaar ook al nagezeten toen Cindy nog klein was.

'Hannah, heb je gehoord wat ik vroeg?'

'Ja, ik wil wel een tosti.'

Ze had hem gehoord. Decker maakte de tosti in het apparaat dat het brood niet alleen roosterde, maar het tevens een aantrekkelijke schelpvorm gaf. Het esthetische effect was aan Hannah niet besteed. Ze verzocht hem de tosti in een servet te wikkelen, zodat ze geen vette vingers zou krijgen. De ene keer overdreven netjes, de andere keer een viespeuk. Kinderen stelden hem steeds weer voor een raadsel.

Hij zei: 'Hannah, ik moet weer aan het werk. Yonkie is thuis, als je iets nodig hebt.'

'Waar is ima?' vroeg ze weer.

Alsof haar moeder opeens zou verschijnen als ze de vraag herhaalde.

'In de sjoel.'

'Goed.'

'Dan ga ik nu.'

'Goed.'

'Dag lieverd.' Hij bukte zich en gaf haar een zoen.

Het meisje beet een sliert kaas af. 'Dag.'

Het kind bevond zich in een staat van tv-trance. Hij aaide haar over haar bol en hoorde dat Jacob hem riep. Om precies te zijn had Jacob 'Pap!' geroepen en dat was een goed teken. Wanneer Jacob boos was, noemde hij hem Peter.

'Ben je er nog?' riep Jacob vanuit zijn kamer.

'Ja. Wat is er?'

'Kun je even komen?'

Decker aaide Hannah nog een keer over haar bol en ging toen het heilige der heiligen van Jacobs privé-leven binnen. Jacob maakte altijd zijn bed op en liet niets op de vloer slingeren, maar zijn bureau was overladen met boeken, schriften, snoeppapiertjes, plakbriefjes en allerlei vreemdsoortige spullen waar Decker niet wijs uit kon worden. Sammy's bed en bureau waren geheel ontdaan van alles wat overbodig was, Jacob liet zijn rommel nooit rondslingeren op de helft van de kamer die aan zijn afwezige broer toebehoorde. Het was alsof hij die helft zo netjes hield in de hoop dat Sammy onverwachts terug zou komen.

'Hier moet je maar even naar luisteren.' Jacob zette zijn antwoordapparaat aan.

'Hi, Jake. Ernesto Golding hier. Lang geleden, hè? Ik weet niet of je stiefvader je heeft verteld wat er aan de hand is. Waarschijnlijk niet. Hij mag officieel niet over me praten, maar je weet maar nooit. Afijn, ik hoop dat je niet meteen over de rooie gaat, maar je zult het uiteindelijk toch wel van iemand horen, dus vond ik dat je het net zo goed van mij kon horen... namelijk dat ik degene ben die de deur van jullie synagoge heeft opengebroken... en dat ik daar toen nogal tekeer ben gegaan... hakenkruisen op de muren gespoten... allerlei nazi-rotzooi op de grond achtergelaten. Ik was laatst een beetje aan het klooien, zie je, hartstikke stoned, en van het een kwam het ander en opeens liep de boel uit de hand. Kweenie... het is niet persoonlijk bedoeld, hoor, tegen de joden en zo. Ik heb het zomaar gedaan. Ik heb er nu spijt van, maar zoals ik al zei, het was niet persoonlijk bedoeld. En ik weet niet of jij en je stiefvader goed met elkaar kunnen praten en zo, maar je mag dit best aan hem doorgeven. Ik zit nogal uit mijn nek te kletsen, dat weet ik. Ik heb je al een tijd niet gezien en ik neem aan dat ik je nou helemaal niet meer zal zien. En nu ga ik ophangen.'

Een klikje en toen de zoemtoon van de telefoonlijn.

Jacob keek zijn stiefvader nieuwsgierig aan. 'Hebben jullie Ernesto Golding gearresteerd op verdenking dat hij de sjoel heeft beklad?'

'Wat hij aan jou vertelt, moet hij zelf weten. Wat mij betreft, is hij minderjarig en ik praat niet over minderjarigen.'

'Dat zal ik opvatten als "ja".' Jacob begon te ijsberen. 'Wat een... klootzak!'

'Waarom heeft hij je gebeld, denk je?' vroeg Decker.

'Geen idee. Ik ken hem amper.'

'Heb je een mening over hem?'

Jacob stootte een luidruchtige lach uit. 'Ik heb vier grootouders die de kampen hebben overleefd – twee van hen met nummers op hun arm getatoeëerd. Deze jongen breekt de deur van de sjoel open, laat er nazipropaganda achter en spuit graffiti op de muren. En dat moet ik niet persoonlijk opvatten?!' Hij beet op zijn lip. 'Ja, ik heb een mening over hem. Ik vind hem een klootzak.'

Decker onderdrukte een glimlach.

'Hij heeft rijke ouders,' zei Jacob, 'maar hij doet verschrikkelijk zijn best om daar niet mee te koop te lopen. Hij doet zo zijn best, dat hij er juist mee te koop loopt. Geld betekende niets voor hem, omdat hij er altijd van bulkte.'

'Is hij intelligent?'

'Hij is niet dom. Hij heeft de SAT-test twee keer gedaan. De tweede keer heeft hij meer dan 1400 punten gehaald.'

'Meer dan ik,' zei Decker. 'Al ben jij nog altijd veel beter...'

'Hou op!' beet Jacob hem toe.

'Jemig, wind je niet zo op!' blafte Decker terug. 'Ik probeer alleen maar aardig te zijn.'

Jacob wendde zijn blik af. 'Sorry.' Hij legde zijn hand tegen zijn voorhoofd. 'Ik geloof dat ik jouw hoofdpijnaanvallen heb geërfd. Opmerkelijk, gezien het feit dat we geen bloedverwanten zijn.'

Decker wilde glimlachen, maar het lukte hem niet. 'Ik moet maar eens gaan. Als je iets nodig hebt, bel mij dan en niet ima. Zij heeft het al druk genoeg.'

'Goed.' Jacob wrong zijn handen. 'Als je me nog iets wilt vragen, moet je dat gewoon doen, hoor. Ik weet alleen niet veel over Golding. Ik ken hem van feestjes. Ik ga al een halfjaar niet meer met hem en de anderen om. Dat weet je toch, hè?'

'Yonkie, ik hou je niet constant in de gaten.'

De tiener dacht daar over na, maar liet niet merken of hij het ermee eens was.

'Mis je Sammy?' vroeg Decker.

'Ja.' Hij likte zijn lippen. 'Ja, ik mis hem. We e-mailen elkaar bijna elke dag, dus ergens praat ik nog net zo met hem als vroeger, maar er zijn wel eens dingen... waar je liever niet over schrijft. Dat is toch anders dan praten.' Hij keek Decker aan. 'Golding had een meisje, een heel leuk kind... Lisa Halloway. Ze gingen al een hele tijd met elkaar, toen hij het zomaar opeens uitmaakte. Ze was erg van streek. Ze snapte er niks van. Althans, dat zei ze tegen mij. Ik had zo met haar te doen. Ik heb bijna gevraagd of ze met mij uit wilde. Niet omdat ik met haar te doen had, maar omdat ik haar leuk vind. Ze is intelligent en hartstikke leuk om te zien.'

'Waarom heb je haar dan niet gevraagd?'

'Omdat het geen zin heeft.'

'Ik weet zeker dat ze ja gezegd zou hebben, Jacob,' zei Decker. 'Afgezien van de hersens heb je ook je moeders mooie blauwe ogen.'

'Dat bedoel ik niet. Ik weet wel dat ze met me uit zou zijn gegaan, maar er kan toch niks van komen, dus waarom zou ik ima van streek maken? Uiteindelijk zou ik voor haar te joods zijn geweest en zij voor mij te gojs.'

Hij haalde gelaten zijn schouders op.

'Ik voel me niet orthodox vanwege de rabbijnen en vanwege alle mantra's die we op school te horen krijgen. Het ligt meer aan idioten als Ernesto Golding. Door hén besef ik pas hoe anders ik ben dan de grote meerderheid van dit land. Ik kan geen typische Amerikaanse tiener zijn, om te beginnen omdat ik nog nooit van mijn leven een cheeseburger heb gegeten. Misschien hebben de rabbijnen op een bepaalde manier toch hun doel bereikt.'

'Vind je het prettig om joods te zijn?'

Jacob werd weer bits. 'Wat is dat nou voor vraag? Vind *jij* het leuk om joods te zijn?'

'Meestal wel. Kun je eens ophouden zo nijdig tegen me te doen?'

'Sorry.' Jacob tikte nerveus met zijn voet op de vloer. 'Ik vind het niet erg om joods te zijn. Ik voel me er nu beter bij dan een halfjaar geleden. Nu de druk is verlicht en ik een niet-religieus college kan kiezen zonder me schuldig te voelen, is alles een stuk makkelijker geworden.'

'Mooi zo.' Decker bukte zich en drukte een kus op Jacobs kruintje. Daarvoor hoefde hij amper te bukken. De jongen groeide langzaamaan naar de één meter tachtig. 'Ik heb op het bureau nog bergen werk.'

'Ga dan maar gauw,' zei Jacob. 'Maak je geen zorgen over Hannah.'

'En over jou?'

'Ook niet.' Een korte stilte. 'Ik ga zaterdagavond met een stel vrienden naar Magic Mountain. Ik rij, maar de jongens betalen mee voor de benzine. Ik heb net genoeg geld voor de entree, maar dan ben ik blut. Heb je soms wat karweitjes voor me waarmee ik wat geld kan verdienen?'

'Oppassen geldt als bijbaantje.' Decker gaf hem een briefje van twintig. 'Hiermee kun je wel een tijdje uit de voeten, neem ik aan.'

'Goh, da's wel een hoop geld.' Een brede glimlach... een échte glimlach. 'Dankjewel. En nu moet ik maar eens aan mijn huiswerk. Ik haal de laatste tijd goede cijfers voor *Gemore* en dat wil ik graag zo houden.'

'Gelijk heb je.' Decker liet de jongen verder met rust. Geld. Het was niet hetzelfde als liefde, maar soms nam het die rol verrekte goed over.

9

De in de magnetron opgewarmde pizza was vrij smakeloos en had een kleffe bodem, maar het was een stevige warme maaltijd en Decker had op dat tijdstip eigenlijk iets anders verwacht. Tegen vijven was hij terug op het politiebureau met een buik vol vet en een hoofd vol gedachten. Hij wist nu dat Ernesto Golding niet alleen had gewerkt, maar hij had geen idee wie de andere daders waren. Decker zou het liefst Ernesto's vrienden aan de tand voelen, polsen of ze iets wisten, maar hij wist nu al dat hun ouders dat nooit goed zouden vinden. Zonder bewijs dat ze er iets mee te maken hadden, kon Decker niet zomaar hun huiskamers binnendringen, en er kwam geen nieuw bewijsmateriaal te voorschijn, omdat Ernesto volhield dat hij de enige dader was. Verder had Melrose goede hoop, nu Ernesto de politie medewerking had verleend, dat de aantijging beperkt zou blijven tot kwaadwillig wangedrag – waarvoor de jongen een taakstraf en een voorwaardelijke celstraf zou krijgen, *en* het dossier verzegeld zou worden.

Nu Ernesto in het rechtssysteem was ingevoerd, was Deckers aandeel in het toneelstuk gedegradeerd tot een bijrol. Hij had niet veel tijd tot zijn beschikking om nog iets te ondernemen. Als hij niet heel snel iets nieuws ontdekte, zou de zaak aan hem ontglippen, officieel worden afgesloten, met Ernesto Golding als enige dader.

Toen hij de recherchekamer binnen liep, zag hij tot zijn opluchting dat Martinez en Webster er waren. En Wanda Bontemps, die bezig was met de administratieve afwikkeling van de zaak. Ze zat over haar bureau gebogen en trok afwezig aan haar kroeshaar. Ze was gekleed in een zwarte broek en een blauwe coltrui. De bijbehorende zwarte blazer hing over de rugleuning van haar stoel. Hij gebaarde haar, Martinez en Webster naar zijn kantoor te komen.

Webster zei: 'Is Golding officieel aangeklaagd?'

'Een uur geleden,' antwoordde Decker. 'Hij heeft geen verweer ingediend en is alweer thuis, op persoonlijke borgtocht. De zaak zal over ongeveer zes weken voorkomen.'

'Wordt hij van school gestuurd?' vroeg Wanda.

'Dat weet ik niet,' zei Decker. 'Ik heb het gevoel dat er achter de schermen een stille onderhandeling heeft plaatsgevonden. Je weet hoe dat gaat tussen rijke mensen en instituten.'

'Dat is over de hele wereld hetzelfde,' zei Webster. 'Er is niets wat niet te koop is. Zelfs geld.'

Decker zei: 'Ik weet niet wat de directeur van de school gaat doen. In een ideale wereld zou Golding van school gestuurd worden.'

'In een ideale wereld zou hij nu in de gevangenis zitten,' zei Wanda.

'Ja, maar juist omdat Melrose er zo'n haast achter heeft gezet, zal dat naar alle waarschijnlijkheid niet gebeuren.' Decker voelde zich mistroostig, alsof hij tegenover Rina tekort was geschoten. 'Wat zijn jullie te weten gekomen over de Hoeders van de Etnische dinges?'

'De directeur is ene Darrell Holt, een man die een mengelmoes van rassen in zich heeft,' zei Martinez. 'Hoe hij die genetische hutspot weet te verenigen met zijn gelul over etnische zuiverheid, mag Joost weten. Hij weet in ieder geval steun voor zijn idealen te krijgen van leden van allerlei symbolische minderheden: een Filippijn, een latino, een neger, een Aziaat, een jood, en voor de volledigheid een blanke.'

'Wat voor soort steun?' vroeg Decker.

'Kijk maar.' Webster gaf hem de pamfletten. 'Het is allemaal flauwekul. Het is moeilijk onder woorden te brengen wat ze nou eigenlijk willen wanneer je die artikelen leest. Ze doen alsof ze allemaal over een ander onderwerp gaan, maar eigenlijk gaan ze allemaal over hetzelfde.'

Decker bekeek de pamfletten, las hier en daar een paragraaf. 'Hier is iemand die zegt dat Engels de enige voertaal zou moeten zijn.'

'Ja, dat is dat van de marinier.'

'Hank Tarpin.' Decker las verder. 'Op het eerste gezicht staan hier veel dingen in waarmee mijn vrouw zou instemmen. Ze zou haar zonen wat dóén als die met een niet-joods meisje zouden willen trouwen.'

'Ze is niet de enige,' zei Wanda. 'Ik hoop dat mijn dochter een leuke neger zal vinden om mee te trouwen. Het leven is al moeilijk genoeg. Binnen je eigen gemeenschap kun je je in ieder geval staande houden zonder dat er constant over je wordt gefluisterd. Ik praat uit ervaring. Ongeveer drie maanden geleden had ze een latino als vriendje.' Ze keek naar Martinez. 'Had je de buren moeten zien kijken.'

'En?' zei Martinez.

'Het is alweer uit, maar niet vanwege het rassenverschil... hoewel dat natuurlijk niet in hun voordeel heeft gewerkt. Hij zit bij de politie en zij zit bij de politie, en dat was geen doen.'

'Een van mijn dochters is met een blanke getrouwd,' zei Martinez. 'De andere met een aardige jongen van Cubaanse afkomst. Ik ben zelf in Mexico geboren en dat geeft weer heel andere problemen. Ik kan niet zeggen dat ik me bij mijn ene schoonzoon meer op mijn gemak voel dan bij de andere, maar dat geldt niet voor mijn ouders, die niet erg goed Engels spreken. Die zitten met de taalbarrière. Dat is ook de reden waarom ik er een groot voorstander van ben dat er op school alleen Engels mag worden gesproken. Als je de taal van je land niet spreekt en schrijft, ben je een tweederangs burger. En mijn kinderen en kleinkinderen zullen geen tweederangs burgers zijn.'

'Ik ben het met je eens, Bert,' zei Webster, 'maar ik mag aannemen dat jij en die marinier om heel andere redenen tot die conclusie zijn gekomen.'

'Dat kan best zijn,' zei Decker, en hij legde de pamfletten op zijn bureau, 'maar voor ons is alleen van belang of we iets hebben waarmee we hem in verband kunnen brengen met de vernielingen in de synagoge.'

'Nee, dat hebben we niet,' zei Martinez. 'Maar we zijn met Holt gaan praten voordat u Golding hebt aangehouden. Als we nou eens teruggingen en Goldings naam lieten vallen...'

'Dan krijgen we Goldings advocaat op ons dak omdat we de naam van een minderjarige verdachte bekend hebben gemaakt,' onderbrak Decker hem. 'We kunnen Ernesto niet als troefkaart gebruiken. Als de Hoeders van de Etnische "Racisten" hier iets mee te maken hebben, moeten we proberen hen te pakken zonder vragen te stellen over Golding.'

'Wegens het onderdak bieden aan een vluchteling misschien?' opperde Bontemps. 'Vertel de inspecteur even wat jullie mij over Ricky Moke hebt verteld.'

'Wie is Ricky Moke?' vroeg Decker.

Webster legde het uit. 'Moke schijnt betrokken te zijn geweest bij het opblazen van een dierenlaboratorium van een universiteit. Holt schijnt Moke te kennen. Moke schijnt nogal eens bij de Hoeders te komen en een hartstochtelijk racist te zijn.'

'Met "hij schijnt" komen we niet ver,' zei Decker. 'Heeft die gozer een strafblad?'

'Heb ik nog niet kunnen vinden,' zei Martinez. 'Maar ik heb alleen nog maar plaatselijk gezocht.'

'Als hij iets met explosieven heeft gedaan, moeten ze daarover bij de FBI informatie hebben. Bel die morgen.' Decker leunde achterover. 'Hoe zit het met Darrell Holt? Heeft die een strafblad?'

Webster schudde van nee.

'Hebben we informatie over hem?'

'De Hoeders hebben een website,' vertelde Webster. 'Maar dat is alleen maar een hoop geleuter.'

'Zoek zo veel mogelijk over hem uit.' Decker bekeek de pamfletten. 'Zijn dit de enige artikelen die ze hadden? Ik vraag me af of Golding ooit iets voor hen heeft geschreven.'

'Dat zal ik morgen uitzoeken.'

Decker dacht aan wat Golding hem had verteld over zijn Duitse grootvader en diens dubieuze verleden. 'Als je mensen gaat opzoeken via de computer, kijk dan ook wat je te weten kunt komen over Jill en Carter Golding. Ik wil zo veel mogelijk informatie over Ernesto en het kan geen kwaad bij zijn ouders te beginnen. Ze zijn plaatselijk vrij bekend en dus zal het niet moeilijk zijn inlichtingen over hen te vinden. Zoek ook op "Golding + Holt" en/of "Golding + Ricky Moke" en kijk of de computer een verband weet te vinden.'

Webster zei: 'Er werkt bij de Hoeders ook een meisje, dat eruitziet alsof ze twaalf is.'

'Hoe heet ze?'

'Erin Kershan.'

'Zoek haar dan ook op.'

Wanda zei: 'Moeten we hen in de gaten laten houden, inspecteur?'

Decker dacht over dat idee na. 'Wonen ze in onze wijk?'

'Ja,' antwoordde Martinez. 'Ze wonen zelfs in hetzelfde gebouw, maar ze hebben elk een eigen flat. Ik wil wel de wacht houden.'

'Laat mij maar,' bood Webster aan. 'Als ik maar om twee uur thuis ben voor de voeding.' Hij keek naar Decker. 'Is het goed als ik er om ongeveer één uur mee kap?'

'Prima, Tom. En je kunt het declareren als overuren.'

'Dank je. Ik kan het geld goed gebruiken.'

Decker begon een schema op te stellen. 'Jij houdt dus de Hoeders in de gaten en ik ga ondertussen even langs bij de Goldings om te zien of de namen Holt, Moke en de Hoeders van Etnische Integriteit Ernesto iets zeggen. Hij zal wel niks toegeven, maar een blik is soms meer waard dan duizend woorden.'

De familie Golding was niet thuis. Decker vroeg zich af of ze ergens waren ondergedoken. Al kon het natuurlijk net zo goed zijn dat ze uit eten waren gegaan. Het was pas zeven uur. Decker belde Jacob en was ongerust toen er niet werd opgenomen. Hij belde Jacobs mobiele nummer. De jongen nam bijna meteen op. 'Hoi.'

'Is alles in orde met jullie?'

'O, hallo, pap. Ja, hoor. We hadden zin in een ijsje.'

Hij hoorde Hannah op de achtergrond roepen: 'Hallo, pappa!'

'Hallo, Hannah Rosie.' Tegen Jacob zei Decker: 'Zit ze achterin?'

'Achterin met de riem om,' antwoordde Jacob. 'We zijn op weg naar huis.'

'Ik had gedacht even bij de sjoel langs te gaan om te zien hoe het met ima is.'

'Doe maar. Maak je over ons geen zorgen. Ik breng Hannah wel naar bed.'

'Zou je nog iets voor me willen doen?'

'Wat dan?'

'Kunnen jullie, voordat je haar naar bed brengt, even naar de sjoel komen met wat oude kleren en mijn gympen, voor het geval ik vanavond nog wil helpen met schilderen?'

'Tuurlijk.'

'Of misschien kan ik beter naar huis komen, zodat Hannah niet wordt geconfronteerd met...'

Maar de verbinding was al verbroken. Hij overwoog Jacob nog een keer te bellen. Hij wilde niet dat Hannah al die haatdragende graffiti zou zien, en die afgrijselijke foto's. Aan de andere kant zat Rina er nu al de hele dag en was de sjoel waarschijnlijk weer redelijk toonbaar.

Hij kwam om even over zevenen bij de sjoel aan en parkeerde in de straat omdat het kleine parkeerterrein vol was. Voor een paar gebroken ruiten waren platen triplex getimmerd, maar de glazen deuren waren onbeschadigd en achter het doorzichtige gordijn zag hij licht branden. Binnen had de sjoel veel weg van een bouwterrein. Overal waren grote vellen plastic en stoflakens uitgespreid. Tegen de vijftien mensen waren aan het werk met kwasten en verfrollers. De muren zaten al in de grondverf en overal stonden geopende potten verf. Rina droeg een overall en een grote, rode bandana. Haar gezicht was gespikkeld met Navajo-wit. Ze wierp hem een kushandje toe.

'Hoe gaat het?' vroeg Decker.

'*Baroech Hasjeem!*' Ze glimlachte, en het was een oprechte glimlach. 'Kom, dan zal ik je voorstellen aan de vrijwilligers die je nog niet kent.' Ze liep naar twee negerinnen. De ene was klein en dik, de andere lang en mager. Bulletje en Bonestaak. 'Dit is Letitia and dit is Bernadette. Het zijn vriendinnen van Wanda Bontemps, van haar parochie. Toen ze hen had opgebeld, zijn ze meteen gekomen om te helpen.' Ze legde een met verf besmeurde hand op Deckers schouder. 'Dit is mijn echtgenoot Peter.'

'Je echtgenoot.' Dat zei de vrouw die Bernadette heette. Ze had een glad, rond gezicht waar een grimmige blik op lag. Ze wiegde heen en weer. Ze was even lang als ze breed was. 'De politie-inspecteur.'

Het klonk alsof ze hem zijn functie kwalijk nam, en gezien de klachten die in het verleden tegen zijn huidige bureau waren ingediend, zou dat ook best eens zo kunnen zijn. Maar toen hij zijn hand uitstak, pakte ze die wel aan.

Decker zei: 'Aardig van u dat u bent komen helpen.'

'Het was aardig van Wanda om hen te bellen,' zei Rina.

'Onze parochie heeft een dienstverleningsprogramma,' zei Bernadette. 'Niemand mag ongestraft een godshuis ontwijden.'

'Daar ben ik het mee eens,' zei Decker.

'We zouden zoiets ook bij ons moeten organiseren.' Rina wendde zich tot haar nieuwe vriendinnen. 'Niet dat we zo bekrompen zijn, hoewel dat er wel mee te maken heeft, maar we hebben het gewoon zo druk gehad om onze gemeenschap van de grond te krijgen. We hebben amper genoeg tijd en geld om onszelf te bedruipen. Maar dat gaat nu veranderen. We moeten meer betrokken raken bij onze medemensen.'

'Dit is voor mij een openbaring,' zei Letitia. Ze had een langgerekt gezicht en paardentanden, die ze gul toonde wanneer ze glimlachte. 'Ik heb altijd gedacht dat joden heel grote synagogen hebben.'

'Sommigen wel,' zei Rina. 'Wij niet. Wij mogen al blij zijn als we iedere maand de huur bij elkaar kunnen krijgen.'

'Weer een vooroordeel minder,'zei Letitia. 'Maar wat sta ik hier toch te lummelen. Ik kan beter weer gaan schilderen.' Ze lachte hun toe. 'Zolang ik de kracht nog kan opbrengen.'

'Wil je soms een kopje koffie?' vroeg Rina. 'Ik lust nog wel een bakkie.'

Decker was blij Rina zo energiek te zien. Dat hielp om de pijn te verzachten over de reden waarom ze hier eigenlijk bezig was. Hij zei: 'Naar je gefladder te oordelen heb je geen behoefte aan nog meer cafeïne.'

'Ik fladder niet, ik ben doelbewust bezig,' legde Rina uit.

Bernadette zei: 'Het lijkt maar alsof ze fladdert, omdat ze zo sierlijk is.'

'Als jij het zegt,' zei Decker.

Rina riep: 'Moisje, kunnen we hier nog wat verse koffie krijgen?!'

Moisje Miller, een beer van een vent, stond bij een van de schraagtafels waarop stapels verscheurde pagina's en beschadigde boeken lagen. De gebaarde tandarts was met eindeloos geduld bezig gescheurde delen van gebedenboeken aan elkaar te plakken. 'Met of zonder cafeïne?'

De vrouwen keken om zich heen en toen naar elkaar. 'Mét! En doe maar lekker sterk!' riep Rina. Tegen Decker zei ze: 'Wil je helpen? We hebben alle boekenplanken van de muren gehaald, en nu hebben we iemand nodig die ze kan schilderen en weer ophangen.'

'Ik wil graag helpen. Jacob komt zo dadelijk wat oude kleren brengen. Ik moet nog heel even weg, maar daarna sta ik helemaal tot jullie beschikking.'

'Het is fijn om er iemand bij te hebben met een beetje ervaring. Grote ruimtes schilderen is heel wat anders dan thuis een kwast over de muren halen.'

'Daar ben je dus inmiddels achter.'

'Het vereist inderdaad enige oefening.'

'Wil dit zeggen dat je me nu méér waardeert?'

'Ik heb altijd gezegd dat je erg handig bent. Je werkt alleen een beetje langzaam.'

'Maar ik lever goed werk. En voor weinig geld. Het werk is omgekeerd evenredig aan de kosten.'

Rina knikte en glimlachte naar de vrouwen. Maar het was een wat gemaakte glimlach.

Bernadette voelde de spanning aan. 'Nou, het was prettig kennis met u te maken... inspecteur.'

'Zeg maar gewoon Peter,' zei Decker.

'Peter.' Bernadette gaf hem een hand en knikte toen tegen Letitia, waarop het tweetal doorging met hun schilderen. Rina maakte van de gelegenheid gebruik om Peter even apart te nemen. Ze zei: 'Yonkie heeft me gebeld.'

'Ik kan er niet over praten,' zei Decker. 'De betrokkene is minderjarig.'

'De betrokkene is een jongen genaamd Ernesto Golding,' fluisterde Rina. 'Dat heb jij me niet verteld, maar Yonkie.'

'Ken je hem?'

'Ik had nog nooit van hem gehoord tot Yonkie zijn naam noemde. Er moet nog iemand anders bij betrokken zijn. Dit was niet het werk van één persoon.'

Decker haalde zijn schouders op.

'Vooruit. Ja of nee? Is er nóg iemand?'

'Geen commentaar.'

'Nu klink je als een politicus.'

'Ik weet niet of je probeert me op de kast te jagen, maar ik heb wel ergere beledigingen naar mijn hoofd geslingerd gekregen.'

Rina begon haar geduld te verliezen. 'Peter, dit is ook *jouw* sjoel.'

'Daar ben ik me terdege van bewust, Rina.' En hij vroeg: 'Je hebt toch tegen niemand iets over Golding gezegd, hè?'

'Denk je soms dat ik achterlijk ben?'

Nu keek ze kwaad. Hij zei: 'Hebben we niet al genoeg aan ons hoofd? Moeten we ook nog ruziemaken?'

'Dit is geen ruziemaken,' vond Rina.

'Nee?'

'Nee. Dit is... elkaar boos aankijken omdat we allebei gestrest zijn.'

'Kijk ik jou boos aan?' vroeg Decker.

'Ja, erg boos!'

'Maar jij kijkt ook boos naar *mij*!'

'Weet ik,' zei Rina. 'Daarom zei ik ook dat we *elkaar* boos aankijken.'

Decker zweeg en begon te lachen. Dat nam alle spanning weg en gaf Rina de gelegenheid mee te lachen. Ze pakte zijn hand en kneep erin. 'Ik zou je het liefst omhelzen, maar dan krijg je verf op je pak.'

'Omhels me evengoed maar.' Decker sloeg zijn armen om haar heen.

Ze omhelsden elkaar, langdurig en romantisch. En hij kreeg inderdaad verf op zijn pak, maar dat kon hem niets schelen. Daar had God de stomerij voor uitgevonden.

10

HET WAS OVER ACHTEN EN DE FAMILIE GOLDING WAS NOG STEEDS NIET thuis. Decker vroeg zich af of het niet beter was de volgende ochtend bij hen langs te gaan, wanneer ze over de eerste schrik heen zouden zijn. Toch wilde hij er voor vandaag nog geen punt achter zetten. Een half-jaar geleden had Ernesto Golding verkering gehad met ene Lisa Halloway. Golding had hem dat zelf verteld en ook Yonkie. Zijn stiefzoon had gezegd dat het meisje er helemaal kapot van was geweest toen Ernesto het had uitgemaakt. Decker was benieuwd of haar soms al signalen van zijn asociale gedrag waren opgevallen voordat hij zich aan het vandalisme schuldig had gemaakt.

Het probleem was hoe hij langs haar ouders heen kon. Maar dat bleek juist het makkelijkste deel van de klus te zijn: haar ouders waren niet thuis.

Een goed teken was dat ze de deur niet meteen dichtgooide.

In het licht van de buitenlamp zag hij metaal glanzen – een reeks knopjes aan haar oorschelpen en een klein steentje in haar neusvleugel. Zou er ook iets in haar navel zitten? Decker wist dat je mensen niet op hun uiterlijk moest beoordelen – als Yonkie haar graag mocht, moest het meisje wel iets hebben – maar hij was een man van middelbare leeftijd met de daarbij behorende vooroordelen. Hij probeerde objectief te zijn en de piercings te negeren, en zag toen een mooi, donkerharig meisje met een lichte huid, een ovaal gezicht en kuiltjes in haar wangen. Ze had lang, krullend haar dat haar gezicht omlijstte. Ze stond met haar schouders naar voren, alsof ze het koud had, en haar armen kruiselings voor haar borst geslagen. Ze was ongelukkig en schaamde zich er niet voor dat te tonen.

'Ik weet niets over het vandalisme.' Ze sprak met een zachte, hese stem. 'En al wist ik er iets van, dan zou ik Ernesto nog niet verraden.'

'Ik wil alleen maar even met je praten,' zei Decker.

'Waarom zou ik u binnenlaten? U kunt wel een verkrachter zijn!'

Decker streek zijn rode snor strak, zich er scherp van bewust dat Lisa een boos, jong meisje was in een strak wit topje en een spijkerbroek, zonder ondergoed. Zelfs in het zwakke lamplicht kon hij haar tepels zien. Het was geen goed idee om samen met haar alleen te zijn, zeker niet binnenshuis. Hij zei: 'Dan praten we hier.'

'Zodat alle buren ervan kunnen genieten?'

'Ja.' Decker glimlachte. 'Dat is de bedoeling. Dan hoef je nergens bang voor te zijn.'

'U mag heus wel binnenkomen,' zei Lisa spottend. 'Ik denk niet echt dat u een verkrachter bent.'

'Dank je, maar ik blijf liever buiten.' Decker hield zijn gezicht neutraal. 'Kan ik op een conceptueel niveau met je praten, Lisa? Laten we zeggen dat we gelijksoortige trekken bezitten: trouw en gevoel voor rechtvaardigheid. Bewonderenswaardige trekken, vind je niet?'

'Ik snap niet waar dit goed voor is!' Ze wreef haar armen. 'En ik heb het koud.'

'Ga dan een trui halen. Ik wacht wel.'

'Laat maar.'

Ze deed vrij nors, maar Decker ging gewoon door. 'Als de persoon in kwestie wordt beschuldigd van het plegen van een misdrijf, maar schuld of onschuld niet is bewezen, verdient de persoon in kwestie het voordeel van de twijfel, ergo trouw. Maar als je zeker weet dat hij het heeft gedaan – omdat hij dat zelf heeft bekend – verspeelt hij door zijn criminele daad dan niet het recht op trouw te kunnen rekenen, en is trouw niet discutabel omdat hij de daad al heeft bekend?'

Ze gooide haar krullen naar achteren. 'Waar *hebt* u het over?'

'Waarom zou je trouw blijven als je weet dat hij het heeft gedaan?'

'Inspecteur Lazaris, alles is betwistbaar. Ik weet niets over het vandalisme. Mag ik nu naar binnen gaan?'

Inspecteur Lazaris... Yonkies achternaam. 'Mijn naam is Decker,' zei hij. 'En we leven in een vrij land. Je mag doen wat je wilt.'

Maar ze ging niet naar binnen.

Decker zei: 'Je hebt een tijdje verkering gehad met Ernesto, nietwaar?'

'Dat weet u allang. Anders zou u hier niet zijn. Wat wilt u nou eigenlijk?'

'Had hij vrienden die je kippenvel bezorgden?'

'U bedoelt of hij omging met bruinhemden?' Ze sloeg haar ogen ten hemel. 'En als dat zo was, denkt u dat hij dat dan aan mij zou hebben verteld? Ik ben joods.' Ze snoof. 'Al ben ik voor u niet het *juiste* soort jood.'

Deckers ogen boorden zich in de hare. '*Wat* zei je?'

Ze schrok van zijn indringende toon. Ze bloosde, klemde haar lippen op elkaar en wendde haar hoofd af, een stilzwijgende erkenning dat ze haar mond voorbij had gepraat. En dat dit waarschijnlijk niet de eerste keer was.

'Met wie heb je gepraat, Lisa?' drong Decker aan.

Hij wist precies met wie ze had gepraat. Nu had hij de bovenhand. Ze wist dat ze Jacob in de problemen had gebracht. Ze zou hem moeten opbellen om het uit te leggen. Maar eerst zat ze nog met Decker. Als ze uit de hoogte bleef doen, zou ze het voor Jacob alleen maar erger maken.

Ze begon hem te knijpen, en ontweek zijn blik. 'Mag ik nu gaan?'

Decker was meedogenloos. 'Heb je met mijn zoon gepraat?'

'Stiefzoon...'

'Mijn fout. Waar ken je hem van?'

'Gewoon...'

'*Vertel het me*!'

'Ik heb hem op een feestje ontmoet. En wat dan nog? *Jezus*! Nu weet ik waarom...'

Weer zweeg ze abrupt.

'Ga door!'

Lisa wrong haar handen. 'Ik heb Jake ontmoet op een feestje. Ernesto was er ook. Misschien heeft Jake tegen u iets over Ernesto of over mij gezegd.'

'Misschien ook niet.'

'Goed, dan niet. Ik bedoel alleen maar dat ouders geen excuus nodig hebben om hun kinderen te bespioneren. Zelfs mijn ouders, die best cool zijn, snuffelen in mijn spullen. Alle ouders doen dat. Jake zei dat u het ook doet. Misschien is dat niet zo, ik weet het niet. Maar laat me u iets vertellen over uw zoon...'

'*Stief*zoon.'

'Hij voelt zich gehersenspoeld door uw verstikkende manier van leven. Hij heeft er grote moeite mee. Maar blijkbaar hebt u gewonnen, want hij reageert nu al zeker vier maanden niet op mijn telefoontjes. Gefeliciteerd.'

Ze had dus een oogje op Jake gehad, maar hem niet kunnen krijgen. Het was nu niet alleen *zijn* schuld dat Jake met conflicten worstelde, het was ook zijn schuld dat ze haar zin niet had gekregen. 'Weet je wat, Lisa? Ik weet het goed met je gemaakt. Ik zal vergeten wat je zojuist hebt gezegd, zelfs de beledigende manier waarop je over tweeduizend jaar van mijn *stiefzoons* erfenis hebt gesproken. Laten we terugkeren naar Ernesto.'

'Het is ook mijn erfenis,' zei ze verdedigend.

'Als dat zo is, zou je nog veel meer aanstoot moeten nemen aan wat je voormalige vriendje heeft gedaan. Ik vraag het je nog een keer op de man af: had Ernesto vrienden voor wie jij bang was?'

Het duurde lang voordat ze antwoord gaf. Wat een emoties gleden over haar gezicht: verontwaardiging, schaamte, onzekerheid, gêne, woede, haat – het hele scala. Uiteindelijk werd het berusting. 'Ik hoop dat ik niet rancuneus zal klinken. Ik wil niet de indruk maken een afgewezen vrouw te zijn.'

'Ga door.'

Ze zuchtte. 'Er zit een jongen bij ons in de klas. Doug Ranger. Hij heeft een oudere zus, Ruby. Die is twee- of drieëntwintig. Ze is aan Berkeley afgestudeerd in computerwetenschappen. Ze is intelligent... sexy... dat vind ik niet, dat vinden mannen. Ze zit vol ideeën... of liever gezegd, vol shit!' Er sprongen tranen in haar ogen. 'Ik heb haar auto een paar keer voor Ernesto's huis zien staan.'

'Misschien was het Dougs auto en was hij bij Ernesto op bezoek.'

'Nee, hij was het niet, *zij* was het.'

'Ouders zijn dus niet de enigen die spioneren.'

Dat nam haar de wind uit de zeilen. Haar stem klonk zacht en klagend toen ze zei: 'Alstublieft, inspecteur.'

'Heb je Ruby Ranger bij Ernesto naar binnen zien gaan? Ja of nee?'

'Ja.' Totaal verslagen nu. 'Een paar keer.'

'Wat is ze voor iemand?'

Een langgerekte zucht. 'Erg politiek georiënteerd.'

'Wat voor ideeën hangt ze aan?'

'Dingen over individuele vrijheid. De overheid zou moeten ophouden als oppas te fungeren. De overheid heeft geen recht als censor op te treden omdat politici zelf zo corrupt zijn. Ze is gebrand op een vrij internet. Dat is op het moment haar *raison d'être*: om een ongecensureerd internet in het leven te roepen. Als een twaalfjarige in een chatroom over porno wil praten met seksmisdadigers, mag dat van haar. Als je wilt praten over incest of NAMBLA*, prima. Als je wilt praten over hoe je aan drugs kunt komen, best. Als je wilt praten over neonazi's en dat Hitler je held is, of als je via internet nazi-artikelen wilt kopen, allemaal goed. Dat heeft ze letterlijk zo gezegd.'

Decker knikte.

'En ze heeft tegen mij gezegd, waar andere mensen bij waren, dat ik ideaal concentratiekampvoer zou zijn geweest omdat ik er zo typisch joods uitzie.'

Decker kromp ineen. 'Wat vreselijk. Niet dat je er joods uitziet, maar dat over het concentratiekampvoer. Dat is werkelijk weerzinwekkend.'

'Ik werd er bang van.'

'Daar kan ik inkomen.' Decker kon zich heel goed voorstellen hoe die vrouw Ernesto's sadistische seksuele fantasieën voedsel had gegeven. En haar gestook was des te effectiever geweest, toen Golding het vermoeden begon te krijgen dat hij van nazi's afstamde. 'Wat heb je daarop geantwoord?'

'Niets. Ik was te zeer geshockeerd om iets te kunnen zeggen. En dat was natuurlijk precies wat ze wilde. Ze houdt ervan aandacht te trekken met grove uitspraken.' Haar blik was nu gericht op haar blote tenen. 'Jake was er niet bij. Ik heb het hem later verteld. Toen vertelde hij dat zijn grootouders in concentratiekampen hadden gezeten.'

Decker knikte.

'Maar het zijn niet uw ouders?'

'Mijn ouders zijn Amerikanen,' zei Decker.

'De mijne ook. En mijn vader is niet eens joods. Ik voelde me erg be-

* North American Man/Boy Love Association

ledigd door wat ze zei. Ook al omdat ik... omdat ik het ergens vervelend vind dat ik er zo joods uitzie, omdat joodse meisjes de naam hebben geen *chickies* te zijn. Dat is ook de reden waarom ik mijn neus heb laten piercen. U vindt dat vast vreselijk.'

Hij vond dat inderdaad vreselijk. En vreselijk jammer. Maar hij deed zijn best neutraal te blijven kijken. 'Gevoelens zijn niet vreselijk.'

Ze trapte er niet in. 'Wel waar. Zelfvernietigende gevoelens zijn vreselijk.'

Decker verzachtte zijn toon. 'Weet je waar Ruby Ranger woont?'

Lisa knikte. 'Bij haar ouders. Gaat u met haar praten?'

'Ja,' zei Decker. 'Maar ik heb het niet van jou, oké?'

'Dan zal ze denken dat u het van Jake hebt. Hij *haat* haar. Iedere keer dat ze een kamer binnen kwam, ging hij weg. Ze heeft een keer tegen hem gezegd dat zijn manier van leven achterlijk was. Dat had ze beter niet kunnen doen! Wauw, ik werd gewoon ba...'

Ze hield opeens haar mond.

Ik werd gewoon bang van hem, had ze willen zeggen. Decker zou het er met hem over moeten hebben, een taak waar hij huizenhoog tegen opzag. De vader in hem had de fut niet om alweer een crisis het hoofd te bieden. Maar de politieman in hem joeg hem voort. Hij klapte zijn notitieboekje dicht. 'Dank je. Je hebt me goed geholpen.'

'Ik heb ú misschien geholpen,' zei ze, 'maar Jake en Ruby niet.'

Het was maar een paar minuten rijden naar de sjoel, maar hij moest even verwerken wat Lisa Halloway hem had verteld. Hij besloot naar huis te gaan voor een pitstop: de bezorgde vader uithangen, kijken hoe het met zijn kinderen was. Bovendien zou de langere rit naar huis hem een paar minuten extra tijd geven om na te denken.

Om na te denken over hoe hij Ruby Ranger moest aanpakken. Ze was tweeëntwintig en dus niet minderjarig, maar misschien nog wel financieel van haar ouders afhankelijk. Als hij haar ouders aan zijn kant kreeg, was Ruby misschien makkelijker aanspreekbaar. Aan de andere kant, als de jonge vrouw er zulke radicale ideeën op na hield, had je grote kans dat ze zich niets van haar ouders aantrok. Hij betwijfelde of haar ideeën een afspiegeling waren van haar opvoeding, maar je kon nooit weten.

Het was eigenlijk al best laat. Misschien kon hij dit beter tot morgen laten wachten. Misschien zou hij dan een slimme ingeving krijgen over hoe hij haar moest benaderen. Als ze ervan hield mensen te provoceren, zou het haar misschien een kick geven om dat met een politieman te doen. Hij zou zich van den domme houden. En als ze een hekel had aan Jacob, zou ze het helemáál leuk vinden om zijn vader, de politieman, te treiteren.

En daarmee keerden zijn gedachten terug naar zijn stiefzoon. Jake had de eerste vijftien jaar van zijn leven nooit problemen veroorzaakt, had nooit dwars gelegen, maar nu kregen ze de problemen in dubbele porties op hun bord. Jacob was vaak humeurig, nors, en sarcastisch. Maar om bang van te worden? De jongen stelde hem steeds weer voor verrassingen.

Hij maakte de voordeur open en liep rechtstreeks naar de keuken. Jacob zat aan tafel en keek op. Hij droeg alleen een pyjamabroek, at een boterham en las *Beowulf*, met een gele markeerpen in zijn hand. 'Hoi. Wat doe jij hier? Ik dacht dat je naar de sjoel zou gaan om te helpen.'

'Ik heb besloten om eerst even naar huis te komen... om te zien of je iets nodig hebt.'

'Nee, ik heb niks nodig. Hannah slaapt al.'

'Problemen gehad?'

'Nee. Ze is zo makkelijk als wat.'

'Da's waar.'

'Je ziet er moe uit,' zei Jacob. 'Je ziet eruit alsof je zojuist een erg moeilijk gesprek hebt gevoerd met een hysterisch meisje van zeventien.'

Decker ging zitten. 'Ik vind het vreselijk dat ik jou erbij moet betrekken, maar ik heb je hulp nodig. Als rechercheur moet ik zo veel mogelijk informatie zien te krijgen.' Hij staarde naar Jacobs bord. 'Wat zit er op je brood?'

'Tonijn. Er is nog meer in de koelkast. Zal ik een boterham voor je maken?'

'Ik doe het zelf wel.'

'Blijf lekker zitten.' Jacob stond op. '*Kiboed av.* Wie zijn vader eert, krijgt in de hemel een goede aantekening. Die kan ik goed gebruiken.' Hij maakte voor Decker een dubbele boterham met tonijn, compleet met een blaadje sla en tomaat. Decker waste ritueel zijn handen en prevelde de zegening voor het eten van brood. Met twee happen was de helft van de boterham verdwenen.

'Je hebt honger.'

'Ik heb altijd honger.' Decker legde zijn hand op zijn buik. Nog stevig, maar iets breder dan vroeger. 'Kunnen we over Lisa praten?'

'Als je wilt.'

'Eerlijk gezegd heb ik meer belangstelling voor een jonge vrouw genaamd Ruby Ranger. Lisa heeft me verteld dat je haar kent, en dat je een hekel aan haar hebt.'

'Dat is *erg* zachtjes uitgedrukt. Ruby Ranger is totaal gestoord!'

'Lisa zei dat Ruby ooit heeft geprobeerd je uit je tent te lokken. Jij voelde je beledigd en werd nogal agressief.'

'Ik zal je vertellen hoe het is gegaan. Ik heb tegen haar gezegd dat ik haar zou afmaken als ze het zou wagen nog een keer zo'n bek tegen me open te trekken.'

Decker gaf geen antwoord. Hij was te geshockeerd om iets te kunnen zeggen.

Jacob ging door: 'Ik heb niet alleen gedreigd haar te vermoorden, maar ik heb haar ook verteld hoe ik dat zou doen. En toen heb ik haar verteld hoe ik de sporen zou wissen. Ik heb gezegd dat ik alles over onderzoeken naar moorden weet omdat ik jouw zoon ben, en ik je genoeg zaken heb zien behandelen om precies te weten waar je op moet letten.' Hij boog zijn hoofd. 'Volgens mij geloofde ze het ook nog allemaal.'

Decker beet op zijn lip. Hij wist niet goed hoe hij hierop moest reageren. Hij kon geen woord uitbrengen.

'Daarna heeft ze nooit meer iets tegen me gezegd,' zei Jacob. 'Ik heb haar ook nooit meer gezien. Ik ben vanaf die dag bij die feestjes weggebleven. Dus zal ik waarschijnlijk nooit te weten komen wat ze dacht.'

'Hebben anderen gehoord dat je haar hebt bedreigd?'

'Ja, we hadden nogal wat bekijks. Een tijdje was ik bang dat iemand me zou aangeven – niet bij jou, maar bij de politie op zich. Dat zou ook juist zijn geweest. Maar het gebeurde niet. Dat zootje is net zo beginselvast als... pannenkoekendeeg.'

Stilte.

Jacob zei: 'Als ik was gearresteerd, zou dat goed zijn overeengekomen met mijn zelfbeeld. Ik zat toen op een dieptepunt in mijn leven. Ik rookte hasj en slikte pillen en deed allemaal stomme dingen. Ik was echt helemaal losgeslagen. Godzijdank heb jij me toen bij mijn lurven gepakt.' Hij keek op. 'Dat is een compliment.'

'Dank je.' Decker staarde hem aan, alsof hij een volslagen vreemde voor zich had. 'Je hebt me nooit verteld dat je pillen slikte.'

Jake wuifde dat opzij.

'Wat heb je me nog meer niet verteld?'

Jacob liet zijn hoofd achterover zakken. 'Je bent een goeie vent, pap. Je doet je best begrip te tonen, maar zelfs goeie mensen hebben hun grenzen.' Hij keek zijn stiefvader weer aan. 'Ik jaag je de stuipen op het lijf, hè?'

'Nogal.'

'Ik haat alles en iedereen,' zei Jacob. 'Ik ben voortdurend kwaad. Maar het probleem ben ikzelf, het probleem is niet de wereld. Ik probeer mijn gevoelens in positieve banen te leiden. Het klinkt voor jou misschien zweverig, maar het is echt zo.'

Decker zei niets.

Jacob wendde zijn blik af. 'Ik doe mijn best. Vooral om ima, want die verdient zoiets niet. Ik heb al zes maanden niks geslikt, op wat aspirientjes na. Ik haal goede cijfers. Ik werk nog steeds één avond in de week voor de zelfmoordhulplijn. Ik deel eens per maand eten uit aan daklozen. Ik doe *echt* mijn best! Maar het is verrekte moeilijk!'

Decker legde zijn hand op de schouder van zijn zoon. Hij boog zich naar voren en drukte een kus op zijn voorhoofd. 'Wat kan ik voor je doen, Jacob?'

Hij schudde zijn hoofd. 'Gewoon doen wat je nu ook doet. Niet hysterisch worden wanneer ik je deze dingen vertel.'

'Dat valt niet mee,' zei Decker. 'Van binnen ben ik aardig hysterisch.'

De tiener duwde zijn bord van zich af en deed het boek dicht. 'Jij hebt al heel wat psychopaten meegemaakt, hè?'

'Ja.'

'Val ik in die categorie?'

Decker durfde er niet eens aan te denken dat dat zo zou zijn. 'Nee.'

Jacob glimlachte met tranen in zijn ogen. 'Dat zeg je maar.'

'Jij hebt een geweten,' zei Decker. 'Psychopaten hebben dat niet. Maar dat wil nog niet zeggen dat je geen schade zou kunnen aanrichten als je je zelfbeheersing zou verliezen.'

'Dat weet ik.'

'Heb je zomaar staan brallen tegen Ruby Ranger, of meende je het echt?'

'Ik geloof dat ik het op dat moment echt meende. Ze is slecht. Ze verdedigt mensen als Hitler en Stalin en Pol Pot. Toen ik zei dat ik haar zou vermoorden, deed ze wel alsof ze schrok, maar ik geloof dat ze er heimelijk van genoot. Ik *weet* dat ze ervan genoot. Ze werd opgewonden... geil. Haar tepels werden hard.'

'Dat kan ook van angst zijn geweest.'

'Het was seksueel, pap. Geloof me, ik weet het zeker. Mensen als zij... rijke mensen... die hebben álles. Voor hen is niets bijzonder, dus zijn ze constant op zoek naar kicks. Wanneer drugs geen bevrediging meer geven, gaan ze over op wat anders. Ruby Ranger denkt dat massamoordenaars en seriemoordenaars onbegrepen genieën zijn. Of ik geloof dat zij achter het vandalisme zit, na wat Lisa me heeft verteld over dat zij en Ernesto met elkaar naar bed gaan? Absoluut! Het zou me niet eens verbazen als zou blijken dat Ruby het alleen maar heeft gedaan om wraak op mij te nemen, en ze hoopte dat ik met een geweer achter haar aan zou gaan. Ze werd er waarschijnlijk helemaal nat en geil van...'

'Jacob! Doe me een lol!'

'Sorry, sorry.' Hij sloeg zijn handen voor zijn gezicht. 'Ik veroorzaak niks dan ellende.'

'Dat is niet waar... of ergens wel een beetje. Je baart me zorgen. Ik zit in een impasse. Ik weet niet wat ik met je aan moet.'

'Maak je geen zorgen. Ik ga geen gekke dingen doen. Erewoord.'

'Ben je openhartig tegen dokter Gruen, Jake?'

'Stukje bij beetje. Net zoals tegen jou. Ik vertel je stukjes van de waarheid tot ik de moed kan opbrengen je de hele waarheid te vertellen. Hij begrijpt waar ik mee bezig ben, en hij laat het me in mijn eigen tempo doen. Hij is veel beter dan de vorige. Haar mocht ik niet.'

'Heb je hem verteld dat je Ruby Ranger hebt bedreigd?'

'Ja. Daar hebben we aan gewerkt.'

'Goed.' Decker koos zijn woorden met zorg. 'Vind je het goed dat ik hem opbel? Ik kan wel wat goede raad gebruiken wat ik voor je kan doen.'

'Je doet het prima, pap. Ik vertel jou bijna net zo veel als hem.'

Maar ik vind zelf helemaal niet dat ik het prima doe! Op milde toon zei Decker: 'Je hebt dus liever dat ik hem niet bel?'

'Ik wil het er eerst met hem over hebben, goed?'

'Goed. Is er verder nog iets wat je me wilt vertellen?'

'Over Ruby Ranger of over mezelf?'

'Op dit moment ben ik meer in jou geïnteresseerd dan in Ruby Ranger.'

'Wat wil je weten? Over de drugs? Ja, ik heb ook pillen geslikt. Meestal downers wanneer de hasj niet genoeg was. Ik vond het fijn om me afgestompt te voelen. Dan was de woede minder acuut.'

'Wat nog meer, Yonkie?'

'Dat was het.'

Stilte.

'Nee, echt. Dat was het.' Hij liet Decker zijn onderarmen zien. 'Kijk maar. Geen prikken. Ik ben schoon. Ik ben erg boos, maar niet chemisch veranderd. Wat je voor je ziet, is de ongecensureerde Yonkel.'

Decker glimlachte voorzichtig. Hij had het gevoel dat hij gedeeltelijk succes had geboekt. 'En seks?'

'Hoe bedoel je?'

'Ben je seksueel actief? Ik wil graag zeker weten dat je veilig vrijt.'

'Heel veilig.' Jacob glimlachte. 'Ik doe namelijk helemaal niks.'

Decker lachte oprecht vrolijk. 'Mooi.'

'Ik heb met mezelf afgesproken dat ik met meisjes wacht tot ik volgend jaar op het Johns Hopkins zit. Ik moet hard studeren om goede cijfers te halen en meisjes leiden af. Maar het gaat me er vooral om dat ik dan weer een jaartje ouder ben en dat de meisjes ook ouder zijn. Het is niet makkelijk, maar ik kan wachten.'

'Heel verstandig.' Decker aarzelde. Toen kwamen de woorden er toch uit. 'Maar toen ik vroeg of je nóg iets wilde opbiechten, dacht ik eerlijk gezegd aan criminele activiteiten, Jacob.'

Jacob kreeg een kleur en wendde zijn blik af.

'Zit ik ernaast?' vroeg Decker.

Jacob bleef van hem weg kijken. 'Winkeldiefstal.'

'Met inbraak?'

'Nee.' Hij keek Decker weer aan. '*Nee.*'

Decker wilde zeggen: 'Ik geloof je wel.' Maar de woorden bleven in zijn keel steken.

Jacob zei: 'Ik heb me schuldig gemaakt aan winkeldiefstal. Hoofdzakelijk drank, maar in drie maanden tijd heb ik ook een stuk of twaalf cd's gestolen.' Even zweeg hij. 'Zestien cd's. Vraag me niet hoe ik het voor elkaar heb gekregen met al die metaaldetectors. Het is te doen. Ik doe er *kapara* voor.'

'Wat voor soort boetedoening?' vroeg Decker, het Engelse woord gebruikend.

'Ik heb de cd's nooit geopend. Ik heb ze in het cellofaan gelaten.' Weer een stilte. 'Twee maanden geleden heeft dokter Gruen de eigenaar van de winkel opgebeld. Hij heeft de situatie uitgelegd zonder namen te noemen. Toen heeft hij de cd's voor me teruggebracht, zonder dat er verder over is gesproken. En de gestolen drank... ik heb op een gegeven moment al mijn moed bij elkaar geraapt en het opgebiecht. Ik stal de drank uit een klein winkeltje, je weet wel, met zo'n bejaard stel achter de toonbank. De eigenaar, meneer Kim, was heel geschikt. We hebben een regeling getroffen, een boete vastgesteld. Ik moet ervoor werken, klusjes doen. Vakken vullen, de vloer vegen, schoonmaken... opletten dat niemand wat pikt. *Dat* is pas ironisch. Ik doe het op de sabbat omdat dat de enige dag is dat ik vrij heb. Ima denkt dat ik naar vrienden ga, maar dat is niet zo. Je kunt het navragen, als je wilt.'

'Waar is die winkel?'

'Ongeveer zes kilometer hiervandaan. Ik loop er na het middageten naartoe. Wanneer het donker is, pikt Jossi me op. In het begin zag ik mijn oude vrienden daar nog wel eens. Nu blijven ze bij mij en meneer Kim uit de buurt. Ik weet niet of ik Ruby Ranger angst heb aangejaagd, maar veel van die lui wel.'

Decker wreef over zijn hoofd.

'Heb ik je hoofdpijn bezorgd?'

'Ik ben blij dat je me dit nu allemaal hebt verteld.'

Jacob zei: 'Het gaat een stuk beter met me, pap. Het is allemaal niet makkelijk, maar het komt wel goed.'

'Yonkie...' Decker schraapte zijn keel. 'Heb ik gelijk als ik denk dat die vreselijke kerel die jou heeft misbruikt, méér heeft gedaan dan je hebt toegegeven?'

Weer kreeg de jongen een kleur. 'Ik heb je alles verteld wat ik me kan herinneren. Maar er kunnen dingen zijn... die ik heb geblokkeerd. Ik was pas zeven, dus... je weet wel.'

Decker voelde zich misselijk worden. *Wat had die schoft precies gedaan?* Op kalme toon zei hij: 'Praat je daarover met dr. Gruen?'

'Stukje bij beetje. Wanneer er iets bovenkomt.' Jacob glimlachte opeens. 'Ga je met Ruby Ranger praten?'

Decker was blij dat de jongen over iets anders begon. Duidde dat op zwakte van zijn kant? Dat hij als ouder niet dieper wilde graven? Of rationaliseerde hij het door zichzelf wijs te maken dat hij dit beter aan beroepsmensen kon overlaten? Hij was ook maar een mens. Er waren grenzen aan wat hij in één avond in zich kon opnemen. 'Wat kun je me over haar vertellen?'

'Ze is intelligent, deskundig op het gebied van computers. Ik wil wedden dat ze een amateurhacker is. Ze is sexy genoeg om mannen te krijgen, als je van de strakke gothic-look houdt. Ze kan Ernesto makkelijk hebben overgehaald de sjoel te vernielen. Daar zou ze hartstikke geil van worden. Maar ze zal nooit zelf haar handen vuilmaken. Dat is niet *fun* voor haar. Het gaat er haar om een ander zodanig te manipuleren dat hij haar ziekelijke fantasieën ten uitvoer brengt.' Hij grinnikte. 'Mooie psychiatertaal, hè?'

'Je hebt het taaltje aardig onder de knie.'

'Wie met pek omgaat...' Hij keek Decker weer aan. 'Als je met haar gaat praten, geef haar dan maar van mij door dat ze kan doodvallen.'

'Ze zal ondervraagd worden, maar niet door mij.'

'Ah!' Jacob glimlachte. 'Tegenstrijdige belangen.'

'Precies.'

'Het spijt me dat ik je zo tot last ben. Maak je geen zorgen. Over zeven maanden ben je van me af. Tot dan houd je het wel vol, toch?'

'Jacob, je bent me niet tot last.'

'Nee, natuurlijk niet, pap.' Hij glimlachte wrang. 'Eerlijk gezegd heb ik wel zin om naar het Johns Hopkins te gaan en op mezelf te wonen. En ik ga heus niemand neerschieten. Al zou ik de wereld een grote dienst bewijzen als ik Ruby Ranger zou vermoorden.'

'Dat is niet grappig, Jacob.'

'Het is ook niet grappig bedoeld.'

11

Het ophangen en verven van de boekenplanken gaf Decker de gelegenheid tot rust te komen en zijn lichaam te gebruiken in plaats van zijn hersens. Tegen twee uur 's nachts was de stank van de schoonmaakmiddelen zo overweldigend dat de hele ploeg besloot naar huis te gaan. Rina sliep zodra ze haar kussen rook, maar Decker was de hele nacht onrustig en droomde over rebelse jongens, onder wie zijn stiefzoon. Om halfzes schrok hij wakker. Het was nog donker. Hij werkte zijn vermoeidheid weg met drie koppen espresso, pakte om zes uur zijn gebedssjaal en gebedsriemen en reed snel naar de synagoge, waar hij samen met de andere mannen de morgendienst deed – een anomalie omdat hun kleine synagoge over het algemeen het vereiste gebedsquorum voor een dienst niet bij elkaar kreeg. De mensen waren door de gebeurtenissen van gisteren duidelijk gemotiveerd iets meer hun best te doen.

Vlak voordat de dienst begon kwam de helft van Yonkies school binnen, inclusief Yonkie zelf. Een aardige jongen was zelfs zo slim geweest koekjes en vruchtensap mee te brengen als beloning voor de deelname. Het voelde heel huiselijk aan en iedereen leek vriendelijker, meer sociaal voelend en vooral dankbaar. Iedereen bad ook met overgave. Tegen achten, nadat de koekjes en het sap geheel op waren, vertrokken de mannen naar hun werk. Rina kwam samen met een paar andere vrouwen binnen toen de mannen op weg waren naar buiten. Ze hadden emmers, borstels en schuursponsjes bij zich en een heleboel rollen plakband om de gescheurde pagina's van de heilige boeken te repareren. Decker hielp hen de spullen naar binnen te brengen.

'Ik heb de synagoge nog nooit zo mooi schoon gezien,' zei hij tegen zijn vrouw.

'Bijna alsof er niets is gebeurd,' antwoordde Rina. 'Wat zou die jongen bezield hebben? Waarom heeft hij zoiets afschuwelijks gedaan? Ik weet dat je daarop geen antwoord kunt geven. Ik denk gewoon hardop.'

'Lieveling, ik snap er net zo weinig van als jij.'

Rina bekeek haar man. 'Arme Peter. Je ziet er moe uit.'

'Valt wel mee.' Decker glimlachte om dat te bewijzen. 'Hoe komt het dat jij er zo fantastisch uitziet? Het is niet eerlijk.'

'Het heet foundation en je kunt er donkere kringen mee camoufleren.'

'O.'

'Bovendien heb je je bril niet op.'

'Ik heb geen bril nodig!' protesteerde Decker. 'Alleen voor de tekst op medicijnflesjes. Laten we niet op de zaken vooruitlopen.'

Rina grinnikte. 'Heb ik je vanochtend al verteld dat ik van je hou?'

'Nee.'

Dat deed ze toen. En ze ging op haar tenen staan om hem te kussen. Toen gaf ze hem een papieren zak. 'Hier is je lunch. Vergeet alsjeblieft niet die op te eten.'

'Eten is voor mij nooit een probleem geweest.'

Ze kneep hem in zijn zij. 'Dat is waar.'

'Onder de gordel graag.'

'Gedraag je.' Rina glimlachte. 'We zijn in een sjoel.'

Decker lachte en trok haar in zijn armen. Haar lichaam voelde gespannen en stram aan. Hij zei: 'Werk niet te hard vandaag, Rina. Je belast spieren die je normaal gesproken niet gebruikt.'

Ze maakte zich van hem los en masseerde haar schouder. 'Dat heb ik al gemerkt.'

'Zal ik dat "onder de gordel" maar onthouden,' zei Decker, 'voor vanavond?'

'Doe dat!'

Decker lachte weer, liep naar zijn auto en zwaaide nog even naar haar. Voordat hij de motor startte, belde hij het nummer van de Goldings. Toen er niet werd opgenomen, sprak hij een bericht in. Hij was bijna bij het parkeerterrein van het politiebureau toen een impuls het won van zijn gezonde verstand. Hij keerde midden in de straat, wat eigenlijk verboden was, en reed naar de buurt waar de Goldings woonden, een luxe wijk met grote villa's, elk met een halve hectare tuin eromheen. De wijk had eigen tennisbanen, zwembaden, sauna's, whirlpools, fitnessruimten en recreatiezalen, en privé-bewakers die in auto's patrouilleerden. Toen Decker naar het adres zocht, werd hij aangehouden door zo'n wit-met-blauwe patrouillewagen. Hij liet zijn penning zien, waarop de man knikte, zijn auto midden op straat liet staan en uitstapte om Decker de weg te wijzen naar het adres van de Goldings.

Het huis waarin Ernesto woonde, was een vormeloze klont die nog het meeste weg had van een berg smeltend chocolade-ijs. Het was gemaakt van adobe en zou in Santa Fe heel aardig staan, maar in deze straat met villa's in koloniale, mediterrane en landelijke stijl zag het er onafgemaakt uit. Erger dan onafgemaakt. Het zag eruit als een huis waar men nog maar net aan was begonnen. In de voortuin lagen groepjes rotsblokken en kleinere stenen in een soort zandbakken en er stonden planten die weinig water behoefden: hoofdzakelijk cactussen, maar ook ijskruid als grondbedekking en andere bloeiende, muntkleurige gewassen. Twee dwergsparren flankeerden de antieke, gebeeldhouwde voordeur.

Decker klopte aan zonder iets te verwachten. Hij was dan ook verrast toen Carter Golding opendeed en Jill over zijn schouder keek. Nog verrassender was dat ze deden alsof ze blij waren hem te zien.

We waren net van plan u te bellen.

Of hij maar wilde binnenkomen.

Hij zag een open woonruimte, groots en licht. Meubels en kamerschermen waren gebruikt om de ruimte op te delen in vertrekken met afzonderlijke gebruiksdoelen. De trap naar boven had eveneens een vrije vormgeving en was net als de rest gemaakt van bruine adobe. De modderkleurige muren waren ruw en bultig en hadden kleine ramen die evengoed enorme hoeveelheden licht binnenlieten. Doffe kleuren hadden de overhand, waarschijnlijk omdat de banken en fauteuils overtrokken waren met verschoten en versleten stof. Niets was formeel of gestructureerd, alsof ieder meubelstuk, ieder accessoire, ieder schilderij en iedere andere muurdecoratie afdankertjes waren. Niet dat het interieur er slordig uitzag, eerder 'designer funky'.

Jill zag zijn starende blik. 'Allemaal gerecycled. De bekleding van de stoelen en banken is ofwel de originele stof, of afgedankte stof. Ook alle ramen zijn gerecycled.'

'Alle architecturale elementen zijn afkomstig van huizen die zijn afgebroken,' vulde Carter aan. 'Daar zijn we trots op. Zelfs het hout dat voor het skelet van het huis is gebruikt, is afkomstig van andere huizen.'

'U bent in ieder geval beginselvast,' zei Decker.

'We dragen graag een steentje bij,' antwoordde Jill.

'Het kost waarschijnlijk ook maar een fractie van nieuwe spullen,' zei Decker. 'Ik ben van plan mijn keuken te verbouwen. Dit brengt me op allerlei ideeën.'

Jill was meteen enthousiast. 'Als u wilt, zal ik u met plezier een rondleiding geven door onze zaak. We krijgen voortdurend oude keukenkasten binnen. Prachtige kasten, inspecteur, van massief hout. Niet geperst triplex, dat je tegenwoordig overal ziet.'

Het klonk erg verleidelijk. Maar afgezien van het feit dat het onethisch was, wist hij nu al hoe Rina zou reageren als hij keukenkastjes wilde uit de zaak van de ouders van de jongen die de muren van hun synagoge had volgespoten met *Hitler had nog meer van jullie moeten doodmaken*. Hij had er al zo'n moeite mee gehad haar in zijn oude Porsche te krijgen.

Carter hield hem zijn visitekaartje voor. 'Het nummer op de achterkant is mijn privé-lijn op de zaak. Aarzel niet er gebruik van te maken.'

Decker pakte het kaartje aan, om (a) het nummer te hebben en (b) uit beleefdheid.

'Gaat u zitten,' zei Jill. 'Waar u maar wilt.'

Decker koos voor een bank waarvan de bekleding een patroon van klimrozen had. De bank zat erg lekker. Carter ging in een dik gestoffeerde fauteuil zitten en keek om zich heen alsof hij het huis voor het eerst zag.

'Mijn vrouw heeft gevoel voor binnenhuisarchitectuur.' Carter glimlachte vriendelijk – een streep wit in zijn grijs-met-bruine baard. 'Ze weet precies wat bij elkaar past. Daar moet je oog voor hebben.'

De man gedroeg zich veel te joviaal. Omdat hij zo mager en klein was, zakte hij bijna weg in de opbollende kussens van de fauteuil. 'Mag ik u iets te drinken aanbieden?'

'Nee, dank u, meneer Golding.'

'Zegt u toch gewoon Jill en Carter,' zei Jill. Haar elfengezichtje zag eruit alsof ze het net gescrubd had, de huid glad en glanzend. Haar lange haar zat in een paardenstaart. Ze zag er minder gespannen en jaren jonger uit. Ze waren allebei gekleed in een denim shirt en spijkerbroek. Decker voelde zich vormelijk in zijn pak.

Jill zei: 'Het is zo'n gelukkig toeval dat u net langskwam. Oog in oog praat men veel makkelijker dan door de telefoon.'

'Ik wil best met u praten,' zei Decker, terwijl hij dacht aan Ricky Moke en Darrell Holt, en of die iets te maken hadden met Ernesto en het vandalisme. 'Maar als u het niet erg vindt, wil ik eerst Ernesto spreken.'

'Die is er niet,' zei Carter. 'Hij verblijft bij familie. Hij was volkomen óp van alle commotie. Bovendien heeft hij behoefte aan tijd en afzondering om na te denken over de enormiteit van wat hij heeft gedaan.'

'Misschien kan ik even langsgaan bij de familie waar hij verblijft.' Decker glimlachte. 'Ik zou er erg mee geholpen zijn als ik hem een paar vragen kon stellen.'

Jill zuchtte. 'Het spijt me erg, inspecteur, maar zijn advocaat vindt het niet goed dat u naar hem toe gaat zonder dat hij erbij is. Maar als u een boodschap wilt doorgeven, zullen we dat graag voor u doen.'

'Ik wil hem toch echt persoonlijk spreken.' Decker had het gevoel dat hij mensen tegenover zich had die eigenlijk best medewerking wilden verlenen. 'Kunt u een kort bezoek voor me regelen? Me naar hem toe brengen? U mag er best bij blijven wanneer ik...'

'Nee, dat zal niet gaan,' onderbrak Carter hem. 'Niet zonder de advocaat. Ik hoop dat u daar begrip voor hebt.'

Decker knikte. 'Ik heb er geen bezwaar tegen dat meneer Melrose erbij is.'

'Everett heeft een drukke agenda,' zei Jill. 'Ik vrees dat gisteren bijna al zijn tijd heeft opgeëist. Maar ik zal het aan hem doorgeven. Misschien kan hij een gaatje vinden.'

'Als u dat zou willen doen,' zei Decker.

'Met plezier,' antwoordde Jill.

Maar Decker wist dat ze het niet zou doen. 'En Karl?'

'Wat is er met Karl?' vroeg Jill.

'Kan ik hem even spreken?'

'Waarom?' kwam Carter weer tussenbeide. 'Het heeft absoluut geen zin hem hierbij te betrekken. We geloven niet in schuld door associatie, meneer.'

'Dat begrijp ik.' Decker kwam geen stap verder. Hij stond op. 'Dank u voor uw tijd...'

'Blijft u alstublieft nog even.' Carter streek over zijn keurig geknipte baard. 'We waren benieuwd of u iets voor ons zou kunnen doen.'

'Ik?'

'Gaat u alstublieft zitten,' verzocht Jill. 'Weet u zeker dat u niets wilt drinken?'

'Nee, dank u.'

Jill stond te wachten tot hij weer zou gaan zitten, dus zakte hij weer terug op de bank. Jill nam ook plaats en keek hem aan met een stralende lach. 'We hebben erg goed nieuws. We hebben een fantastische psychotherapeut voor Ernesto gevonden. Het heeft ons de hele nacht gekost, maar we hebben echt perfecte mensen gevonden bij wie hij in behandeling kan.'

Carter zei: 'Het vandalisme was onvergeeflijk – een ongehoorde, walgelijke daad. Maar het is noodzakelijk door te dringen tot de wortel van het probleem. Bent u het daarmee eens?'

Daar was Decker het mee eens.

'Zijn gedrag toont beslist een gebrek aan ouderlijk begrip van onze kant.' Carter sloeg zijn ogen neer en schudde zijn hoofd. 'Je doet je best, maar soms is dat niet genoeg. Dan moet er een beroeps bij komen.'

'Hebt u kinderen?' vroeg Jill.

Decker knikte.

'Tieners?'

Carter zei: 'Jill, dat is een erg persoonlijke vraag.'

Ernesto had zijn ouders blijkbaar niets over Jacob verteld. Decker zei: 'Ik heb kinderen in de tienerleeftijd. Ik weet dat ze je voor verrassingen kunnen zetten.'

'Precies!' riep Jill uit. 'Ik ben blij dat u in ons team zit!'

'Uw team?'

'Ja, in zeker opzicht.' Carter werd geestdriftig. 'Omdat u ons op een fantastische manier zou kunnen helpen. Ernesto heeft gevraagd of *u* met de psychiater zou willen praten.' Hij glimlachte. 'Ik weet niet wat u tegen onze zoon hebt gezegd, maar u hebt duidelijk vertrouwen bij hem opgewekt... ik zou zelfs zeggen, een band gesmeed. Ik vind dat echt fantastisch. Ik moet zeggen dat ik dit nooit had verwacht van iemand van de... politie.'

Het laatste woord kwam er bijna honend uit.

'Niet dat we niet achter de politie staan, maar de recente gebeurtenissen bij de LAPD hebben toch wel aangetoond dat er heel wat op is aan te merken.'

'Cart, dat is nu niet aan de orde,' zei Jill afgemeten. 'Inspecteur, we hadden graag dat u met dokter Baldwin ging praten. Dat zouden we echt op prijs stellen.'

Decker wist niet hoe hij het had. 'Mevrouw Golding...'

'Jill...'

'Ik ben blij dat u een goede psychotherapeut hebt gevonden, maar ik ben niet geschikt om op te treden als tussenpersoon.'

'Integendeel,' protesteerde Carter. 'Ik ben geïnteresseerd in uw mening. Maar nog belangrijker is dat Ernesto geïnteresseerd is in uw mening.'

'Meneer, ik kan me niet scharen aan de zijde van een verdachte, zelfs niet uit sociale overwegingen. Een kwestie van tegenstrijdige belangen. En zelfs als ik deze therapeut...'

'Dokter Baldwin,' onderbrak Jill hem.

'Zelfs als ik hem graag zou mogen, mevrouw, zou dat niets betekenen. Ook als ik hem niet zou mogen, zou dat niets betekenen. Ik kan geen onderscheid maken tussen goede en slechte psychiaters.'

'We willen alleen maar uw mening,' zei Jill.

'Dat is niet mogelijk.'

'Dit is erg teleurstellend.' Carter keek peinzend en ernstig. 'Ernesto heeft ons verzekerd dat u het beste met hem voorhebt.'

Dat rotjong zat hem te manipuleren! 'Ik wil ook graag dat alles in orde komt, maar mijn functie weerhoudt me ervan tegemoet te komen aan uw verzoek.'

Carter streek over zijn baard. 'Laten we het zo zeggen: als u bereid bent met dokter Baldwin te praten, zijn wij bereid u met Ernesto te laten praten. Dan kunt u hem die vragen stellen.'

Ze zaten hem allemaal te manipuleren.

Jill mengde zich weer in het gesprek. 'Ernesto lijkt vertrouwen in u te hebben. Hij wil uw mening horen.'

'Ik kan hem geen mening geven. Ik weet niets over psychotherapeuten en psychologie.'

'U zult in het kader van uw werk toch heus wel regelmatig met psychotherapeuten te maken hebben,' ging Carter door. 'U kunt moeilijk dag in dag uit met onderdrukte en wanhopige mensen werken zonder zelf te leren met stress om te gaan.'

Decker zei: 'De laatste psychotherapeut met wie ik heb gesproken, was gespecialiseerd in kinderpsychologie.'

Jill zei: 'O ja? Hoe heet hij? Ik ken hem vast.'

'Jill, dat is een erg persoonlijke vraag.'

Decker zei: 'Waarom denkt u dat u hem kent?'

'Omdat ik een MFCC heb – een diploma huwelijksbemiddeling,' legde Jill uit. 'Ik dacht dat u dat wist.'

'Nee, dat wist ik niet.'

'Ik dacht dat de politie op de hoogte was van alle persoonlijke details van hun verdachten.'

‘Pardon?’ zei Decker. ‘Voor zover ik weet bent u geen van tweeën een verdachte.’

‘Nou ja, de ouders van een verdachte dan. U wilt toch niet zeggen dat er op ons niet een mate van verdenking rust?’

‘Cart, dat is nu niet van belang,’ zei Jill snel. ‘Hoe heet die therapeut? Die kinderpsycholoog?’

‘Jill, je weet heel goed dat zoiets onder vertrouwelijke informatie valt.’

‘Ja, daar heb je gelijk in.’ Ze knikte ernstig. ‘Sorry. U gedraagt zich zo openhartig tegen ons dat ik mijn grenzen even vergat. Hoe dan ook, het is voor Ernesto van groot belang dat u met zijn psychiater gaat praten. En ik ben benieuwd wat u van hem vindt. Wij allen willen Ernesto helpen. Ik bedoel, u wilt hem toch ook helpen?’

‘Als u uw medewerking verleent, inspecteur, kunnen we waarschijnlijk wel iets regelen met Everett,’ zei Carter. ‘Als hij ziet dat u hart hebt voor Ernesto’s zaak, kan hij er moeilijk bezwaar tegen maken dat u met onze zoon gaat praten.’

Jill voegde eraan toe: ‘De beslissing ligt bij ons... of we u wel of niet toestemming geven met Ernesto te praten.’

‘Het is dus een kwestie van “voor wat hoort wat”.’

Ze bloosde. ‘Ik zeg alleen maar dat de beslissing bij ons ligt. U hebt toch zelf wel gezien dat Ernesto geen misdadiger is?’

Decker had dat helemaal niet gezien. Maar hij had een halfuur vrij voor de lunch. Rina had hem een broodje pastrami meegegeven met mosterd, mayonaise, zuurkool en pikante augurken. Hij besloot dat hij net zo goed van iets anders brandend maagzuur kon krijgen dan van zijn lunch.

12

VANDALISME WAS NIET DE ENIGE MISDAAD WAAR DE STAD NOG STEEDS onder gebukt ging. Ook aanrandingen, verkrachtingen, berovingen, autodiefstal en een verscheidenheid aan inbraken en roofovervallen waren aan de orde van de dag. Decker dacht erover na of het wel verstandig was zijn kostbare tijd te gebruiken om met een stelletje psychotherapeuten te gaan praten, zelfs als dat hem misschien een tweede kans zou bieden om Ernesto te ondervragen. Aan de andere kant was het misschien een goed idee te proberen de zoon van een ander te doorgronden, want van zijn eigen stiefzoon begreep hij niet veel.

Wanda had via internet aardig wat informatie gevonden over Mervin Baldwin en zijn vrouw Dee, die psychologe was. Ze waren geïnterviewd door vooraanstaande opiniebladen en in *Psychology Now* had een omslagartikel over hen gestaan, waarin ze een 'power couple' werden genoemd. Vakbladen van plaatselijke organisaties op het gebied van de psychologie hadden 'diepteprofielen' over hen gepubliceerd. Zelf hadden ze zo'n twaalf artikelen geschreven, die bijna allemaal over 'Opstandig Gedrag van Tieners' gingen. Decker begreep uit de inleidingen dat vooral Merv Baldwin was gespecialiseerd in de behandeling van tieners die met zichzelf in de knoop zaten.

Een deel van hun essays was gewijd aan zijn unieke behandelmethode die Natuurtherapie heette. De methode had het één zijn met de aarde en het land als grondslag, en gebruikte een combinatie van individuele therapie en intensieve groepsprogramma's in de vrije natuur. De artikelen stonden vol psychologisch jargon waar Decker geen kaas van had gegeten, dus maakte hij aantekeningen. Hij wist niet goed wat 'één zijn met het land' betekende, maar het leek hem veel weg hebben van kamperen.

De Baldwins hadden een paar klinieken, maar de hoofdkliniek stond in Beverly Hills; het adres had hij van de Goldings gekregen voordat hij was vertrokken. Wanda had diverse foto's van het psychologenpaar gedownload, maar de afdrukken waren niet van hoge kwaliteit. Naar de foto's te oordelen was Merv kaal en droeg hij dure kleding. Ook Dee zag er tot in de puntjes verzorgd uit en haar kleding was net zo stijf als haar kapsel. Merv leek in de vijftig, zo'n tien jaar ouder dan zijn vrouw.

Het verkeer op de weg over de heuvel reed erg langzaam vanwege bouwwerkzaamheden. Decker sloeg bij Sunset af en reed oostwaarts door Westwood naar de luxe woonwijken van Beverly Hills. Hier waren van de bochtige weg slechts twee rijbanen beschikbaar vanwege onderhoudswerkzaamheden en door een plotselinge regenbui was het wegdek bedekt met een dunne laag glibberige modder, waardoor iedereen stapvoets reed. Los Angeles was nooit op regen voorbereid en wanneer er een bui viel, reed men als beginnelingen: te hard of te zacht.

Hij sloeg links af Roxbury Drive in en bleef die volgen tot het een straat met eenrichtingsverkeer werd, uiteraard in de voor hem verkeerde richting. Hij manoeuvreerde zijn wagen tussen winkelende mensen en toeristen door tot hij eindelijk in de juiste richting de straat kon inslaan, maar toen kon hij nergens een parkeerplaats vinden. Ook de parkeerterreinen waren helemaal vol. Tegen de tijd dat hij een plek had gevonden, was hij tien minuten te laat.

Het maakte echter niet veel uit, want de Baldwins lieten hem wachten. Decker had niet verwacht dat ze hem met open armen zouden ontvangen, maar ook niet dat ze hem zouden laten wachten. Hij had net besloten weg te gaan toen de deur openging en een jonge negerin, die zich aan hem voorstelde als Marjam Estes, haar excuses aanbood dat hij had moeten wachten. Ze was erg mooi, had een prachtig figuur en liep heupwiegend voor hem uit naar een vertrek met een nogal laag plafond. Decker hoefde niet te bukken, maar als hij zijn arm ophief, kon hij de houten balken zó aanraken. Het was een groot vertrek, ingericht à la Frank Lloyd Wright met veel dure, ingebouwde houten kasten, een vergadertafel en een glanzend duo-bureau van walnoothout. De sofa's hadden houten frames en waren bedekt met tientallen kleurige kussens. Aan de muren hingen kleurrijke schilderijen van bloemstukken en in de stenen open haard brandde een hoog vuur.

Maar al was het decor hier een stuk beter, Decker was niet van plan nog langer te wachten. Hij stond op het punt zijn ongenoegen kenbaar te maken aan de eerste de beste persoon die hij tegenkwam, toen er een vrouw binnenkwam, die haar beide handen om de zijne sloot en zich aan hem voorstelde als Dee Baldwin. Ze zag er nog jonger uit dan op de foto's, eind dertig. Maar ze had wel het stijf van de lak staande kapsel dat het in de vrije natuur niet lang zou redden. Ze had een rond gezicht met koperkleurige ogen en witte tanden. Ze deed hem vaag denken aan een leeuwin. Ze was klein en tenger, op haar schouders na, die nogal breed waren en nog breder leken door de schoudervulling van het jasje van haar zwarte broekpak. Haar oren waren versierd met goud, evenals haar hals. Haar parfum was licht en luchtig.

'Het spijt me zo dat ik u heb moeten laten wachten.' Een verontschuldigende glimlach. 'Een spoedgeval... nog lastiger dan Ernesto Golding. Deze jongen zit *echt* in de problemen. Merv is nog bezig met de ouders, maar hij komt zo. Ik weet dat u het druk hebt, dus kunnen we misschien het beste alvast beginnen.'

Ze nam tegenover hem plaats.

'Het is erg aardig van u dat u zich bereid hebt getoond met ons te praten. Vooral omdat uw persoonlijke gevoelens ten opzichte van Ernesto vast niet lovend zijn.'

Decker zei: 'Omdat we het allebei zo druk hebben, kunt u me het beste eerst maar eens vertellen waarom iedereen zo graag wilde dat ik met u kom praten.'

'Wij hebben vaak contact met de politie.'

'O ja? Dat wist ik niet.'

'Laat me u iets over Merv en mijzelf vertellen. Onze therapie is nogal onorthodox in de conservatieve wereld van de psychotherapie.'

'Ik heb psychotherapie nooit als conservatief beschouwd.'

'Maar dat is het wel.' Dee sloeg haar benen over elkaar. Het maakte een zacht schurend geluid. 'Men gebruikt steeds weer dezelfde systemen en methoden. Freud en psychoanalyse, of Skinner en een variatie op gedragstherapie, of Rogers en *client-centered* therapie, of gestalttherapie, meer humanistisch georiënteerd. Verder heb je diverse therapieën die angsten behandelen: hypnose, meditatie en ontspanning. Maar niets in de psychotherapie houdt zich bezig met het feit dat wij – als mensen – van onze innerlijke kern beroofd zijn door domesticatie en urbanisatie. We zijn van primitief gegroeid naar progressief. Dat is goed – begrijp me niet verkeerd – maar we bezitten nog altijd een restdeel dat ernaar verlangt in harmonie te leven met de natuur.'

'Daarom zijn er recreatieparken, neem ik aan.'

'Kamperen, jagen, vissen...' Ze wuifde dat alles opzij. 'Het zijn hobby's geworden in plaats van broodwinning. We zijn zulke Stedelijke Wezens geworden dat we zijn vergeten hoe we in elkaar zitten. Niet dat we de klok kunnen terugdraaien – de tijd schrijdt gestaag voort – maar we moeten het feit dat we een dierlijke kant bezitten, onder ogen zien. Als we die niet in constructieve banen leiden, krijgt de vernietigingsdrang de overhand. En dan krijg je jongens als Ernesto Golding. Ernesto is een jongeman bij wie de *primitus* gekneed moet worden tot *constructo* in plaats van *destrudo*.'

Decker glimlachte. 'Wat wil dat zeggen?'

Vanuit de deuropening bulderde een stem: 'Dat hij aan lichamelijke uitdagingen moet worden blootgesteld!'

Decker draaide zich om. Merv Baldwin zag er nog ouder uit dan op de afgedrukte computerfoto – midden vijftig, wat inhield dat hij en Dee zo'n vijftien jaar in leeftijd verschilden. Niet dat Decker daar kritiek op had – hij was zelf twaalf jaar ouder dan Rina – maar het was een stukje informatie dat hij in zich opnam. Dee was even knap als Merv lelijk was, want hij was kaal, had een buikje en een rond gezicht dat de strijd tegen het uitzakken aan het verliezen was. Verder had hij korte armen en benen en korte vingers, en ongetwijfeld ook korte tenen, want zijn schoenen – instappers van krokodillenleer met franje – leken van een erg kleine maat. Decker vroeg zich zelfs af hoe de man zich op zulke kleine voetzolen in evenwicht kon houden. Hij droeg een duur pak, speciaal voor hem gemaakt vanwege zijn abnormale afmetingen, met stiksel rond de revers. Goed kleurgevoel: blauw pak met een krijtstreep, wit overhemd, goudkleurige das.

'Merv Baldwin.' Een hartelijke handdruk. 'Mijn verontschuldigingen dat ik zo laat ben. Een crisis! Niet onverwacht, niet voor mij tenminste, maar anderen waren er niet op voorbereid.' Hij begon heen en weer te lopen. 'U bent dus de rechercheur die aan Ernesto de bekentenis heeft ontfutseld. Een lichamelijke bekentenis zowel als een bekentenis van de ziel. Ik moet zeggen dat ik geen voorstander was van uw bezoek hier.'

'Ik ook niet,' zei Decker.

Hij hield op met ijsberen, keek naar Decker, en hervatte het heen en weer lopen. Decker keek naar de vrouwelijke Baldwin en probeerde aan haar mimiek af te leiden hoe ze reageerde op Mervs perpetuum mobile. Haar gezicht stond ontspannen, alsof dit volkomen normaal was.

Merv riep uit: 'Misschien vonden we het geen van beiden een goed idee, omdat we het probleem elk van een andere kant bekijken!'

'Dat zou ik niet weten,' zei Decker. 'We willen in ieder geval allebei achter de waarheid komen.'

'Ja, maar u wilt een tangio-sensoriële waarheid. Een waarheid die je kunt zien of horen of voelen. Ik, daarentegen, wil weten welke waarheid hier zit.' Hij wees naar zijn slaap. 'Wat er in die synagoge is gebeurd, hoe erg dat ook is, heeft voor mij niet zo veel betekenis als wat er in het hoofd van de jongen omging. Het *waarom*. Voor u is het waarom niet van zulk groot belang. U wilt natuurlijk wel weten wat de beweegreden was. Dat helpt om de zaak op te lossen. Maar het feit op zich dat het is gebeurd – dát is waar het u in de eerste plaats om gaat.'

'Dat is niet geheel juist,' zei Decker.

'O nee?' riep Merv, terwijl hij over de vloerbedekking beende. 'De wet biedt ruimte voor bepaalde verzachtende omstandigheden, maar niet álle. In de geest zijn er *altijd* verzachtende omstandigheden.'

Wat een irritante kerel. Decker kreeg er wat van. 'Waarom moest ik hierheen komen, dokter?'

Merv bleef maar heen en weer lopen. 'Ernesto heeft me verzocht mijn therapie ter goedkeuring aan u voor te leggen. Niet dat het me iets kan schelen of u die goedkeurt of niet. Ik doe alleen een oude vriend een plezier.'

'Bent u dan bevriend met dokter Golding?' vroeg Decker.

'We hebben samen aan protestmarsen meegedaan.' Hij bleef staan om Decker wat nader te bekijken. 'U moet van dezelfde uitgelezen generatie zijn.'

'Als veteraan behoorde ik tot de andere zijde, dokter.' Decker glimlachte. 'Dat schijnt bij ons een vast thema te worden.'

Merv glimlachte ook. 'Niet helemaal. Ik heb in het leger gezeten, zij het niet aan het front, waardoor u me minder zult waarderen, vrees ik. Ik was niet anti-leger, alleen maar anti-Vietnam. Ik zat als stafpsycholoog in Duitsland – ik moest degenen helpen die vanwege de oorlog gek waren geworden. Het was een erg wrede oorlog.'

'Dat was het zeker.' Decker keek op zijn horloge. 'Het was prettig met u over politiek te discussiëren, maar ik heb andere verplichtingen.'

'We weten dat u het erg druk hebt,' zei Dee. Geen sarcasme in haar stem. 'Hartelijk dank dat u tijd hebt vrijgemaakt voor ons en voor Ernesto. We hebben door de jaren heen veel gevallen gehad van baldadige jongens. We hebben ons toegelegd op uitersten, we helpen jongemannen hun energie op constructieve manieren te gebruiken. Ze kunnen geen contact krijgen met de constructo in hun binnenste, tot ze een gevoel van harmonie met de natuur krijgen. Daarom noemen we onze therapie Natuurtherapie. We nemen onze cliënten mee de stad uit, terug naar de wildernis. Overdag wordt er een lichamelijk beroep gedaan op onze cliënten: om een hut te bouwen, naar voedsel te zoeken, zich tegen dieren, insecten en de krachten der natuur te beschermen. We hebben *Nature Masters* die deze oefeningen begeleiden. Onze oefenmeesters zijn professionele *survivalists*. Ze hebben opdracht de cliënt van alles bij te brengen over de lichamelijke aspecten van survival, maar mogen geen therapie geven. Zelfs als een cliënt hen in vertrouwen wil nemen, moeten ze tegen de cliënt zeggen dat die zijn vraag of verhaal moet bewaren tot een groepssessie of individuele therapie. Ieder van onze jongens krijgt zowel individuele als groepstherapie. Door de geest met het lichaam te integreren vinden onze cliënten de harmonie terug.'

Merv nam de speech van haar over: 'We hebben er bijzonder veel succes mee. Niet honderd procent, maar geen enkele therapie is een panacee, vooral niet als de cliënt niet bereid is te veranderen. Ernesto is, naar onze mening, rijp voor onze zelfbewustzijntherapie. Hij is intelligent, zelfbewust, en zit erg in over wat hij heeft gedaan. U gelooft toch ook wel dat de jongen, via de juiste interventie, een productief mens en een aanwinst voor de gemeenschap zal worden?'

Decker zei: 'Als u denkt dat u hem op het goede spoor kunt krijgen, prima.'

'Dat zou u plezier doen,' stelde Merv vast.

'Uiteraard.'

'Het zou niet cognitief strijdig zijn met uw vooropgezette mening over de jongen?' vroeg Merv. 'Ik neem aan dat u hem hebt geclassificeerd als problematisch.'

'Eerder als misdadig,' zei Decker. 'Maar als u kunt aantonen dat ik het mis heb, zou dat fijn zijn.'

Dee glimlachte. 'Dat zullen we doen, inspecteur. Daar kunt u op rekenen.'

'Ik vind het klinken als een zomerkamp voor probleemkinderen.' Decker leunde achterover in zijn stoel en keek naar Martinez, Webster en Bontemps. Ze zagen eruit als een verouderde versie van de *Mod Squad*. 'Hebben jullie de advertentiepagina's van vrouwenbladen en sportmagazines wel eens bekeken? Die staan vol natuurkampen voor tieners die met zichzelf in de knoop zitten. Ik snap echt niet waarom Baldwins kamp zo anders is.'

Martinez wreef vermoeid over zijn gezicht. Het liep tegen vijven en zijn maag knorde. 'Misschien is dit kamp anders omdat de Baldwins zich op een rijke clientèle richten.'

'Al die kampen richten zich op een rijke clientèle, Bert. Bel maar eens om te vragen wat het kost.'

Wanda zei: 'Misschien hebben ze meer stafleden per kind. Of misschien zijn die psychologen gewoon erg goed in de toepassing van hun therapie.'

'Of het zijn slimme zwendelaars,' zei Decker. 'Maar als ze de jongen op het rechte pad weten te brengen, is het wat mij betreft goed.'

'Maar je hebt twijfels,' zei Martinez. 'Ik ook. Laat me jouw redenen eens horen?'

Decker zette zijn handen tegen elkaar als een wigwam. 'Als de kinderen te redden waren, zou het misschien zin hebben. In werkelijkheid gaan ze erin als vuilnis en komen ze eruit als vuilnis. Volgens mij helpen die survivalkampen de psychopaten alleen maar om nog betere psychopaten te worden, omdat ze er zo veel over overleven in de wildernis leren, dat ze zich voortaan uitstekend kunnen redden als ze zich schuil moeten houden.'

'Mijn idee,' zei Martinez.

'Denk je echt dat Ernesto niet te redden is?' vroeg Webster. 'Ik kom niet voor de hufter op, ik vind dat een taakstraf lang niet genoeg is, maar zijn theatrale gedrag is waarschijnlijk alleen maar een vorm van rebellie tegen zijn radicale ouders. Jullie weten hoe dat gaat. Kinderen experimenteren en als ze er niet in slagen hun ouders op de kast te jagen, denken ze dat ze het niet goed doen.'

'Dit gaat verder dan normale rebellie,' zei Decker. 'Hij heeft foto's achtergelaten van stapels dode joden. Het was ijzingwekkend!'

'Ik weet dat je het je aantrekt, Deck, maar denk nog even na.' Webster gaf het nog niet op. 'Hoe rebelleren tieners? Met drugs? Seks? Rare kleding en harde muziek? Gezien de mentaliteit van de Goldings zou je denken dat ze zich over die dingen niet erg druk maken. Maar racisme en geweldpleging – hakenkruisen en gruwelijke foto's – díé zouden hen op een zwakke plek treffen.' Hij zweeg even. 'Ze wáren toch van streek?'

'Dat geloof ik wel.'

'Dat *geloof* je wel?' zei Martinez.

'Laat ik het zo zeggen. Ze waren erg blij dat hun zoon in therapie ging. Dat was voor hen het belangrijkste. Niet de ontwijding van een synagoge. Jill Carter is huwelijksconsulent en ze zijn van mening dat ze met behulp van de Baldwins al Ernesto's problemen kunnen oplossen. Al slaat dat nergens op. De jongen wist precies wat hij deed. Om antwoord te geven op je vraag, Tom, hij is misschien nog te redden, maar ik heb er nu niets meer over te zeggen. Ze hebben een deal gesloten en ik heb daar een aandeel in gehad. De therapie en de taakstraf zullen een rechter tevredenstellen, en daar houdt het mee op. Als ik méér wil, zal ik het in mijn eentje moeten doen.'

Decker streek zijn snor glad.

'Ernesto heeft hiermee misschien voor zichzelf afgerekend met de nazi-obsessie, maar hij heeft de synagoge niet in zijn eentje toegetakeld en ik wil graag weten wie er nog meer achter het vandalisme zit. Ernesto weigert namen te noemen, maar misschien kunnen we iemand vinden die daartoe wél bereid is.' Hij keek naar Webster. 'Ik neem aan dat jouw nachtwake tijdverspilling was?'

'Niet helemaal. Ik heb geluisterd naar bandjes waarop boeken worden voorgelezen.' Tom haalde zijn schouders op. 'Ik heb Holt noch het meisje naar binnen zien gaan of naar buiten zien komen. Ik heb er tot kwart over één gezeten.'

'We hebben hier in de stad geen verdachten, afgezien van de Hoeders van Etnische Integriteit,' zei Wanda. 'Maar er zijn massa's randgroeperingen buiten de stad... in de bergen en de valleien.'

Martinez zei: 'Over bergen en vluchtelingen gesproken, ik heb nieuws over Ricky Moke.'

'Het vriendje van Darrell Holt,' zei Decker.

'Ja. De FBI heeft een dossier over Ricky Moke. Maar niet wegens bomaanslagen.'

'Wat dan?'

'Hacken. Hij is een mysterie. De FBI heeft bijna niets over hem.'

'Wat hebben ze wél?'

'Ze waren iemand op het spoor gekomen die de computernaam Ricky Moke gebruikte en vanaf een plek dicht bij Frisco de computers van Lunar Systems Inc. was binnengedrongen. Toen ze gingen kijken, bleek het de computer van een kruidenierszaak te zijn waar men zich van geen kwaad bewust was. Iemand had de computerverbinding doorgetrokken naar een onbewoonbaar verklaard gebouw. Niemand weet wie die Moke is.'

'Geen foto?'

'Helemaal niks.'

'We weten dus niet eens of Moke echt bestaat.'

'Darrell Holt zegt dat hij hem kent,' zei Webster. 'Ik zou hem om een signalement kunnen vragen.'

'Dat kunnen we doen om dat deel van het onderzoek af te ronden, maar het heeft geen zin als Moke niets met extremistische gewelddaden te maken heeft.'

Martinez zei: 'En volgens mij is dat zo. Dat die Moke niks met het vandalisme van doen heeft, bedoel ik.'

Decker zei: 'Laat Moke dan maar zitten en laten we ons concentreren op de discriminerende groeperingen die we kennen. Er zijn er genoeg.'

'Als jullie dieper willen ingaan op het aspect van de discriminatie, moeten we ons werkterrein uitbreiden tot buiten de stad,' zei Webster. 'En dat kost tijd. Is dat een zinnige tijdsbesteding, vooral gezien het feit dat Ernesto heeft bekend dat híj de vandaal is?'

'Normaal gesproken zou ik zeggen dat het in de ogen van het grote publiek goed zou overkomen als we laten zien dat de politie zich aan zero tolerance houdt voor racisme, in het bijzonder na wat Buford Furrow heeft gedaan in het Joodse Wijkcentrum. Persoonlijk wil ik die schoften graag te grazen nemen, maar...' Decker zuchtte. 'Maar we kunnen met Ernesto niet veel beginnen, omdat hij minderjarig is en de deal al is beklonken.'

Martinez zei: 'Hoe komt een rijkeluiszoontje als Ernesto aan zulke waarheidsgetrouwe foto's? Van internet?'

'Misschien,' zei Decker.

'Misschien kan iemand dan kijken wat er zoal te halen valt op de websites.'

'Dat is een goed idee,' zei Decker.

'Dat kan ik in mijn vrije tijd wel doen,' zei Webster. 'Maar laten we dan wel zorgen dat de leiding ervan weet. Ik heb niet graag dat de FBI bij me komt aankloppen met het bevel mijn computer in te leveren.'

'Dat regel ik wel voor je,' zei Decker.

'Ik wil ook wel zoeken, als u wilt,' zei Wanda.

'Ik zal het voor jullie allebei regelen,' zei Decker. 'Of misschien kunnen jullie nog beter gewoon naar het Tolerance Center gaan. Daar hebben ze vast alles wat jullie nodig hebben.' Hij dacht even na. 'Rina kent mensen die daar werken. Ik zal vragen of ze die even wil bellen.'

'Goed,' zei Webster. 'Wat nog meer?'

Decker zei: 'Ik heb nog één aanwijzing, over een mogelijk vriendinnetje van Ernesto Golding. Ik heb gehoord dat zij zich bezighoudt met erg onaangename dingen. Maar er kleeft een probleem aan. Ze is meerderjarig, dus heeft het geen zin haar ouders onder druk te zetten.'

'Misschien kunnen we haar onder druk zetten,' opperde Wanda.

'Ze klinkt als iemand die niet gauw bang wordt.' Decker haalde zijn schouders op. 'Maar we kunnen het proberen. Iets anders hebben we toch niet.' Hij bekeek zijn aantekeningen en schreef de belangrijkste informatie op een velletje papier. 'Alsjeblieft.'

Martinez pakte het aan. 'Ruby Ranger?'

'Klinkt als een pornoster,' zei Webster.

'Misschien is ze dat ook,' zei Decker.

Websters gezicht klaarde op. 'Zal ik de pornofilms van de plaatselijke videotheek bekijken?'

'Je kunt je tijd wel beter besteden, Tom,' antwoordde Decker.
'Mijn vrouw heeft zich de afgelopen zes weken alleen maar met de baby beziggehouden. Als jij een betere manier weet om mijn vrije tijd zoek te brengen, hoor ik het graag.'
'Zijn hand is namelijk zo moe,' zei Martinez.
'Moet ik hiernaar luisteren?' Wanda drukte haar handen tegen haar oren.
Decker glimlachte. 'Doe me een lol, Wanda. Rij jij. Op dit moment ben jij waarschijnlijk de enige die zijn aandacht bij het verkeer kan houden.'

13

Volgens het koperen bord aan het hek heette het huis 'Haciënda del Ranger'. De villa was gestuukt in verscheidene tinten roze, had groene luiken, rode dakpannen, en een ronde, twee verdiepingen hoge toren waarin de voordeur zat. Webster drukte op de bel, die was verbonden met een intercom. Nadat het hek was opengeklikt, staken hij, Martinez en Bontemps de beschaduwde binnenplaats over met Mexicaanse vloertegels en een weelderige verzameling potplanten. Het pièce de résistance was een in drie lagen geschulpte fontein, die echter niet spoot, maar loom borrelde.

De vrouw die de intercom had beantwoord en de deur opende, was van normale lengte, maar griezelig mager. Ze had een verweerd gezicht en een overdadige, geblondeerde haardos, die haar ouder maakte dan ze was. Op de rug van haar knokige handen kronkelden dikke aderen en ze had lange rode nagels. In haar zwarte wollen jurk had ze iets van een heks. De rechercheurs lieten hun identiteitskaarten zien, maar ze nam niet de moeite die te bekijken. 'Wat wilt u?'

'Mevrouw Ranger?' zei Martinez.

'Ja. Wat wilt u?'

Wanda zei: 'We willen uw dochter Ruby even spreken, als het kan.'

'Ze is niet thuis.'

'Niet lullen, Alice!' hoorden ze iemand roepen. Even later werd de magere vrouw zo ruw opzijgeduwd dat ze wankelde op haar naaldhakken.

'Wat doe je, ma?' De stem kwam van een jonge vrouw die met haar handen in haar zij bij hen kwam staan. Ze was lang en mager, maar had erg grote borsten. Ze had pikzwart, steil haar, dat vlak onder haar oren kaarsrecht was afgeknipt. Een al even rechte pony reikte tot vlak boven haar wenkbrauwen. Haar huid was erg wit, rode lippenstift accentueerde de contouren van haar mond, en groene ogen keken hen aan te midden van zwarte oogmake-up. Ze had lange handen, maar in tegenstelling tot haar moeder had ze afgekloven nagels. Ze droeg een zwarte leren broek en een kort spijkervest dat haar middenrif vrij liet en weinig van haar decolleté verhulde. Ze had piercings in haar navel, neus en wenkbrauw.

‘Ik wist dat ze zouden komen, Alice. Ze weten dat ik iets met Ernesto heb gehad. Daardoor ben ik meteen verdacht. Slaat nergens op, maar weten die zeikerds veel.’

‘Moet je zulke taal gebruiken?’ vroeg Alice.

‘Ja.’

‘Maar waarom wanneer ik erbij ben?’

‘Omdat ik het grappig vind dat je er elke keer opnieuw van schrikt. Maar doe het nou maar niet in je broek, ik ben zo pleite.’

De moeder liep met tranen in haar ogen weg. Ruby grijnsde naar de rechercheurs; ze had witte tanden en een tongpiercing. ‘Aha, een drie-eenheid. Ik ben blijkbaar belangrijk, dat ze drie agentjes sturen.’

‘Ruby Ranger?’ vroeg Martinez.

‘Nee. Sneeuwwitje.’ Ze klopte met haar knokkels tegen haar slaap. ‘Woont daarboven iemand?’

‘Mogen we binnenkomen?’ vroeg Wanda.

‘Tuurlijk.’ Ruby hield de deur wijd open. ‘Jullie kunnen met me praten terwijl ik doorga met pakken. Want zodra jullie verdwijnen, verdwijn ik ook.’ Ze draaide zich abrupt om en liep de trap op.

Wanda trok haar wenkbrauwen op. ‘Lieve hemel.’

‘Pornoster was nog niet zo slecht gegokt,’ zei Webster.

Ze liepen naar de trap en wilden net naar boven gaan toen Alice weer verscheen. ‘Wilt u soms een kopje koffie of thee?’

‘Nee, dank u, mevrouw Ranger,’ zei Webster.

Alice bewoog met korte, bijna spastische bewegingen, alsof energie in afgepaste porties door haar zenuwstelsel werd gestuurd. ‘U moet niet al te slecht over Ruby oordelen. Ze is ruimdenkend, omdat we haar zo hebben opgevoed. Misschien té ruimdenkend, maar ik weet dat ze uiteindelijk tot rust zal komen.’ De vrouw glimlachte, al stonden er tranen in haar ogen. ‘We waren allemaal ruimdenkend en moet je ons nu zien.’

In Wanda’s ogen was dat geen pluspunt. ‘We willen uw dochter graag spreken voordat ze vertrekt. Dus als u het niet erg vindt...’

‘Natuurlijk. Ik wilde het alleen uitleggen...’ Ze stokte. ‘Het begrijpen en uitleggen...’

Ze lieten haar in haar eentje naar woorden zoeken en proberen een verklaring te vinden. De deur van Ruby’s kamer stond open. Ze was bezig spullen in een grote rugzak te gooien. Letterlijk. Ze had overwegend zwarte kleren en die fladderden als rouwlinten van de laden naar de rugzak. Haar kamer was bijna zo kaal als een cel. Er stond een tweepersoonsbed, bedekt met een deken, en een ladekast met een draagbare stereo erbovenop. Er hing niets aan de muren en er lag ook niets op de houten vloer. Geen tv, geen spiegel. Toch was de jonge vrouw perfect opgemaakt. Wanda deed een paar stappen naar voren en keek de badkamer in. Op de rand van de badkuip stonden een heleboel flesjes en potjes. En boven de wastafel hing een spiegel.

‘Waar ga je naartoe?’ vroeg Wanda op nonchalante toon.

'Dat gaat jullie niks aan.' Ruby nam niet de moeite hen aan te kijken. 'En dat gezegd hebbende, zal ik het jullie vertellen. Ik ga waarschijnlijk terug naar Northern Cal. Maar misschien ook niet.'

'Silicon Valley?' zei Webster.

'Hangt ervan af wat ik kan krijgen.' Ze propte een spijkerbroek in een zijvak. Toen pakte ze een minuscule leren bh en hield die voor haar boezem. 'Mooi?'

Ze gaven geen antwoord.

'Ik weet wat jullie denken... veel te klein voor mijn tieten.' Ze legde haar handen onder haar borsten. '75D. Allemaal van mezelf, zonder implantaten. Hadden jullie niet gedacht, hè?' Ze gooide de bh naar Martinez. 'Geef maar aan je vrouw of je vriendin.' Ze gooide hem ook een slipje toe. 'Kun je aan me denken wanneer je met haar vrijt.'

Martinez gooide beide kledingstukken terug. 'Nee, dank je. Waar was je gisteravond?'

'Toen lag ik in mijn nest te masturberen.'

'Hoe laat?' vroeg Martinez op effen toon.

'Weet ik het. Negen uur, tien uur... Ik heb niet op de klok gekeken.'

'Zo lang duurt dat niet,' zei Wanda. 'Wat heb je daarna gedaan?'

'O, gewoon, onder de douche geweest, mijn benen onthaard, op de plee gezeten... Ik ben niet in de buurt van die synagoge geweest. Ik geef toe dat ik een bewonderaar ben van Hitler, maar ik vind het nogal infantiel om kinderachtige leuzen op muren te spuiten en foto's van lijken achter te laten.' Ze streek haar glanzende haar glad met haar afgekloven nagels. 'Ik ben geen nazi... fascisme doet me niks. Maar ik vind duivelse volksmenners erg fascinerend. Degenen die in de laagste regionen van de maatschappij beginnen en zich op de een of andere manier naar de top weten te werken. Dat is eerder de schuld van het volk dan van hen. Niets kan bestaan zonder steun van het volk.' Ze grinnikte naar hen. 'Zelfs politieagenten... vooral politieagenten.' Ze gooide de leren bustehouder nu naar Wanda. 'Wil jij hem, zuster? Precies in de kleur van je huid.'

Wanda gooide hem terug. 'Ik ben je zuster niet en ik heb liever kleur dan zwart. Ik ben goth allang ontgroeid.'

'Naar je kraaienpootjes te oordelen al héél lang,' antwoordde Ruby. 'Snappen jullie wat ik bedoel, jongens? Dat totalitarisme niet in een vacuüm kan bestaan? Kijk maar eens hoe snel de Berlijnse muur is gevallen. Zeventig jaar van diepgeworteld, keihard communisme *zo* ten val gebracht.' Ze knipte met haar vingers.

'Hadden Ernesto en jij het vaak over Hitler?' vroeg Webster.

'Hitler, Stalin, Ivan de Verschrikkelijke, Louis de Zestiende, Marie Antoinette, Blauwbaard, Jeffrey Dahmer, Gacy, Ed Gein, Lizzie Borden, Richard III... noem maar op. Ik hou van de duistere kant van de maatschappij. Nou en? Voor zover ik weet heeft ons land de vrijheid van meningsuiting nog niet uit de grondwet geschrapt.'

Webster zei: 'Je hebt zo te zien nogal haast om te vertrekken.'

'Jij bent pienter, zeg, voor een boerenkinkel.' Ze ging op de rand van haar bed zitten. 'Als je denkt dat mijn snelle vertrek wijst op een vorm van schuld, zit je er helemaal naast, lieve schat. Ernesto heeft toegegeven dat hij heeft huisgehouden in de synagoge. Ik heb geen idee of iemand hem daarbij heeft geholpen. We praatten nooit veel. We hadden een seksuele relatie. Hij heeft een grote, daarom wilde ik hem. Ik ben drieëntwintig en op veel gebieden een genie. Hij is zeventien, intelligent, maar geen Einstein. Het zit er wel in hoor, maar het zal nog een paar jaar duren voordat zijn hersenen naar behoren zijn gevormd. We hebben meer gevreeën dan gepraat.'

'Daarmee geef je toe dat je je schuldig hebt gemaakt aan ontucht met een minderjarige,' zei Webster.

'Bibber, bibber. Als je me wilt arresteren wegens verkrachting of als je hem dingen wilt gaan aanpraten, moet je dat vooral doen.' Ze stond op en tilde de rugzak keurend op. 'Valt mee.' Ze verdween en kwam even later de badkamer uit met een verzameling toiletartikelen, die ze in de rugzak liet vallen. 'Hebben jullie ook met de zoon van jullie baas over mij gepraat? Met Jacob Lazaris? Dát is nog eens iemand met behoorlijke grijze cellen. Knap gozertje ook, maar erg in de war. Hij kan me niet luchten of zien!' Ze grinnikte. 'Ik zou hem in de gaten houden. Want is het niet altijd de zoon of dochter van de held van het verhaal die het meest geschift is?'

Ze zweeg even, en ging toen door. 'Al kan ik me wel in zijn boosheid inleven. Het leven is zo dom wanneer je zo intelligent bent. Ik denk dat ik daarom zo geobsedeerd ben door degenen die indruk maken, ook al is het een wrede indruk.' Ze ritste de rugzak dicht en tilde hem weer op. 'Jezus, nou is dat kreng opeens zwaar! Wil je me een handje helpen?'

'Nee,' zei Wanda.

Ze glimlachte. 'Dan niet. Ik ben weg. Zeg maar tegen mijn moeder dat pa nog steeds zijn secretaresse neukt en dat ze dus net zo goed die punt chocoladetaart kan opeten.' Ze knipoogde en tilde de rugzak ongeveer vijf centimeter van de grond. 'Aju.'

Ze liepen achter haar aan de trap af. Alice stond beneden te wachten. 'Wanneer kom je terug?'

'Weet ik niet.' Ruby gaf haar moeder een kus op haar wang. 'Kop op, ma. Je kunt het altijd nog aanleggen met de tennisleraar.'

Ze sleurde de rugzak over de houten vloer naar de voordeur en de veranda. Hij maakte een kras op de planken. Ze zeulde hem over de binnenplaats naar de straat en hees hem in een jeep met vierwielaandrijving. Ze gooide het achterportier dicht, stapte in en startte de motor. Even later was ze verdwenen.

Wanda schreef het kenteken op en zei: 'Ik zou me niet al te druk maken, mevrouw Ranger. Kinderen komen vanzelf terug wanneer het geld opraakt.'

Alice keek naar Wanda met rode ogen waarin tranen blonken. 'Jullie hebben geen idee in wat voor hel ik leef. Je probeert je er niet mee te bemoeien, ze los te laten, maar iets in je binnenste dwingt je toch het steeds weer te proberen. Nog een gesprek, nog een *poging*!' Ze wreef over haar natte wangen. 'Ze was zo'n lieve baby, ze lag te kirren en te kraaien in haar wieg, net als iedere andere baby. Haar broer is niet zoals zij. Ik begrijp niet hoe ze zo is geworden!'

Martinez wreef over zijn nek. 'Kinderen kunnen moeilijk doen. Maar Ruby is geen kind meer. Ze is volwassen. U kunt die last van uw schouders laten glijden. U bent niet meer voor haar verantwoordelijk.'

De vrouw schudde haar hoofd. 'Nee, die last zit er nog... die blijft altijd zitten. Zoals de vrouwen van die Afrikaanse stammen die ringen om hun hals hebben. Door de ringen wordt de hals gerekt. Hij wordt steeds langer. Ze zeggen dat als je die ringen zou weghalen, de uitgerekte hals het hoofd niet kan dragen en zo'n vrouw dan zou sterven. Iets dergelijks geldt ook voor mij. Die last is mijn enige steun.'

Voordat Jacob die ochtend de synagoge had verlaten, was Decker erin geslaagd toestemming van de jongen te krijgen om met dokter Gruen te gaan praten. Hij wist dat hij een zwak moment van zijn stiefzoon had uitgebuit en vond het vervelend dat hij dat had moeten doen, maar hij had hulp nodig. Om even voor zessen liet hij een bericht achter op het antwoordapparaat van de psycholoog, in de veronderstelling dat die later op de avond contact met hem zou opnemen. Tot zijn verbazing belde Gruen hem vijf minuten later al.

'U boft. Ik heb even pauze voordat de volgende patiënt komt.'

'U boft ook. Ik stond op het punt naar huis te gaan,' zei Decker. 'Hartelijk dank dat u me zo snel terugbelt.'

'Geen dank. Waar kan ik u mee van dienst zijn, inspecteur?'

'Ik heb van Jake toestemming met u te praten.'

'Dat weet ik. Hij heeft me gebeld.'

'Mooi.' Decker zocht naar woorden. 'Ik vroeg me af of u me iets meer zou kunnen uitleggen over de dingen waar hij mee zit... zonder inbreuk te maken op de vertrouwensrelatie, uiteraard.'

'Welke dingen in het bijzonder?'

Weer aarzelde Decker. 'Hij zit vol woede... dat geeft hij toe.'

'Klopt. Hij kan de wereld wel schieten.' De psycholoog sprak op een bedaarde gesprekstoon. Alsof hij het over de rekening van de loodgieter had.

'Waar maakt hij zich zo kwaad om?' vroeg Decker.

'Overal om,' antwoordde Gruen.

'Ik geloof dat hij bang is dat hij een psychopaat is,' begon Decker. 'Hij heeft me gevraagd of hij aan de beschrijving beantwoordt van psychopaten die ik heb gearresteerd.'

'Wat hebt u daarop geantwoord?'

'Dat dat niet zo is.'

'Vindt u dat echt?'

'Natuurlijk.' Maar Decker aarzelde net iets te lang.

Gruen zei: 'Zijn leven zou heel wat eenvoudiger zijn als hij psychisch gestoord was. Dan kon hij doen wat hij wilde, en omdat hij zo intelligent is en er zo goed uitziet, zou hij waarschijnlijk veel succes hebben met wat hij ook zou doen. In plaats daarvan is hij opgezadeld met een overdreven ontwikkeld geweten en een pathologisch schuldgevoel. Hij schaamt zich voor zijn recente gedrag – het drugsgebruik dat hij aan u heeft bekend – en is als de dood dat zijn moeder erachter zal komen. Ik heb hem voorgesteld te beginnen met gezinstherapie zodat hij in beschutte omstandigheden bepaalde dingen kan opbiechten waar ze bij is, maar hij is daar nog niet aan toe. Hij wil haar koste wat kost beschermen. Heeft uw vrouw enig idee wat er aan de hand is?'

'Meer dan hij denkt.' Een korte stilte. 'Volgens mij weet ze alleen niet alles over de ontucht. Jacob heeft tegenover mij laten doorschemeren dat er meer is gebeurd dan hij bereid is te vertellen.'

'Mmm.'

'Is het heel erg?'

'We zijn ermee bezig.'

'Is dat alles wat u erover kunt zeggen?'

'We zijn momenteel bezig de feiten van de fantasie te scheiden. Hij is zelf niet overal zeker van. Hij herinnert zich bijvoorbeeld dat die pederast heeft gezegd dat zijn moeder zou doodgaan als hij haar iets vertelde. Dat heeft hij ook aan u verteld, niet?'

'Ja.'

'Ik denk dat de bedreiging meer iets is geweest in de trant van: "Als je me niet laat doen wat ik wil, maak ik je moeder dood."'

'Heeft hij dat gezegd?'

'Nee. Dit is mijn interpretatie. Maar verplaatst u zich eventjes in de gedachtewereld van de zevenjarige Jacob. Dat zwijn probeert zijn moeder te verkrachten en te vermoorden. Logisch dat de jongen denkt dat het zijn schuld is. Als hij hem zijn gang had laten gaan, zou er niets met zijn moeder zijn gebeurd. Wat natuurlijk helemaal niet waar is. Nu kunnen u en ik en de hele wereld hem vertellen dat het niet zijn schuld is, dat zo'n zwijn nu eenmaal een zwijn is, en rationeel zou hij dat ook wel accepteren en zeggen: "Natuurlijk was het niet mijn schuld." Maar je losmaken van diepgewortelde schuldgevoelens is een heel ander verhaal.'

'Hoe moet hij dat doen?'

'Ik weet niet zeker of hij ertoe in staat is. Daarom krijgt hij van mij te horen dat hij niet eens moeite moet doen het schuldgevoel te analyseren, maar in plaats daarvan naar het hier en nu moet kijken. Met zijn moeder is alles oké. Ze heeft een nieuwe man, is gelukkig en houdt van haar kinderen. Misschien is ze niet oké. Misschien voelt ze zich ellendig. Maar daar gaat het niet om. Als híj maar denkt dat ze gelukkig is. Dat is genoeg.'

'Ze ís oké,' zei Decker. 'Ze heeft in ieder geval nooit laten merken dat ze niet oké is. Maar het kan best zijn dat ze dat niet is. Ik denk dat ze zich heel wat beter zou voelen als Jacob gelukkig was.'

'De mantra van alle ouders. Maar goed, u wilt mijn opinie. Jacob zal het op het college uitstekend doen. Hij zal uitblinken in de studierichting die hij kiest. En hij zal sociaal aanvaardbare uitlaatkleppen vinden voor zijn overtollige energie. Wat de emotionele zijde betreft, zou het goed zijn als hij ook in Baltimore onder behandeling bleef. Zijn problemen zijn zo een-twee-drie nog niet opgelost. En daar is hij zich terdege van bewust.'

'Wat kan ik intussen doen?'

'Hij praat met u. Wat u tot nu toe hebt gedaan, heeft een positieve invloed. Zeg, over twee minuten komt mijn volgende patiënt en ik moet haar kaart nog opzoeken.'

'Mag ik u nog een keer bellen?'

'Het is beter dat ik u bel wanneer Jake en ik vinden dat het gewenst is. Dan hoeft u Jacob niet steeds om toestemming te vragen en krijgt hij niet het gevoel dat u zich er te veel mee bemoeit.'

Decker legde zich erbij neer dat hij voorlopig in het duister zou moeten blijven tasten. 'Dat klinkt redelijk. Dank u.'

'Geen dank. Goedenavond.'

Met andere woorden, geen nieuws zou goed nieuws zijn. Voor Decker wilde dit zeggen dat hij bij geen nieuws minder last van zijn maag zou hebben.

14

DE ZAAK OVER HET VANDALISME WAS TOT STILSTAND GEKOMEN, MAAR DE misdaad niet. Nieuwe moorden, verkrachtingen, overvallen, inbraken, berovingen, huiselijke geweldpleging en autodiefstallen zorgden ervoor dat zelfs Decker niet kon blijven nadenken over een synagoge die was onteerd en vervolgens hersteld in zijn bescheiden glorie. De dader of daders waren er in ieder geval in geslaagd belangstelling van de gemeente te wekken voor interreligieuze discussies over racistische misdaden. Rina had zich daar enthousiast op gestort en organiseerde steeds wisselende panels. Háár manier om het belabberde gevoel te verwerken. Nu en dan vroeg ze hem of ze vooruitgang boekten met het zoeken naar andere daders. Wanneer hij dan met een uitvlucht kwam, drong ze niet aan.

Een aantal maanden ging het leven z'n gangetje en bleef in Deckers gezin de rust bewaard. Zijn dochter Cindy rondde zonder bijzondere incidenten haar tweede jaar bij de politie af. Gedurende dat tweede jaar waren alle mensen die iets tegen haar hadden tenminste echte misdadigers. Jacob werd officieel aangenomen voor het studieprogramma van de Johns Hopkins University in samenwerking met een jesjiva in Baltimore. Hij studeerde hard zonder te klagen en was zwijgzaam. Decker weerstond de ouderlijke drang zich met hem te bemoeien, en richtte zijn energie op Hannah, die juist aandacht wilde.

Tegen het einde van het schooljaar, eind juni, had Ernesto Golding zijn negentig dagen durende taakstraf erop zitten. Hij was gedurende die tijd af en toe bij Decker binnengelopen om een praatje te maken. Hij had hem openhartig verteld over zijn therapie en gezegd dat hij eindelijk tot rust begon te komen. Hij zei dat de taakstraf erg goed voor hem was geweest: eropuit te moeten in plaats van alleen maar een verwend rijkeluiszoontje te zijn, en te zien wat er in de wereld allemaal gebeurde. Want hij wist donders goed dat hij niet in de echte wereld leefde. Hij was ook blij dat Ruby uit zijn leven was verdwenen, want ook al was ze nog zo goed in bed, ze had een slechte invloed op hem gehad. Ze had hem allerlei rare dingen aangepraat. Hij was er nu niet eens meer zo zeker van dat zijn grootvader een nazi was geweest. Misschien had hij dat alleen maar gedacht omdat Ruby zo veel invloed op hem had gehad.

Over drie weken zou hij vertrekken naar het survivalkamp van de Baldwins.

'Ik ben blij dat het zo goed met je gaat,' had Decker gezegd.

'Ik ook.'

'Ben je tevreden over dokter Baldwin?'

'Eerlijk gezegd geloof ik dat ik meer met u praat dan met een van de beide Baldwins. U mag mijn ouders wel consulten in rekening gaan brengen.'

Verleidelijk, als je bedacht dat de Baldwins driehonderd dollar per uur rekenden. Decker verdiende ongeveer driehonderd dollar per *dag*: een mooi salaris, zolang hij het nergens mee vergeleek.

'Ik zou graag nog even met je willen praten, Ernesto, maar ik moet over tien minuten naar een vergadering.'

'Ik weet dat u het druk hebt. Overmorgen is onze laatste schooldag. Als u toevallig tijd hebt, kunt u misschien naar de diploma-uitreiking komen. Dat zou ik leuk vinden.'

'Wanneer precies?'

'Vrijdag om zes uur.'

Op het nippertje gered. Decker zei: 'Dan is de sabbat al begonnen...'

'O, ja. Dat is ook zo. Weet u dat ik naar Brown ga? Niet gek voor iemand met een strafblad, hè? Ik wil u graag bedanken dat u me hebt gered door me een deal te bieden en de zaak stil te houden. Dat u me nog een kans hebt gegeven. Ik ga mijn leven beteren. Dat zult u zien.'

'Heb je zin in het survivalkamp?' vroeg Decker aan de tiener.

'Volgens mij heb ik het niet meer nodig, maar het hoort bij de deal. En het kan best leuk zijn. Ik kan er veel dingen leren die me ooit nog van pas kunnen komen. De hoofdinstructeur is een ex-marinier. Dat kan nog lachen worden.'

'Vast,' zei Decker.

Ernesto grijnsde. 'Het zal wel lukken. Hoe is het met Jacob?'

'Goed.'

'Hij moet nog een jaar, niet?'

'Ja, maar hij gaat in september aan de oostkust studeren.'

'O ja? Waar?'

'Hij is aangenomen voor een project van de Johns Hopkins University en een joodse middelbare school.'

'Cool,' zei Ernesto. 'Dat is echt cool. Doe hem de groeten van me. Ik weet dat hij geen contact heeft met mijn vrienden van Prep, maar dat maakt niet uit. Zeg maar dat hij de groeten van mij krijgt.'

'Zal ik doen.'

De jongeman grijnsde weer. 'Ik zal u vanuit de jungle een kaartje sturen. Per postduif.'

Decker lachte. 'Veel succes!'

Toen Ernesto was vertrokken, besefte Decker dat hij de jongen bijna aardig begon te vinden. En hij wenste hem echt alle goeds toe. Daarom voelde hij zich zo vreselijk beroerd toen hij het telefoontje kreeg.

15

HET WAS MAAR EEN KORTE RIT VAN DE WOONWIJKEN NAAR DE BOSSEN, van de huizen en de beschaving naar het berglandschap dat ooit Zuid-Californië had gedomineerd. Lentebloemen kleurden de heuvels, een palet van diep paars, zonnig geel en een scala van groen. Het survivalkamp van Mervin Baldwin bevond zich slechts een paar kilometer van de rand van deze regio, op een plek waar de glooiende heuvels werden afgewisseld door kalere pieken en waar de vegetatie van de onafzienbare wildernis welig tierde. De stevig gebouwde tieners die Baldwin tot zijn cliënten rekende, konden te voet in twee uur bij de winkelcentra zijn, en deden dat ook vaak. Ze werden echter altijd opgespoord, teruggebracht en kregen dan extra taken als straf voor het spijbelen. Mervin Baldwin vond het interessant en geruststellend dat de jongens in onbekend terrein op hun eigen houtje de weg naar de thuisbasis konden vinden.

Maar Mervin Baldwin zou nooit meer iets interessant of geruststellend vinden. Mervin Baldwin was dood, evenals Ernesto Golding.

De zon was net van de horizon losgekomen en stond in die vervelende lage stand die je volkomen verblindt. Het was even over zessen, maar Decker had nu al een hele thermosfles koffie leeg. Over het algemeen bracht hij 's ochtends met een paar fikse kilometers op de loopband zijn hart op gang, maar vandaag had een stoot adrenaline daarvoor gezorgd.

Hij reed in een zwarte Jeep Cherokee, die grijs zag vanwege het fijne stof. Hij volgde een onverharde weg tot die niet meer verder liep, schakelde over op vierwielaandrijving en stuurde de Jeep het heuvelachtige terrein in. Hobbelend, met ronkende motor, naderde hij Baldwins kamp. Even later kwamen politieauto's en mensen in uniform in zicht. De auto's namen iedere centimeter van het beschikbare egale terrein in beslag. Decker reed door naar links en vond pas vijftig meter verderop een plek die voldoende ruimte bood om te parkeren, al kwam de auto schuin te staan. Hij stapte heel voorzichtig uit, want hij stond aan de rand van een dertig meter diepe berghelling, weliswaar niet al te steil, maar als hij uitgleed, zou hij helemaal naar beneden rollen en er niet zonder kleerscheuren van afkomen.

Het kamp bevond zich op een plateau met een panoramisch uitzicht. Rondom waren berghellingen en ravijnen. Voor volksdansen was geen ruimte, maar de kampleiders hadden het voordeel dat ze alle jongens in één oogopslag konden zien. Aan de linkerkant stonden twee grote tenten. De rest van het vlakke terrein was bedekt met slaapzakken. Elf met stomheid geslagen tieners – Decker had ze geteld – zaten of lagen op de grond voor zich uit te staren. Twee waren aan het kaarten, waarbij ze zonnebloempitten als fiches gebruikten. De meesten waren maar half aangekleed en hun kleding varieerde van pyjama's tot spijkerbroeken en hemden. Geen van de jongens keek op toen Decker langs de groep liep, maar hij voelde dat ze hem met achterdochtige, kille blikken nakeken. Er was veel wilskracht voor nodig om niet over zijn schouder te kijken.

De wildernis was een gebied zonder rechtspersoonlijkheid en viel onder de gezamenlijke verantwoordelijkheid van Deckers politiebureau, de boswachters en het bureau van de sheriff. Meestal deed het bureau van de sheriff het onderzoek wanneer er in de heuvels een moord was gepleegd, maar omdat de huisadressen van Mervin Baldwin en Ernesto Golding tot de jurisdictie van Devonshire hoorden, was iemand zo slim geweest Decker te bellen. Decker hoopte dat dit een indicatie was dat er sprake zou zijn van samenwerking tussen de bureaus, en niet van een krachtmeting van macho's in uniform. Hij wilde het onderzoek graag zelf doen, en de andere bureaus zouden daar waarschijnlijk geen probleem mee hebben mits hij alle betrokkenen met respect behandelde. Hij begon dus met een glimlach, haalde zijn penning te voorschijn en liep naar een van de boswachters. Haar naam was Landeau en ze was een grote vrouw met brede polsen. Ze had haar haar tot een staart gebonden en op haar wat bolle voorhoofd stonden zweetdruppeltjes. Aangezien het niet erg warm was, concludeerde Decker dat ze vanwege lichamelijke inspanning zo transpireerde.

Ze zei: 'De grootste van die twee tenten is de plaats delict.' Haar stem trilde. 'Het omliggende terrein wordt momenteel uitgekamd door ongeveer tien agenten.'

Decker bekeek het uitzicht. 'Waar zoeken die naar?'

'Pardon?'

Hij draaide zich naar haar toe. 'Waar zijn de agenten in de heuvels naar op zoek?'

'O. Naar de dader, natuurlijk.'

Dat wilde zeggen dat ze mogelijk bewijsmateriaal al hadden vertrapt.

'Weten ze dan wie de dader is?' vroeg Decker.

Landeau hakkelde: 'N-nee... Ik bedoel, dat weet ik niet... misschien weet iemand anders het.'

Decker zei niets. Hij keek om zich heen, liet zijn blik op de jongens rusten en toen op een man in een camouflagepak die werd ondervraagd door twee agenten in uniform. In de verte waren de ronkende motoren te horen van auto's die de berg op kwamen.

Decker wees naar de man in het camouflagepak. 'Wie is dat?'

'Korporaal Hank Tarpin.' Ze bekeek haar notities. 'Een ex-marinier. Hij noemt zichzelf Chief Nature Master en hij is de kampleider die belast is met de dagelijkse activiteiten. Hij heeft de lijken gevonden en geïdentificeerd.'

'Als Ernesto Golding en Mervin Baldwin.'

'Ja.'

Decker knikte. 'Dan ga ik maar even met hem praten.'

'Goed, inspecteur,' antwoordde Landeau. Ze was duidelijk blij van hem af te zijn.

Tarpin was ruim één meter tachtig lang, had een brede borst en erg forse armen die erop wezen dat hij met gewichten werkte. Zijn hoofd was opvallend klein in verhouding tot het brede lichaam. Of misschien leek het alleen zo klein omdat zijn schedel helemaal kaalgeschoren was. Diepliggende bruine ogen, een forse neus, dikke lippen en een grote kin. Hij deed Decker denken aan de geest uit de fles van een schoonmaakmiddel, zonder de oorring.

De agenten keken naar Decker, die zijn identiteitsbewijs liet zien en in de gaten hield of Tarpin er ook naar keek. Het gezicht van de man was emotieloos. Niet vijandig of uitdagend, maar volkomen uitdrukkingloos. Het kon door de schok komen; het kon ook een poging zijn niets van zijn emoties te laten merken. Decker stelde zich aan hem voor.

'Inspecteur Decker.' Tarpins stem klonk omfloerst. 'Fijn dat u zo snel bent gekomen. Ik weet dat Ernesto contact met u had. Dat heeft hij me verteld.' Een pauze. 'Hij mocht u graag. Dat mag u best weten.'

'Dank u.' Decker keek naar de in kakikleurige uniformen geklede hulpsheriffs. Ze hadden een lagere rang dan hij en vonden het niet leuk terrein te moeten prijsgeven. Aan hun strepen zag Decker dat de kleinste de rang van brigadier had. 'Ik heb een zaak behandeld waarbij de jongen betrokken was. Daarom ben ik nu ook hier.' Decker keek naar de twee koepelvormige, waterdichte, feloranje tenten. 'Is dat de plaats delict?'

'Ja, inspecteur,' antwoordde de brigadier.

Tarpin zei: 'Ik kan met geen woorden beschrijven hoe het er daarbinnen uitziet. Niet dat ik in Servië en Rwanda geen lijken heb gezien, maar... dat is alweer een tijd geleden. En hen kende ik persoonlijk... daarom is het zo'n schok.'

Dat waren zijn woorden. Maar zijn gezicht bleef uitdrukkingloos.

'U hebt hen geïdentificeerd als Ernesto Golding en Mervin Baldwin?' vroeg Decker.

'Ja.' Tarpin keek opzij en trok een fractie van een seconde zijn neus op, alsof hij iets vies rook.

'Wanneer hebt u hen gevonden?'

'Meteen nadat ik was opgestaan... om ongeveer vijf uur.'

'U bent toen rechtstreeks naar de tenten gegaan?'

'De voorraden liggen in de voorste tent. In de andere slapen de Baldwins. Ik wilde voorbereidingen treffen voor het ontbijt... maar rook opeens iets. Wie in oorlogen heeft gevochten en ooit die geur heeft geroken, vergeet hem nooit meer.'

Decker pakte zijn notitieboekje. 'Wat hebt u toen gedaan?'

'Ik heb de flap van dr. Baldwins tent opgelicht.' Hij wendde zijn blik af. 'God helpe hen... God is de enige die dat nu nog kan.'

'U wist meteen dat ze allebei dood waren.'

'Ja. Er was geen twijfel mogelijk.'

'Hebt u gecontroleerd of ze nog een hartslag hadden?'

'Natuurlijk... en die hadden ze niet.'

'Waren de lichamen nog warm?'

Hij aarzelde. 'Dat kan ik me niet herinneren.'

Decker dacht na. 'Ernesto Golding bevond zich dus in de tent van Merv Baldwin.'

'Ja.'

'Wat deed hij daar?'

Weer kreeg Tarpins gezicht een ondoorgrondelijke uitdrukking. 'Het zal voor therapie zijn geweest. Dr. Baldwin voert alle gesprekken met de jongens in zijn tent.'

'Midden in de nacht?'

'Wat?'

'U zegt dat u hen om vijf uur 's ochtends hebt aangetroffen. Toen waren ze al dood. Hield dokter Baldwin zich dan zo vroeg op de ochtend bezig met therapie?'

'Daar hield hij zich dag en nacht mee bezig, inspecteur. Daarom was hij zo bijzonder. Ik hoop dat u hier niet iets mee wilt insinueren.'

'Nee, ik stel alleen maar vragen.'

'Dan zou u vragen moeten stellen over de andere dokter Baldwin. Dee Baldwin. Ik kan haar niet bereiken. Ze neemt de telefoon niet op en beantwoordt haar pieper niet. Ik maak me zorgen.'

'Kunt u me de nummers geven? Ik zal een paar agenten naar haar huis sturen.'

'Natuurlijk.' Tarpin zocht in zijn zakken. 'Hebt u een pen?'

Decker gaf hem zijn notitieboekje en een pen.

'Ik hoop dat het niet om een of andere wraakactie gaat. Ze werken met labiele tieners.' Tarpin schreef de nummers op. 'Dit is het nummer van haar pieper, dit is haar mobiele telefoon, dit is het kantoor en dit is het nummer bij hen thuis.'

Decker pakte zijn notitieboekje en pen weer van hem aan, toetste een nummer in op zijn mobiele telefoon, maar zag dat die het hier in de wildernis niet deed. 'Ik zal moeten bellen via de radio in mijn auto. Dit ding doet het hier niet.'

Twee mensen dood, eentje vermist.

Decker zei: 'Worden er verder geen jongens vermist, korporaal Tarpin?'

'Nee.' Tarpin draaide zijn hoofd om en spuugde op de grond. 'Gaat u hen ondervragen?'

'Dat is de bedoeling, ja.'

'De jongens hebben het niet gedaan. Geen van hen heeft zoiets kunnen doen en er vervolgens niets van kunnen laten blijken. Ik heb helemaal niets gehoord. Bovendien zijn deze jongens amateurs. De Baldwins nemen nooit doortrapte jeugdcriminelen mee naar het kamp. Dat is veel te riskant.'

'Om welke redenen zijn deze jongens hier?'

'Kleine vergrijpen... of herrie met hun ouders. Ze zijn ontspoord, maar goed beschouwd zijn het gewoon verwende rijkeluiszoontjes. Ze vinden zichzelf heel stoer, maar in een achterbuurt zouden ze het geen week volhouden.' Er stonden zweetdruppeltjes op Tarpins kale hoofd. 'Hij behandelt ook andere kinderen, die veel serieuzere problemen hebben. Misschien kunt u het beste bij hen beginnen.'

'Nee, ik ga met deze jongens beginnen.' Decker liep naar de Jeep om te gaan bellen. 'Om de eenvoudige reden dat zij hier zijn en ik ook.'

Tarpin kwam achter hem aan. 'Ze hebben het niet gedaan. Ze mochten Ernesto graag. Denkt u dat een jongen als Ernesto dit gedaan kan hebben?' Hij gaf zelf antwoord op zijn vraag. 'Nooit van zijn leven. Geen van hen zou dit ooit hebben kunnen doen. Dat zult u vanzelf merken wanneer u met hen gaat praten.'

Decker opende het portier van de auto. 'Ik zál ook met hen gaan praten, maar ik moet eerst het bureau bellen om te zorgen dat men naar Dee Baldwin gaat zoeken. De levenden gaan voor de doden, korporaal.'

Hij hoefde niet eens naar binnen te gaan om te weten wat er was gebeurd. De grond was donker op de plekken waar bloed onder de rand van de waterdichte tent naar buiten was gestroomd. Bloederige afdrukken van schoenzolen vormden een spoor van de opening van de tent naar de rand van het plateau. Decker trok om elk ervan een krijtlijn en bekeek de steile helling. Voor zover hij kon zien, liep er geen pad naar beneden, maar dat wilde niets zeggen. Iemand zou naar beneden moeten gaan om een kijkje te nemen, want de schoenafdrukken leken over de rand te verdwijnen. Vreemd, maar niet onmogelijk.

Behoedzaam liep hij terug over de zanderige grond, goed uitkijkend waar hij zijn voeten neerzette. Hij sloeg de flap van de tent open, bukte en gluurde naar binnen, terwijl hij probeerde niet te diep in te ademen.

Meteen sloeg de walm van de dood hem in het gezicht. De geur van bloed en ingewanden, de stank van een steeg achter een slagerswinkel. Het strakgespannen canvas zat vol spatten en op de grond lagen plasjes rood en bruin geronnen bloed. Twee stuks beddengoed waren veranderd in een onduidelijke, met bloed doordrenkte massa. De twee lijken lagen op de grond, naast elkaar, de knieën opgetrokken naar de borst. Hun gezichten gingen niet eens schuil onder hun armen: ze hadden niet voldoende tijd gehad om een beschermende houding aan te nemen. Ernesto lag erbij met ontbloot bovenlichaam; Baldwin droeg een hemd. De rest van de kleren lag op een hoop bij de ingang van de tent.

Decker sloot zijn ogen om te kunnen nadenken. Een licht gevoel van onpasselijkheid prikte als naalden in zijn maag, maar hij onderdrukte het. Als de half ontklede staat van de slachtoffers inhield dat ze niet alleen voor een therapeutische sessie samen in de tent waren geweest, wierp dat een heel ander licht op de verdwijning van Dee Baldwin. Was ze op de vlucht voor de misdadigers of voor de politie? Of was ze er vóór vijven al op uit gegaan om boodschappen te doen?

Hij deed zijn ogen open. De scène was er niet beter op geworden. De gezichten waren blauwig wit en besmeurd met bloed. De lijken waren doorzeefd met kogels en te oordelen naar de wonden op de lichamen was er in het wilde weg op hen geschoten. De dubbele moord had niet het karakter van een executie. Er sprak woede uit en het gaf het woord *overkill* heel duidelijk weer. Gaten in de tent gaven aan waar kogels naar buiten waren gevlogen. Te oordelen naar de grootte van de gaten was het moordwapen waarschijnlijk een .32-kaliber pistool. De dader moest een geluiddemper hebben gebruikt, anders had het een hoop lawaai gemaakt. Als de slachtoffers wakker waren geweest op het moment dat ze met zo veel vuurkracht waren aangevallen, hadden ze geen enkele kans gehad iets terug te doen. Als ze in hun slaap waren vermoord, waren ze al dood geweest voordat ze beseften wat er gebeurde.

De patholoog-anatoom zou een tijdvak vaststellen waarbinnen ze waren gestorven, maar in dit geval was Deckers deskundigheid als rechercheur net zo accuraat. De lijken waren nog warm. Op deze hoogte koelden dingen 's nachts snel af. De moorden waren kort tevoren gepleegd.

Als Tarpin onschuldig was en de waarheid sprak, had hij niets gehoord. Dan moest het gebeurd zijn tijdens het deel van de slaapcyclus waarin men het diepst slaapt. Dat was over het algemeen twee uur voordat je wakker werd. Tarpin had gezegd dat hij om een uur of vijf wakker was geworden, dus moesten de moorden rond drie uur gepleegd zijn.

Tussen drie en vijf uur...

Waar was Dee Baldwin?

Hij liet de flap zakken en gunde zichzelf een ogenblik om op adem te komen. Ondertussen nam hij allerlei details in zich op. Webster, Martinez en Bontemps waren inmiddels aangekomen. Martinez schreef iets op in zijn notitieboekje, maar stopte toen hij Decker zag. Het trio kwam naar hem toe en Webster vroeg: 'Hoe erg is het?'

'Heel erg.' Decker wendde zich tot Bontemps, maar voordat hij iets kon zeggen, legde Webster uit: 'Ik heb Wanda erbij gehaald omdat ze heeft meegewerkt aan de zaak over het vandalisme. Ik vond dat ze erbij moest zijn als ook dit een op discriminatie gebaseerde, zij het veel ernstiger, misdaad zou blijken te zijn.'

'Het is een op haat gebaseerde misdaad, maar waarschijnlijk niet een op rassenhaat gebaseerde,' zei Decker. 'Maar het is goed dat Wanda hier is. We kunnen iemand van Jeugddelicten goed gebruiken aangezien het merendeel van onze verdachten onder de achttien is.'

Ze wierpen een blik op de terneergeslagen tieners.

Decker zei: 'Laten we de kinderen in twee leeftijdgroepen verdelen. De jongens die meerderjarig zijn, kunnen we ondervragen. Met de minderjarigen kunnen we niets doen zonder toestemming van hun ouders. Noteer hun namen en telefoonnummers en begin contact op te nemen met de ouders. Jullie mogen hun wel langs de neus weg vragen of ze iets hebben gehoord of gezien en hun reactie peilen. Maar vergeet niet dat we hier niet met gewone jongens te maken hebben. Ze zullen allemaal de indruk wekken dat ze iets te verbergen hebben, omdat ze dat nu eenmaal gewend zijn. Ze zijn gestoord. Ze hebben jaren ervaring in het maskeren en op anderen afschuiven van schuld. We zoeken naar iets buitengewoons.'

'Denk je dat een van hen het heeft gedaan en toch hier is gebleven om ondervraagd worden?' vroeg Webster.

Martinez zei: 'Misschien zit er een echte psychopaat tussen.'

Bontemps keek naar de ongeregelde groep. 'Dat zou heel goed kunnen.'

'Ik zal zien of ik toestemming van Tarpin kan krijgen om de inhoud van hun rugzakken te bekijken,' zei Decker. 'Toen de ouders hun kinderen naar dit kamp hebben gestuurd, hebben ze Tarpin en Baldwin expliciet toestemming gegeven naar eigen goeddunken hun persoonlijke bezittingen te doorzoeken om te zien of ze drugs of andere verboden dingen bij zich hebben.'

'Dat klinkt me bekend in de oren,' zei Webster.

'Weet ik,' antwoordde Decker.

'Wie is Tarpin?' vroeg Martinez.

'De man in het camouflagepak,' zei Decker.

'Hij ziet eruit alsof hij behoorlijk wat schade aan kan richten. Wat is zijn rol in dit kamp?' vroeg Martinez. 'Drilsergeant?'

'Chief Nature Master,' zei Decker. 'Hij coördineert de activiteiten. Ik geloof dat hij alles doet op de therapeutische sessies na.'

'Waarom komt de naam Tarpin me zo bekend voor?' vroeg Webster.

'Je hebt gelijk,' zei Martinez. 'Ik ken die naam ook, maar ik kan hem niet thuisbrengen. Wat is zijn specialiteit? Is hij een survivalexpert of zoiets?'

'Waarschijnlijk.'

'Ik weet het!' Wanda keek hen triomfantelijk aan. 'De Hoeders van de Etnische Integriteit, weten jullie nog wel? Darrell Holt en Erin Kershan?'

'O ja!' zei Webster. 'Van de folders.'

'Een ervan was geschreven door Tarpin!' zei Martinez. 'Hij was de man die vond dat op scholen geen andere taal dan Engels moest worden onderwezen.'

'Dit klinkt *erg* bekend,' merkte Wanda op.

Decker trok zijn wenkbrauwen op. 'De folder moet in het dossier zitten. Daar zal ik straks naar kijken.'

Wanda zei: 'We zijn er toen niet in geslaagd een verband te leggen tussen de Hoeders van de Etnische Integriteit en Goldings vandalisme. Ik weet niet of Tarpin en Golding elkaar al kenden voordat deze tragedie heeft plaatsgevonden, maar het is interessant om dat uit te zoeken.'

'En hoe zit het met die andere racistische figuur? De hacker?' Decker knipte met zijn vingers. 'Ricky Moke. Of hoe hij in werkelijkheid ook heet. Was ook hij niet een survivalist?'

'Dat idee hadden Darrell en Erin in ieder geval,' antwoordde Wanda.

'Zou hij hebben deelgenomen aan een kamp van Mervin Baldwin?' vroeg Martinez.

'Dat moeten we uitzoeken.' Decker zweeg even. 'Maar eerst wil ik graag weten waar Baldwins vrouw is. Ze is niet thuis en niet in hun kliniek, en daar word ik zenuwachtig van. Ik heb agenten naar beide locaties gestuurd met de opdracht er naar binnen te gaan, omdat ze mogelijk in gevaar verkeert, maar verder kunnen we niets doen. Ik probeer een huiszoekingsbevel te krijgen, in het bijzonder voor Baldwins kliniek. Tarpin zei iets over een mogelijke wraakactie. Misschien brengen de dossiers van de Baldwins iets boven water.'

Martinez zei: 'Zijn dergelijke dossiers niet vertrouwelijk?'

'Niet wanneer iemand in levensgevaar verkeert,' antwoordde Decker. 'Hoe groot is het risico dat een krankzinnige patiënt wraak wil nemen? Waarschijnlijk even groot als het gevaar dat een crimineel terugkomt om met óns een rekening te vereffenen.'

'Dat gebeurt wel eens,' zei Martinez.

'Niet erg vaak. Weet je wat op dit gebied het gevaarlijkste beroep is? Dat van advocaat. Veel mensen worden heel kwaad op advocaten. Ik weet trouwens niet zeker of Dee Baldwin in gevaar verkeert. Sterker nog, ze kan ook de dader zijn.' Decker beschreef wat hij in de tent had gezien. 'Wanneer een vrouw haar echtgenoot met een jongen in een dergelijke pose aantreft, kan ik me heel goed voorstellen dat ze woedend wordt.'

'Ik weet het niet,' zei Martinez. 'Denk je echt dat een psychiater een homoseksueel standje zou maken met een minderjarige terwijl al die jongens *en* Tarpin vlak in de buurt zijn?'

Wanda zei: 'Misschien is Dee onverwacht langs gekomen.'

'Om drie uur 's nachts?'

'Onverwachter kan haast niet,' zei Wanda. 'Daarom heeft ze juist gewacht. Ze verdacht hem ergens van. Vrouwen weten dat soort dingen. Ze wilde hem betrappen op een moment dat hij haar niet verwachtte.'

Decker zei: 'Dat kan een verklaring zijn voor het voorbedachte karakter van deze misdaad. De moordenaar moet een geluiddemper hebben gebruikt. Anders zou hij of zij het hele kamp wakker hebben gemaakt. Ze komt hiernaartoe met een pistool en een reden...' Decker dacht even na. 'Ze moet een auto hebben gehad. Dan moet er ergens tussen alle bandensporen eentje zijn die overeenkomt met die van haar auto. Er moeten gipsafdrukken gemaakt worden van alle bandensporen binnen een radius van laten we zeggen een kilometer, ervan uitgaand dat ze de wagen een eind verderop heeft laten staan om niet te veel lawaai te maken. Wanda, trek krijtlijnen om alle bandensporen die je ziet, dan zullen de mensen van de technische recherche er gipsafdrukken van maken.'

Ze fronste. 'Daar ben ik wel even mee bezig.'

'Is dat een probleem?'

'Eh, nee, natuurlijk niet.'

'Mooi. Tom en Bert zullen je helpen zodra ze klaar zijn met hun eigen klussen. Tom, jij gaat praten met de oudere jongens, wat enige tijd in beslag zal nemen omdat je hun meer vragen kunt stellen. Bert, jij verzamelt informatie over de minderjarigen en gaat een praatje maken met Tarpin, omdat ook jij in dienst hebt gezeten. Hij zegt dat hij een exmarinier is en noemde Servië en Rwanda, maar in mijn ogen ziet hij eruit als een huurling. Ik zal Oliver bellen om uit te zoeken waar hij vandaan komt. Ik moet naar Jill en Carter Golding toe voordat ze het nieuws uit een andere bron horen. Tenzij iemand met mij wil ruilen...?'

Stilte.

'Dat dacht ik al.' Decker keek met toegeknepen ogen op naar de warme zon, voelde de hitte ervan op zijn gezicht branden. Het zou een zware dag worden.

16

ZE MOESTEN BESEFT HEBBEN DAT ER IETS ZEER ERNSTIGS AAN DE HAND was, omdat Decker niet zelf zou zijn gekomen als het om een klein vergrijp ging. Maar ze hadden niet kunnen bevroeden dat het zó erg was. En Decker kon het nieuws op geen enkele manier verzachten.

Hij stond erbij als een robot en was getuige van het afgrijzen, de shock en het verdriet dat alleen ouders kennen die een kind hebben verloren – de schrille kreten, de snikken, de gebalde vuisten die tegen de borst werden gedrukt. De vader die probeert de moeder te sussen, de moeder die daar niets van moet hebben. En dan de weigering het te geloven.

U moet zich vergissen.

Weet u het zeker?

Er kan een vergissing in het spel zijn.

Hoe kunt u zo zeker zijn van uw zaak?

U hebt het mis!

Maar Decker had het niet mis. Deze taak werd nooit makkelijker. Hijzelf werd alleen maar ouder.

Eerst zouden ze hem haten omdat hij hun het onmogelijke had medegedeeld. Er zou een week verstrijken... twee weken... een maand. Dan zouden ze hem gaan zien als de schakel, degene die enige logica in de waanzin kon brengen, de pijplijn naar het onderzoek, degene die ze konden bellen, tegen wie ze konden schreeuwen en krijsen en bij wie ze konden uithuilen. Uiteindelijk zou er een relatie groeien, misschien een symbiotische, misschien een antagonistische, maar in ieder geval een relatie.

Nog steeds voor de open deur – omdat ze hem niet hadden gevraagd binnen te komen – sprak Decker in korte zinnen. Maar ze namen zijn woorden niet in zich op.

Jill had de ogen van een wild dier. Ze sprak op sissende toon. 'U kunt zich vergist hebben. Zo goed kende u hem niet.'

'Misschien kan ik beter even binnenkomen,' zei Decker.

Ze staarden hem aan. Jill met een rode neus waaruit snot op haar groene sweatshirt droop en Carter met een grauwe gelaatskleur, verdoofd door de schok. Hij was gekleed in een shirt en een spijkerbroek.

Decker boog zijn hoofd en deed een stap naar voren. Gelaten stapten ze opzij om hem binnen te laten. Carter zakte neer op een stoel, vechtend tegen de onpasselijkheid, zijn hoofd tussen zijn knieën. Het was Jill die naar de badkamer rende. Ze hoorden haar kokhalzen.

Carter fluisterde: 'Hoe weet u het? Hoe weet u het zo zeker?'

'De coördinator van het kamp – korporaal Tarpin – heeft hem geïdentificeerd.'

'O, god!' Tranen stroomden over zijn gezicht. 'Maar kan hij zich niet vergist hebben?'

Smekend, pleitend. Het was zo meelijwekkend, zo hartverscheurend.

'Ik vrees van niet, meneer Golding. Ik heb hem zelf ook gezien.'

Weer zo'n beklemmende stilte. De vragen zouden komen. Eerst langzaam, daarna zouden ze hem ermee bekogelen, steeds bozer. Het was een gedragspatroon dat Decker maar al te goed kende.

Carter zei: 'Wat een geluk dat ik thuis was.'

Het gezichtspunt van een man. Hij moest hier zijn om voor zijn vrouw te zorgen. Carter wist niet wat Decker wist: dat ze zijn zorgen en zijn beschermende houding niet wilde. Ze wilde alleen maar haar zoon terug en aangezien dat niet mogelijk was, had ze op dit moment niets aan haar man.

Carter hief zijn hoofd op. 'Wat een geluk dat ze hier niet in haar eentje was.' Een korte stilte. 'Weet u het zeker?'

'Ik weet het zeker.'

Carter wees naar een stoel.

Decker ging zitten.

'Hoe...' Dat was het enige wat hij kon uitbrengen.

'We kunnen beter op uw vrouw wachten. Ze zal het willen weten, meneer Golding. Ze zal het moeten weten.'

Carter ging er niet tegen in. Na een poosje kwam Jill terug, met een vlekkerig, wit gezicht en trillende handen.

Carter zei: 'De inspecteur zal ons vertellen...'

Stilte.

Ze beet op haar lip. Tranen stroomden over haar wangen. Toen knikte ze kort.

Kort en simpel. Decker zei: 'Dit is voorlopig nog vertrouwelijke informatie. Dokter Baldwin is ook vermoord. Ze lagen bij elkaar in een tent.'

Jill keek op en sloeg haar hand voor haar mond. Ze zette grote ogen op. 'O, mijn god!' Ze begon te hijgen. 'O, lieve god! Samen?'

Decker knikte.

'Maar waar was Mervin dan?' zei Carter. 'Probeert u ons te vertellen dat *hij* het heeft gedaan?'

Decker kon zichzelf wel voor de kop slaan toen hij besefte welke fout hij had gemaakt. 'Meneer Golding, Mervin is degene die is vermoord. Dee Baldwin wordt vermist.'

Carter vloog giftig overeind. 'Wat bedoelt u daarmee?'

'Ik vertel u alleen wat we hebben gezien.'

'U hebt niets *gezien*!' schreeuwde Carter. 'Bovendien kan het me niet schelen wat u hebt gezien, want het is onmogelijk! Ik ken Ernesto goed genoeg om te weten dat wat u zegt, je reinste onzin is! Iemand probeert de naam van mijn zoon door het slijk te halen en ik wil weten waarom!'

Niet alleen door het slijk halen, iemand had zijn zoon vermoord. De vader leek veel meer overstuur te zijn van de toespeling dat zijn zoon misschien homoseksueel was geweest, dan van de moord. Maar dat was alleen omdat hij tegen dat eerste beter kon vechten.

'Wie doet er nu zoiets!' schreeuwde Carter. Hij schudde zijn wijsvinger in Deckers richting. 'Dit is... Dit is...' Toen stortte hij in en zakte neer op een stoel. Met zijn hoofd tussen zijn handen begon hij hardop te huilen. Zijn vrouw keek naar hem met natte ogen, bevend en lijkbleek. Ze staarde naar hem zonder hem te troosten. Het was afschuwelijk om het aan te moeten zien. Decker wist dat de man zou ophouden met huilen als hij iets zei. Maar daar zouden ze weinig mee opschieten. Dus liet hij hem nog een paar ogenblikken begaan en zei toen: 'Ik weet niet wat er is gebeurd, meneer Golding, maar ik zal erachter komen.'

Carter keek op. 'Waarom zou... wat denkt u?'

'Ik weet het niet.'

'U moet toch enig idee hebben,' fluisterde Jill.

'Nog niet,' zei Decker, 'maar zodra ik iets weet, zal ik u er meteen van op de hoogte brengen.'

'Wanneer mogen we hem zien?' vroeg Jill op nauwelijks hoorbare toon.

'Zodra ik bericht krijg dat het kan, kom ik u persoonlijk halen.'

'Kunnen we hem nu niet zien?' vroeg Carter. 'Ik wil hem nu zien! Daar heb ik recht op!'

'Meneer Golding, alstublieft.' Decker sloot een moment zijn ogen, zag de afgrijselijke scène weer voor zich en wist dat het te veel voor hen zou zijn. 'U moet me geloven. Ik zal u vertellen wanneer het kan.'

Stilte. Toen weer onderdrukt snikken en handenwringen.

'Hoe is...' Carter kon het niet zeggen.

'Hij is onmiddellijk gestorven,' zei Decker. 'Ik ben er zeker van dat hij niets heeft gevoeld.'

'Dat bedoelde ik niet.'

'Maar dat is wat u wilt weten,' zei Decker. 'Hij heeft niet geleden.' Hij zweeg even en zei toen: 'Ik weet dat u nog een zoon hebt. Karl. Ik wil hem graag spreken. Zodra u vindt dat het kan.'

'Waarom?' vroeg Carter.

'Omdat broers elkaar soms dingen toevertrouwen. Ik weet dat uit eigen ervaring. Ik heb twee zonen die goed met elkaar overweg kunnen en altijd voor elkaar opkomen. Soms ben ik hun gezamenlijke vijand. Of vinden ze me overbezorgd.'

'O, god!' stootte Jill uit. 'Denkt u dat Karl in gevaar verkeert?'

'Dat bedoel ik niet,' antwoordde Decker. 'Ik wil alleen weten wat hij over zijn broer weet.'

'Onze kinderen hebben een heel goede relatie met ons,' zei Carter. 'Als u iets te vragen hebt, wil ik dat u het aan mij vraagt.'

'Niets specifieks op het moment.' Een leugen. 'Ik wil gewoon alle aspecten in kaart brengen. Meneer Golding, hebt u informatie die mij zou kunnen helpen?'

'Nee! Natuurlijk niet! Waarom vraagt u dat?'

'U moet zich niet beledigd voelen door wat ik vraag, meneer. En dat geldt ook voor u, mevrouw Golding. Het spijt me erg. Het laatste wat ik wil, is u nog meer leed bezorgen.'

Jills ogen staarden hem aan vanuit diepe poelen van verdriet. 'U weet dus niet wie het heeft gedaan?'

'Nee,' antwoordde Decker.

'En Dee Baldwin wordt vermist?'

'Op dit moment weten we niet waar ze is.'

Jill sloeg haar trillende handen ineen. 'Maar wat dénkt u?'

'Ik heb geen idee.'

'Is Dee erbij betrokken?'

'Dat weet ik niet.'

'En er is veel geweld gebruikt?' vroeg Jill.

'De dood is meteen ingetreden,' antwoordde Decker.

Jills onderlip trilde. 'Hij heeft niet geleden?'

'Nee.'

'Hoe weet u dat?'

'Ik weet het gewoon. Hij heeft niet geleden.'

Jill begon weer te huilen. 'Ik wil mijn zoon zien,' snikte ze. 'Ik *moet* hem zien!'

'Zodra het kan, kom ik u persoonlijk halen...'

'Dat hebt u al gezegd!' beet Carter hem toe.

'Ik weet het. Ik verval in herhalingen.'

'Kunt u er geen haast achter zetten?' zei Carter fel.

'De zaak heeft voor mij de hoogste prioriteit,' zei Decker. 'Ik werk zo snel als ik kan, omdat ik daar net zo goed belang bij heb als u. Daarom is het zo belangrijk om zo snel mogelijk informatie te krijgen. Het spijt me dat ik moet aandringen, maar wanneer zou ik Karl kunnen spreken?'

Jill droogde haar ogen met een verfrommeld papieren zakdoekje. 'Wat denkt u dat Ernesto voor ons verborgen hield?'

'Ik weet het niet. Misschien niets. Maar alle kinderen houden dingen verborgen. Zelfs kinderen die van hun ouders houden. En Ernesto hield veel van u beiden.'

Carter maakte een snuivend geluid. 'Dat weten we zelf ook wel, inspecteur.'

'Dat weet ik, meneer. Maar hij heeft dat letterlijk tegen mij gezegd, ziet u. Dat hij veel van u beiden hield en bewondering voor u had. Het was tijdens het eerste gesprek dat we onder vier ogen hebben gehad, op de dag dat hij heeft bekend de schade te hebben aangericht in de synagoge.'

Weer een langdurige stilte. Toen begon Jill opnieuw te huilen. 'Dank u voor die woorden.'

Decker wachtte even voordat hij weer sprak. 'Ik kan het helemaal mis hebben, want het is zomaar een idee, maar ik vraag me af of dit iets te maken kan hebben met het vandalisme. Misschien was Ernesto in aanraking gekomen met gevaarlijke lieden. Misschien was hij op de een of andere manier in de problemen geraakt en geneerde hij zich ervoor dat aan iemand te vertellen.' Een lange stilte. 'Ik weet het niet. Ik onderzoek alle mogelijkheden.'

'Hebt u specifieke mensen in gedachten?' wilde Jill weten.

'Nadat de vernielingen in de synagoge waren aangericht, hebben we een paar neonazi-groeperingen bekeken.'

'Daar heeft Ernesto niets mee te maken!' zei Carter met klem. Zijn stem steeg. 'Waarom zou hij?'

Decker zei: 'Wanneer een jongen als Ernesto in een synagoge vernielingen aanricht... vraag ik me af of hij was beïnvloed door kwaadaardige figuren. Mensen over wie hij tegen u niets zou zeggen, maar waar Karl misschien meer over weet...'

'Als u dacht dat Karl iets over het vandalisme wist, waarom hebt u daar indertijd dan niet met hem over gepraat?' vroeg Carter nijdig.

'Ik meen dat ik heb gevraagd of ik met hem mocht praten,' zei Decker, 'en dat u dat hebt geweigerd.'

Carter wendde zijn blik af. 'Daar kan ik me niets van herinneren!'

'Nou, misschien vergis ik me dan,' zei Decker.

Maar ze wisten allebei dat hij zich niet vergiste.

Jill beet op haar lip. 'Karl weet het nog niet eens... nietwaar?'

'Ik ben het eerst aan u komen vertellen.'

'Maar hij zal er heel gauw achter komen. Het zal wel op het nieuws komen.' Ze sprong overeind en begon te ijsberen. 'Carter, je moet de school bellen.'

Carter stond al. 'Dat ga ik meteen doen.'

Jill zei: 'Zou u nu alstublieft weg willen gaan? We moeten... ik wil...' Weer schoten tranen in haar ogen. 'Ik moet mensen bellen.' Ze zakte weer neer op de bank. 'Maar ik weet niet of ik dat wel kan.'

'Kan ík soms iemand voor u bellen?' vroeg Decker.

'Mijn zus.' Jill gaf hem het nummer. 'Ik voel me niet goed.'

'Ik zal haar meteen bellen.'

'Ik ga naar boven. Ik ben in de slaapkamer.'

'Zal ik u de trap op helpen?'

'Nee, ik...' Ze slofte naar de trap, een oude vrouw geboeid met ketenen die nooit meer afgedaan zouden worden. Ze zette een voet op de eerste tree, toen de tweede, de derde, de vierde. Ze bleef staan en draaide zich naar hem om. Ze sprak met verstikte stem. 'Wanneer wilt u Karl spreken?'

'Zo spoedig mogelijk.'

'Kom over een uur maar terug.' Ze vervolgde haar weg naar de hel.

Decker liet zijn blik door de overvolle woonkamer gaan, zoekend naar de telefoon. Drie lijnen; een van de lampjes brandde. Decker drukte de toets van de tweede lijn in en belde Jills zus. Haar naam was Brook. Hij verzocht haar onmiddellijk naar het huis van haar zus te komen. Toen Brook om uitleg vroeg, zei Decker dat hij met haar zou praten wanneer ze er was. Gewoonlijk bracht hij nooit iemand telefonisch van dergelijk nieuws op de hoogte.

Carter kwam terug. 'Waar is mijn vrouw?'

'Boven. In de slaapkamer,' zei Decker. 'Ik wacht op haar zus.'

'Welke? Brook?'

'Ja. Heeft ze nog meer zussen?'

'Philippa,' zei Carter. 'Die woont in San Diego. Met haar heeft Jill minder contact, maar... iemand moet het haar natuurlijk vertellen.' Hij keek om zich heen, naar niets in het bijzonder. 'Ik moet... mijn zoon gaan halen... Karl. Ze hebben hem uit de klas gehaald. Ik heb niet gezegd waarom... alleen dat er iets is gebeurd.'

'Hebt u liever dat ik hem ga halen?' bood Decker aan. 'Niet om hem te ondervragen. Ik zou alleen als taxi fungeren, zodat u bij uw vrouw kunt blijven.'

Carter hield zijn blik gericht op een punt achter Decker. 'U vraagt hem niets?'

'Nee, niet in de auto. Uw vrouw zei dat ik over een uur terug kon komen om met uw zoon te praten.'

Carter zei niets.

'Of...' zei Decker, 'ik kan hier wachten tot Brook komt. Dan kunt u zelf uw zoon gaan halen.'

Carter schudde verward zijn hoofd, met tranen in zijn ogen. 'Ik weet het niet. Wat vindt u dat ik moet doen?'

'Eerlijk gezegd kunt u op dit moment niets voor uw vrouw doen. Ze verkeert in een shocktoestand. Uw zoon heeft u nodig. En hij zal zich later herinneren wie hem is komen halen. Als u denkt dat u niet in staat bent te rijden, kan ik een auto laten komen.'

'Ik kan wel rijden.' Carter haalde zijn autosleuteltjes uit zijn broekzak. 'De school is hier tien minuten vandaan. Dat red ik wel.'

Decker knikte.

'U wacht dus op Brook?'

'Ja.'

'Zou u het haar alvast kunnen vertellen?'

'Als u dat graag wilt.'

'Ja, ik geloof...' Hij haalde zijn hand over zijn ogen. 'Ik zal ook mijn broers moeten bellen. Ik heb twee jongere broers.' Zijn betraande ogen waren verstard van verdriet. 'Godzijdank leven mijn ouders niet meer.'

Karl was ook al zo breedgebouwd en had armen als van een worstelaar, wat voor Decker een indicatie was dat de erfelijke dunlijvigheid van de Goldings een woekerend gen van gespierdheid bevatte. Zijn gelaatskleur was licht, maar zijn huid zo grof als griesmeelpudding. Hij had nog geen baardgroei en de puistjes en de pukkeltjes waren in al hun glorie zichtbaar. Zijn ogen waren blauwer dan die van zijn broer, en nu betraand en roodomrand. Zijn neus was ook rood. Hij keek naar Decker, maar in zijn ogen lag een volkomen blanco uitdrukking. Decker had net zo goed een stoel kunnen zijn.

Decker zei: 'Een paar vragen, Karl. Zeg maar wanneer je het niet meer aankunt.'

'Goed.' Het was een fluistering. 'Moeten we echt nu al praten? Is dat erg belangrijk?'

'Ja.'

De jongen wendde zijn blik af. 'Goed dan.'

Ze zaten op een leren bank in de slaapkamer van de jongen, die net zo groot was als Deckers huiskamer. De muren waren van dezelfde rozekleurige adobe als de rest van het huis en de kamer was erg spaarzaam ingericht: een bed, een bureau met een computer, een televisie op een kastje, boekenplanken waarop meer videobanden stonden dan boeken. Met de airconditioning op de hoogste stand was het er zo koud als in een grafkelder.

Decker zei: 'Om te beginnen, mijn condoleances.'

Tranen drupten uit de ogen van de vijftienjarige. Hij veegde ze weg.

'Je broer en ik hebben vrij veel gepraat,' vervolgde Decker. 'Over dingen waar hij mee zat en dingen waar ik mee zat. Ik vraag me af of hij daarover ook met jou heeft gesproken.'

Karl hief zijn hoofd op. 'Zoals?'

'Ernesto heeft me verteld over fantasieën die hij had. Heeft hij het daar met jou ooit over gehad?'

De seconden tikten weg. Een... twee... drie... vier

De jongen fluisterde: 'Wat voor fantasieën?'

Decker hield een emotieloze uitdrukking op zijn gezicht. 'Ik vertel je dit niet om luguber te doen, maar om Ernesto beter te begrijpen. Hoe meer ik over hem weet, hoe beter ik het onderzoek zal kunnen uitvoeren. Ernesto was geïnteresseerd... nee, dat is het verkeerde woord. Hij werd geplaagd door afschuwelijke beelden van wreedheden die door de nazi's zijn gepleegd. Hij werd erdoor geplaagd, maar was er ook door gefascineerd. De beelden zaten hem erg dwars, maar hij kon zich er niet van losmaken. Verder had hij het idee dat... dat de vader van jullie vader, Isaac Golding, niet de waarheid had gesproken over zijn afkomst.'

Stilte.
En nog meer stilte.
'Heeft hij over deze problemen ooit iets tegen jou gezegd?'
Karl zuchtte. 'Mag ik vragen wat dit... wat het doel is van deze vragen... inspecteur?'
Hij deed zijn best beleefd te doen en dat zei veel over hem, vooral in deze omstandigheden.
'Ik vraag me af of Ernesto een dubbelleven leidde en omging met foute mensen. Ik vraag me ook af of hij probeerde daarvan los te komen, door het op te biechten aan dr. Baldwin. Misschien wilde iemand dat er voorgoed een einde zou komen aan die uitwisseling van informatie.'
'Denkt u dat ze daarom zijn vermoord?'
'Ik weet het niet, Karl. Daarom stel ik je zulke gevoelige vragen.'
'Hebt u dit met mijn ouders besproken?'
'Nog niet.'
'Mag ik u vragen dat niet te doen?' De grote jongen slikte. 'Ik denk niet dat mijn moeder...' Nieuwe tranen. 'Ze heeft het al moeilijk genoeg.'
'Vertel me wat je weet. Daarna zullen we zien of we een plan kunnen uitwerken.'
'Zou u me eerst willen vertellen wat u weet?'
'Goed. Volgens Ernesto was de naam van jullie grootvader in werkelijkheid Jitschak Golding.' Decker sprak de naam uit met de juiste keelklanken, wat hij vijf jaar geleden nog niet kon. 'Ernesto had wat onderzoek gedaan en was erachter gekomen dat ene Jitschak Golding in een Pools concentratiekamp was gestorven. Het is natuurlijk heel goed mogelijk dat er meerdere Jitschak Goldings bestaan. Maar Ernesto had de indruk gekregen dat je grootvader de identiteit van de dode Jitschak Golding had gestolen. Heeft hij daarover tegen jou ooit iets gezegd?'
'Wel iets.'
'Dit klinkt je dus bekend in de oren?' vroeg Decker hem. 'Dat je grootvader een gevluchte nazi was?'
'Min of meer.'
'Wat wil dat zeggen?'
'Dat Ernesto... vragen had. Hij is ermee naar pappa gegaan. Die werd woest en daarmee was het meteen afgelopen. Daarna heeft Ernie er niets meer over gezegd.'
Decker lette goed op de blik in Karls ogen. 'Dus als ik hierover iets tegen je vader zou zeggen, zou ik een gevoelige snaar raken?'
'Ik denk dat u dat op dit moment maar beter niet kunt doen.'
'Dat zal ik in gedachten houden. En je moeder?'
'Voor zover ik weet heeft hij het er met haar nooit over gehad.'
'Goed. Dan laten we haar erbuiten.' Decker streek zijn snor glad. 'En jij, Karl? Is hij er met jou wel over blijven praten?'
Dikke tranen rolden over de wangen van de jongen. Hij sloeg zijn

handen voor zijn gezicht en riep: 'Het is allemaal mijn schuld!'

'Nee, dat is het niet.'

'Wel waar! Ik had iets moeten *zeggen*! Ik had iets moeten *doen*! Ik *wist* het niet!'

Peter zag hem pogingen doen grote, hartverscheurende snikken te onderdrukken. Seconden verstreken, minuten. Eindelijk had hij zijn zelfbeheersing voldoende terug om te kunnen praten. 'Het was begonnen met een project voor school. Iedereen moest een stamboom maken.' Hij haalde luidruchtig zijn neus op. 'Toen dit aan het licht kwam... en pappa zo woest werd... wist Ernie dat hij op iets afschuwelijks was gestuit. Ik heb meteen gezegd dat hij het erbij moest laten zitten. Gedane zaken nemen geen keer. Opa is dood, de holocaust is meer dan een halve eeuw geleden en je kunt niemand uit de dood terughalen door dergelijke dingen op te rakelen. Maar hij weigerde te luisteren.'

'Dat moet frustrerend zijn geweest.'

'Het maakte me eerder kwaad. Ernie gedroeg zich als... als iemand die *bezeten* was!'

Decker knikte bemoedigend. 'Wat heeft hij gedaan?'

'Hij wilde weten wie opa in werkelijkheid was geweest. Hij begon brieven te schrijven naar mensen in Argentinië, in Berlijn, overal ter wereld. Hij werd gek van de gedachte wie opa was geweest... en dat hij een nazi-verleden zou hebben. Hij kreeg contact met heel rare mensen. Ik had het aan pappa moeten vertellen. Of aan dr. Dahl. Zij zou wel iets slims hebben gedaan. Maar toen kwam het incident in de synagoge en ging Ernie in therapie. Toen heb ik maar niks gezegd en besloten het over te laten aan de deskundigen.'

'Je hebt de juiste beslissing genomen...'

'Nietwaar,' viel de jongen hem in de rede. 'Ernie is dood! Het was *niet* de juiste beslissing!'

'Jawel,' zei Decker. 'Dat moet je van me aannemen, Karl.'

De jongen geloofde hem niet. Maar hij sprak hem ook niet meer tegen.

'Ben je bang, Karl?' vroeg Decker. 'Denk je dat je beschermd moet worden?'

'Ik *weet* het niet!' De onderlip van de jongen trilde. 'Ik weet het niet!'

'Heb je namen voor me?'

'Nee, verdomme! Ik wou dat ik die had, maar ik weet niets. Ik zweer het, meneer.'

'Ik geloof je.'

Karl zei: 'Dat van de synagoge was... Ik had geen idee dat Ernesto er zo bij betrokken was geraakt! Ik dacht dat hij het had verzonnen om indruk te maken op zijn vriendin.'

'Je bedoelt Ruby Ranger.'

'De koningin van goth. Zij zou hier best achter kunnen zitten. Ze is volkomen geschift, én boosaardig!' Hij keek op naar Decker. 'Ik ben niet de enige die dat vindt. Uw stiefzoon haat haar ook.'

Dat wist Decker.

Karl wendde zijn blik weer af. 'Misschien had ik niets over hem moeten zeggen.'

'Dat geeft niet. Ik heb al van meerdere mensen, onder wie Jacob, gehoord dat Ruby en Ernesto iets met elkaar hadden.'

'U zou haar moeten arresteren!' Karl keek Decker weer aan. 'U gaat toch wel met haar praten, hè?'

'Voor zover we weten heeft ze vlak na het vandalisme de stad verlaten. Wanneer heeft Ernesto haar voor het laatst gezien?'

'Dat weet ik niet.'

'Je weet dus niet of zij en Ernesto contact met elkaar hebben gehouden na het incident in de synagoge?'

Een diepe zucht. 'Hij heeft een paar brieven ontvangen. Ik denk dat ik wel weet waar hij die heeft verstopt...' Karl stond op. 'Al kan het ook zijn dat hij ze heeft meegenomen naar het kamp.'

'Waarom verstopte Ernesto de brieven?'

'Omdat mamma in onze spullen snuffelt. Ernie is aan de drugs geweest. Het is hem bijna noodlottig geworden.'

'Letterlijk?'

Karl knikte. 'Ongeveer een jaar geleden hebben we hem op een zondagochtend bewusteloos aangetroffen. Het is een wonder dat hij dat heeft overleefd. Mijn ouders zaten hem altijd achter zijn vodden – studeren, studeren en nog eens studeren. Doe *die* cursus omdat het indruk maakt wanneer je je inschrijft bij de universiteit, doe *die* cursus omdat het goed staat op je cv. Ernie is een intelligente jongen. Maar tegenwoordig is het niet goed genoeg wanneer je goed kunt leren. Toen Ernie een overdosis had genomen, was het huis te klein. Het had niet veel gescheeld of mijn ouders hadden hem naar een internaat gestuurd. Maar opeens...' De jongen knipte met zijn vingers. '... werden ze veel soepeler. Ik denk dat hun psycholoog hun dat had aangeraden. Ze deden niets zonder het te bespreken met hun psycholoog. Toch hield Ernie het gevoel dat ze hem niet vertrouwden. Daarom verstopte hij dingen. Hoofdzakelijk marihuana, maar ook persoonlijke dingen.'

'Zoals de brieven?'

Karl knikte. 'Ik snap niet waarom Ernie zo weg was van dat... *kreng*! Ik weet dat het hun alleen maar om de seks te doen was, maar Ernie kon ieder meisje krijgen dat hij wilde. Waarom juist zij?'

Omdat ze verboden was, gevaarlijk, en omdat Ernesto een rebelse jongen was. Maar Decker zei dat niet. Dat leek hem het beste.

'Ik ben zo terug.' Karl liep naar de slaapkamer van zijn dode broer. Tien minuten later kwam hij met lege handen terug. 'Er ligt niets. Sorry. Ik had u graag willen helpen haar te pakken te krijgen.'

'Denk je dat de brieven in het kamp zijn?' vroeg Decker.

'Dat zou kunnen.'

'Heeft hij je ooit zo'n brief voorgelezen?'

'Een paar keer heeft hij er stukjes uit voorgelezen – over de seks. Ruby vond zichzelf een vrijgevochten anarchist. Ze is volkomen geschift!'

'Denk je dat zij achter het vandalisme zat?'

'Dat zit er dik in.'

'Heeft Ernesto namen genoemd nadat hij in de synagoge had huisgehouden?'

'Nee.'

'Geen namen van nazi-groeperingen of blanke racistische groeperingen?'

'Nee.'

'Klinkt de naam "Hoeders van de Etnische Integriteit" je bekend in de oren?'

De jongen schudde zijn hoofd.

'Erin Kershan?'

'Nee.'

'Darrell Holt?'

'Nee.'

'Ricky Moke?'

'Nee. Sorry.'

Decker zei: 'Weet je of Ernesto via internet betrokken is geraakt bij racistische groeperingen?'

'Ik weet niet wat hij deed en ook niet waar of waarom,' zei Karl. 'Ernie was mijn broer, maar we zijn erg verschillend.'

'Heeft hij ooit iets tegen je gezegd over zijn beweegreden voor de vernielingen in de synagoge?'

'Beweegreden?'

'Ik vraag me af of het misschien een soort ritueel was waarmee hij aan zijn vriendin moest bewijzen dat hij in staat was zulke dingen te doen.'

'Geen idee.' Karl boog zijn hoofd. 'Nadat hij het had gedaan, zei hij: "Zeg niks en vraag niks!" Maar hij zat er erg over in. Dat kon ik duidelijk zien.'

'Heeft hij gezegd dat hij in gevaar verkeerde?'

'Nee, ik bedoel niet dat hij zich zorgen maakte, maar dat hij zich ellendig voelde.'

'Heeft hij tegen jou gezegd dat hij zich ellendig voelde?'

'Niet met zoveel woorden. Maar ik weet dat hij er erg mee zat.'

'Denk je dat hij je niets heeft verteld om je te beschermen?'

'Zou kunnen.'

'En de naam Ruby Ranger is nooit ter sprake gekomen?'

'Nee. Ik geloof dat hij liever doodging dan dat kreng te verraden.'

Ze zeiden geen van beiden wat ze dachten: dat zijn woorden misschien maar al te waar waren.

17

TIJDENS DE RIT TERUG NAAR DE PLAATS DELICT SPRAK DECKER MET ZIJN rechercheurs via de beveiligde lijn van de mobilofoon. De ontvangst was veel slechter dan via zijn mobiele telefoon, maar de gesprekken konden tenminste niet afgeluisterd worden. Hoewel je dat met een korreltje zout moest nemen: er zat wel iets in wat de tegenstanders van de technologische vooruitgang beweerden.

'Liggen de slachtoffers er nog?' vroeg hij.

'De lijkwagen is twintig minuten geleden vertrokken,' antwoordde Martinez. 'De fotograaf is er nog. Moet ze op je wachten?'

'Nee, ik heb genoeg aan de foto's. Hebben jullie gekeken of zich op de lijken persoonlijke eigendommen bevonden?'

'Op de lijken hebben we niets gevonden. We zijn nu bezig hun rugzakken te doorzoeken. Heb je iets speciaals op het oog?'

'Brieven aan Ernesto van Ruby R.'

'Hoeveel?'

'Drie of vier.'

'Ik zal het tegen Tom zeggen. De spullen van Ernesto die we tot nu toe hebben bekeken, zijn niets bijzonders: slaapzak, veldfles, metalen bord en bestek. Normale kampeeruitrusting volgens Tarpin.'

'Ik kom later nog op hem terug. Hoeveel jongens hebben jullie ondervraagd?'

'Er zijn maar twee jongens die meerderjarig zijn. Tom heeft met hen gesproken. Je kunt hem er beter zelf naar vragen.'

'Heeft het iets opgeleverd?'

'Lijkt me niet.'

'En de anderen? Die nog minderjarig zijn?'

'Ik weet dat Wanda en Tarpin bezig zijn geweest contact op te nemen met de ouders. En dat was niet makkelijk. Ik schat dat ongeveer zeventig procent van hen de stad uit is. Die wilden van het feit dat junior niet thuis was profiteren om een weekje in het Caribische gebied door te brengen. Zeven van de negen jongens hebben vrijwillig gezegd dat we hun spullen mochten doorzoeken. Zoals verwacht hadden die niets te verbergen. Wanda heeft hen oppervlakkig ondervraagd. Ik heb de indruk dat ze teleurgesteld zijn. Ik geloof dat ze hadden verwacht dat we hen op z'n minst in een verhoorcel op het bureau zouden ondervragen.'

Decker glimlachte. 'Je zei zeven van de negen jongens.'

'Klopt. De andere twee werken tegen. Misschien hebben die iets te verbergen, of willen ze gewoon geen medewerking verlenen omdat ze de politie niet vertrouwen.'

'Hebben ze een strafblad?'

'Weet ik niet. Ze zijn nog minderjarig. Wanda is goed thuis in die zaken. Als ze iets op hun geweten hebben, komt zij daar wel achter.'

'Ik zal straks met hen praten. Hoe heten ze?'

'Brandon Chesapeake en Riley Barns. Het is niet zo dat ze op iemands graf dansen, maar de verlokkingen van de misdaad zijn opeens niet meer zo aantrekkelijk. En het ruikt ook niet al te best.'

'Heb je al met Tarpin gesproken?'

'Dat wilde ik net gaan doen... tenzij je het liever zelf doet. We zijn nog bezig met de ouders. Het is zeker niet zo dat ik om werk verlegen zit.'

'Goed, laat hem dan maar tot ik er ben,' zei Decker. 'Ik ondervraag Tarpin wel, want voor jou heb ik een nieuwe taak: Dee Baldwin. Ze is niet thuis en niet in de kliniek. Ga praten met hun vrienden en kennissen om uit te zoeken of zij en Mervin een bepaalde plek hadden waar ze graag naartoe gingen, een huisje in de bergen of iets dergelijks. Een plek waar ze zich nu zou kunnen verstoppen.'

'Denk je dat ze zich verstopt?'

'Ernesto en Mervin lagen er nogal knus bij, dus wie weet? Het kan ook zijn dat ze zich verstopt omdat ze bang is. Een andere mogelijkheid is dat het de moordenaar alleen om Ernesto te doen was. Hij heeft de ravage in de synagoge niet in zijn eentje aangericht. Dat houdt in dat hij hoogstwaarschijnlijk in aanraking was gekomen met zeer onfrisse figuren. Ik ben in het bijzonder geïnteresseerd in Ruby Ranger. Probeer uit te zoeken waar ze is gebleven.'

'Ik kan teruggaan naar Alice Ranger, maar ik betwijfel of die veel medewerking zal verlenen.'

'Zet haar onder druk. Het is belangrijk.' Decker zweeg even. 'Hebben we trouwens ooit een foto van Ricky Moke gekregen?'

'Nee. Het leek niet belangrijk meer, omdat Ernesto een bekentenis had afgelegd. Wil je dat ik met een portrettekenaar terugga naar Darrell Holt?'

'Laten we eerst uitzoeken waar Dee Baldwin is. Daarna kun je naar Holt gaan.'

'Goed. Als je denkt dat hij een goede beschrijving kan geven... en dat hij te vertrouwen is. Hij kan net zo goed liegen.' Een korte stilte. 'En dat zal ook wel. Dat soort mensen liegt uit gewoonte.'

Decker zat naast Tarpin aan de rand van de steile afgrond. Ze zaten zij aan zij, omdat Decker wist dat mannen makkelijker praten als ze elkaar niet aankijken. Het gezicht van de korporaal glom van het zweet en druppeltjes parelden op zijn forse neus. Hij droeg een camouflagepet op zijn kale hoofd en had zijn mouwen tot aan zijn ellebogen opgerold. Hij had nog steeds een stoïcijnse uitdrukking op zijn gezicht, waardoor hij moeilijk te doorgronden was. Decker nam aan dat dat ook de bedoeling was.

Hij pakte zijn notitieboekje en bleef met zijn pen in zijn hand een ogenblik zwijgend zitten om het landschap in zich op te nemen. De bergen waren reusachtig en groots, de pieken gevat in een bruine, transparante laag zomersmog. Het was bloedheet. Hij voelde onder zijn kleren het zweet over zijn lichaam druipen, ondanks dat ze in de schaduw van een plataan zaten. Voor zich uit starend vroeg Tarpin naar nieuws over Dee Baldwin.

'Ze is niet thuis en niet in de kliniek.'

'Dat is niet best.'

'Nee, dat is het zeker niet. Hebt u enig idee waar ze kan zijn? Hebben dr. Baldwin en zij een tweede huis? We zijn hier in de buurt al aan het checken, maar misschien weet u of ze elders een huis hadden?'

'Ze gingen in het weekeinde soms naar zee.'

Decker begon te schrijven. 'Ja? Waar?'

'Malibu.'

Decker wachtte op meer. 'Weet u waar? Malibu heeft een erg langgerekt strand.'

'Nee, dat is mijn terrein niet. Ik geloof dat ze iets huurden.'

Dat bracht de mogelijkheden terug tot enkele miljoenen. 'Een huis? Een flat?'

'Een flat.' Tarpin pauzeerde. 'Het kan best zijn dat ze daar is. Ze zijn hun huis in Beverly Hills aan het renoveren. Ik hoorde van dokter Merv dat het daar nogal een troep is.'

'Bedoelt u dat ze tijdens de verbouwing elders woonden?'

Tarpin haalde zijn schouders op. 'Ik weet het niet. Dokter Merv zei alleen dat het bij hen thuis een troep was en dat de verbouwing hem een kapitaal kost. Het plan zal wel van Dee zijn uitgegaan. Zij is altijd bezig met het interieur... ze heeft twee jaar geleden hun kliniek ook laten opknappen.'

'Dit is nuttige informatie.' Decker belde meteen naar Martinez om het aan hem door te geven en droeg hem op het zoeken te coördineren met het bureau van de sheriff van Malibu. Nadat hij had opgehangen, nam Tarpin zijn pet af, droogde zijn kale hoofd met een zakdoek en zette de pet weer op.

Hij zei: 'Vertrouwt u erop dat mensen die niet tot uw eigen afdeling behoren uw werk goed doen?'

'Pardon?'

'De sheriff en zijn mensen. Vertrouwt u hen?'

'Waarom vraagt u dat?'

Tarpin zei: 'Verantwoordelijkheid delegeren. Als je wilt dat iets goed wordt gedaan, moet je het zelf doen. Vind ik.'

'Geldt dat ook voor moord?'

Tarpins ogen richtten zich op Deckers gezicht. Eindelijk liet hij een vleugje emotie zien, en het was boosheid. 'Ik zal me niet verwaardigen daar antwoord op te geven.'

'Ik heb het niet over u, korporaal. Ik bedoel alleen dat delegeren een professionele manier van werken is. Vindt u dat niet?'

Tarpin gaf geen antwoord.

Decker zei: 'U weet dat ik u bepaalde vragen moet stellen, omdat u de leiding had over het kamp. Bovendien bent u degene die de lijken heeft gevonden. We stellen altijd gerichte vragen aan degenen die de lijken vinden. Daar komt bij dat we hier op een vrij klein terrein zitten en ik me afvraag waarom niemand iets heeft gehoord.'

'U mag zich afvragen wat u wilt. Vrijheid blijheid.'

'Het ziet eruit als het werk van een insider.'

'Het ziet eruit als het werk van een krankzinnige.'

'Of een heel kwaadaardige persoon.'

'Nou, inspecteur, ik ben niet krankzinnig en niet kwaadaardig.' Hij draaide zich naar Decker toe en bekeek hem aandachtig. 'Ik ben zo normaal als een mens maar kan zijn.'

Ja, ja, dacht Decker. 'Laat me het zo stellen. Als u de moord hebt gepleegd, wat was dan uw beweegreden?'

'Vraagt u me dat?' vroeg Tarpin.

'Ja.'

'Ik heb geen beweegreden, omdat ik het niet heb gedaan.'

'Maar als ik u ergens mee wilde opzadelen, in welke richting zou ik dan moeten zoeken? Zou ik, om een verborgen beweegreden te vinden, bijvoorbeeld uw lidmaatschap van de Hoeders van de Etnische Integriteit nader moeten bekijken? Gaan vragen wat die over u kwijt willen?'

Tarpin staarde naar de bergen. 'Dat zou u kunnen doen.'

'Wisten de Baldwins dat u lid bent van de HEI?'

'Wat heeft dat goddomme te maken met de moord op Merv?'

Harde woorden, maar Tarpins stem had een zachte, milde klank.

'Misschien niets...'

'Inderdaad.'

'Ik heb gehoord dat de Baldwins erg liberaal waren. Ik vroeg me gewoon af hoe ze het vonden dat u iets met die organisatie...'

'Ze wilden de beste man voor dit werk,' viel Tarpin hem in de rede. 'Ik ben de beste.' Een lach ontsnapte aan zijn brede borst. 'U denkt toch niet dat ik Merv heb vermoord omdat zijn politieke denkbeelden me niet aanstonden? De Baldwins wisten dat ik lid ben van de HEI. Merv heeft zelfs een paar artikelen gecorrigeerd die ik voor hun officiële nieuwsbrief heb geschreven. Politiek gezien behoren we tot tegengestelde uitersten van het spectrum. Ik respecteerde zijn recht te geloven in wat hij wilde; en hij respecteerde het mijne.' Eindelijk was er wat emotie te bespeuren in de ogen van de marinier. 'Als u soms wilt door-

gaan met het oplossen van de moord, moet u dat vooral doen, hoor.'
'Ik heb gewoon de indruk dat u niet veel gemeen hebt met die grapjassen van de HEI.'
'De HEI heeft meer dan tweeduizend leden in het hele land. Kent u die opeens allemaal of zo?'
'Twee*duizend* leden?'
Tarpins mond vertrok traag tot een glimlach. 'Verbaast u dat?'
'Ja, eerlijk gezegd wel.' Decker schudde zijn hoofd. 'Ik hoop dat het niet allemaal van die randfiguren zijn zoals die twee spreekbuizen op het kantoor hier.'
Tarpin zei niets.
'Hoe heet hij ook alweer?' Decker deed net alsof hij het in zijn aantekeningen opzocht. 'Darrell Holt. Wat vindt u van hem?'
'Hebt u Darrell ontmoet?'
'Ja,' loog Decker.
Tarpin keek uit over de vallei. Pakte een steen en gooide hem de berg af. 'Darrell is niet dom. Hij heeft aan Berkeley gestudeerd. Domme mensen worden op universiteiten niet aangenomen.'
Decker had zelf gestudeerd en wist dat die verklaring op z'n minst aanvechtbaar was. 'En zijn vriendin? Ga me niet vertellen dat ook zij op Berkeley heeft gezeten. Ze is volgens mij nog niet eens achttien.'
'Ik ken Darrells vriendin niet.'
'Erin Kershan.'
'Nee. Ken ik niet.'
Ze zwegen beiden. Toen vervolgde Decker: 'Ik vraag me af waarom Darrell Holt juist de radicaalste van alle universiteiten heeft gekozen. Dat past helemaal niet bij zijn opvattingen.'
'U hebt Darrell toen ook niet gekend.'
'En u wel?'
'Ja. Kroeshaar tot op zijn schouders, ongewassen, onverzorgd, sloeg radicale, racistische wartaal uit. Hij is ongeveer zeven jaar geleden door zijn vader naar een van Mervs survivalkampen gestuurd. Maar hij moest niks van de therapie hebben en is gaan studeren. Je kunt iemand niet veranderen als hij dat zelf niet wil. Maar zoals ik al zei, Darrell is een pientere jongen. Hij is uit zichzelf bijgedraaid.'
Decker wist niet wat hij hoorde. 'Darrell heeft dus deelgenomen aan Baldwins survivalkamp.' Hij tikte met zijn pen op zijn notitieboekje. 'Kent u hem daar dan van?'
'Ja.'
'Was u toen al lid van de HEI, meneer Tarpin?'
'Ja.'
'Hebt u Darrell over de HEI verteld?'
'Nee. Ik gebruik de kampen niet om leden te werven voor mijn eigen denkbeelden.'
O nee? dacht Decker. 'Darrell is dus puur toevallig bij die groepering terechtgekomen?'

'Ik geloof dat Darrell zich erbij heeft aangesloten omdat hij geïnteresseerd was in waar wij voor staan.'

'Maar u hebt hem nooit iets over de HEI verteld?'

'Misschien wel,' gaf Tarpin toe. 'Dat kan ik me eerlijk gezegd niet herinneren. Het is alweer een tijd geleden.'

'Hoe lang is Darrell er nu lid van?'

'Drie, vier jaar. Dat moet u maar aan hem vragen.'

'Dat zal ik doen,' zei Decker. 'Weet u of Darrell en Ernesto elkaar kenden?'

'Nee, dat zou ik niet weten.'

'Kent u Ricky Moke?'

'Nooit van gehoord.'

'Darrell heeft mijn agenten verteld dat Ricky eveneens lid is van de Hoeders van de Etnische Integriteit.'

'Dat is heel goed mogelijk. Zoals ik al zei, heeft de organisatie meer dan tweeduizend leden.'

De stoïcijnse uitdrukking was terug en Decker kon niet zien of hij loog. 'Wat kunt u me vertellen over Darrell Holt... over toen hij deelnam aan het kamp?'

'Pientere jongen, maar hij zat nogal met zichzelf in de knoop.'

'In welk opzicht?'

'Erg tegendraads. Merv en Dee hebben hun best gedaan, maar Darrell moest er niets van hebben. Zoals ik al zei, is het later vanzelf goed gekomen.'

'Praatte hij veel met u?'

'Niet veel.'

'En Ernesto?'

'Hoe bedoelt u?'

'Praatte die met u?'

'Alle jongens praten met me. Ernesto ook. Ik moedig het niet aan... de Baldwins hebben het liever niet. Het stoort de therapie.' Hij keek Decker weer aan. 'Eén ding kan ik u vertellen, inspecteur. Ernesto had spijt van wat hij in de synagoge had gedaan, hij had er echt berouw van. Maar wat hebben Ernesto's problemen met de moord te maken?'

'Op dit moment weten we nog niet wie het doelwit was. Misschien Baldwin. Maar het is ook mogelijk dat het Ernesto was.'

'Waarom Ernesto?' vroeg Tarpin. 'Hij was nog maar een tiener.'

'Laat ik het anders stellen, meneer Tarpin. Waarom Baldwin?'

'Omdat de Baldwins ook écht misdadige kinderen behandelen, psychopaten met de kille hagedissenogen van sluipschutters. Merv en Dee doen hun best, maar sommige kinderen kunnen niet gered worden.'

'Maar waarom is de moord hier gepleegd... in de bergen? De plek is moeilijk te bereiken, moeilijk te ontvluchten en bovendien waren er al die getuigen en potentiële vijanden.'

'Als de dader een survivalist is, is dat allemaal geen probleem.'

‘Wilt u zeggen dat het iemand is die ooit aan zo’n kamp heeft deelgenomen?’

‘Misschien.’ Tarpin draaide zich naar hem toe. ‘Waarom denkt u dat Ernesto het doelwit kan zijn geweest?’

Decker aarzelde. Wat kon hij zeggen zonder al te veel los te laten? ‘Ik ben er nog steeds van overtuigd dat hij de ravage in de synagoge niet in zijn eentje heeft aangericht. Ik denk dat Ernesto in aanraking is gekomen met slecht volk en dat hij daar spijt van had, en dat die neonazi’s mogelijk achter hem aan zaten.’ Decker tikte weer met zijn pen op zijn notitieboekje. ‘Heeft hij het ooit gehad over een jonge vrouw genaamd Ruby Ranger?’

Weer keek Tarpin weerspannig voor zich. ‘Ernesto heeft het wel eens over haar gehad. Ik kreeg de indruk dat ze een kreng was.’

‘Is *zij* ooit bij de Baldwins onder behandeling geweest? Of behandelen de Baldwins geen meisjes?’

‘Ze behandelen iedereen die hen nodig heeft. Ik weet niet of Ruby Ranger daartoe behoort. Dat kunt u opzoeken in hun dossiers.’

‘Daarvoor moet ik een huiszoekingsbevel hebben.’

‘Dat kunt u toch wel krijgen?’

‘Beschouwt u haar als een verdachte, korporaal?’

‘Ja.’ Hij spuugde op de grond. ‘Vroeger bleef het voor meisjes bij stickies roken en cheques vervalsen. Nu zijn ze net zo erg als jongens. Leve de vooruitgang.’

18

Een huiszoekingsbevel loskrijgen als het om verdachte criminelen ging, was niet zo moeilijk. Een huiszoekingsbevel loskrijgen om patiëntendossiers te bemachtigen van een arts die nog leefde, was niet zo makkelijk. Naarmate de uren zich voortsleepten, besloot Decker alvast een team naar de praktijk van de Baldwins in Beverly Hills te sturen om te zien of ze via een babbeltje informatie konden loskrijgen. Aangezien Martinez in Malibu op zoek was naar de flat van Dee, en Tom en Wanda nog bezig waren op de plaats delict, delegeerde Decker de uitdagende taak om charmant te doen aan Scott Oliver en Marge Dunn.

Geen van beiden reageerde erg enthousiast.

Op de snelweg over de heuvel deed Oliver bewust moeite zijn norse bui niet af te reageren op Marge, die chauffeerde. Hij was chagrijnig omdat hij een hekel had aan overgedienstige mensen; en wie een praktijk had in Beverly Hills, had meestal de neiging zichzelf nogal hoog aan te slaan vanwege zijn succes. Scott vroeg zich zelfs af of Decker juist hem deze opdracht had gegeven, omdat hij nog steeds pissig was om Scotts kortstondige relatie met zijn dochter Cindy. Dat Cindy hém had gedumpt en nu bezig was een ster te worden binnen de LAPD, de L.A. Police Department, deed niet ter zake. Dat Oliver aan de verkeerde kant van de veertig zat en het hoogtepunt van zijn carrière tien jaar geleden had bereikt, deed ook niet ter zake. Oliver was allang tot de conclusie gekomen dat Decker iets op hem tegen had omdat hij er beter uitzag en op ieder gewenst moment iedere vrouw kon versieren, die hij wilde...

Marge haalde hem uit zijn fantasieën met een zakelijke opmerking. 'Ik heb met een van hun collega's gesproken. Een psychologe genaamd Marjam Estes.' Ze plukte een pluisje van haar donkerblauwe broek van linnen en polyester. Een stof die licht mocht kreuken maar er evengoed altijd toonbaar uitzag. Het kledingstuk had het onderdeel 'kreuken' goed door, maar de toonbaarheid was een andere zaak. Het donkerblauw stond haar echter goed, met haar bleke huid, bruine ogen en blonde, vlassige haar. Verder droeg ze een bloes, een bij de broek passend donkerblauw jasje, en stevige, maar toch stijlvolle donkerblauwe schoenen met rubberen zolen. Die had ze bij Tod's gekocht, in de uitverkoop. Ze was altijd blij wanneer ze redelijke schoenen vond in maat tweeënveertig. Haar voeten hadden de juiste maat in verhouding tot haar lengte en gewicht, maar het was niet makkelijk om schoenen te vinden die er niet al te lomp uitzagen. 'Door de telefoon klonk ze niet erg behulpzaam.'

'Klonk ze mooi?'

'Met mooi bedoel je jong?'

'Jong is altijd een voordeel.'

'Ze klonk jong.' Marge verliet de snelweg bij Sunset en sloeg links af naar Beverly Hills. 'Jong en nerveus.'

'Omdat ze op het moment niet zeker is van haar baan.'

'Voorlopig weten we niet beter dan dat Dee nog leeft.' Marge remde wat af vanwege de vele bochten in de kustweg.

'Denk je?' Oliver zette de airconditioning een graadje hoger. De wol van zijn antracietkleurige pak heette lichtgewicht te zijn, maar was te warm op deze broeierig hete dag.

Marge dacht even na en zei toen: 'Als Dee hen niet heeft vermoord, is ze op de vlucht voor degenen die het gedaan hebben.'

'Beide mogelijkheden zijn niet erg gunstig voor de jong klinkende juffrouw Estes.' Oliver keek in het spiegeltje van de zonneklep hoe zijn haar zat. Hij had nog altijd mooi, dik haar. 'Of is het dr. Estes?'

'Dat heeft ze er niet bij gezegd.'

'Wat wil Decker precies?'

'We moeten onze voelsprieten uitsteken, proberen erachter te komen of er tussen de patiënten van de Baldwins gevaarlijke psychopaten zitten. Verder moeten we zo veel mogelijk te weten zien te komen over Ernesto Golding en zijn problemen, en vragen stellen over een drieëntwintigjarige jongedame genaamd Ruby Ranger, die een relatie met Ernesto had. Maar we moeten voorzichtig te werk gaan, want we hebben geen huiszoekingsbevel en zitten met het probleem van de vertrouwensrelatie.'

'Juist,' zei Oliver. 'Hoe gaan we dit dus aanpakken?'

'Jij gaat proberen Estes aan de praat te krijgen.' Marge stopte voor een rood licht, keek hem aan en glimlachte. 'Laat al je charme op haar los, Scott.'

Hij trok zijn das recht en streek met zijn handpalmen over zijn met grijs doorschoten slapen. 'Fluitje van een cent.'

Marge sloeg rechts af Camden Drive in, een straat met grote, vrijstaande huizen op lapjes grond die eigenlijk te klein waren voor de afmetingen van de villa's. De straat was omzoomd met magnolia's die de gazons en huizen schaduw boden. Pas toen Marge Santa Monica Boulevard al was overgestoken, merkte ze dat de straat nu eenrichtingsverkeer had en dat ze in de verkeerde richting reed. 'Ik haat deze stad.'

'Ik ook.'

'Of misschien ben ik gewoon jaloers, omdat ik geen geld heb om hier een huis te kopen.'

'Ik vind het niet erg om niet hier te wonen. Ik vind het alleen jammer dat ik hier niet kan winkelen.'

'Je kunt altijd wachten op de uitverkoop.'

'Zelfs met vijftig procent korting kost alles hier een kapitaal.' Oliver keek om zich heen. 'We zitten niet al te ver van Cindy's adres.'

'Dat zou een slecht plan zijn.'

'Ik heb geen plan, ik zei het alleen maar.'

'Een heel slecht plan.'

'Ja, ja. Let jij nou maar op de weg.'

'Heb je nog contact met haar?'

'We steken geen spelden in elkaars voodoopoppetjes als je dat bedoelt.'

'Ik vraag niet of jullie elkaars vijanden zijn, ik vraag of je nog contact met haar hebt.'

'Wat kan jou dat schelen?'

Gevoelige snaar. Marge glimlachte. 'Je hebt gelijk. Het gaat me niets aan.'

'Nee, ik heb geen contact meer met haar. Niet omdat ik dat niet wil, maar omdat *zij* het niet wil.'

Ze zwegen.

Oliver zei: 'Je bent het adres voorbijgereden.'

'Ik zou me ook moeten concentreren op het rijden,' zei Marge. 'Nu moet ik een blokje om.'

'God straft je omdat je naar Cindy hebt gevraagd.'

'Wat een middeleeuwse gedachte. En je bent zelf over haar begonnen!'

'Ik mag over haar beginnen. Jij niet. Zo werkt dat toch?'

'Ja hoor. Je hebt gelijk.'

'Natuurlijk heb ik gelijk.'

'Kunnen we nu weer vrienden zijn?'

'Daarmee impliceer je dat we vrienden wáren.' Toen Marge daar niets op zei, fronste Oliver. 'Goed. We zijn vrienden. Ben je nu gelukkig?'

Marge gaf hem een klopje op zijn knie. Langzaam reed ze het blokje om tot ze uitkwamen bij de ondergrondse parkeergarage. Zwijgend namen ze de lift naar de elfde etage, terwijl Oliver nog steeds zuur keek, stapten uit, sloegen rechts af en liepen door een stille, luxueus uitziende gang naar de praktijkruimte van de Baldwins. Een jonge vrouw met een mokkakleurige huid en een overdaad aan dansende zwarte krullen deed de deur voor hen open. Ze droeg een witte zijden bloes met korte mouwen en een bruine rok waarvan de zoom net boven haar knieën kwam. Bruine pumps maakten de outfit helemaal áf. Ze lieten haar hun penningen zien, waarna de vrouw opzij stapte om hen binnen te laten.

'Ik ben Marjam Estes,' zei ze, op een wat amechtige toon. Toen ze binnen waren, deed ze de deur dicht en op slot. 'Komt u maar mee.'

Ze volgden haar door een gang met hoogpolige vloerbedekking, waar haar vierkante hakken putjes in achterlieten. Ze liep op een stijve, gehaaste manier.

'Bent u ook doctor?' vroeg Oliver.

Ze antwoordde over haar schouder: 'Ph.D.'

Stilte.

Oliver fluisterde tegen Marge: 'Ik geloof dat ze me wel mag...'

'Kop dicht.'

Nog steeds amechtig liet ze hen binnen in het schitterende kantoor van Merv en Dee Baldwin. Muren met lambrisering, groene olieverflandschappen in vergulde lijsten; Perzische tapijten op de glanzend gewreven parketvloer. Een grote ruimte met prachtige meubels die ouderwets van stijl waren maar er gloednieuw uitzagen: tafels, stoelen, banken, boekenkasten. Het pièce de résistance was een tweeledig walnoten bureau waarvan de zijkanten een intrinsiek gebeeldhouwd patroon hadden van bloemen, wijnranken en bladeren. Strategisch geplaatste verticale ramen boden uitzicht op de stad.

Marge bekeek het bureau. Twee computers, vloeibladen, pennen, potloden, dossiermappen en stapels paperassen. Ze haalde haar vinger over een leeg plekje van het gladde walnoten bureaublad. Stofvrij. Iemand had hier pas nog schoongemaakt.

Marjam zei: 'Neemt u plaats. Waar u maar wilt.'

Marge ging zitten op een bank met roze bekleding, maar Oliver slenterde door het ruime vertrek, terwijl hij de jonge vrouw in gedachten ontleedde. Ze was niet mooi – haar gezicht was te rond en haar ogen stonden te dicht bij elkaar – maar wel aantrekkelijk. Mooi lijf, gladde huid en dikke, bijtbare lippen.

'Wat een enorme ruimte.' Hij keek haar in haar donkere ogen en glimlachte. 'Je zou hier een walsje kunnen doen!'

'Ze doen veel aan groepstherapie.' Ze wendde haar ogen af. 'Daar heb je ruimte voor nodig.'

'Hoeveel kost het nou om zoiets te huren?'

De vrouw keek stuurs. 'Dat weet ik niet.' Ze zette haar stekels op. 'En dat lijkt me ook niet belangrijk op dit moment.'

'Nee, waarschijnlijk niet.'

Heel charmant, Scott, zo kom je een heel eind. Maar bij Oliver zat er soms een strategie achter het onbeholpen begin. Marge keek naar het tweeledige bureau. 'Werkten de Baldwins samen in dit kantoor?'

'Ze hebben ieder ook een privé-kantoor. En er is een spreekkamer voor persoonlijke gesprekken.'

'Behalve de wachtkamer, de spreekkamer en deze balzaal hebben ze dus elk een kantoor?'

'Wanneer je bezig bent met individuele therapie, wil je niet onderbroken worden omdat je compagnon iets in een dossier moet opzoeken.'

'De dossiers worden daar bewaard?' Marge wees naar de met eikenhout gefineerde boekenkasten tegen de achterwand.

'Alleen de lopende dossiers.'

'Moeten die niet achter slot en grendel zitten?'

'Dat zitten ze ook!' Marjam voelde zich beledigd. 'Neemt u me mijn onbeleefdheid niet kwalijk, maar wat komt u hier eigenlijk doen? Zou u zich niet bezig moeten houden met Dee Baldwin? Zou u niet naar haar op zoek moeten zijn?'

'Dat zijn we, dr. Estes. Niet wij persoonlijk, maar het opsporen van Dee Baldwin heeft voor de politie de hoogste prioriteit. We zijn hier omdat we hulp nodig hebben.'

'Hulp?' Marjam bevochtigde haar lippen. 'Wat voor hulp?'

'In de vorm van informatie,' zei Oliver. 'Over mogelijke verdachten. Aangezien dr. Baldwin nogal wat gestoorde mensen in behandeling had, vragen we ons af of hij is vermoord door een van zijn patiënten.'

'Uit wraak, bijvoorbeeld,' voegde Marge eraan toe. 'Is u bekend of de Baldwins patiënten hadden die hebben gezworen wraak op hen te nemen?'

Ze schudde haar hoofd. 'Ik zou het niet weten. En zelfs als ik het wist, zou ik u niet kunnen helpen. De informatie over de patiënten is vertrouwelijk.'

'Niet wanneer iemand die nog in leven is, daardoor in gevaar verkeert,' zei Marge. 'U kent ongetwijfeld de zaak-Tarasoff.'

'Het is niet van toepassing wanneer de betreffende persoon al dood is.'

'Goed punt,' zei Oliver. 'Dan vindt u het vast niet erg om een paar vragen te beantwoorden over Ernesto Golding.'

'Ik kan u niet helpen, omdat ik niets over Ernesto Golding weet.'

'Mogen we zijn dossier inkijken?' vroeg Oliver.

'Natuurlijk niet!' protesteerde Marjam. 'Daar kan ik u geen toestemming voor geven. U zult daarvoor op Dee moeten wachten.'

'Dat kan lang duren,' zei Oliver. 'Misschien eeuwig.'

'Hoe kunt u zoiets zeggen!' Opeens barstte Marjam in tranen uit. 'Is het nog niet erg genoeg? Wie heeft zoiets kunnen doen? Dokter Merv had geen vijanden.'

De twee rechercheurs lieten haar eventjes huilen. Toen vroeg Oliver: 'Hoe goed kende u de Baldwins?'

'Afgezien van de feestjes tijdens de kerstdagen ging ik alleen op kantoor met hen om. Ik werk hier nu anderhalf jaar en in al die tijd is er nooit een onvertogen woord gevallen. Ze zijn altijd aardig, tegen mij, tegen hun patiënten. Het zijn toegewijde psychologen en fantastische begeleiders.' Weer stroomden de tranen. 'Mijn god, ik vind het zo... verschrikkelijk!'

Ze snikte het uit. Marge stond op en legde zachtjes haar hand op haar rug. 'Ik weet dat u zich voelt alsof u hen... verraadt... door over hun werk te praten.' Een zucht vol medeleven. 'Ik weet het goed gemaakt. Vertel me alleen over henzelf en hun patiënten. Voor zover u denkt dat het geoorloofd is.'

'Dat is niet makkelijk.' Ze snoot haar neus in een papieren zakdoekje. 'Niet makkelijk. Voor psychologen is de vertrouwensrelatie het allerbelangrijkst. Als onze patiënten denken dat wij hun vertrouwen schenden, gaan ze naar een ander. En nu beide Baldwins er niet zijn, komt alles op mij neer. De patiënten, bedoel ik. Ik moet hen ervan overtuigen dat ze me kunnen vertrouwen.'

'Begin maar met de algemene dingen,' stelde Marge voor. 'Hoe lang u hen hebt gekend... wat voor soort therapie ze gaven... of ze zowel volwassenen als kinderen behandelden... dat soort dingen.'

Marjam hief haar hoofd op en droogde haar ogen. 'Dokter Merv Baldwin was gespecialiseerd in opstandige tieners.' Ze zag dat ze op méér wachtten. 'Kinderen met gedragsproblemen.'

Marge knikte. 'Waren er kinderen bij die tot gewelddaden geneigd waren?'

'Dat zal best, maar ik heb zelf niets met hen gedaan. Ik behandelde voornamelijk de gevallen waar Dee geen tijd voor had. Zij houdt zich bezig met angststoornissen die leiden tot asociaal gedrag, zoals tegendraads gedrag op school...'

'Is dat een probleem?' viel Oliver haar in de rede. 'Voor mij was tegendraads gedrag op school tijdverdrijf.'

'*Ernstig* tegendraads gedrag.' Marjam wierp hem een kille blik toe. 'Tieners die denken aan zelfmoord, die zich afzonderen en lijden aan examenvrees. Voor de toelatingsexamens bedoel ik, hoofdzakelijk voor de universiteiten, maar ook voor middelbare scholen en zelfs basisscholen. Merv behandelde obstructieve jongens en dat deed hij met behulp van zijn groepstherapie en survivalkampen. Een week in de natuur was de kern van Mervs therapie, hoewel Dee meehielp door intensieve begeleiding te geven...'

'Momentje, momentje,' onderbrak Marge haar. 'Kunt u iets langzamer gaan? Wat bedoelt u met toelatingsexamens voor de *middelbare school*?'

'Voor de privé-scholen,' antwoordde Oliver. 'Daarvoor moet je toelatingsexamen doen. Voor dat soort scholen moet je je inschrijven. Dat weet je toch wel?'

Marge zei niets.

Oliver onderdrukte een zucht. Dunn kon het niet helpen. Met altruïsme in haar vaandel had ze een jaar geleden een tiener geadopteerd en er waren een heleboel wetenswaardigheden waarvan ze doodgewoon nog niet op de hoogte was.

'Dus ik moet me zorgen maken over Vega?' vroeg Marge. 'Ze is superintelligent. Is dat niet genoeg?'

'Ze zijn allemaal superintelligent,' zei Marjam. 'Het gaat erom hoe je je superintelligente tiener onder de aandacht van de toelatingscommissie brengt. Weet u dat er kinderen zijn die op school allemaal goede cijfers halen en hoog scoren op hun SAT-test, en evengoed door Harvard worden afgewezen?'

'Nee, dat wist ik niet.' Marge trok wit weg. 'Wat moet je dan nog meer doen?'

'Voorbereidende universiteitscursussen volgen wanneer je nog op de middelbare school zit. Daarvoor krijg je niet alleen extra punten, maar het staat goed als je kunt zeggen dat je al van die cursussen hebt gedaan.'

Marge dacht daarover na. 'Dus een scholier moet al op college-niveau studeren om op een college te worden toegelaten?'

'De plaatselijke universiteiten geven speciale voorbereidende cursussen,' vertelde de psychologe.

'Maar waarom zouden ze aan een college gaan studeren, als ze de studie in feite al hebben gedaan?' Marge drukte haar handen tegen haar slapen. 'U hebt het over angstsyndromen bij kinderen. Hoe zit het met angstsyndromen van de ouders?'

'We behandelen inderdaad ook bezorgde ouders,' zei Marjam. 'Vaak zijn zíj het probleem. Ze eisen perfectie van hun kinderen, terwijl ze zelf vroeger verre van perfect waren. Tegenwoordig staat overal druk op. Je moet iedereen vóór blijven als je iets wilt bereiken. Dit is de digitale generatie, rechercheur. Gen-D. De computer wacht op niemand.'

'Vroeger was je een opdringerige ouder als je je zo gedroeg.' Oliver glimlachte erbij. 'Psychiaters vonden dat echt helemaal fout.'

'Opdringerigheid is iets anders dan motivatie,' preekte ze. 'De meeste cliënten van de Baldwins zijn sterk gemotiveerd. Ze willen de juiste dingen doen.'

'De juiste dingen doen?'

'Om te slagen.'

'Bijvoorbeeld?'

Marjam glimlachte flauwtjes, uit de hoogte. 'Daar gaat het in de therapie juist om. Zelfs als ik u de beroepsgeheimen zou vertellen, zou u er niets mee kunnen beginnen. Maar we dwalen af. Mijn antwoord op uw oorspronkelijke vraag is dat ik geen teleurgesteld kind zou kunnen aanwijzen, dat het in zijn hoofd zou halen wraak te nemen omdat hij of zij niet is toegelaten tot de universiteit van zijn of haar keuze.'

'Dat moet u niet te hard zeggen,' zei Oliver. 'Kijk maar eens naar die moeder in Texas, die heeft geprobeerd een klasgenote van haar dochter te vermoorden omdat die een te grote rivale was voor een plaats bij de cheerleaders. Mensen worden om de onnozelste redenen vermoord.'

Haar gezicht werd asgrauw. 'Het is niet nodig zo grof te doen.'

'Dokter Baldwin is op een grove manier vermoord.'

'Het heeft niets te maken met zijn patiënten.' Marjams pieper ging. 'O jee! Alweer iemand op de noodlijn. Ze bellen bijna non-stop sinds het afschuwelijke nieuws via de media bekend is gemaakt. Ze zullen wel in shock verkeren. Ik moet deze oproep beantwoorden.'

'Ga uw gang,' zei Oliver.
'Maar ik kan niet bellen waar u bij bent.'
'U zei toch dat er nog meer kantoren zijn?'
Marjam fronste. 'Het kan even duren.'
'We hebben de tijd.' Oliver trok een serieus gezicht.
Ze kwam langzaam overeind. 'Ik ben zo terug. Kan ik erop vertrouwen dat u nergens aan zult zitten?'
'Natuurlijk,' zei Marge.
'Het zou voor u beiden erg slechte gevolgen hebben... als ik erachter zou komen dat u ergens in hebt gesnuffeld.'
'Dan zouden we ons schuldig maken aan een misdrijf,' zei Oliver. 'En u weet wat ze zeggen over agenten die in de gevangenis terechtkomen.'
Ze twijfelde nog even. Toen wierp ze een laatste blik over haar schouder en liep weg. Ze liet de deur openstaan. Oliver wachtte tot een van de lampjes van de telefoon oplichtte. Toen liep hij snel naar de deur en deed die zachtjes dicht. 'Hou dat lampje in de gaten.' Hij liep naar de dossierkasten achter in de kamer. 'Geef me een seintje wanneer het uit gaat.'
'Oliver, wat doe je?'
Hij trok aan een la. 'Op slot. Nou, ik heb voor hetere vuren gestaan.' Hij haalde een sleutelsetje uit zijn zak.
'Ben je helemaal gek geworden?'
'In plaats van me uit te foeteren, kun je beter helpen.' Oliver stak het haakje in het eenvoudige slot van de ladekast. Het klikte vrijwel meteen open. 'Ik ga niet in alle dossiers snuffelen. Alleen dat van Ernesto Golding. Vooruit, Margie! Dit is een noodgeval!'
'Ik wens niet deel te nemen aan jouw misdadige praktijken. Bovendien moet ik de telefoon voor je in de gaten houden.'
'Ja, ja.' Hij lette niet meer op haar. Razendsnel liet hij zijn vingers over de dossiermappen gaan. 'God, wat een papierwinkel creëerde deze vent. Gold, Gold, Golden, Goldenberg, Goldenstein, Goldin, Golding. Ernesto Golding! Voilà! Nou, erg dik is het niet voor een zo gestoorde jongen.'
'Je gaat te ver.'
'Weet ik. Maar het joch is dood, Dunn. Wat maakt het uit?'
'Als je maar niet denkt dat ik voor jou zal liegen.' Marge trok afwezig aan de bovenste la van het bureau. Tot haar verbazing ging die open. Het lampje op het telefoontoestel brandde nog. 'Aan de andere kant kan ik wel even een blik in zijn agenda werpen, aangezien die in een la ligt die niet op slot zit...'
'Zo mag ik het horen!'
'Hou je mond! Voordat ik weer bij mijn verstand ben.' Marge bladerde in de agenda. 'Zal het geen verdenkingen oproepen, Scott? Als ze zien dat het dossier over Golding weg is?'
'Je hebt gelijk!' Oliver deed een paar velletjes papier terug in de dos-

siermap. 'De rest kom ik een andere keer wel halen.'

'Er zijn veel afspraken die twee uur duren.' Marge las de pagina's. 'Duurt een standaardtherapie niet meestal één uur?'

'Dan belazerde hij de boel blijkbaar.'

'Ik weet het niet... er staan ook allerlei rare tekentjes bij veel van de namen.'

'Rare tekentjes? Wat bedoel je?'

'Letters: S, S, S, PS, PS, S, I, S, S, E, I, E, S2, E, G, L, S, S, S2, L, M... Wat denk je dat die betekenen?'

'Hoe moet ik dat nou weten?'

'De S'en komen het meeste voor.'

'Misschien staat dat voor "psychotisch".'

'Psychotisch spel je met een "p".'

'Oké. Maar PS kan wel voor "psychopaat" staan,' ging Oliver door.

'Dat lijkt me toch niet.' Marge liet haar blik door de kamer gaan. 'Ik wou dat ze hier een fotokopieerapparaat hadden.'

Oliver zei: 'Het is een losbladige agenda, Marge. Neem er een paar bladzijden uit en kopieer ze met de fax.'

'Ik kan me eigenlijk niet voorstellen dat ik dit doe.' Ze haalde een bladzijde uit de agenda en zette hem in de fax. 'En als het faxapparaat een afschrift uitprint?'

'Dat gebeurt alleen voor de telefoonnummers. Toe nou maar.'

Ze zette nog een pagina in de fax. De kopie kwam er net uit toen het rode lampje van de telefoon uitging. 'Scott! Ze heeft opgehangen.' Snel deed ze de originele pagina's terug in de agenda.

'Shit.' Hij duwde de dossierlade dicht, ging zitten en trok een nonchalant gezicht. 'Ik vraag me af of we haar nog een paar minuten hier weg kunnen houden.'

'Hou je mond en doe net of je je zit te vervelen.'

'Neem me niet kwalijk,' zei Marjam, toen ze het kantoor weer binnen kwam. 'Het heeft zo lang geduurd omdat er nog meer mensen belden, de een na de ander. Iedereen is in paniek vanwege de moord op dr. Baldwin. Wat een afschuwelijke, zinloze tragedie!' Er sprongen weer tranen in haar ogen. 'En het ergste is dat we nog steeds niet weten waar Dee is.'

'Inderdaad,' zei Marge.

'Angstaanjagend.' Marjam huiverde. 'En ik zit hier in mijn eentje... Ik krijg er kippenvel van. Maar iemand moet de zaken waarnemen.'

'Bent u, afgezien van de Baldwins, de enige psycholoog die hier werkt?'

'Er zijn nog vier assistenten, maar ik ben de enige met een vergunning om patiënten te ontvangen. Ik ben de enige die voldoende bevoegd is om de zaken over te nemen als Dee iets is overkomen... Aan die mogelijkheid wil ik niet eens denken. Maar ik zal wel moeten. De patiënten hebben steun en hulp nodig. Ik moet er voor hen zijn!'

Een kant-en-klare praktijk met rijke cliënten! Niet slecht voor iemand die nu maar gewoon in loondienst was. Meteen vroeg Marge zich af waarom ze zulke cynische gedachten had.

'Ik heb het erg druk,' zei Marjam. 'Het spijt me, maar u moet nu echt gaan.'

'In ieder geval bedankt,' zei Oliver. 'Mogen we terugkomen als we nog vragen hebben?'

'Misschien wanneer het wat rustiger is geworden.' Ze sprak met verstikte stem. 'Wanneer er niet meer zo veel *emoties* meespelen.'

'Dank u,' zei Marge. 'Ik weet dat u uw best hebt gedaan.'

'Ik wou dat ik u iets kon vertellen.'

Oliver glimlachte geduldig. 'We doen ieder wat we kunnen.'

Ze liep met hen mee naar de deur en vergezelde hen zelfs tot aan de lift. Toen ze veilig en wel onder de grond zaten, zei Marge: 'Wat denk je?'

'Mooi kontje, en ze is waarschijnlijk oprecht. Wat denk jij?'

'Zo narcistisch als de pest, maar volgens mij loog ze niet.' Ze opende de auto en stapte in. Toen Oliver weer naast haar zat, startte ze de motor. 'Als jij je penning ooit inlevert, zul je als misdadiger een geweldige carrière hebben.'

'Misdadigers en smerissen.' Oliver grijnsde. 'Daar zit slechts een heel smalle marge tussen, Marge.'

19

ZE ZATEN LETTERLIJK MET DE RUG TEGEN DE MUUR IN DECKERS KANTOOR. Oliver had Deckers standaardmeubilair aangevuld met vier bruine klapstoelen en alhoewel ze dankzij die altruïstische daad niet hoefden te staan, werd hun humeur er niet veel beter op. Het was bijna drie uur 's middags en de airconditioning droeg niet veel bij aan de luchtcirculatie. Zo nu en dan voelde Decker een vlaag lauwe lucht langs zijn nek strijken, maar meer was het niet. In ieder geval zat hij op zijn eigen stoel, die een prettige, dikke zitting had. Webster en Oliver hadden hun colbert uitgetrokken en de mouwen van hun overhemd opgerold tot hun ellebogen. Dunn en Bontemps droegen allebei een bloes met korte mouwen. Decker had zijn jasje over de rugleuning van zijn stoel gehangen, maar zijn stropdas omgehouden en zelfs de knoopjes van zijn manchetten niet los gedaan. Hij wilde een goed voorbeeld zijn voor zijn rechercheurs, en bovendien wist je nooit wanneer de hoofdinspecteur kwam opdagen. Niet dat Strapp er iets van zou zeggen, maar Decker wist wat correct gedrag was. Dat was een van de redenen waarom hij nu deze functie bekleedde.

'Waar is Bert?' vroeg Webster. 'Nog steeds bezig flatjes aan het strand te bekijken? Het is aan zee vast vijf graden koeler. Waarom krijg ik nooit zulke fijne klusjes?'

Normaal gesproken zou Decker er niets van gezegd hebben, maar vandaag was hij niet in de stemming. 'Heb je nog meer te zaniken, of ben je klaar?'

'Nouou...' zei Webster op een lijzige toon. 'Het is pas eind juni en het is nu al zo warm. Naar mijn idee staat je nog een zomer vol gezanik te wachten.'

'Bedankt voor de waarschuwing. Laten we beginnen.'

Wanda zat te popelen. Haar wangen hadden een donkerder kleur gekregen en haar bruine ogen sprankelden van opwinding. 'U weet dat twee van de minderjarige jongens hadden geweigerd hun rugzakken te laten doorzoeken?'

'Brandon Chesapeake en Riley Barns,' zei Decker. 'Wat heb je ontdekt?'

'Eerst wat achtergrondinformatie.' Webster wreef met een zakdoek over zijn bezwete voorhoofd. 'Zo te zien was Brandons grootste misdaad dat hij nooit op tijd thuiskwam en vaak midden in de nacht stiekem zijn ouderlijk huis verliet.'

'Typisch tienergedrag,' zei Oliver.

'Niet mijn tiener,' zei Marge.

'Jouw tiener komt van Mars,' antwoordde Oliver.

Marge keek hem vuil aan, maar diep in haar hart was ze het met hem eens.

'Jij bent gewoon jaloers omdat Vega zo verrekte intelligent is!' viel Wanda uit.

'Wie heeft dat mens hierbij gehaald?' gromde Oliver. 'Voor zover ik weet, zijn we bezig met een onderzoek naar een moord, niet met een geval van spijbelen.'

'Zouden jullie alsjeblieft niet zo kribbig willen doen?' Iedereen had het warm, iedereen was moe en geïrriteerd. Decker wendde zich tot Wanda. 'Met andere woorden: ga door.'

Wanda had bij Oliver een gevoelige snaar geraakt. Aangezien hij rechercheur was bij Moordzaken en zij bij Jeugdzaken, moest ze hem tegemoetkomen, en snel ook. 'Oliver heeft gelijk. Dit is typisch tienergedrag en niemand zou er veel ophef over maken, als Brandon niet een keer in Westwood in hechtenis was genomen omdat hij de avondklok aan zijn laars had gelapt. Toen zijn ouders dat hoorden, was het huis te klein. Ze hebben hem gedwongen zich bij de Baldwins onder behandeling te stellen en Mervin stelde voor hem te laten deelnemen aan het kamp. Zo kwam het dat Brandon daar was.'

Webster vervolgde: 'Riley Barns was samen met Brandon opgepakt toen ze 's nachts buiten waren. Rileys ouders wisten niet eens dat Riley 's avonds laat over straat zwierf, omdat ze zelf bijna nooit thuis waren. Riley en Brandon zijn boezemvrienden. Ze doen alles samen. En zo is het gekomen dat ze ook samen in Baldwins kamp zaten. Zo, nu zijn jullie helemaal bij.'

'Het zijn dus geen echte misdadigers,' zei Oliver.

'Nee,' antwoordde Webster. 'Daarom vroegen Wanda en ik ons af waarom ze zo stug deden nadat hun psychiater en kampgenoot tot hamburgers gereduceerd waren. Dus hebben we de oude, vertrouwde dief-in-de-ogen-kijken-truc toegepast en daar zagen we eerder angst dan iets anders. Combineer dat met het feit dat hun slaapzakken het dichtst bij de tent van Merv Baldwin lagen. De conclusie zal jullie duidelijk zijn.'

'Ze hebben iets gezien.' Het verbaasde Decker niet. Iemand moest iets gezien hebben. 'Maar wat?'

Wanda zei: 'We zijn erin geslaagd van Riley Barns los te krijgen dat hij wakker was geworden van een geluid dat klonk als een zachte plof. Hij is niet opgestaan, heeft zich niet eens verroerd. Hij heeft met één oog over de rand van zijn slaapzak gekeken, en begreep niet wat hij nou eigenlijk had gehoord. Hij meende een smalle lichtbundel te zien, als van een kleine zaklantaarn. Hij meent dat hij ook onduidelijke gedaanten heeft gezien die de tent uit kwamen en tussen de struiken verdwenen.'

'Gedaanten?' zei Decker. 'Meer dan één?'

'Misschien.'

'Ga door.'

'Dat was het,' besloot Wanda. 'Details had hij niet voor ons.'

Webster zei: 'Hij was maar half wakker. En het was meteen weer zo stil in het kamp dat hij weer in slaap is gevallen.'

'Heeft hij enig idee hoe laat het was?' vroeg Decker.

'Nee.'

Marge zei: 'Denk je dat de jongen zo bang is gemaakt dat hij zijn geheugen heeft verloren?'

Wanda zei: 'Het is daar 's nachts pikkedonker. Bovendien werd hij uit zijn slaap gehaald. Volgens mij houdt hij niets achter.'

'Waarom heeft hij dan bij de eerste ondervraging niets gezegd?' vroeg Marge.

'Ik denk dat hij te bang was, nadat hij had gehoord wat er was gebeurd,' zei Webster. 'Na de mededeling van Tarpin heeft hij het wel meteen aan Brandon Chesapeake verteld.'

'Welke mededeling?' vroeg Decker.

'Tarpin heeft de jongens verteld wat er was gebeurd,' antwoordde Webster. 'Geen details, alleen dat er in de tent van dr. Baldwin een misdaad was gepleegd en dat iedereen moest blijven zitten waar hij zat en niets mocht doen tot de politie zou komen. Toen ons tweetal dat hoorde, besloten ze dat ze het beste hun mond konden houden. Ik heb eerlijk gezegd wel begrip voor hun terughoudendheid.'

'Je reinste flauwekul,' zei Oliver. 'We weten dat iemand de tent is binnengegaan en er weer is uitgekomen. Ik denk dat die Riley ofwel liegt om aandacht te trekken en helemaal niks heeft gezien of gehoord, *of* dat hij meer heeft gezien dan hij ons vertelt. We moeten hem nog maar eens aan de tand voelen.'

'Vind ik ook,' zei Webster. 'Het probleem is alleen dat hij minderjarig is en dat zijn ouders bang zijn en het niet goed vinden dat we nog een keer met hem gaan praten. Misschien als jij zelf ging, Deck...'

'Zal ik doen.' Decker keek naar de ingelijste foto van zijn gezin op zijn bureau. 'Ik zal er even over nadenken hoe ik hun ouders het beste kan benaderen. Hoeveel gedaanten heeft Riley gezien?'

'Hij dacht twee,' antwoordde Wanda.

'Maar hij heeft geen idee hoe laat dat was?'

'Hij zegt van niet,' zei Webster. 'Hij deed één oog open en zag donkere gedaanten uit de tent komen en in het bos verdwijnen. Hij dacht nog dat het misschien bij een nachtelijke survivaltocht hoorde.'

'Hielden ze die vaak?' vroeg Marge. 'Nachtelijke survivaltochten?'

Webster haalde zijn schouders op. 'Geen idee. Ik zal het aan Tarpin vragen.'

Wanda zei: 'Vergeet niet dat Riley na een lange dag van pseudo-militaristische oefeningen natuurlijk doodmoe was en binnen twee tellen weer in slaap zal zijn gevallen.'

'Hebben jullie het gesprek op de band opgenomen?' vroeg Decker.

'Nee.' Wanda droogde haar gezicht met een papieren zakdoekje. 'Maar we hebben de jongen en zijn ouders wel ondervraagd toen ze erg zwak stonden – toen ze nog zo overdonderd waren dat ze geen verweer hadden – en we hebben er zo veel mogelijk uit gehaald. We wisten dat de ouders ieder moment weerstand konden gaan bieden, dus hebben we, zodra Riley ons had verteld dat hij dat geluid had gehoord, vragen op hem afgevuurd tot meneer Barns juridische verdedigingswerken opwierp. Maar we hebben ons best gedaan het vriendelijk te houden, omdat we al vermoedden dat u nog met hen zou willen praten.'

Decker knikte. 'En jullie weten heel zeker dat de andere jongen, Brandon, niets heeft gezien of gehoord?'

'Hij zegt van niet,' antwoordde Webster. 'We hebben alle jongens ondervraagd voor zover dat geoorloofd was. De meesten zijn minderjarig.'

'Elf verbijsterde tieners met angst in hun hart, die evengoed stoer bleven doen. Voeg daar hysterische ouders aan toe...' Wanda schudde haar hoofd. 'Leuk is anders. En we hebben niets verdachts gezien of gevonden.'

'Waar zijn de kampeerspullen van Ernesto?'

'Opgeslagen, keurig in bewijszakjes,' vertelde Webster hem. 'We hebben geen brieven van Ruby Ranger gevonden. Bestaan die wel echt?'

'Zijn broer zegt van wel. Ik heb geen reden om aan zijn woorden te twijfelen.' Decker pakte zijn notitieboekje en schreef *Riley Barns*. 'Dus geen van de andere jongens staat hoog op de verdachtenlijst?'

'Niet voor zover wij het konden beoordelen,' zei Webster. 'Het schijnt zo te zijn als iedereen zegt, Deck. De jongens die aan die kampen meedoen zijn recalcitrant, om het zo maar eens te zeggen, maar het zijn geen psychopaten.'

'Waarom moeten ze dan naar dat kamp?' vroeg Marge.

'Om verschillende redenen.' Webster pakte zijn notitieboekje. 'De meesten zijn bij de Baldwins terechtgekomen vanwege drugsproblemen. Hun ouders hadden een voorraadje hasj of pillen gevonden en waren meteen in paniek.'

Decker kende dat. 'Een normale reactie.'

'Ja, dat neem ik aan.'

Wanda bladerde in haar aantekeningen. 'Eén is in moeilijkheden geraakt omdat hij stomdronken in de auto van zijn pa was gestapt en die toen total loss heeft gereden. Een andere jongen is in hechtenis genomen na onbeschoft gedrag in een winkelcentrum.'

'Dat is toch wel vrij ernstig,' zei Marge.

'Ja, maar lang niet zo erg als op een lerares schieten omdat ze het verkeerde merk sportschoenen droeg,' antwoordde Wanda. 'De jongens zijn door hun ouders bij de Baldwins in behandeling gedaan zonder op een serieuze manier met de politie in aanraking te zijn gekomen. Sommigen op aanbeveling van de directeur van hun school. Ernesto Golding was een uitzondering, omdat hij voor een heuse misdaad was aangeklaagd en veroordeeld.'

'Ik zal je vertellen wat ze allemaal gemeen hebben,' onderbrak Webster haar. 'Geen van de ouders heeft een probleem met het vette honorarium van de Baldwins. Twintigduizend dollar per kind voor drie weken kamp.'

Oliver en Decker floten zachtjes. Marge zette grote ogen op. Ze zei: 'De Baldwins konden dankzij deze ondeugende, rijke jongetjes een heel fijn nestje voor zichzelf bouwen.'

'Psychiatrie is het domein van de welgestelden,' zei Webster. 'Dat is niets nieuws.'

'Niet altijd,' zei Decker. 'Maar voor twintigduizend dollar kun je een heleboel uren bij een psychiater doorbrengen. Zo'n honderd uur. Omgerekend zou je bijna een jaar twee keer in de week een uur therapie kunnen krijgen. Hoeveel van die kampen houdt hij per zomer?'

Webster zei: 'Drie.'

'Hoeveel jongens per kamp?'

'Twaalf,' zei Webster. 'We hebben het al uitgerekend: zevenhonderdtwintigduizend dollar per zomer. En dan heb je nog de kampen die ze in de winter- en voorjaarsvakantie doen. Die kosten maar tienduizend per persoon.'

'Een koopje,' zei Marge.

'De nabehandeling is er niet bij inbegrepen.'

'Wie zei dat een diploma alleen maar een velletje papier is?' Decker schudde zijn hoofd. 'Ik heb het verkeerde beroep gekozen.'

'Wat doen ze met al dat geld?' vroeg Oliver. 'Een dergelijk inkomen moet haast wel tot slechte gewoonten leiden.'

'Tarpin heeft me verteld dat ze een flat in Malibu huren terwijl hun huis in Beverly Hills wordt opgeknapt,' zei Decker. 'Dat zal een flinke hap uit dat inkomen nemen.' Decker voegde 'geld en schulden' toe aan zijn lijstje. 'Ik heb nog iets voor jullie om over na te denken. Darrell Holt – die van de Hoeders van de Etnische Dinges – heeft ongeveer zeven jaar geleden deelgenomen aan een van Baldwins kampen. Hij moet dus rijke ouders hebben. We moeten meer over hem te weten komen.'

'Wat?' zei Oliver. 'Waarom heb je me dit twee uur geleden niet verteld? Dan had ik zijn dossier kunnen stelen.'

'Ik zal net doen alsof ik dat niet heb gehoord,' zei Decker.

Oliver glimlachte. 'Ik bedoel theoretisch.'

Voordat Decker erop kon doorgaan, kwam Marge tussenbeide. 'Waarom is Holt naar Baldwins kamp gestuurd? Wat had hij op zijn kerfstok?'

'Weet ik niet,' zei Decker. 'Tarpin was niet scheutig met informatie. Hij zei dat Darrell in zijn jongere jaren radicale idealen had en dat hij aan Berkeley heeft gestudeerd. Ik zou graag willen weten wat er de oorzaak van is geweest dat Darrell zo rechts is geworden.'

'De dag is nog lang niet om, ook al zijn wij al uitgeteld,' zei Webster. 'Ik zal me nader verdiepen in de Hoeders om te zien of ik iets over Holt kan vinden.'

Decker bekeek zijn aantekeningen. Hij moest Holt, Ranger en Riley Barns nader onderzoeken en de financiële situatie van de Baldwins met betrekking tot inkomen en mogelijke schulden. Bert was nog op zoek naar de flat aan zee waar Dee Baldwin zich mogelijk schuilhield.

Webster vroeg: 'Zal ik Holt gaan ondervragen of racistische websites bekijken?'

Decker zei: 'Weet je wat, Tom? Voordat je Holt aan de tand gaat voelen, kunnen we beter wat huiswerk doen. Ga naar het Tolerance Center hier in de stad. Ik weet zeker dat ze daar informatie over allerlei racistische groeperingen hebben. Ik heb me daar na het vandalisme niet in verdiept, omdat Ernesto de misdaad had bekend, maar een dubbele moord rechtvaardigt nu de manuren. Ik wil alle informatie die beschikbaar is over Holt en Tarpin, en ook over die Moke, als je toch bezig bent.'

'Ik zal bellen en een afspraak maken voor morgen,' zei Webster.

'Ik weet het nog beter gemaakt. Ik stuur Rina met je mee. Zij weet er de weg, omdat ze in het kader van haar hulpdienst voor de gemeenschap een onderzoek heeft ingesteld naar groeperingen van blanke racisten. Bel het centrum, maak een afspraak en geef me door hoe laat, dan zal ik ervoor zorgen dat Rina komt. Ze zal het met liefde doen en je zult er beslist baat bij hebben.'

'Klinkt goed.' Webster vond het helemaal niet erg om samen te werken met Deckers vrouw. Ze was intelligent en competent, en nog mooi ook. 'Zodra ik het rond heb, krijg je het van me door.'

Oliver bekeek zijn aantekeningen. 'Hoe lang zit Darrell Holt al bij de HEI?'

'Volgens Tarpin vier jaar.'

'Welke rol heeft Tarpin eigenlijk in dat kamp?' vroeg Marge. 'Afgezien van die van fascistische marinier?'

Decker schonk haar een glimlach, een melancholieke glimlach. Soms – vooral wanneer Marge een bepaalde vraag op een bepaalde manier stelde – miste hij zijn oude partner heel erg. 'Hij is de rechterhand van de Baldwins. De strenge kampleider die over de dagelijkse activiteiten gaat. Ik heb hem niet veel gevraagd over wat hij voor de HEI doet.'

'Nog even over Holt,' zei Oliver. 'Theoretisch gesproken is het niet volslagen ondenkbaar dat ik een kijkje zou kunnen nemen in Baldwins dossierkast. Ik weet waar die staat... theoretisch...'

Decker zei: 'Het is volslagen denkbaar dat als je dat zou doen, je in de gevangenis terecht zou komen waar een stel gretige criminelen met plezier een harde staaf in je kont zullen rammen.'

'Wat weet jij dergelijke zaken toch kleurrijk te beschrijven, Deck. Dan zal ik je ook maar geen details geven die theoretisch in Ernesto Goldings dossier kunnen staan – een dossier dat we evengoed wel hadden kunnen krijgen omdat Ernesto dood is en er geen vertrouwensrelatie bestaat met dode mensen.'

'Zit er iets bruikbaars bij?' vroeg Decker.

'Veel jargon en afkortingen. Ik heb er in ieder geval uit begrepen dat hij een perverse seksuele verhouding had met Ruby Ranger.'

'Nazi-rotzooi?' vroeg Decker.

'Goed geraden. Alleen is een deel ervan volgens mij gefantaseerd, want het was érg ruig. Ik geloof dat ook Baldwin tot die conclusie was gekomen.'

'We moeten dat meisje echt opsporen. Het laatste wat we over haar hebben vernomen, is dat ze naar het noorden is afgereisd. Ik heb vanochtend vroeg zes politiebureaus in San Francisco en omstreken gebeld. Die kijken nu uit naar haar en haar auto, maar we moeten hen voortdurend aan hun kop zeuren, anders verdwijnen we in het vergeethoekje. Wanda, ik laat het zeuren aan jou over.'

'Komt voor elkaar.'

'Wil je Ernesto's dossier zien, Deck?' vroeg Oliver. 'Jij hebt gestudeerd. Misschien begrijp jij er iets van.'

'Nee, ik wil het niet zien. Ik wil er niet eens iets over horen tot we het huiszoekingsbevel in handen hebben.'

'Nu we het toch over theoretische incidenten hebben...' Marge schraapte haar keel. 'Stel dat ik op Baldwins bureau iets had zien liggen en daar fotokopieën van had gemaakt en nu een vraag had over het steno dat Baldwin gebruikte voor de dingen die hij bij de namen van zijn patiënten zette?'

Decker staarde haar aan. 'Ik kan mijn oren niet geloven.'

Oliver zei: 'Het is mijn schuld. Laat het hem maar zien, Margie.'

'Ik wil het niet zien,' zei Decker.

'Kijk dan niet,' reageerde Oliver laconiek.

Maar Decker keek toch. Marge bleek kopieën te hebben van pagina's uit een agenda. Ze keek een beetje schuldbewust, maar niet erg. 'Eerst dachten we dat het steno ging over de psychiatrische toestand van de patiënten. Maar de afkortingen lijken niet overeen te komen met geestelijke stoornissen.'

'Zoals G voor "gek" en N voor "niet goed bij zijn hoofd"...' zei Oliver.

'Of N voor "neurotisch",' zei Webster. 'Niet de kinderen, maar de ouders. Wordt er tegenwoordig niks meer gewoon uitgepraat?'

Decker zette zijn stekels op. 'Die kinderen kunnen best echt stoornissen hebben, Tom.'

'Ja, ze lijden aan een gruwelijk verwend leventje. Geen van ons zou alleen maar een tik op de vingers hebben gekregen als we een synagoge hadden vernield.'

'Uiteindelijk is het voor Ernesto niet bij een tik op de vingers gebleven,' zei Decker.

Webster was even stil. 'Ja, dat is zo. Sneu. Ik zeg ook niet dat hij het had verdiend te sterven. En ik zeg ook niet dat kinderen geen problemen kunnen hebben. Ik vraag me alleen af of sommigen van de ouders de Baldwins niet gebruiken als erg dure babysitters.'

'Gedeeltelijk waarschijnlijk wel,' zei Decker, 'maar ik weet zeker dat de meesten echt alleen maar het beste voor hun kinderen willen.'

'Of de kinderen dat nu willen of niet,' zei Wanda.

Oliver zei: 'Om even terug te komen op het steno, ik vraag me af of PS staat voor "psycho".'

'Psychiaters gebruiken de term "psycho" niet, Scott,' antwoordde Marge. 'Marjam zei dat Dee Baldwin optrad als begeleider... om kinderen naar de juiste colleges en universiteiten te krijgen. Ik vraag me af of dit afkortingen zijn van de namen van colleges en universiteiten. Aangezien de S het meeste voorkomt, en we het over intelligente, rijke kinderen hebben, staat die misschien voor Stanford.'

'En PS?' vroeg Oliver. 'Pseudo-Stanford?'

'Misschien de universiteit van Pennsylvania,' zei Webster. 'Dat is er een van de Ivy League. PS is de afkorting van Pennsylvania.'

'Maar waar staat de E dan voor?' vroeg Wanda. 'En de M?'

'E kan Emory in Atlanta zijn,' zei Webster. 'Die staat ook erg hoog aangeschreven. Misschien staat de M voor de universiteit van Michigan in Ann Arbor. Die heeft de naam een openbare Ivy League te zijn.'

'Hoe weet je dat?' vroeg Oliver smalend.

'Omdat ik daar heb gestudeerd.'

'Maak dat je zuster wijs.'

'Doe niet zo lullig, zeg.'

'Als het afkortingen zijn van de beste universiteiten, waar is dan de H van Harvard, de P van Princeton en de Y van Yale?' vroeg Decker. 'En wat is de I? En de L? En wat is S2?'

'Een wachtlijst voor Stanford?'

'Nee, dat lijkt me niet.' Decker wreef over zijn voorhoofd. 'Heeft iemand nog een ander idee?'

De stilte die op zijn vraag volgde, werd doorbroken toen de telefoon ging. De spanning in Rina's stem was hoorbaar. Haar stem zelf ook. Iedereen kon haar horen.

'Het nieuws over de dubbele moord is al op tv,' zei ze. 'Yonkie is buiten zichzelf. Voor het geval je het bent vergeten, hij heeft Ernesto Golding gekend...'

'Momentje, Rina.' Decker bedekte het mondstuk en keek naar zijn ploeg. Ze kwamen overeind voordat hij iets hoefde te zeggen. 'Vijf minuten.'

Ze knikten en dromden de deur uit. Rina zei: 'Zit je midden in een bespreking?'

'Ja.'

'Over de moord op Ernesto Golding?'

'Ja.'

'Heeft Jacob je verteld waar hij Ernesto van kent? Hij doet tegen mij erg vaag.'

Decker gaf niet meteen antwoord.

Rina verbrak de stilte. 'Je moet het me vertellen, Peter.'

'Rina, hij heeft het me in vertrouwen verteld.'

'Peter, *ik ben zijn moeder*!' riep Rina. 'Nee, zeg maar niks. Hij kende hem zeker van de drugsfeestjes.'

Decker was volkomen van zijn stuk gebracht. Hij kon geen woord uitbrengen.

'Ik ben religieus, Peter, maar niet blind,' ging Rina door. 'En ik heb een neus. Zijn kleren stonken vaak naar hasj en dat juist in de tijd dat hij slechte cijfers haalde en nergens zijn best voor wilde doen. Je hoeft geen Sherlock Holmes te zijn om daaruit conclusies te trekken.'

'Waarom heb je nooit iets tegen mij gezegd?'

'Hou op met mij overal de schuld van te geven.'

'Ik geef niemand de schuld, Rina; ik probeer je alleen maar te begrijpen!'

Stilte op de lijn. Toen zei Rina: 'Ik wilde je niet van streek maken. Je had het er al zo moeilijk mee dat Sammy naar Israël was gegaan.'

Decker zei: 'Heb je ooit met Jacob gepraat over zijn... voormalige drugsgebruik?'

'Is het voormalig?'

'Voor zover ik weet wel.'

'Nee, ik heb het er nooit met hem over gehad. Omdat ik doodgewoon niet wist hoe ik dat zou moeten aanpakken zonder hysterisch te worden. En het laatste wat Yonkie nodig had, was een hysterische moeder. Ik hoopte dat hij er overheen zou groeien. Dat was waarschijnlijk erg dom van me, maar soms, Peter, word ik doodmoe van het ouderschap.'

'Ik weet precies wat je bedoelt, lieverd.'

'Ik heb het er wel met Shmueli over gehad. Ik wist dat als Jacob *iemand* in vertrouwen had genomen, het zijn broer zou zijn. Hij zei dat ik het op z'n beloop moest laten. Dat Yonkie zich belabberd genoeg voelde voor ons allebei samen.'

'Ik ben dus niet de enige die geheimen heeft.'

'Blijkbaar niet,' zei Rina. 'Daar hebben we het een andere keer nog wel over. Op dit moment gaat het me om Yonkie. Hij is erg bang, Peter.'

'Waarvoor?' Decker ging rechtop zitten. 'Weet hij iets?'

'Geen idee.'

Het was duidelijk wat Deckers plicht was. 'Is hij thuis?'

'Ja. Hij zou met me meegaan naar het vliegveld om Shmueli af te halen, maar als je naar huis komt, zal ik zeggen dat hij hier op je moet wachten.'

'Ik ben er over twintig minuten.'

'Was hij erg goed bevriend met die jongen van Golding? Hij zegt van niet, maar misschien liegt hij om mij te beschermen.'

'Volgens mij spreekt hij de waarheid. Yonkie heeft *mij* verteld dat hij de jongen al maanden niet heeft gezien. Hij is waarschijnlijk bang vanwege de moord op zich. Je weet hoe kinderen zijn. Ze denken dat ze onsterfelijk zijn, tot de werkelijkheid hun een dreun verkoopt... Maak je geen zorgen.'

'Net nu het zo goed gaat met de therapie en hij goede cijfers haalt. Ik wil niet dat hij als een emotioneel wrak naar Johns Hopkins gaat!'

'We zijn nog maar aan het begin van de zomer, Rina. Tegen de herfst is hij vast weer helemaal in orde.'

'Maar hij moet volgende week SAT 2-examens doen in differentiaalrekenen en scheikunde. Ik weet dat hij nooit nerveus is voor examens, maar...'

Weer schoot Decker overeind. 'Wat zei je?'

'Ik weet het niet,' zei Rina. 'Wat zei ik?'

'Dat Yonkie SAT 2-examens in calculus en scheikunde moet doen,' antwoordde Decker.

'Ja. Hij probeert vrijstelling te krijgen voor...'

'S2 is SAT 2, S is SAT, PS is PSAT...' antwoordde Decker. 'Natuurlijk. Dat is het. Dat was hun specialiteit... kinderen op de beste universiteiten krijgen.'

'Waar heb je het over?'

'Een code die we probeerden te ontcijferen. Nu is het duidelijk. Geen van de anderen kon het weten, omdat ze geen van allen kinderen hebben die op een college zitten of daar binnenkort naartoe gaan. Scotts zonen hebben niet gestudeerd. Bontemps' dochter ook niet. Websters kinderen zijn nog geen zestien en ook Vega is nog niet zo ver. Alleen ik heb grote kinderen. Ik ben soms erg dom.'

'Waar *heb* je het over?' riep Rina uit.

'Rina, welk toelatingsexamen begint met een M?'

'Hoe moet ik dat nou weten? Ik ben al achttien jaar van school. Kom je naar huis?'

'Ja. Dus je kent geen toelatingsexamen dat met een M begint?'

'Lieve hemel, kun je even aan iets anders denken dan aan je werk?'

'Ik ben al onderweg...'

'Zou het om het examen kunnen gaan dat je moet doen om medicijnen te studeren?' zei Rina opeens. 'Ik geloof dat dat MedCat heet of MCAT. Zoiets.'

'Je bent geweldig.'

'Dank je!' Rina klonk geïrriteerd. 'Kom je nu naar huis voor je zoon?'

'Absoluut. Ik wil wedden dat de L voor LSAT staat. Jezus, dat heb ik zelf nog gedaan.'

'In het stenen tijdperk.'
'Nu doe je lelijk.'
'Je verdient niet beter.'
'En de E?'
'E?'
'Ja, E. Waar zou die van zijn? Welk examen begint met een E? Voor economie misschien?'
Ze dacht na. 'Zoek je alleen naar examens voor hogere scholen?'
'Weet ik niet. Wat heb je in gedachten?'
'Zou het ERB kunnen zijn? Op Hannahs school doen ze dat ieder jaar. Sommige scholen doen in plaats daarvan Iowa.'
'Dus dát is de I,' zei Decker. Waar was Baldwin mee bezig geweest? De kinderen helpen zich voor te bereiden op toelatingsexamens? Wat had dat te maken met de moord op Ernesto? Had het er iets mee te maken? Een lampje op de telefoon lichtte op. Hij verzocht Rina een moment aan de lijn te blijven.
Het was Martinez.
Het nieuws verbaasde hem niet. Maar het deed hem wel verdriet.
Tegen zijn vrouw zei hij: 'Het spijt me, Rina. Ik kan toch niet naar huis komen. Neem Jacob maar mee naar het vliegveld.'
'Dat klinkt niet goed.'
'Ze hebben het stoffelijk overschot van Dee Baldwin gevonden. Het lijkt zelfmoord, maar het kan ook zijn dat ze is vermoord. Ik moet ernaartoe.'
'Lieve hemel! Wat spijt me dat, Peter.'
'Zeg maar tegen Jacob dat hij zich geen zorgen hoeft te maken. We hebben de zaak in de hand.'
'Echt waar?'
'Nee, nog niet. Maar dat zal niet lang duren.'
Hij sprak met bravoure. Maar hij loog.

20

AAN ZEE WAS HET ACHT GRADEN KOELER EN OMDAT HET APPARTEMENTENgebouw boven op een duin stond, deed een aangename bries Deckers jasje opwaaien zodra hij was uitgestapt. Hij had zijn auto naar de laatste vrije plek gemanoeuvreerd op het verharde parkeerterrein, dat al vol stond met twee Mercedessen, twee Beemers, een Porsche, een Range Rover, een Ford Explorer, een Jeep, een Honda (van Bert) en drie politieauto's. Schaars geklede mensen liepen, verbaasd en verward, tussen de wagens door. Het was vijf uur en nog volop dag, hoewel de zon aan het zakken was. Decker had nog maar een paar stappen gezet toen Martinez hem tussen de Beemer en de Explorer trok, een plek waar ze enige privacy hadden.

'Ik heb de sheriff van Malibu gebeld.'

Decker knikte. 'Het is hun jurisdictie, ook al is het onze zaak.'

'De agenten die ze hebben gestuurd, zijn aardige jongens, maar niet erg vertrouwd met de strikte regels die gelden voor een onderzoek naar een moord. Daar krijgen ze hier waarschijnlijk niet vaak mee te maken.'

'Dat zou ik niet zeggen, Bert. Moord op rijke en beroemde mensen is geen buitenissig concept. Wanneer heb je hen gebeld?'

'Ongeveer een uur geleden.'

Decker hief bestraffend zijn vinger op. 'Maar je hebt mij bijna twee uur geleden gebeld.'

'Ja, nou ja...' Martinez keek schaapachtig. 'Ik wilde eerst wat rondkijken en aantekeningen maken.' Hij bladerde in zijn notitieboekje. 'Ik zal beginnen met de achtergrondinformatie. Ik heb eerst navraag gedaan bij het woningbureau. Daar staan de Baldwins niet geregistreerd als huiseigenaren in deze streek. Toen ben ik de makelaars afgegaan, in de veronderstelling dat ze iets huurden, zoals jij al had gezegd. Ik had al snel beet. De Baldwins waren gewoontedieren. Ze huurden iedere zomer dezelfde flat aan zee. Alleen hadden ze die nu voor het hele jaar gehuurd.'

'Hun huis in Beverly Hills wordt opgeknapt. Ze hadden een tijdelijk onderkomen nodig.' Decker trok zijn wenkbrauwen op. 'Het verbaast me dat makelaars zo scheutig zijn met informatie. Worden die niet geacht hun cliënten te beschermen?'

'Niet de makelaars bij wie ík ben geweest,' antwoordde Martinez. 'Die vonden het prachtig om beroemde namen te laten vallen. Bovendien hadden ze er belang bij me van dienst te zijn. Het is niet prettig als er in een van de huizen die je verhuurt een lijk ligt te verrotten. Op het eerste gezicht lijkt het trouwens zelfmoord te zijn.'

'Waarom?'

'Eén schotwond in het hoofd. Geen tekenen dat ze zich heeft verzet – geen sneden of schrammen op haar armen of handpalmen. Geen blauwe plekken op haar polsen. Op het oog is er niets wat wijst op een worsteling.'

'Heeft ze een brief achtergelaten?'

'Ik heb niks gevonden, maar als ze haar man en die jongen heeft vermoord, ligt de beweegreden voor de hand. Ernesto was half ontkleed. Misschien heeft ze hen toevallig in een compromitterende situatie aangetroffen.'

'Het was een warme avond,' zei Decker.

'Nu probeer je iets goed te praten.'

'Wil jij beweren dat ze om drie uur 's nachts naar de bergen is gereden... met pistolen en geluiddempers... heel toevallig haar man met een jonge jongen in een compromitterende positie aantrof... en buiten zinnen is geraakt?' Decker fronste. 'Kom, Bert, een dergelijke moord, zo snel en geruisloos uitgevoerd, moet het werk van een beroeps zijn.'

'Misschien wist Dee dat haar man zulke dingen deed en heeft ze een moordenaar gehuurd. Maar toen kreeg ze zo'n wroeging dat ze de hand aan zichzelf heeft geslagen.'

Dat scenario beviel Decker al evenmin. 'Webster heeft een van de jongens ondervraagd... ene Riley Barns. Hij zegt dat hij midden in de nacht minstens twee gedaanten bij de tent heeft gezien.'

'Dat hoor ik nu voor het eerst.' Martinez schokschouderde. 'Hoe dan ook, de makelaar heet Athena Eaton en ze heeft me verteld dat dit optrekje, dat twee slaapkamers, twee badkamers en nog een apart toilet heeft, tienduizend dollar per maand kost. Ze heeft Dee Baldwin voor het laatst gezien toen zij en Merv drie weken geleden het contract zijn komen ondertekenen. Een heel jaar voor tienduizend per maand, inclusief een waarborgsom voor de eerste en laatste maand, en een maand voorschot voor de schoonmaakdienst. Honderdtwintigduizend dollar over de balk gesmeten. Hun praktijk moet erg rendabel zijn.'

'Dat is-ie ook,' zei Decker.

'De eigenaar van het appartement zal iedere cent van de waarborgsom nodig hebben. De vloerbedekking in de slaapkamer is namelijk wit.'

'Veel bloed?'

'Te veel om de vloerbedekking te kunnen laten reinigen. Dee ligt in een grote plas. Een schot in de mond met een kaliber .32.'

'In de *mond*?' zei Decker. 'Daarnet zei je "in het hoofd".'

Martinez kreeg een kleur. 'Ik bedoelde dat de kogel er aan de achterzijde uit is gekomen.'

'Heb je het lijk dan onderzocht?'

Martinez bloosde nu hevig. 'Zo'n beetje.'

'Kruitsporen?'

'Het lijkt er wel op.'

Decker streek over zijn snor en zei niets.

Martinez ging door: 'We zullen meer weten nadat de technische recherche en de mensen van de forensische afdeling de hoek en de positie van het lichaam hebben gemeten... Eh Deck, daar heb je de man die door de sheriff is gestuurd. Laten we vooral vriendelijk kijken.'

Martinez stelde Decker voor aan een man van ongeveer veertig jaar met een gebruind gezicht, een keurig pak en geföhnd haar. Oppervlakkig gezien het uiterlijk van een bon-vivant, maar hij had agentenogen en een gezicht vol diepe en minder diepe rimpels.

'Rechercheur Don Baum.' Hij gaf Decker aan hand. 'Ik ben rechercheur Martinez dankbaar dat hij ons meteen heeft gebeld. Dat geeft blijk van een wens tot samenwerking, en van goede manieren niet te vergeten. En dat zal wederzijds zijn. Samenwerking. Dan bereik je iets. En daar gaat het om – om resultaten!'

'Inderdaad,' antwoordde Decker. 'Is de lijkschouwer er al?'

'Ja. Hij is zojuist aangekomen. Laten we maar een kijkje gaan nemen.'

Ze liepen naar het appartementencomplex, dat gedeeltelijk was betegeld met blauwe Spaanse tegels.

'Wie heeft haar gevonden?' vroeg Decker.

'Ik ben als eerste naar binnen gegaan,' zei Martinez. 'Jammer genoeg kwam mevrouw Eaton, de makelaar, achter me aan. Aan haar gezicht was duidelijk te zien dat ze daar spijt van had.'

'Waar is ze nu?' vroeg Decker.

'Ze zit in een van de surveillancewagens bij te komen,' zei Baum.

'Ik vermoed dat de stank voor haar het ergste was,' zei Martinez.

'Heeft ze iets aangeraakt?' vroeg Decker.

Daar moest Martinez over nadenken. 'Misschien de stang van het bed, om zich overeind te houden. Ik heb snel haar arm beetgepakt en haar naar buiten gebracht. Ik had handschoenen aan.'

'We zijn met de vingerafdrukken bezig,' zei Baum. 'Daar gaat nog wel wat tijd in zitten.'

'Fotograaf?' vroeg Decker.

'Is er ook al,' zei Baum. 'Ik zal u van iedere foto een afdruk sturen. Zes van mijn agenten zijn bezig in de buurt navraag te doen naar getuigen. Ik zal hun rapporten aan u doorsturen.'

'Dank u,' zei Decker. 'Waar is de auto van Dee Baldwin?'

'Het is de Range Rover hier op het parkeerterrein,' zei Baum. 'We zullen hem wegslepen en op vingerafdrukken onderzoeken.'

Een auto met vierwielaandrijving, dacht Decker. Misschien is ze dan toch naar de bergen gereden. Of iemand anders, in háár auto. Hij zei: 'Ik had graag dat u de banden liet onderzoeken. Ik ben benieuwd wat de forensische experts in de groeven zullen aantreffen. Ik heb ook de bandafdrukken nodig. Ik wil weten of ze onlangs naar het kamp is gereden.'

'Komt voor elkaar.'

En als dat zo was, wat bewees dat dan? Helemaal niks, maar dat maakte niet uit. Ze moesten zo veel mogelijk informatie verzamelen. Achter hen kwam een reportagewagen aanrijden. De wagen hobbelde over de ongelijke grindweg.

Decker zei: 'We mogen wel opschieten.'

Baum ging hun voor naar de flat. 'Hier is het.'

Dicht bij de muur van het gebouw was een klein bloemperk met veelkleurige vlijtige liesjes en donkerpaars lamsoor. Een agent hield de wacht bij de deur van Baldwins flat. Tussen de deurposten was geel plastic lint gespannen. Baum trok het voorzichtig weg. Ze kwamen eerst in een kleine hal met aan de linkerkant een toilet. Tien stappen voorwaarts en twee naar beneden brachten Decker in de open leefruimte: een gecombineerde woon- en eetkamer, met een kleine, maar volledig ingerichte keuken tegen de zijmuur. Het interieur zag er zacht en aangenaam uit, als een warm strand, uitgevoerd in ecru en wit, met afneembare mousselinen hoezen over het bankstel en een tarwekleurige vaste vloerbedekking. De salontafel en bijzettafels hadden een hoogglanzend bovenblad van knoestig iepenhout, dat onregelmatig van vorm was, en poten die uit wrakhout waren gemaakt. De eettafel had een blad van dik eikenhout. Aan de muren hingen prenten van sternen, eenden, pelikanen, forellen, blauwe vinvissen en dolfijnen. Op planken naast de grote open haard lagen grote brokken zwart koraal, porseleinslakschelpen en trompetschelpen. De van muur tot muur reikende glazen schuifdeuren gaven toegang tot een houten veranda en boden een onbelemmerd uitzicht op de Grote Oceaan – blauw en oneindig, als om de mens eraan te herinneren hoe nietig hij is.

Een tweede agent hield de wacht onder aan de trap. Hij knikte naar Baum toen ze naar boven gingen.

Op de bovenverdieping waren twee slaapkamers, elk met een eigen badkamer. De grootste van de twee had net als beneden een houten veranda en een onbelemmerd uitzicht op de zee. Het bed was kingsize, bedekt met een wit donzen dekbed en een groot aantal witte kanten kussens. Erg sereen, afgezien van het zwarte poeder op de muren en de ombouw van het bed. Om nog maar te zwijgen over de dode vrouw die tegen de muur geleund zat. Beide verpestten het zen-effect nogal.

Decker keek naar de vrouw. Dee zat half overeind. De stand van haar armen en benen was niet goed te zien vanwege de wijde, roze peignoir die ze aanhad. Ze deed hem denken aan een grote berg vanille-ijs met aardbeiensaus. Haar hoofd was naar links gezakt. Bloed droop uit haar neus en mond. Een klein, mager, grijsharig omaatje was druk bezig foto's te maken.

Het omaatje richtte haar toestel op Dee, die voorbeeldig stilzat, en liet de sluiter klikken. 'Zonde van die mooie lingerie.' Ze keek op en zag Deckers stoïcijnse gezicht. 'Nooit van galgenhumor gehoord?'

'Hoe bent u in dit werk terechtgekomen?' vroeg Decker.

'Ik ben zevenenzeventig,' antwoordde ze. 'Ik had zo onderhand genoeg van het fotograferen van bar mitswa's.' Ze schroefde de lens van haar Nikon. 'Zo, klaar. Ik ben weg. Krijgt u wat meer bewegingsruimte.'

'Dank u,' zei Decker.

'Geen dank,' antwoordde het omaatje. 'Ik weet dat ik koddig ben. U hoeft die glimlach niet in te houden.'

Decker glimlachte. Ze was inderdaad koddig, maar moord was dat niet. Dee was gestorven op de manier die politiemannen kozen wanneer ze genoeg hadden van het leven: een schot in de mond, zodat de hersenstam in tweeën werd gesplitst en de dood onmiddellijk intrad. Je zag het niet vaak bij amateurs; die zetten het pistool meestal tegen hun slaap, maar misschien had Dee voldoende politieseries gezien om deze methode te kennen. Ook vreemd was de plek waar ze zat: niet *op* het bed, maar ernaast. Ze kon van het bed op de vloer zijn gegleden, maar naar de bloedspatten te oordelen, was dat niet het geval.

De patholoog-anatoom stond een paar meter bij het lijk vandaan en hield een reageerbuisje met bloed tegen het licht. Hij was jong en bewoog zich met korte, soepele bewegingen. Vanillekleurige huid zat strak over zijn brede jukbeenderen gespannen. Hij had een gulle glimlach, grote tanden en een aantal westerse genen die zijn ogen een ronde vorm hadden gegeven. Verder had hij brede schouders en een pezig lijf. Zijn naam was Chuck Liu.

'Iets te netjes voor een zelfmoord.' Met handschoenen aan schreef Liu iets op een etiket, plakte het op het buisje bloed en deed dat in een plastic zakje. 'Maar ik heb geruchten gehoord dat haar echtgenoot in een compromitterende positie is aangetroffen met een tiener... van het mannelijke geslacht.'

Decker maakte een vaag gebaar.

Liu zei: 'Was ze jaloers van aard?'

'Ik weet niets over haar, behalve dat ze hetzelfde beroep had als haar echtgenoot en dat ze samen een praktijk hadden.'

'Dat gaat altijd fout. Wat denkt u?'

'Ik wil nergens over oordelen tot ik weet wat er gaande is. Al enig idee hoe lang ze dood is?'

'Acht tot twaalf uur. De rigor mortis is middelmatig. De binnenzijden van haar dijen en kuiten zijn gezwollen en rood – lijkstijfheid, gecombineerd met de opwaartse druk van het bloed waarin ze zit. Dat is een traag proces.'

Decker knikte. Dee was dus tussen vijf en negen uur die ochtend gestorven. Iemand had met gemak vanuit de bergen hierheen kunnen komen om ook haar om het leven te brengen.

De lijkschouwer deed zakjes om Dee's handen. 'Er zit kruit op haar handen.'

'Dus heeft ze zelf de trekker van het pistool overgehaald,' zei Baum.

'Niet *het* pistool,' verbeterde Liu hem. '*Een* pistool. Als ze erg vast sliep of onder invloed van drugs verkeerde, is het mogelijk dat iemand anders het voor haar heeft gedaan. De loop in haar mond heeft gezet en de trekker overgehaald. We zullen meer weten nadat we de bloedonderzoeken hebben gedaan.'

'Vindt u dat het eruitziet als zelfdoding?' vroeg Baum.

'Ja.'

'Maar het kan ook moord zijn,' zei Martinez.

'Kan ook.'

Decker vroeg: 'Is er nog iets van haar mond over?'

'Het voorste deel van de bovenkaak is nog gedeeltelijk intact.' Liu haalde een tandartsenspiegeltje uit zijn tas en stak het tussen de blauwe lippen. Een smalle zaklantaarn aan het handvat bood hem de gelegenheid in de donkere mondholte te kijken. 'Ja, de snij- en hoektanden zijn er nog. Zo te zien is de kogel langs de rand van het harde gehemelte geschampt, iets naar boven afgebogen en heeft hij toen de hersenstam doorboord.'

'Is er iets overgebleven van het zachte gehemelte?' vroeg Decker.

'Niets.'

'En van het harde gehemelte?' vroeg Decker.

'Ja, een klein randje achter de voortanden... nee, iets meer. Het loopt door tot aan de voorkiezen. Ik zie zelfs het begin van de gehemelteboog, maar achterin is alles verschroeid.'

'Zijn er wonden of schrammen?'

'Dat kan ik zo niet zien.' Liu trok het spiegeltje uit de mond. 'Waar denkt u aan?'

'Als ze ertoe is gedwongen, heeft ze zich misschien verzet en dan is het mogelijk dat het uiteinde van de loop verwondingen heeft aangebracht aan haar gehemelte en de binnenkant van haar wangen.'

'Haar mondslijmvlies is verschroeid door de hitte van de kogel.' Hij dacht na over wat Decker had gezegd. 'Ik zal ernaar kijken wanneer ik haar op de tafel heb.'

'Ik wil ook graag meer weten over de hoeveelheid kruit op haar handen,' zei Decker. 'Als iemand haar heeft gedwongen, had die persoon zijn hand op die van haar liggen toen de trekker werd overgehaald en moet een deel van het kruit op de hand van de schutter terecht zijn gekomen.'

Liu zei: 'Dan moet u misschien op zoek gaan naar iemand met kruit op zijn hand.'

'Volgens u is het dus geen zelfmoord,' zei Baum.

'Dat heb ik niet gezegd,' zei Liu. 'Ik zeg alleen dat als u een verdachte aanhoudt, u moet laten onderzoeken of er kruit op zijn hand zit.'

Een uitstekend idee, maar voorlopig hadden ze geen verdachte. 'Waar is het wapen?'

'Dat zit in een bewijszakje,' antwoordde Martinez.

'En de kogel?'

'Die zit in de muur,' zei Baum. 'De technici zullen hem eruit halen.'

'Ik ben bijna klaar, dus u kunt de lijkwagen laten komen.' Liu keek naar zijn met bloed besmeurde handschoenen en overhemd. 'Ik ben niet gekleed voor televisiecamera's.' Hij stroopte de handschoenen af en gooide ze in een zak waar 'besmet materiaal' op stond. 'Ik zou het op prijs stellen als iemand de pers zou kunnen afleiden, zodat ik met zo weinig mogelijk ophef kan wegkomen.'

Baum zei: 'Wij staan de pers wel te woord.'

'Ik zal u meer kunnen vertellen wanneer ik haar op de tafel heb gehad. Wanneer wilt u het rapport van de autopsie? Gisteren zeker?'

'Dat zou prettig zijn,' zei Decker.

'Dacht ik al,' zei Liu. 'Ik zal mijn best doen. Het is nu toch al te laat om de surfplank te voorschijn te halen.'

'U bent een surfer?' vroeg Martinez.

Liu keek weemoedig. 'Er gaat niets boven een paar flinke golven om alle lelijkheid van de wereld weg te spoelen.'

Athena Eaton was vijftig, anorectisch, had pikzwart haar en een gezicht met overdadig veel make-up. Tegen de tijd dat Decker eraan toe was haar wat vragen te stellen, had ze drie pillen geslikt, waardoor haar gedrag afwisselend wazig onsamenhangend en hysterisch onsamenhangend was. Uiteindelijk liet Decker haar door een paar agenten naar huis brengen, met de belofte dat hij de volgende dag met haar zou komen praten. Baums agenten waren de buren aan het ondervragen en Decker had geen specifieke reden om nog langer te blijven.

Zijn hoofd zat zo vol met nieuwe informatie dat hij dringend behoefte had aan een paar uur stilte om alles op een rijtje te zetten. En de hoeveelheid paperassen begon zulke gigantische vormen aan te nemen, dat hij er de halve nacht voor nodig zou hebben om die weg te werken. Maar voordat hij daaraan begon, wilde hij langs huis. Zijn stiefzoon Sammy kwam vandaag thuis na een heel jaar in Israël te zijn geweest en als hij zich niet vertoonde, zou hij dat zijn hele leven moeten horen. Bovendien had hij hem erg gemist en wilde hij hem dolgraag zien.

En dan zeggen ze dat vooral vrouwen moeite doen hun werk en hun huishoudelijke verplichtingen te combineren.

Toen hij de oprit in draaide, ging er een schokje van bezorgdheid door hem heen. Rina's auto stond er niet. Zelfs als het erg druk was op de weg, hadden zij en Sammy volgens Deckers berekening twee uur geleden al thuis moeten zijn. Misschien was Rina met de kinderen naar een van de koosjere restaurants in de stad gegaan. Hij hoopte vurig dat dat het geval was.

Toen hij de voordeur opende, hoorde hij echter meteen geluiden... de verwrongen, hoge kreten die alleen maar konden toebehoren aan tekenfilmfiguren die werden verpletterd, uit elkaar getrokken, geëlektrocuteerd of gefrituurd. Hij liep de slaapkamer van zijn dochter in.

'Hoi.'

Hannah keek op. 'Pappaaaaa!'

'Hannah Rosieeee!'

Ze sprong overeind en hij zwierde haar in het rond. Toen kuste hij haar wangetje en zette haar weer neer.

'Ik heb honger,' klaagde ze.

'Waar is ima?'

'Op het vliegveld.' Ze ging weer voor de tv zitten. 'Kun jij iets voor me klaarmaken?'

'Wie past er op je?'

'Yonkie.'

'Waar is hij dan?'

Het meisje haalde haar schouders op. 'Mag ik chocolademelk en chips?'

'Heb je al een warme maaltijd gegeten?'

'Niet een echte, zoals van ima. Yonkie heeft me blokjes kaas en appelmoes en een glas melk gegeven. Telt dat als een maaltijd?'

Dat wist Decker niet zeker. 'Ik denk dat het oké is.'

'Dan mag ik dus chocolademelk en chips. O, en ook een pruim?'

'Vooruit dan maar.'

'Hoi! Hoi! Wil je samen met mij televisiekijken?'

'Misschien straks.'

'Goed. Geef je me dan eerst de chocolademelk en de chips?'

'Eh... zou je trouwens niet iets anders moeten doen?'

De zevenjarige keek hem aan. 'Wat dan?'

'Zou je niet moeten lezen of buiten spelen... iets anders doen dan televisiekijken?'

Ze slaakte een ongeduldige zucht. 'Ik ben al met ima naar de ijsbaan geweest, en toen zijn we naar de bieb gegaan en heb ik twee nieuwe boeken gehaald om in te lezen voor het slapengaan. En toen heb ik zes tekeningen gemaakt met mijn nieuwe viltstiften met kersengeur. En toen hebben Yonkie en ik een uur Street Fighter II gespeeld. Nu ben ik moe. Maar als je wilt dat ik de tv afzet en me ga zitten vervelen, dan zal ik het doen.'

Zoals zij het bracht, leek televisiekijken erg redelijk. 'Nee,' zei Decker. 'Je hebt een erg drukke dag gehad.'

'Ik heb een heel erg drukke dag gehad, pappa. Ik ben moe en ik heb honger. Kaasblokjes zijn niet genoeg voor een meisje in de groei.'

Decker glimlachte. 'Ik zal die chocolademelk en chips even voor je halen.' Hij liep naar de keuken, waar Jacob verdiept was in een of andere studiegids. De tiener had het schooljaar afgerond met allemaal tienen. Voor het eerst. Hij keek op. 'Hoi.'

'Hoi,' was Deckers antwoord.

'Je ziet er moe uit.'

'Ben ik ook wel een beetje,' gaf Decker toe. 'Waar is ima?'

'Het vliegtuig had vertraging... en nog meer vertraging... en nog meer vertraging.'

'Arme Sammy. Jij bent dus niet meegegaan naar het vliegveld.'

'Ima vond dat het lange wachten veel te zwaar zou zijn voor Hannah.' Hij haalde zijn schouders op. 'Ik heb aangeboden op haar te passen. Ik kan net zo goed nog een poosje van haar en het comfort hier thuis genieten voordat ik word opgesloten in een cel van twee bij drie meter met alleen een dun matras om op te slapen en drie keer per dag brood met water.'

'Ik denk niet dat het leven in de jesjiva zó slecht is.'

'Dat dacht je maar.' Hij deed het boek dicht en leunde achterover. Zijn gezicht gloeide en hij keek bedroefd. 'Ik heb een deel van de nieuwsberichten gehoord.'

'En?'

'Ze zeggen dat de andere dr. Baldwin zelfmoord heeft gepleegd. Wat is er gebeurd? Heeft ze in een vlaag van jaloerse razernij haar man en Ernesto vermoord en toen de hand aan zichzelf geslagen?'

Decker haalde zijn schouders op.

'Dat zeggen ze op tv.'

'Drie hoeraatjes voor het journalisme van de kijkbuis.' Decker ging zitten. 'Zit je er erg mee?'

'Nogal, ja. Het is een gruwelijke zaak.'

'Praat je er met je vrienden over?'

'Welke vrienden?'

'Kun je er met *iemand* over praten?'

'Ik praat nu met jou.'

Decker zweeg.

Jacob ging rechtop zitten. 'Een paar mensen hebben me gebeld.'

'Lisa Halloway?'

Jacob knikte. 'Onder anderen. Ze is danig overstuur.' Hij zuchtte. 'Ironisch. Ik weet zelf amper wat ik hiermee aan moet, maar mensen bellen *mij*, stellen *mij* vragen. Alsof ik een hotline ben naar jouw onderzoek.'

'Kan ik iets voor je doen?'

'Ik neem aan dat je niet die telefoontjes wilt beantwoorden.'

'Daar heb ik het te druk voor.'

'Wil je dit dan soms lezen?' Hij pakte de studiegids voor SAT 2 scheikunde van de tafel. 'Dan kun je in mijn plaats het examen doen.'

'Dan krijg je wel een onvoldoende,' antwoordde Decker.

De jongen glimlachte. 'Eerlijk gezegd beheers ik de leerstof vrij goed. Het zal wel lukken.'
'Dat is fijn.'
Een lange stilte. Toen zei Jacob: 'Ik had nooit gedacht dat Ernesto een homo was.'
Decker vroeg: 'Waarom niet?'
'Ik ben wat je noemt een mooie jongen,' zei Jacob. 'Ik ben het type waar zowel meisjes als homo's op vallen. Hij heeft me nooit benaderd.'
'Misschien ben je niet zijn type,' zei Decker.
De tiener glimlachte. 'Ik ben ieders type.'
Decker glimlachte terug. 'Je baseert Ernesto's seksuele voorkeur dus op jouw universele sex-appeal?'
'Nee, serieus, hij... hij hield van meisjes. En hij maakte nooit grapjes over homo's, en dat doen mensen die proberen te verbergen dat ze het zijn, juist wel.'
'Er zijn mensen die een geheim leven leiden, Yonkie.'
'Ja, daar eh... daar weet ik wel iets van.' De jongen sloeg zijn ogen neer. 'Ik vertel je alleen wat ik denk, voor het geval je het wilt weten.'
'Graag zelfs. Jij kende hem een stuk beter dan ik.'
Stilte.
Decker sprak weer. 'Wat moeten we met het avondeten? Hannah heeft honger en ik heb liever dat ze een echte warme maaltijd krijgt dan allerlei liflafjes.'
'We kunnen iets bestellen,' zei Jacob. 'Pizza lust ze altijd.'
'We zouden ook iets kunnen koken. Ima en Sammy zullen ook wel honger hebben wanneer ze thuiskomen.'
'Waar ben jij goed in?' vroeg Jacob.
'Hotdogs en roerei,' antwoordde Decker.
Jacob stond op en liep naar de koelkast. 'Er liggen zes kalfslapjes in de diepvries.'
Decker zei: 'Ik ben ook goed in kalfslapjes braden.'
'En in de koelkast liggen ingrediënten voor sla. Dat zal indruk maken op ima. Een grote kom verse sla.'
'Zeker weten.'
'Dat is dus opgelost.' Jacob pakte het vlees uit de diepvries. 'Haute cuisine.'
'Jacob, gaat het een beetje?'
De jongen ging weer zitten. 'Nee. Het is te surreëel. Ima en ik hadden het erover voordat ze naar het vliegveld is gegaan. Ze is ervan overtuigd dat ik iets achterhou, maar dat doe ik niet. Ik heb haar alles verteld wat ik over Ernesto weet, ook al is dat niet veel. Ik mocht hem niet, maar het is heel naar als je iemand die zo wreed is vermoord, persoonlijk hebt gekend. Hoe hou jij dat vol, dag in dag uit?'
'Om mijn werk te kunnen doen, verdring ik persoonlijke gevoelens.'
'Je trekt het je dus niet persoonlijk aan?'

'Het heeft wel invloed op je.' Beelden van de slachtoffers van vandaag schemerden voor Deckers ogen. 'Maar als je je werk goed wilt doen, moet je het van je afzetten.'

'Vind je dat ik dat ook moet doen?'

'Nee, natuurlijk niet, Yonkie. Dit is voor jou een enorme klap geweest, zelfs als je de jongen niet erg goed hebt gekend.'

Jacob trok een gezicht. 'Ik ben ook verdrietig omdat ima het weet van de feestjes. Ze schijnt het van het begin af aan te hebben geweten.'

'Ja.'

'Wist jij dat ze het wist?'

'Nee. Dat heb ik vandaag pas gehoord. Ook zij is goed in dingen verbergen.'

'Ze zei allemaal lieve dingen,' zei Jacob. 'Maar ik weet dat ze me niet helemaal vertrouwt.'

'Jacob, ze houdt verschrikkelijk veel van je. Ze maakt zich veel meer zorgen om je toekomst dan om je verleden.'

'Dat weet ik. Ze wil dat ik gelukkig word.'

'Ja.'

'En dat wil jij ook.'

'Ja.'

'Ik weet zeker dat de ouders van Ernesto Golding wilden dat *hij* gelukkig zou worden.'

Deckers gezicht betrok. 'Ja.'

'Heb je met hen gepraat?'

'Ja.'

De jongen boog zijn hoofd. 'Was het erg moeilijk?'

'Ja.' Decker trommelde met zijn vingers op de tafel. 'Heb jij van je oude feestmakkers ooit iets over de Baldwins gehoord, Jacob?'

De jongen keek op. 'Natuurlijk. Iedereen kent de Baldwins. Het ging niet alleen om die groep, pap. Een paar jongens van de jesjiva waren ook bij hen in behandeling. Ze hadden een hele organisatie.'

Deckers belangstelling vlamde op. 'Wat voor organisatie?'

'Ik bedoel het niet letterlijk.' De tiener zocht naar de juiste woorden. 'Hij had veel succes met scholieren op vooraanstaande universiteiten krijgen.'

'Door hen voor te bereiden op de toelatingsexamens?'

Jacob dacht even na. 'Zijn vrouw – de andere dr. Baldwin – deed daar veel aan. Je weet dat we op school mentors hebben. Maar die zijn niet altijd even deskundig, dus nemen veel ouders privé-mentors.'

'Privé-mentors...' Decker dacht even na. 'Dat zal een lieve duit kosten.'

'Dat neem ik aan.'

'Waarom is het tegenwoordig niet meer voldoende dat jullie de brochures van de universiteiten lezen?'

'Het is een ware strijd, pap. Veel universiteiten en veel concurrentie.

Iedere leerling probeert de mentor te krijgen die voor hem het meest geschikt is, aangezien vrijwel alle mentors op bepaalde colleges en universiteiten iets in de melk te brokkelen hebben.'

'Wat bedoel je daarmee?'

'Precies wat ik zeg.'

'Dat riekt naar nepotisme... Het is misschien zelfs in strijd met de wet.'

'Niet meer dan de vriendjespolitiek van vroeger, waardoor negers, joden, en mensen van Latijns-Amerikaanse en Aziatische afkomst werden geweerd...'

'Discriminatie is verboden, Yonkie.'

'Dat wil nog niet zeggen dat het niet bestaat. De beste universiteiten zijn privé-instituten en kunnen doen wat ze willen. Weet je dat als je vader op een bepaalde privé-universiteit heeft gezeten en nu flink wat geld aan die school geeft, het dan niet uitmaakt wat je voor je SAT hebt gescoord? Maar dat geldt niet voor openbare universiteiten, zoals de universiteit van Californië. Die bekijken echt hoeveel punten je hebt gescoord.'

'En welke punten zijn dat precies?'

'Je krijgt punten voor je eindcijfers, voor de score van je SAT, je SAT 2, enzovoorts. Eigenlijk is ook dat niet eerlijk. Een negerjongen uit South Central, die elke dag tussen rondvliegende kogels door bij zijn school moet zien te komen, heeft het veel moeilijker dan een blanke jongen uit Encino. Trouwens, als je bij de eerste ronde niet wordt aangenomen op de universiteit van Californië, kun je protest aantekenen en al je extra activiteiten aanvoeren. In feite is niets dus volkomen objectief.'

'Ik had geen idee dat het zo ingewikkeld is.'

'Het is héél ingewikkeld. Voor mij valt het wel mee, omdat jij en ima niet vinden dat ik per se naar een universiteit van de Ivy League moet. Ik weet dat ima net zo lief had dat ik naar de Yeshiva University ging. Dus is al die spanning mij bespaard gebleven. Maar zelfs onder de orthodoxen bestaat er een enorme druk om op een goed college en daarna op een vooraanstaande universiteit te komen. Geloof me, ik heb jongens, die normaal gesproken de grootste mond hebben, in tranen zien uitbarsten wanneer ze laag scoorden op een SAT-test.'

'Nu snap ik waarom dr. Baldwin dergelijke diensten verleende,' zei Decker.

'Een jongen heeft het me als volgt uitgelegd: stel dat een bepaalde mentor altijd de beste leerlingen naar een bepaalde universiteit stuurt, en jij zit in de commissie die gaat over het al dan niet aannemen van studenten, zou je dan niet afgaan op het oordeel van die mentor?'

'Schreven de Baldwins aanbevelingen voor de leerlingen?'

'Dat denk ik. Je mag net zo veel aanbevelingsbrieven toevoegen aan je inschrijving als je wilt. In theorie zijn de brieven van je eigen docenten het belangrijkst, want die kennen je en weten hoe goed je kunt leren. Maar ik weet dat andere goede getuigschriften de balans kunnen doen doorslaan. Twee jaar geleden was er een jongen die op Torah V'Dass had gezeten en een aanbeveling had gekregen van een hooggeplaatste politicus, die op zijn beurt op school had gezeten met een man die in de commissie van de universiteit zat waar die jongen graag wilde gaan studeren. De jongen was op zich wel intelligent, maar met zo'n brief zit je echt gebeiteld.'

'Hadden de Baldwins zo veel invloed?'

'De Baldwins hadden de naam dat ze wonderen konden verrichten. Ik heb er verder nooit iets over gevraagd, omdat ik dacht dat het een uitgemaakte zaak was dat ik naar YU zou gaan. Toen kreeg ik de kans om naar Hopkins en Ner Jisroël te gaan en mijn laatste schooljaar te combineren met mijn eerste jaar aan het college. Daardoor veranderde mijn hele perspectief. Iedereen zei dat ik erg had geboft. Maar het was geen bof. Ima had net zo lang gezeurd tot ze bereid waren me de toelatingsexamens te laten doen. Dát heb je nodig. Iemand die zich voor je inzet. Wat dát betreft heb ik inderdaad geboft, ook al moet ik daar een zwarte hoed dragen.'

'Die kleurt in ieder geval bij je haar.'

'Geweldig!' zei hij stroef. 'In het zwart tot mijn haar aan toe.'

'Het wilde dus iets zeggen als je de Baldwins achter je had staan.'

'Absoluut.'

'Hoe zat het met Ernesto Golding? Waar wilde hij gaan studeren?'

'Ernesto was al toegelaten op Brown en dat is een hele prestatie. Ik weet niet of hij toegelaten was op Berkeley. Ik denk het niet. Ik weet zeker dat hij Berkeley zou hebben gekozen als hij de keus uit die twee had gehad. Het is Ruby Rangers oude alma mater.'

Decker zei: 'Dat is waar ook. Je hebt me verteld dat Ruby Ranger aan Berkeley studeerde.'

'Heb ik je dat verteld?'

'Of ik heb het van iemand anders.'

'Niemand heeft gezegd dat ze dom is. Alleen dat ze slecht en boosaardig is.'

'Is ze nu weer op Berkeley?'

'Ik heb geen idee.'

'Hoe oud is ze?'

'Twee- of drieëntwintig.'

Iets jonger dan Darrell Holt, die ook aan Berkeley had gestudeerd. 'Heeft ook zij hulp gehad van de Baldwins?'

'Hoe moet ik dat nou weten?'

'Jij schijnt heel veel te weten, Yonkie,' zei Decker. 'Bracht Ruby wel eens oudere jongens mee naar de feestjes?'

'Zou best kunnen, maar dat weet ik niet. Ik bleef altijd zo ver mogelijk bij haar uit de buurt.'

'Zegt de naam Darrell Holt je iets?'

Jacob dacht even na en schudde toen zijn hoofd. 'Nee. Wie is dat?'
'En Ricky Moke?'
'Ook niet. Wie zijn dat?'
'Maakt niet uit.'
Hannah kwam de keuken in. Ze wreef in haar ogen. 'Ik heb honger.'
'We eten kalfslapjes en sla,' vroeg Decker.
'Bah!'
Decker legde zich bij het onvermijdelijke neer. 'Heb je liever een hot-dog?'
'Ja!' Het meisje begon rondjes te rennen. 'Hotdog! Hotdog!'
Precies op dat moment hoorden ze een auto op de oprit. Hannah schreeuwde: 'Daar is Shmueli!'
Jacob tilde zijn zusje op. 'Zullen we naar je grote broer gaan?'
'Ja! Ja! Ja!' schreeuwde Hannah.
'Ja! Ja! Ja!' antwoordde Jacob.
Decker kon niet uitmaken wie van de twee opgetogener was.

21

RINA KEEK NAAR HAAR MAN, DIE MET EEN GECONCENTREERD GEZICHT het laatste bord afdroogde. Ze wist dat hij aan de moorden dacht, maar probeerde evengoed een gesprek op gang te brengen.

'Fijn dat Shmueli thuis is, hè?'

Decker grinnikte. 'Ik had niet gedacht dat ik het ooit zou zeggen, maar ik miste zijn grote mond. Ik miste zijn kernachtige opmerkingen, zijn aan sarcasme grenzende scherpzinnigheid, en zijn uitgesproken mening over van alles en nog wat. Het is heerlijk dat hij er weer is.'

'Ook al is het maar voor kort.' Rina zuchtte. 'In ieder geval komen ze dicht bij elkaar te zitten. We kunnen beurtelings een weekeinde naar New York en een weekeinde naar Baltimore. Dan hoeven ze zich geen van beiden achtergesteld te voelen.'

Decker keek haar aan. 'Hoe vaak ben je van plan op bezoek te gaan?'

'Wat maakt het uit?' flapte Rina eruit. 'Jij bent toch nooit thuis.'

Decker was geshockeerd. Niet door haar opmerking – want wat ze zei was waar – maar door haar openhartigheid.

Rina stamelde: 'O, sorry, ik...'

'Nee, het is waar.' Hij knikte. 'Ga zo vaak bij hen op bezoek als je wilt. Ik vind het best.'

Maar ze kon aan zijn gezicht zien dat hij het niet best vond. 'Peter, sluit me niet buiten. Het spijt me. Het... ontglipte me.'

'Dat weet ik.' Hij legde de droogdoek neer en sloeg zijn armen om haar heen. 'Misschien moet ik een sabbatical nemen.' Hij zweeg even. 'Of met pensioen gaan. Ik heb er al tweeëntwintig van de vijfentwintig dienstjaren op zitten.'

'Je zou doodongelukkig worden.'

'Dat kan best meevallen,' zei Decker. 'Ik weet dat we de hypotheek nog moeten afbetalen, maar ik kan toch iets anders gaan doen? Ik kan mezelf aanbieden als getuige-deskundige, als politieman en jurist. Ik ben welbespraakt en blijf kalm in moeilijke situaties. Weet je wat topmensen op dat gebied verdienen? Vijfhonderd dollar bruto per uur.'

'Je noemt die mensen altijd hoeren.'

'Ik zou nooit dingen zeggen die ik niet zelf geloof.'

Rina schudde haar hoofd. 'Ze hebben methoden om je te laten zeggen wat je niet bedoelt.'

'Ja, dat weet ik.'

Ze kuste hem, maakte zich toen van hem los en begon de keuken aan kant te maken. 'Een lelijke opmerking van mij mag geen reden zijn overhaaste beslissingen te nemen.'

'Oké.' Decker dacht even na. 'Nieuw plan. Zodra ik deze zaak heb opgelost, neem ik een week vrij. Dan gaan we naar Florida en laten Hannah en de jongens bij mijn ouders logeren. Kunnen ze naar Disney World of Epcot, terwijl wij gaan luieren op het strand van St. Croix.'

'Dat is een véél beter plan!'

'Minder impulsief dan ontslag nemen?'

'Ja.' Ze glimlachte. 'En ik heb echt genoeg te doen, Peter. Ik zit heus niet thuis duimen te draaien tot jij komt. Ik heb nu bijvoorbeeld de verantwoordelijkheid voor een lunch in de sjoel, met een gastspreker. Iemand van het Tolerance Center komt een lezing houden over racistische groeperingen. De opkomst zal groot zijn, want ik heb aan iedereen in onze wijk een pamflet gestuurd en al van honderd mensen antwoord gekregen dat ze komen, onder wie twintig man van de Eerste Baptist Kerk.'

'Dat is een heleboel *tsjolent* onder één dak.'

'Het opgeblazen gevoel mag niemand mij aanrekenen!' lachte Rina. 'En een week later zit ik op zondag in een panel.'

'Je zou fulltime kunnen gaan werken als expert op het gebied van racistische misdrijven. Bel ons eens als je tijd hebt. Maar heb je in die overvolle agenda nog een gaatje voor je echtgenoot?'

Ze keek hem aan met een ondeugende glinstering in haar ogen. 'Ik heb nú tijd.'

'Ik heb het niet over seks, maar help me herinneren. Ik bedoel letterlijk of je voor me kunt werken. Ik heb je hulp nodig.'

Rina leefde meteen op. 'Meen je dat?'

'Ja,' zei Decker. 'Sinds het vandalisme ben jij erg thuis in racistische misdaden.'

'Ik weet alleen iets over wetsvoorstel H.R. 1082. Dat is er bijna door, nog maar zo'n stukje.' Ze hield haar duim en wijsvinger vlak bij elkaar. Het is niet alleen een morele wet, maar ook een rechtvaardige. Een bredere definitie van racistische misdaden zal het leven voor jullie makkelijker maken.'

'Ik ben er helemaal vóór. Ik weet dat je tijdens je campagne veel onderzoek hebt gedaan naar de racistische groeperingen op internet. Ik zou er erg mee geholpen zijn als je Tom Webster een en ander kon vertellen over die groeperingen.'

'Met genoegen!' zei Rina. 'Als hij het totaalbeeld wil, zal ik hem in contact brengen met mensen van het Tolerance Center.' Ze zweeg even. 'Je doet dit toch niet alleen om mij zoet te houden, hè?'

'Nee, echt niet. Ik heb het er vandaag met Tom over gehad. Waarom zou hij zich uitsloven als jij in die materie zo goed thuis bent? Ik zou er enorm mee geholpen zijn.'

'Fijn!' Rina klaarde zichtbaar op. 'En nu het hele gezin weer bij elkaar is, kunnen we misschien wel iets leuks gaan doen.'

'Zoals?'

'Naar de bioscoop...' Ze bracht haar vlakke hand naar haar voorhoofd. 'Je moet nog werken zeker?'

'Ja, maar daarom kunnen jullie nog wel gaan.'

'Ja.' Rina's glimlach was echter iets minder stralend.

Decker zei: 'Toen je naar het vliegveld was, heb ik met Jacob gepraat.'

'Over de dood van Ernesto?'

'Ja.'

'En?'

'Hij is erg van streek en dat is ook logisch. Het is een afschuwelijke zaak. Ik hoop dat ik hem heb geholpen, maar ik weet het niet zeker.'

'Je moet toch wel iets goeds gezegd hebben, want aan tafel zag Yonkie er voor de verandering echt blij uit.'

'Dat komt waarschijnlijk omdat Sammy terug is. Hij houdt echt van zijn grote broer. Ik besefte dat pas toen ik hen samen zag.'

'Ja, ze geven erg veel om elkaar.'

Decker kreeg een brok in zijn keel. 'Ik ben blij dat ik dankzij jou zulke geweldige kinderen heb.'

Rina sloeg haar armen om zijn nek. 'Ik ben benieuwd of je dat ook zult zeggen wanneer de rekeningen van de universiteiten komen.'

Oliver kamde met zijn vingers door zijn zwarte, nu vettige, haar. Hij had het warm, voelde zich plakkerig en snakte naar een douche. 'Als de Baldwins van hun invloed gebruikmaakten om kinderen op bepaalde colleges en universiteiten te krijgen, zoals Jacob denkt, zie ik opeens nieuwe redenen waarom iemand hen naar het leven stond.'

Het was negen uur 's avonds en ze zaten in een verhoorkamer, omdat ze daar meer ruimte hadden dan in Deckers kantoor. Decker zat aan het hoofd van de tafel. Links van hem Webster, Martinez en Wanda Bontemps. Rechts Oliver en Dunn. Ze hadden zich automatisch opgesplitst als partners, niet naar sekse. Ze waren doodmoe, maar Decker gaf hun een tien met een griffel voor hun volharding. De tafel lag vol dossiermappen en paperassen, met daartussen pizzakartonnetjes en bekertjes met nu lauwe koffie.

Het wachten was op de eerste rapporten van het lab. Vooral het ballistische rapport was belangrijk. Ze waren zeer benieuwd of het type kogel waarmee een eind was gemaakt aan het leven van Dee Baldwin overeenkwam met de kogels die op Ernesto Golding en Mervin Baldwin waren afgevuurd. Decker had om spoed gevraagd, maar het hing er helemaal van af of iemand in het lab bereid was de zaak voorrang te geven.

'Wat bedoel je daarmee, Scott?' Webster zette zijn koffie neer. 'Dat ontevreden ouders de Baldwins om zeep hebben gebracht omdat hun zoon niet op Harvard was toegelaten?'

Oliver zei: 'Denk even aan die moeder die heeft geprobeerd de zestienjarige klasgenote van haar dochter te vermoorden omdat die als cheerleader was gekozen en haar dochter niet.'

'Dat was een extreem geval.'

'Dat is dit ook,' zei Oliver. 'Stel dat iemand Merv heel veel geld heeft betaald om zijn zoontje Jimmy op Harvard te krijgen en dat de magie van de Baldwins niet werkte?'

'Dan konden ze toch gewoon hun geld terugvragen?' zei Wanda.

'Stel dat er geen geld was?' zei Oliver.

'Zou hij bankroet zijn geweest?' vroeg Martinez. 'Hij gaf erg veel geld uit. Honderdtwintigduizend dollar om in een flat aan het strand te wonen terwijl je huis wordt opgeknapt, is niet niks.'

Decker vroeg: 'Zaten de Baldwins in de schulden?' Niemand gaf antwoord. 'Dan moeten we dat uitzoeken.'

Webster zei: 'Het is mogelijk dat ze in de schulden zaten. Of dat ze mensen diensten verschuldigd waren. Soms gaan geld en verschuldigde diensten hand in hand. Je biedt diensten aan om geen geld te hoeven betalen.'

'Maar wat heeft de arme Ernesto daarmee te maken?' vroeg Wanda.

'Op het verkeerde tijdstip, op de verkeerde plek?' opperde Oliver.

'Dat weet ik nog niet zo zeker,' zei Decker. 'Ernesto was in aanraking gekomen met erg nerveus volk. Hij kán het doelwit zijn geweest.'

'Mee eens,' zei Martinez. 'Je zou die rare lui van de HEI eens moeten meemaken. Bovendien, Oliver, ga je niet zomaar iemand vermoorden omdat je kind niet op Harvard is toegelaten.'

'Misschien ging het om Stanford.'

Martinez keek naar Decker. 'Jij bent het toch met me eens?'

Decker haalde zijn schouders op. 'Je moest eens weten wat Jake zei over wat kinderen tegenwoordig allemaal doen om toegelaten te worden op de juiste universiteiten.'

'Je had eens moeten horen wat Marjam Estes daarover zei,' zei Oliver. 'Niet te geloven.'

Marge zei: 'Voorbereidingscursussen voor de toelatingsexamens, voorbereidingscursussen voor de voorbereidingscursussen. En dat alles nadat ze eerst voorbereidingscursussen hebben gedaan om op de juiste middelbare school te komen. En je moet uiteraard eerst op de juiste basisschool hebben gezeten om in aanmerking te komen voor de juiste middelbare school. Blijft over kleuterschool. Wisten jullie dat peuters examen moeten doen om in de juiste, lees dure, kleuterschool te komen?'

Wanda trok een gezicht. 'Hoe test je kinderen voor de kleuterschool? Ze kunnen immers nog niet lezen.'

'Puzzels,' antwoordde Marge. 'Tot tien tellen. Kleuren kennen.'

'En als je kind pas twee is en nog op zijn duim zuigt?'

Marge zei: 'Volgens Marjam is het vechten tegen de bierkaai als je kind eenmaal is afgewezen.'

Wanda zei: 'Die Marjam klinkt alsof ze gek is.'

'Dat kan ik niet ontkennen, maar feiten zijn feiten, Wanda,' zei Oliver. 'Mensen zijn bereid twintigduizend dollar per jaar neer te tellen om erover te kunnen opscheppen dat hun kind het verschil weet tussen een driehoek en een vierkant.'

Decker zei tegen Martinez: 'En bepaalde ouders schijnen nogal agressief te worden om deze dingen.'

'Wie heb jij omgekocht om Jacob op Johns Hopkins te krijgen?' vroeg Martinez.

'Jacob is helemaal op eigen kracht toegelaten. Al zegt zelfs híj dat hij hulp heeft gehad... dat zijn moeder ervoor heeft gezorgd dat hij het toelatingsexamen mocht doen, omdat ze de juiste mensen aan hun kop heeft gezeurd.'

Martinez zei: 'Maar het blijft een feit dat jullie de Baldwins niet nodig hadden.'

'Als ik het belangrijk had gevonden dat hij op een universiteit van de Ivy League kwam, zou ik Baldwin misschien in de arm hebben genomen,' zei Decker. 'Maar ik ben in wezen maar een doodgewone arbeider en mijn vrouw is orthodox. Voor haar is het IQ van de studenten minder belangrijk dan het aantal ordentelijke, religieuze, joodse meisjes op de campus.'

'Waar gaat Sammy studeren?' vroeg Marge.

'Aan de Yeshiva University,' zei Decker. 'Geen tekort aan grijze cellen daar. Maar ook mijn kinderen hebben vrienden die door hun ouders worden opgezweept. Ergens vind ik dat wel grappig, want mijn generatie kreeg juist te horen dat we het maar zelf moesten zien te rooien.'

Martinez lachte. 'Ja, wat een stelletje ouwe hypocrieten zijn we eigenlijk.'

'Laat dat "ouwe" voor mij maar weg,' antwoordde Oliver.

Decker zei: 'Maar zelfs als je nu op de juiste middelbare school zit, heb je mensen als de Baldwins nodig om op de juiste universiteit te komen.'

'Precies,' zei Oliver. 'En als ouders een massa tijd, geld en energie hebben gespendeerd om hun zoontje Timmy op Harvard te krijgen...'

'Ik dacht dat het Jimmy was,' zei Wanda.

Oliver keek haar vuil aan.

Wanda glimlachte terug. 'Ga door.'

'En als Timmy of Jimmy niet wordt toegelaten...' zei Oliver, 'dan zie ik het wel gebeuren dat een wat labiele persoon zijn frustraties botviert op Dee en Mervin.'

'Wat kunnen mensen als Dee en Mervin Baldwin eigenlijk doen voor een scholier die doodgewoon niet pienter genoeg is?' vroeg Webster. 'Als een kind intellectueel niet kan meekomen, kun je hem net zo veel extra lessen geven als je wilt, maar het zal niet helpen.'

Decker zei: 'Ze kunnen hem leren hoe je de test moet doen. Door veel op de tests van vorige jaren te oefenen, blijft er uiteindelijk wel iets hangen wat nét een paar punten kan schelen.'

'Een *paar* punten wel,' zei Webster. 'Maar niet een paar honderd punten. Zo veel weet ik nog wel van die tests. Het is zelfs zo dat het verdenkingen oproept als je de tweede keer opeens een veel hogere score haalt dan de eerste keer.'

Decker zei: 'Maar de Baldwins wisten, omdat ze psychologen zijn, *hoe* je dergelijke tests moet doen om er zo veel mogelijk punten uit te slepen. Bovendien zijn het vaak psychologen die de tests opstellen, dus zullen de Baldwins zo ongeveer hebben geweten wat erin stond.'

Webster zei: 'Hoe kunnen zij meer weten dan een ander? De tests worden geheim gehouden tot de examendag.'

'Ik zeg niet dat de Baldwins wisten wat de vragen waren. Alleen dat als ze gespecialiseerd waren in dit onderwerp, ze wisten hoe de tests eruitzagen.'

Oliver flapte eruit: 'Of ze wisten wél wat de vragen waren.' Hij grinnikte. 'Informatie van een insider, dames en heren? Het zou niet de eerste keer zijn.'

Webster zei: 'Het zou funest zijn voor de reputatie van de Education Testing Service als er een test zou uitlekken.'

'Baldwin kon makkelijk steekpenningen geven,' zei Oliver. 'Hij verdiende bakken met geld met die testvoorbereiding. Dat hele studiegebeuren lijkt een goede business te zijn. En daar komt het uiteindelijk altijd op neer: geld.'

'Het moet iets méér zijn geweest dan steekpenningen,' zei Webster. 'Het is niet zo dat de tests op internet verschijnen. De computers van de ETS hebben hun eigen zenuwcentrum dat met geen enkele provider in verbinding staat. En ik weet zeker dat slechts weinig mensen de toegangscode kennen.'

'Schei uit, zeg!' baste Oliver. 'Je kunt geen enkele computer hermetisch beveiligen. Denk even aan het I love you-virus uit 2000. Dat bleek achteraf een vrij amateuristische stunt te zijn geweest, maar er zijn toen wel... hoeveel ook alweer?... drie grote providers door getroffen.'

'Daar heb je gelijk in,' zei Marge.

Martinez zei: 'Werd Ricky Moke niet door de FBI gezocht wegens hacken?'

'Interessant,' zei Decker. 'Maar wat heeft Moke te maken met de Baldwins?'

'Misschien is hij via Hank Tarpin met hen in contact gekomen?' opperde Martinez.

Decker leunde achterover in zijn stoel en keek naar het plafond.

'Eerst waren de Baldwins de onfortuinlijke slachtoffers en nu zijn ze opeens geslepen computercriminelen met Moke als voortvluchtige neonazi-handlanger. Laten we een stapje terug doen.'

'Het lijkt mij dat we allereerst een kijkje moeten nemen in de praktijk van de Baldwins,' zei Oliver. 'Hoe zit het met het huiszoekingsbevel?'

Decker antwoordde: 'Ik hoop dat het morgenochtend rond komt. Het heeft even geduurd voordat ik iemand had gevonden die bereid was te luisteren. Snuffelen in dossiers van patiënten die nog onder behandeling zijn, is in strijd met de vertrouwensclausules. Je kunt Tarasoff aanvoeren als precedent, maar aangezien er geen onmiddellijk gevaar dreigt, heb ik de zaak een beetje moeten verdraaien. Ik heb een rechter gevonden die misschien bereid is zijn nek uit te steken, maar hij wil er eerst nog een nachtje over slapen.'

'Wat kunnen we op dit moment nog doen?' vroeg Marge. 'De banken zijn gesloten, dus kunnen we geen rekeningen gaan bekijken.'

Oliver zei: 'We hebben geen huiszoekingsbevel, dus kunnen we niet de dossiers van de Baldwins gaan bekijken.'

Webster zei: 'Tegen de tijd dat ik bij de HEI aankwam, was Holt er niet meer.'

'Hoe zit het met Liu en de autopsie?' vroeg Decker.

Martinez antwoordde: 'Ik heb daarnet gebeld. Hij is er nog niet eens mee begonnen. Ze zitten met een achterstand. Hij hoopt morgen meer te weten.'

Decker zei: 'Laten we dan onze rapporten afmaken en naar huis gaan.'

Daar stemde iedereen mee in.

22

Moeders slapen altijd licht. Ze ontsnappen heel eventjes naar dromenland, waar het bewustzijn rust krijgt, maar komen bij de kreet van een hongerige baby of het huilen van een zieke peuter onmiddellijk in actie. Die reflex zat er zo ingebakken dat zelfs nu de kinderen allang voor zichzelf konden zorgen, Rina nog altijd van het minste of geringste wakker werd. Daarom schoot ze meteen overeind toen de deur van de slaapkamer openging, ook al was dat slechts op een kiertje en had ze het meer gevoeld dan gehoord. Het was nog niet licht, hoewel de hemel van zwart in grijs aan het veranderen was, in afwachting van de dageraad. De klok op haar nachtkastje stond op twee voor halfzes. Bij de deur stond Sammy. Ze legde haar vinger op haar lippen en wuifde hem weg, want ze wilde niet dat Peter wakker werd. Ze wist niet hoe laat hij was thuisgekomen, maar zijzelf was om middernacht naar bed gegaan.

Ze trok snel haar ochtendjas aan, liep de gang op en deed de deur achter zich dicht. Ze kneep haar ogen tot spleetjes tegen het felle lamplicht en knipperde een paar keer, alsof ze probeerde een gedachte te verjagen. Sammy was al aangekleed. Zijn rechterarm was omwonden met de leren riemen van zijn kleine, zwarte gebedsdoos – de *tefilien sjel jad*. Precies boven het midden van zijn voorhoofd, op de weerbarstige lok van zijn donkerblonde haar, rustte het andere gebedsdoosje – de *tefilien sjel rosj*. Aldus was haar knappe, lange zoon een imposante verschijning.

'Is alles in orde?' fluisterde ze.

'Ja, ja,' antwoordde hij. 'Ik heb alleen een jetlag. Ik zit al vanaf vier uur te studeren. Toen ik zag dat het licht begon te worden, besloot ik te gaan *davvenen*. Het gaat ook niet om mij. Er staat een man voor de deur die pappa wil spreken...'

'Wat? *Nu*?'

'Ja, hij zegt dat het belangrijk is. Hij maakte een erg geagiteerde indruk. Ik wist niet of ik Peter wakker moest maken of niet.'

'Heeft hij gezegd hoe hij heet?'

'Ja, maar ik heb het niet goed verstaan. Iets met Gold...'

'Lieve hemel!' Rina drukte haar hand tegen haar borst. 'Carter Golding?'

'Ja. Wie is dat?'

'De vader van die jongen die is vermoord.'

'O nee! Is *hij* dat?'

Rina knikte. 'Ik kan maar beter gaan vragen wat hij wil.'

Sammy hield haar tegen. 'Lijkt het je niet beter pappa wakker te maken?'

'Ik zal eerst vragen wat hij wil.' Ze aarzelde nog even voordat ze de deur opendeed, maar voegde toen de daad bij het woord. De man die tegenover haar stond, was klein en tenger; ze kon zijn gelaatstrekken niet goed onderscheiden vanwege zijn baard en snor, en omdat hij in het halfdonker stond. Hij maakte een zeer onrustige indruk, wiegde op de ballen van zijn voeten, kneedde zijn handen, en zijn ogen flitsten heen en weer.

'Neemt u me niet kwalijk,' stamelde hij. 'Ik dacht dat... dat uw man misschien... dat hij misschien al wakker was... ik kom straks wel terug...'

'Nee, nee, komt u binnen, meneer Golding,' zei Rina. 'Komt u binnen.'

Hij stapte over de drempel en deed één stap naar voren om Rina de gelegenheid te geven de deur dicht te doen, maar bleef toen staan. Hij zag er zo slordig uit dat duidelijk was dat hij al een hele tijd in deze kleren rondliep. Hij bewoog zich met korte, bijna spastische bewegingen, als een balletje in een flipperkast. 'Ik had niet moeten komen.' Het klonk amechtig. 'U wakker maken alsof ik krankzinnig ben. Ik ben niet krankzinnig!'

'Dat weet ik...'

'Slaapt uw man nog? Ga hem dan niet roepen. Ik kom straks wel terug.' Hij staarde naar Sammy en wees met een bevende vinger naar hem. 'Wat heeft hij om zijn arm... en op zijn hoofd?'

Rina keek opzij. '*Tefilien*... gebedsdoosjes.'

'Mijn vader had die ook. Ik weet niet wat hij ermee deed. Maar ik weet dat hij ze had.' Een korte stilte. 'Ik vraag me af waar ze zijn gebleven.' Golding begon heen en weer te lopen, met zijn armen op zijn rug. Een Groucho Marx onder invloed van speed. 'U bent degene die het pamflet heeft rondgestuurd voor het forum over racistische misdaden in de synagoge. We hebben geld overgemaakt.'

'Ja, dat weet ik. Dank u.'

'U hebt ons een bedankkaart gestuurd – heel netjes, als je bedenkt dat Ernesto degene is die de ravage heeft aangericht.' Tranen welden op in zijn ogen. 'Hij was geen slechte jongen.'

'Natuurlijk niet.'

'Hij...' Golding kuchte om een snik te verdoezelen. 'Hij heeft veel met uw man gepraat. Heeft uw man u dat verteld?'

'Nee. Mijn man beschouwt dat soort dingen als vertrouwelijke informatie.'

‘Ze voerden hele gesprekken... uw man en Ernesto. Vraag het hem maar. Ernesto was geen slechte jongen.’

‘Dat weet ik.’

‘Nee, dat weet u niet!’ Golding greep haar arm. Ze stonden nu bijna neus aan neus. ‘U weet dat *niet*. Maar wat ik zeg, is waar. Hij had problemen, maar hij was een goede jongen!’

Vanuit haar ooghoek zag Rina dat Sammy naar de slaapkamer liep. Bijna onmerkbaar schudde ze haar hoofd. In plaats van haar arm los te trekken, legde ze haar hand op die van Golding. ‘Vaders en moeders kennen hun kinderen het beste; ik geloof u, meneer Golding.’

Zijn gezicht vertrok, zijn kin bibberde en een traan rolde over zijn wang. Hij liet haar arm los. Er bleven rode indrukken van zijn vingers op haar huid achter. ‘Dank u!’

‘Gaat u even zitten...’

‘Ik had niet moeten komen,’ piepte hij. ‘Ik zou u niet moeten lastigvallen...’

‘Gaat u toch zitten, meneer Golding. Ik zal mijn man even roepen.’

‘Wat bent u gastvrij... en dat na wat Ernesto in uw synagoge heeft gedaan.’ Golding kon zich niet meer inhouden en hij begon te huilen met droge, amechtige snikken.

Rina kon zelf ook haar tranen niet bedwingen. ‘Ik heb oprecht met u te doen. Ik zal inspecteur Decker even gaan halen. Ik weet zeker dat hij u zal willen spreken.’

‘Dat denk ik niet!’ De man bleef huilen. ‘Ik ben gisteren zo tegen hem tekeergegaan! Ik heb hem erg beledigd!’

‘Dat valt vast wel mee,’ zei Rina zachtjes. ‘Ik ga ook wel eens tegen hem tekeer, en hij praat nog steeds met me. Ik zal hem gaan roepen.’

Ze wilde naar de slaapkamer gaan, maar Golding greep haar arm weer vast. ‘Nee, niet doen! Ik wil u niet tot last zijn.’

Sammy was echter de slaapkamer al binnengegaan en nu kwam Decker te voorschijn, een badjas over zijn blote bovenlichaam. Zijn ogen waren bloeddoorlopen, zijn haar zat in de war en zijn huid tintelde. Dat laatste kwam zeker van de adrenaline die door zijn aderen gierde. Zijn hart bonkte als een moker.

‘O god!’ riep Golding uit. ‘Ik heb u wakker gemaakt!’

‘Dat geeft niets, meneer Golding.’ Decker zag dat Sammy met grote ogen naar hen stond te kijken.

De jongen zei: ‘Eh, ik ga wel even in de keuken zitten.’

‘Ik ook.’ Rina wilde weglopen, maar weer greep Golding haar arm. Decker kwam naar voren, maar Rina hield hem tegen met opgeheven hand. Golding was zo van streek dat hij helemaal geen erg had in Deckers dreigende houding.

‘Blijft u er alstublieft bij,’ snikte Golding. ‘Het was zo aardig van u dat u zo’n mooie bedankkaart hebt geschreven.’

Ze keek naar haar man en zei: ‘Goed dan.’

'Dank u!'

Rina klopte op zijn hand. Even zeiden ze geen van allen iets. Golding bleef ingehouden huilen. Zonder iets te zeggen maakte Rina zich los uit zijn greep om een doos papieren zakdoekjes te pakken. Ze gaf hem een paar tissues. 'Wilt u soms een glaasje water?'

'Nee, dank u.' Hij snoot zijn neus. 'Ik...' Hij snoot nogmaals. 'Dank u.'

'Geen dank,' zei Rina. 'Laten we gaan zitten.'

Toen de man niet reageerde, zei Decker: 'Kom, meneer Golding, gaat u hier maar zitten.'

Hij liet hem plaatsnemen in zijn eigen stoel, een grote, leren fauteuil, compleet met voetenbank, die zijn leeshoek vormde wanneer hij thuis was. De rest van het meubilair was vrouwelijk en licht, had blauw met wit geblokte en blauw met wit gebloemde bekleding, compleet met kanten kussens en antimakassars. Onder een ouderwetse schommelstoel lag een mooi, met de hand geknoopt kleedje. Deckers stoel was net een dikke sjeik te midden van zijn harem. Decker ging samen met Rina op de bank zitten.

Golding zei: 'Het spijt me dat ik u op deze manier gewekt heb.'

'Dat geeft niets,' zei Decker. 'Wilt u soms een kopje thee?'

'Nee, doet u geen moeite.'

'Het is geen moeite.' Rina stond al. 'Houdt u van kruidenthee? Ik heb kaneel, sinaasappel, kamille, citroen...'

'Kamille.'

'Met suiker, citroen?'

'Helemaal niets.'

'Ik ben zo terug.'

Golding fluisterde: 'Dank u,' en richtte zijn blik op Decker. 'U denkt vast dat ik krankzinnig ben.'

Het zou vreemd zijn als de man níét krankzinnig was, na wat er was gebeurd. Golding droeg een spijkerbroek en een lichtgrijs sweatshirt waar een paar koffievlekken op zaten.

Decker vroeg: 'Hebt u een specifiek probleem, meneer Golding, of voelde u gewoon behoefte te praten... of wilt u misschien iets vragen?'

Golding frunnikte aan zijn baard. 'Er is iets waarover ik wil praten. Ik weet alleen niet hoe...' Hij slikte zijn verdriet weg. 'Denkt u dat u dat monster zult vinden?'

'Ja.'

'Hebt u al enig idee wie het is?'

'Zodra we iets definitiefs weten, krijgt u het meteen van ons te horen.'

'Wanneer zal dat zijn, denkt u?'

'Dat weet ik niet.'

'Gauw? Over een week, een maand, een jaar?'

'Iedere zaak is anders. Op dit moment heeft deze zaak bij ons de hoogste prioriteit.'

Golding knikte. Rina kwam binnen met twee grote, dampende mokken. 'Alstublieft.'

Golding nam de mok van haar aan, maar dronk er niet van. Hij gebruikte hem om zijn handen te warmen. Af en toe rilde hij. Hij rilde vanwege de kou in zijn binnenste. 'Gaat u zitten, mevrouw Decker... alstublieft.'

Rina ging zitten en gaf Decker de andere mok. Hij bedankte haar met een knikje.

Golding zei: 'Ik zit ergens mee.'

Stilte.

'Ik wil graag met u praten over mijn familie.' Hij wees op zijn borst. 'Over mijn vader. Ernesto dacht bepaalde dingen over hem. Hij heeft het daar met u over gehad... dat mijn vader een... u weet wel...'

'Ja,' zei Decker.

'Het is niet waar,' zei Golding. 'Er is niets van waar. Ik zweer dat het niet waar is. Mijn vader was een goed mens, een deugdzaam en godvruchtig mens. Hij was geen nazi! Hij kan geen nazi zijn geweest.'

'Oké...'

'Nee! Niet oké!' Goldings handen beefden zo dat de hete thee over de rand van de mok op zijn handen spatte. Het leek hem niet te deren, al zette hij de mok wel neer. 'U moet me geloven!'

'Ik geloof u ook.' Decker sprak op kalme toon. 'Kinderen kunnen de gekste dingen verzinnen. Ik denk wel eens dat ze het leuk vinden om problemen voor zichzelf te creëren. Mijn eigen kinderen zijn geen uitzondering.'

Golding zuchtte. 'Ja, veel kinderen schijnen dat te doen.'

'Dat blijkt.'

'Maar waarom denkt u dat Ernesto iets dérgelijks heeft verzonnen?'

Decker keek hem peinzend aan. 'Hij zei dat de data niet klopten.'

'De data?'

'Van wanneer uw vader naar... Argentinië, was het?... was geëmigreerd.'

Golding staarde hem aan.

'Volgens Ernesto had uw vader u verteld dat hij in 1937 naar Zuid-Amerika was gegaan. Ernesto zei dat hij in werkelijkheid later was geëmigreerd, in 1945 of 1946 – na de oorlog. Maar kinderen kunnen zich vergissen.'

'Zelfs als het geen vergissing was, wil dat nog niet zeggen dat mijn vader een nazi was!' Hij beet zo hard op zijn onderlip dat er bloeddruppeltjes verschenen. 'Ik weet niet veel over mijn vader. Daarom ben ik hier.'

Weer een stilte.

'Mijn vader praatte nooit over het verleden. Niemand praatte erover. Ik leerde al snel er geen vragen over te stellen. Maar daarom is hij nog geen monster. Hij was een vriendelijke, zachtaardige man die niet eens insecten doodtrapte! Eerlijk. Hij pakte ze op in een papieren zakdoekje en liet ze buiten los.'

'Dat doet mijn vrouw ook,' zei Decker.

Goldings handen waren rood van het wrijven. 'Hij was geen nazi. Maar... Ernesto had redenen waarom hij zo nieuwsgierig naar hem was. Hij zei dat hij een Isaac Golding had gevonden die in een concentratiekamp was gestorven.'

'Er kan meer dan één Isaac Golding zijn geweest,' zei Decker.

'Dat is zo,' antwoordde Golding. 'Maar ik wil nu weten wie Isaac Golding was. Daarom ben ik bij u gekomen.'

Het was Rina – de dochter van mensen die de concentratiekampen hadden overleefd – die hem te hulp kwam. 'Het is verleden tijd. Maakt het echt nog iets uit, meneer Golding?'

Hij keek op. 'Zegt u toch gewoon Carter... En ja, het maakt wel degelijk iets uit. Over een paar dagen moet ik mijn zoon begraven...'

Hij sloeg zijn handen voor zijn gezicht en huilde met zulke hartverscheurende snikken, dat het Rina en Decker moeilijk viel er getuige van te moeten zijn. Maar ze hadden geen keus.

Uiteindelijk zei Golding: 'Geen enkele vorm van leed is daarmee te vergelijken. Niets van wat u zult zeggen of doen, zal meer pijn doen dan dit. U kunt onmogelijk weten hoe ik me voel, maar als ouders kunt u... het zich misschien wel voorstellen.'

Decker merkte dat Rina stilletjes huilde. Waar zou ze aan zitten denken? Aan het onvoorstelbare leed een kind te moeten verliezen? Aan het verdriet dat ze had gehad toen haar man aan kanker was gestorven; en toen een goede vriendin van haar was vermoord; en toen ze op veel te jonge leeftijd haar baarmoeder had moeten laten verwijderen?

'Niets van wat u me zult vertellen, zal erger zijn dan dit,' zei Golding. 'Mijn vaders verleden is voor mij een mysterie en het was ook voor mijn zoon een mysterie. Ik wil er nu graag zekerheid over... ter nagedachtenis aan Ernesto. Hij toonde belangstelling, maar ik heb me van hem afgekeerd. Ik ben het hem verschuldigd nu achter de waarheid te komen.'

Deckers gezicht stond neutraal.

Golding zei: 'Vindt u van niet?'

'U straft uzelf,' zei Decker. 'Dat is niet nodig. U bent een goede, liefhebbende vader voor hem geweest. Ik weet dat, omdat Ernesto me dat heeft verteld.'

Tranen stroomden over Goldings wangen. 'Ja, ik was een goede vader.' Hij knikte driftig. 'Ik besteedde tijd aan mijn kinderen. Ik heb mijn best gedaan. Ik was niet perfect, maar ik heb mijn best gedaan.' Weer snoot Golding zijn neus. 'Maar ik moet dit doen, ter ere van mijn zoon. En... ik zou liegen als ik niet zou zeggen... dat het... ook bij mij een leegte zou opvullen.' Hij keek Decker in de ogen. 'Maar ik weet niet hoe ik het moet doen. U bent rechercheur. Ik dacht dat u me misschien zou kunnen helpen. Misschien kent u iemand die gespecialiseerd is in dat soort dingen.'

Decker kamde met zijn vingers door zijn warrige haar. 'Ik ken een paar privé-detectives, maar het zijn geen genealogen. Bovendien gaat zoiets aardig in de papieren lopen...'

'Geld is geen probleem.'

'Ze zullen u niets kunnen garanderen,' zei Decker.

'Dat weet ik. Dat weet ik beter dan wie ook.'

Rina vroeg: 'Waar is uw vader geboren?'

Golding keek haar aan. 'Ergens in Oost-Europa. Hij heeft nooit gezegd waar precies. U hebt geen idee hoe gesloten hij daarover was.'

Decker nam een moment de tijd om na te denken. 'Heeft hij nog levende familieleden?'

'Nee, ze zijn allemaal dood,' zei Golding. 'Mijn grootouders zijn gestorven toen ikzelf nog vrij jong was. Hij had een zuster... mijn tante. Die is nooit getrouwd. Ze is overleden toen ik een jaar of tien was.'

'U zou het bij een genealoog kunnen proberen,' zei Decker.

Rina vroeg: 'Meneer Golding, welke talen sprak uw vader?'

'Zegt u toch Carter.' Golding dacht even na. 'Engels en Spaans uiteraard. Met zijn zuster sprak hij in een mij onbekende taal. Ik heb altijd gedacht dat het Duits was.'

'Duits?' vroeg Rina. 'Weet u zeker dat het geen Jiddisch was?'

'Ik zou het niet weten,' zei Golding. 'Die twee talen lijken erg op elkaar, niet?'

'Ja,' zei Rina. 'Aangenomen dat uw vader joods was, is er een heel groot verschil tussen de Duitssprekende joden en de joden die Jiddisch spreken. Degenen die Jiddisch spraken, waren meestal niet erg welgesteld, ze waren arbeiders, boeren, kooplieden. De Duitse joden zijn een heel ander verhaal. De meesten van hen waren veel meer geïntegreerd in de Duitse samenleving. Joden die Hongaars spraken, zoals mijn ouders, kwamen uit Hongarije. Joden die Roemeens spraken, kwamen uit Roemenië. Veel joden in Tsjechië spraken Tsjechisch. Maar de joden in Polen spraken over het algemeen Jiddisch als ze uit een streek kwamen die de "Pale" wordt genoemd – een grensgebied tussen Polen en Rusland.'

Decker vroeg: 'Spraken Poolse joden geen Pools?'

'De weinige hoogopgeleiden wel, degenen die in de steden woonden. Maar de meeste Poolse joden waren erg arm en woonden in kleine dorpen in het grensgebied. Ze leefden al in een getto voordat het getto van Warschau een feit werd. Weet u wat het getto van Warschau was?'

Golding en Decker schudden allebei hun hoofd.

Rina wreef met haar handen over haar wangen. 'Toen de nazi's de uitroeiing van de joden sneller wilden laten verlopen, dreven ze hen samen in een wijk van Warschau, zodat ze hen beter in de gaten konden houden. Het maakte de vernietiging eenvoudiger. Maar daar hebben we het nu niet over. Al zal het op een later tijdstip misschien belangrijk blijken te zijn.'

Golding tikte nerveus met zijn voet op de vloer. 'En als mijn vader Pools sprak... Wat wil dat dan zeggen?'

'*Sprak* hij Pools?' vroeg Rina.

Golding dacht na voordat hij antwoord gaf. 'Ernesto heeft me documenten laten zien... in mijn vaders handschrift. De taal was niet Duits. En het was ook geen Romaanse taal. Misschien was het Pools.'

'Oké,' zei Rina. 'Dat wil voor mij zeggen dat uw vader ofwel een geschoolde jood of een jood uit een van de grote steden was of... dat hij geen jood was, maar een Pool.'

Decker zei: 'Waar had Ernesto die documenten vandaan?'

'Ik heb geen flauw idee. Ik...' Weer kreeg hij tranen in zijn ogen. 'Ik heb zijn schoolspullen nog niet bekeken. Ik denk dat daarin meer informatie te vinden is.' Hij zuchtte. 'Hij heeft me verteld dat een Isaac Golding is gestorven in een Pools concentratiekamp. De naam van het kamp kan ik me niet herinneren. Op dat moment leek het niet belangrijk. Misschien waren die documenten in het Russisch.'

'Als het Russisch was, had u het geweten,' zei Rina. 'Russisch heeft een heel ander alfabet.'

'O ja, dat is ook zo.'

Rina zei: 'In de grote steden van Polen zijn wel wat archieven, weet u.'

'Ja, maar ik weet niet hoe ik...' Hij zuchtte. 'Dat deel van Europa is mij zo vreemd. Mijn vader... heeft me niets over zijn verleden verteld. Hij zei altijd dat we nu in Amerika waren en de rest niet belangrijk was. Hij beschouwde zichzelf als een Amerikaan. Hij was erg boos op me toen ik protesteerde tegen de oorlog in Vietnam. Hoewel hij nooit zijn stem heeft verheven, weet ik dat hij me ondankbaar vond. Het fijne van het recht op vrije meningsuiting was hem even duister als de met drugs overladen hippiecultuur van de jaren zestig.'

Rina schraapte haar keel. 'Ik was van plan om vandaag of morgen naar het Tolerance Center te gaan. Daar hebben ze archivarissen die erin zijn gespecialiseerd verloren gegane informatie op te diepen. Als u me de documenten geeft die Ernesto heeft gevonden, kan ik die bekijken...'

'Maar eerst moeten *wij* die bekijken,' viel Decker haar in de rede. Hij keek naar Golding. 'Ik wil graag vanochtend de kamer van uw zoon doorzoeken.'

Golding knikte instemmend. 'Als u denkt dat het zal helpen om dat monster te pakken te krijgen. Al denk ik daar het mijne van.'

'En dat is?'

'Dat deze afgrijselijke misdaad niets met mijn zoon te maken had,' zei Golding. 'Dr. Dee Baldwin is kilometers ver van mijn zoon vermoord. Ernesto was gewoon toevallig op het verkeerde tijdstip op de verkeerde plek...' De man wendde zijn ogen af. 'U mag zijn kamer doorzoeken als u denkt dat het nodig is. Maar ik heb mijn twijfels.'

'Dank u,' zei Decker.

'Als u iets vindt wat betrekking heeft op mijn vader, geeft u dat dan aan uw vrouw? Zodat zij het aan de archivarissen van het Holocaust Center kan laten zien?'

Wat moest Decker daar nu op antwoorden? 'Meneer Golding...'

'Carter.'

'Carter, stel dat de informatie... pijnlijk voor je is?'

'Ik heb al gezegd dat niets nóg pijnlijker kan zijn. Ik moet dit doen voor Ernesto. En ik *zal* het doen! En als u me daarbij kunt helpen, zult ook *u* iets voor Ernesto doen. Maar als het strijdig is met uw werk, zal ik een privé-detective huren.'

'Daar zal het misschien uiteindelijk wel op uitdraaien,' zei Decker.

'Intussen kan uw vrouw misschien iets uitzoeken.'Golding stak zijn hand in zijn zak en haalde er een kleurenfoto uit van een oudere man, Carter zelf en twee jonge jongens. 'Dit is de recentste foto die ik van mijn vader heb. Hij wilde nooit op de foto.' Hij sloeg zijn ogen neer. 'Als hij gezocht werd, is dat ook wel logisch.'

Rina pakte de foto van hem aan. Drie generaties bij elkaar. Grootvader Jitschak stond in het midden, met Carter links en de jongens rechts. Carter en zijn zonen waren gekleed in T-shirts en spijkerbroeken, en lachten. Grootvader Jitschak droeg een zwart pak met ouderwetse smalle revers, een wit overhemd en een smalle das. Hij keek niet somber... eerder verlegen. 'Van wanneer is deze foto?'

'Van vier jaar geleden. Mijn vader was toen achtenzeventig. Hij was het laatst overgebleven lid van de oudere generatie. Mijn moeder was tien jaar daarvoor al gestorven.'

Rina knikte. 'En de jongens?'

'Ernesto was dertien, Karl elf.'

'Ik kan het proberen.' Rina stond op met de foto in haar hand. 'Ik ga even kijken hoe het met Sammy is.'

'De jongen met de gebedsdoosjes?'

'Ja, hij is net teruggekomen uit Israël.'

'Ga uw gang.' Golding stond op en stak zijn hand uit. 'Dank u, mevrouw Decker.'

Ze gaf hem een hand en bezegelde daarmee haar bereidheid hem te helpen. Zodra Rina de kamer uit was, begon Golding heen en weer te lopen, steeds hetzelfde stukje, met nerveuze stappen. 'Ik moet terug naar Jill... en Karl.'

'Wanneer kan ik de kamer van uw zoon komen bekijken?'

Golding keek op zijn horloge. 'Lieve hemel, is het nog maar zo vroeg? Zullen we zeggen over twee uur? Acht uur, halfnegen?'

'Dat is goed.'

'Inspecteur, wanneer kunnen we onze zoon begraven? Ik weet dat het onderzoek nog gaande is, maar mijn vrouw en ik hebben behoefte aan... aan...'

'Afronding.'

'Iets tastbaars om bij te huilen.' Weer wendde Golding zijn blik af.

Decker zei: 'Ik zal mijn best doen het stoffelijk overschot zo snel mogelijk vrij te geven. Kan ik u verder nog ergens mee van dienst zijn?'

Golding schudde zijn hoofd. 'Nee, tenzij u de doden kunt opwekken.'

De naam van Rina's eerste man was Lazaris. Decker bleef neutraal kijken, er niet zeker van of de naam een voorteken was van een positief resultaat, of een ironisch toeval.

23

AAN DE KEUKENTAFEL, MET DE KRANT OPEN VOOR ZICH, DRONK DECKER met kleine teugjes zijn koffie en probeerde een nonchalante indruk te maken. 'Ik vind het niet zo'n goed idee dat jij naar de identiteit van Goldings vader gaat zoeken, Rina. Wie weet is het de reden voor de moord.'

Rina trok haar hoofddoek recht, sneed wat aardbeien in plakjes en deed die in een kom met cornflakes. 'Reden te meer voor jullie om uit te zoeken hoe het zit.'

'Dat ben ik met je eens.' Decker keek op. 'Het is precies zoals je het zegt. *Wij* moeten dat uitzoeken, niet *jij*.'

'En welke rechercheur van jouw bureau weet veel over de joden die de holocaust hebben overleefd?'

'Rina...'

'Neem me niet kwalijk, maar ik moet je dochter haar ontbijt brengen.' Ze beende de keuken uit, maar kwam al snel weer terug. 'Jij had geen idee welke vragen je Golding moest stellen. En zelfs als je toevallig een relevante vraag had weten te bedenken, zou je niet geweten hebben wat je met het antwoord moest. En *jij* bent nog het best geïnformeerd van je hele ploeg.'

'Nu doe je chauvinistisch.'

'Peter, ik wil hem alleen maar een dienst bewijzen – van een moeder tegenover een vader.'

'En ik probeer een moord op te lossen.'

'Des te beter. Ik zal alle informatie die ik ontdek, onmiddellijk aan je doorgeven.'

Decker sloeg zijn ogen ten hemel.

'Laat dat!' zei Rina fel. 'Heb je me niet zelf gevraagd met Tom Webster naar het Tolerance Center te gaan?'

'Om hem gegevens over racistische groeperingen te geven. Niet voor een genealogisch onderzoek.'

'Wanneer hij bezig is die gegevens te bekijken, kan ik onderhand met de archivaris praten.' Ze keek hem uitdagend aan. 'Moet je niet aan het werk?'

'Probeer je me weg te krijgen?'

Rina bekeek het gekwetste gezicht van haar man, trok met een zucht een stoel bij en ging naast hem zitten. Hij legde de krant neer en nam een laatste slok koffie, maar ging niet op haar toenadering in. 'Dan ga ik maar.'

'Wacht.' Een stilte. 'Het spijt me.'

'Waarom raken we altijd in dit soort idiote twistgesprekken verzeild?' gromde Decker. 'Jij zou je niet met mijn werk moeten bemoeien.'

'Je had er anders geen moeite mee me te vragen met Tom Webster mee te gaan.'

'Ik ben van gedachten veranderd. Tom kan het wel alleen af.'

Nu was Rina op haar beurt beledigd. 'Goed. Doe dan alles maar zelf.'

'Dank je. Dat zal ik doen.'

Ze zeiden geen van beiden iets.

'Wat scheelt eraan, Peter?' gooide Rina er toen uit. 'Zit je ego je dwars?'

'Doe niet zo raar.'

Stilte.

Rina keek op haar horloge. 'Breng jij Hannah naar school?'

'Als je wilt.'

'Ze vindt het leuk wanneer jij haar brengt. Dat geeft haar wat extra tijd met haar vader.'

Ze stond op. Decker pakte haar pols vast. Ze keek op hem neer.

'Ik kan hier niet tegen!' zei hij. 'Ik krijg er hartkloppingen van.'

'Dat komt door de cafeïne. Of het is de leeftijd. Geef mij niet de schuld van jouw hartkloppingen!'

'De leeftijd? Dat is gemeen van je, Rina. Het is waar... maar het is evengoed gemeen.'

Het wás gemeen. Rina ging weer zitten. 'Sorry.'

'Ik maak me zorgen,' zei Decker.

'Peter, niemand zal me iets doen als ik op zoek ga naar de ware identiteit van Isaac Golding.'

'Nee, je zult wel gelijk hebben.'

Rina was geroerd dat hij dat toegaf. Hij deed alleen maar zo nors omdat hij bezorgd was. Ze leunde naar hem toe en kuste zijn wang. 'Peter, dit is *jouw* zaak. Ik heb genoeg dingen aan mijn hoofd om ook nog eens ruzie met jou te maken. Oké?'

'Ja, ja.'

'Je neemt me niet serieus.'

'Ik sta voor een moeilijk dilemma. Ik wil informatie waar jij sneller aan kunt komen dan wij, maar ik heb het gevoel dat ik de een of andere beschermcode van echtgenoten overtreed als ik jou erbij haal.'

'Als je mij daar nou eens over liet oordelen?' vroeg Rina aarzelend. 'Wat heb je precies van me nodig?'

Goede vraag. Hij zei: 'Tom kan in het Tolerance Center best in zijn eentje aan de gewenste informatie komen, maar omdat jij toevallig dat comité voor het voorkomen van racistische misdaden in het leven hebt geroepen, heb je veel onderzoek gedaan naar de plaatselijke racistische groeperingen. Vandaar dat ik dacht dat je hem er het een en ander over zou kunnen vertellen, zodat hij de juiste vragen kan stellen.'

'Dat heb je in ieder geval goed gedacht.'

'En als je er zelf bij bent, kun je hem helpen de juiste vragen te stellen als hij mocht komen vast te zitten.'

'Goed plan.'

'En als hij iemand bij zich heeft die kennis van zaken heeft... al is het maar oppervlakkig... zal hij zich niet als een vis op het droge voelen.'

'Ik wil best met hem naar het Center, Peter.'

Decker glimlachte flauwtjes. 'Ik stel het erg op prijs dat je wilt helpen.'

Ze glimlachte terug. 'Dat weet ik.' Een stilte. 'Verder nog iets?'

'Nee, dat was het.'

'Goed,' zei Rina. 'Maar ik heb nog een probleem. Je moet een manier verzinnen waarop ik Carter Golding kan helpen, opdat hij niet de indruk zal krijgen dat ik me niet aan mijn woord hou.'

Een lastig parket. 'Waar begin je eigenlijk als je een anoniem slachtoffer van de concentratiekampen wilt vinden?' vroeg Decker.

'Om te beginnen is Isaac Golding niet anoniem. Hij heeft een naam. Er zijn lijsten, Peter. Het Center heeft archieven.'

'Je hoeft dus alleen die lijsten te bekijken?'

'Dat weet ik niet precies.' Rina stond op en schonk voor zichzelf een kop koffie in. 'Wat heeft Ernesto je verteld?'

'Dat de datum waarop zijn grootvader naar diens eigen zeggen in Argentinië is aangekomen, niet klopt met de werkelijke datum. En dat hij een Jitschak Golding had gevonden, maar dat die in een concentratiekamp was gestorven. Toen ik dat hoorde, vroeg ik me af of zijn grootvader de naam had verzonnen.'

'Dat zou kunnen, hoewel het op mij niet overkomt als toeval. Als de grootvader een nazi was, die zich na de oorlog voor een jood wilde uitgeven, kon hij het beste de naam gebruiken van iemand die dood was. Dan zou er niemand met bewijzen komen dat hij het niet was. Wie was de Jitschak Golding die Ernesto had gevonden?'

'Dat weet ik niet, maar hij schijnt in een Pools kamp te zijn gestorven.' Decker dacht erover na. 'Ik meen dat hij de naam van het kamp heeft genoemd. Ik heb zijn bekentenis op de band staan. Ik zal er nog een keer naar luisteren en je de naam geven, als je belooft dat je me niet zult verklikken.'

'Erewoord.'

'Het was niet Auschwitz, dat weet ik nog wel. Als je me de namen van andere kampen kunt geven, herken ik hem misschien.'

Ze fronste haar wenkbrauwen. 'Auschwitz was het grootste kamp in Polen. Ik ken de namen van alle andere niet uit mijn hoofd. Momentje. Ik heb een joodse encyclopedie.'

Rina bleef een paar minuten weg en kwam terug met een groot, blauw boek. 'Even kijken... Auschwitz, Betzec, Sobibor, Treblinka...'

'Dat is 'm.'

'Treblinka?'

'Ja. Ik weet het heel zeker.'

'Moment.' Rina liep weer weg en kwam even later terug met een ander blauw boek. 'Treblinka heeft bestaan van 1941 tot 1943. Het was ontworpen als een vernietigingskamp... er zijn ongeveer 870.000 mensen om het leven gebracht...'

'Mijn god!' Decker kon zich niet voorstellen dat er zo veel mensen op één plek waren gestorven.

'In Auschwitz waren het er nog meer,' zei Rina. 'Omdat Auschwitz langer heeft bestaan. Bijna drie jaar langer.'

'Wat bedoel je met "ontworpen als vernietigingskamp"? Waren ze dat niet allemaal?'

'Sommige kampen, zoals Auschwitz, waren officieel "werkkampen", sommige waren "doorgangskampen". Die namen zeggen niets, want het eindresultaat was hetzelfde. Als de mensen niet meteen vermoord werden, stierven ze van de honger, de kou of aan ziekten. Volgens dit artikel zijn er maar heel weinig overlevenden uit Treblinka, omdat het specifieke doel van dat kamp was de hele joodse bevolking van Polen uit te roeien.'

'Wie had er het beheer over? De Duitsers of de Polen?'

'De Duitsers, met de Polen als gewillige handlangers.' Haar ogen gleden over de pagina's en lazen met weinig emotie de afgrijselijke feiten. 'Wie aan het kamp ontsnapte en werd gepakt, werd ter plekke doodgeschoten of opgehangen als voorbeeld voor de anderen... degenen die wisten weg te komen, werden aangegeven door mensen uit de omliggende dorpen. Er zijn pogingen tot tegenwerking gedaan... dr. Julian Chorazietsjki... de arts van de SS-officieren. Ook hij was een gevangene...'

'Joods?'

'Ja... hij verzamelde samen met een paar medegevangenen gesmokkelde wapens, met de hulp van de Oekraïners, maar hij werd gepakt en geëxecuteerd. Zelo Bloch leidde een opstand met vijftig tot zeventig man achter zich. Ook hij werd geëxecuteerd. Toen hebben de Duitsers het kamp in brand gestoken... ongeveer zevenhonderdvijftig gevangenen zijn ontsnapt, maar slechts zeventig van hen hebben het einde van de oorlog gehaald.' Rina keek haar man aan. 'Als deze Jitschak Golding de vader van Carter Golding was, was hij een van die weinigen, een van de zeventig, op een totaal van 870.000. Het tart de logica.'

Decker zei: 'Stel dát hij een van de gelukkigen was, hoe groot is dan de kans dat ook zijn moeder, vader en zuster de oorlog hebben overleefd?'

'Nul komma nul,' zei Rina. 'Ernesto zat waarschijnlijk op het goede spoor. Waar had hij zijn informatie vandaan?'

'Hij zei van internet,' zei Decker. 'Maar dat lijkt me larie. Heeft het Tolerance Center lijsten van de overlevenden van Treblinka?'

'Vast wel.' Rina dacht diep na. 'Peter, wat hebben jullie gedaan met die nare foto's die Ernesto in de synagoge had achtergelaten?'

'Die zijn opgeslagen in de archiefkamer waar we al het bewijsmateriaal bewaren. Waar zit je aan te denken? Dat die een aanwijzing kunnen bevatten over Isaacs identiteit?'

'Misschien kunnen we aan de kleding of de mensen of de omgeving zien om welk kamp het gaat.'

Decker zei: 'Voor zover ik me herinner, zag je op de meeste foto's alleen maar anonieme lijken.'

'Anonieme dode joden.' Ze keek terneergeslagen.

'Ik zal ze uit het archief halen, Rina. Wie weet.'

Opeens riep Hannah vanuit de gang of het nog niet tijd was om naar school te gaan. Rina keek op de klok. 'Goeie hemel, de school is een halfuur geleden al begonnen!'

Decker stond op. 'Dat wil zeggen dat ook ik een halfuur te laat ben.'

'Ik breng haar wel.'

'Nee, laat mij maar. Ik wil het graag.' Decker drukte Rina aan zijn borst voordat ze kon weglopen en kuste haar innig. 'Ik hou van je.'

'Ik ook van jou. En je bent niet oud.'

'Dat ben ik wel, maar het kan me niets schelen, omdat ik een jonge vrouw heb. Hoewel... die is inmiddels ook al niet zo jong meer...'

'Wie doet er *nu* gemeen?' Rina stompte hem tegen zijn schouder. 'Alles weer in orde, Akivaleh?'

'Ik vind het heerlijk wanneer je me Akivaleh noemt. Dat wil zeggen dat je niet boos op me bent.'

'Ik ben nooit boos op jou.'

'Welles. Je bent altijd boos op me.' Hij grinnikte. 'Alleen ben ik nooit thuis, dus heb ik er geen last van. Pas goed op jezelf. Er lopen veel rare mensen rond.'

'Dat kan ik ook tegen jou zeggen.'

'Dat zou je kunnen doen. Maar het zou niets uitmaken.'

Het was een deprimerende kamer, omdat hij zo verstild was. Het was alsof de kamer verwachtte dat de bewoner ervan ieder moment kon binnenkomen, als een jong hondje dat wacht tot zijn baasje nu eindelijk eens thuiskomt. Decker kon aan alles merken dat de jongen echt in deze kamer had geleefd: een veranderend diorama van Ernesto's grillen en dromen, van het type cd's tot de posters aan de muren. Rondom was een werkblad tegen de muren gemonteerd. Ernesto had een moderne stereo-installatie, een moderne computer, een videorecorder, een dvd-speler, een faxapparaat, een telefoon: allemaal het nieuwste van het nieuwste.

De jongen die alles had en nu statistiek was geworden.

Op planken boven het werkblad zag Decker rijen video's, stapels cd's, tientallen medailles en bekers, snoeppapiertjes, oude brieven, bibliotheekboeken die allang ingeleverd hadden moeten worden, stapels papier, schriften, schoolboeken en een stuk of dertig pocketboeken, hoofdzakelijk fictie. De kamer had drie deuren: één naar de badkamer, één van de inloopkast en één naar de gang. In het midden van de kamer stond een tweepersoonsbed met een dekbed in luipaardmotief. Het bed was een goede plek om de stapels paperassen op uit te zoeken die Ernesto had achtergelaten.

Decker pakte een stapel en begon.

Tweeënhalf uur later had hij aan de hand van de schriften en multomappen zes jaar van Ernesto's leven doorgenomen. De jongen had altijd goede cijfers gehaald – beter dan Jacob in vergelijkbare jaren – maar hij was niet de beste van zijn klas geweest. Hij had organisatorische problemen gehad met zijn huiswerk, met wiskunde en met opstellen. Dat verbaasde Decker niet, gezien de entropie van de kamer, hoewel de twee aspecten – nette kamer en geordende schoolspullen – niet altijd met elkaar verband hielden. Sammy was een sloddervos, maar erg precies wat zijn huiswerk betrof. Jacob was erg netjes op zijn spullen, maar ongeorganiseerd. Decker doorzocht iedere lade, iedere plank en al het beddengoed. Geen detail ontsnapte aan zijn aandacht. Hij keek achter alle elektrische apparatuur, klopte op de muren en de houten vloer. Hij vond veel losse vellen papier, maar niets over een stamboomproject, geen aantekeningen en geen onderzoeksmateriaal. Misschien had Ernesto zich verzoend met zijn onduidelijke afkomst en al het materiaal weggedaan.

Er waren ook geen nieuwsbrieven of afgedrukte internetartikelen over blanke superioriteit of neonazi-groeperingen, geen pamfletten van de HEI en geen foto's van SS-officieren of dode joden. Decker vond evenmin obscene brieven van Ruby Ranger.

Ook van de badkamer werd hij niets wijzer. Op de plank boven de wastafel zag hij tubetjes zalf tegen jeugdpuistjes, pillen voor seizoenallergie en een antiroosshampoo die Ernesto op doktersrecept had gekregen. Hij doorzocht de handdoekenkast, het medicijnkastje en een kastje voor losse spulletjes. Hij draaide flesjes open en rook aan de inhoud. Schudde wat van het poeder uit een fles talk op zijn hand, rook eraan, nam er iets van op het puntje van zijn tong en trok een gezicht. Het was inderdaad talkpoeder. Ernesto had geen verdachte gekleurde pilletjes, geen verborgen injectienaalden noch andere verboden spullen. Het meest controversiële voorwerp dat hij vond, was een doosje condooms.

Hij bekeek de inloopkast.

Er hingen veel shirts: poloshirts, vrijetijdsshirts, hawaïshirts, T-shirts (ongelooflijk veel T-shirts), hemden en sporthemden. Broeken in alle denkbare kleuren, spijkerbroeken in allerlei soorten, kakikleurige broeken, broeken van keperstof, corduroy, wol, katoen, nette pakken en een stuk of wat colbertjes, waaronder twee blauwe blazers voor school. En rekken vol schoenen.

Decker zuchtte, maar weerhield zich ervan aan zijn voorhoofd te krabben, omdat hij handschoenen droeg.

Hij bekeek de ingebouwde ladekast.

Nog meer T-shirts. En overhemden, gewassen en opgevouwen. Zwembroeken en ondergoed, zowel boxershorts als gewone onderbroeken: allemaal heel normaal, afgezien van de hoeveelheid, en heel deprimerend.

Twee laden voor sokken: een voor witte sportsokken, de andere voor gekleurde sokken. De laatste rook vaag naar kruiden.

Decker begon de opgerolde sokken uit elkaar te trekken. Hij vond wat drugs, maar niet veel: een klein zakje marihuana. Er was echter iets vreemds aan de la met de sportsokken. Toen hij die helemaal naar voren had getrokken, was hij ongeveer vijftien centimeter korter dan de andere laden.

Decker probeerde de lade van de rails te lichten, zodat hij erachter kon kijken, maar de la kwam niet los. Hij weerstond de neiging bruut geweld te gebruiken en probeerde niet gefrustreerd, maar logisch na te denken. Er moest een knopje zijn waarmee de la ontkoppeld kon worden. Hij haalde alle sokken eruit en bekeek de lege lade nauwkeurig. Toen hij niets bijzonders zag, tastte hij hem af met zijn vingertoppen en voelde in de linkerhoek achterin een kleine uitsparing, amper groter dan de indruk van een potloodpunt. Hij haalde een pen uit zijn zak en drukte met de punt in de uitsparing. Meteen kwam de lade los van de rails. Decker tilde hem uit de kast en tuurde in de lege ruimte.

Achter de lade zat een kleine safe met een combinatieslot. Hij haalde hem eruit en woog hem op zijn handen. Hij was verrassend licht. Het dilemma was nu of hij de ouders moest storen om erachter te komen wat de cijfercombinatie kon zijn, of het zelf proberen.

Hij koos voor de ouders, om precies te zijn Carter, die de combinatie echter niet wist, omdat hij niet eens van het bestaan van de safe had geweten. Hij reageerde wat defensief, maar dat kwam omdat hij de nagedachtenis aan zijn zoon wilde beschermen.

'Wat denkt u te vinden?' vroeg Golding.

'Ik weet het niet. Misschien drugs.'

'En als dat zo is, maakt het niets uit, nietwaar?'

'Tenzij hij erin handelde. Dat zou een reden kunnen zijn waarom hij is vermoord.'

'Hij handelde niet in drugs.'

'Hij gebruikte drugs. Ik heb al een kleine hoeveelheid hasj gevonden in zijn sokken. Het kan best zijn dat hier een kilo in zit en dat hij er steeds een klein beetje van nam voor eigen gebruik.'

Golding zweeg, gekweld en verslagen.

'Wat is Ernesto's geboortedatum?'

Een eenvoudige vraag waar zelfs Golding antwoord op kon geven. Hij vertelde het hem, zij het met tegenzin. Decker draaide de knop van het slot heen en weer, en de safe sprong open. Er lagen geen drugs, geen wapens, geen brieven, geen stamboom in, maar een stapel belastende foto's. Geen porno, maar niettemin obsceen. Mannen in gestreepte gevangenispakken, allemaal dood. Ongeveer twintig zwartwitfoto's, haarscherp, met op het gezicht van iedere man een ander dodenmasker. Sommigen hadden open monden, anderen open ogen, maar allen hadden het skeletachtige gezicht van de verhongering.

Golding staarde er in afgrijzen naar. 'Wat een afschuwelijke... weerzinwekkende foto's! Ik wil ze niet zien!'

'Mag ik ze meenemen?'

'Graag zelfs! Neem maar mee!'

Decker hield ze uit Goldings zicht. 'Het zijn originele foto's. Enig idee waar hij ze vandaan had?'

'Nee!' fluisterde Golding, misselijk van afgrijzen. 'Nee! Hoe moet ik dat nou weten!' Tranen rolden over zijn wangen. 'Neem ze alstublieft mee en ga weg!'

'Het spijt me dat ik dit heb moeten...'

'Gaat u nou toch weg, alstublieft!'

'Meneer Golding, weet u zeker dat u nog steeds wilt weten wie uw vader was?'

'Ja.' Langzaam richtte Golding zijn blik op Deckers gezicht. 'Ja, ik wil graag dat uw vrouw dat uitzoekt. Ik wil het weten. Ik *moet* het weten. Maar dat wil niet zeggen dat ik er zo grof mee geconfronteerd wil worden.'

24

MEESTAL KOOS ZE EEN ROUTE VIA DE BINNENWEGEN LANGS DE CANYONS wanneer ze 'over de heuvel' moest zijn, maar omdat ze vandaag niet bij haar ouders langsging, nam ze de snelweg 10 East, tot de afslag Robertson Boulevard en reed toen noordwaarts door het deel van de stad waar ze was opgegroeid.

Het was alweer twintig jaar geleden dat ze hier had gewoond. De wijk was zo joods geworden dat je je in Brooklyn zou wanen als de palmbomen er niet waren geweest. Niet dat ze nooit redenen had om naar de stad terug te keren, maar ze ging zelden verder dan het huis van haar ouders in North Beverly Hills. De religieuze gemeenschap in de wijk waar ze nu woonde, had alles wat ze nodig had, van goedkope pizzatenten voor de kinderen tot gezinsrestaurants met alcoholvergunning. Koosjere slagers en bakkers waren geen probleem, dus waarom zou ze het zo ver van huis zoeken? Toch kreeg ze een nostalgisch gevoel toen ze langs de koosjere etablissementen reed, de open groentewinkels met de stellingen vol groenten en fruit, en de joodse boekwinkels waar niet alleen *sefarim*, maar ook religieuze artikelen werden verkocht. De nog steeds onafhankelijke supermarkt Morry's – waarvan de eigenaar niet Morry maar Irv heette – had cliënten onder alle bewoners en leverde producten die moeilijk te krijgen waren, zoals koosjere kaassoorten en tortilla's van koosjer meel.

Er waren veel religieuze scholen en jesjiva's, want er waren heel veel kinderen: een klap in het gezicht van Hitler. En het was logisch dat een instituut dat zich bezighield met de holocaust, een plaats had gekregen te midden van mensen die die hel zelf hadden meegemaakt.

Rina's ouders, die beiden de kampen hadden overleefd, werden inmiddels een jaartje ouder. Haar vader liep met een stok en haar moeder sprak en liep trager dan vroeger. Ze waren beiden nog helder van geest, maar soms deden de problemen van de ouderdom hun glimlach verflauwen. Ze hielden veel van Hannah, maar Rina had gemerkt dat haar dochtertje soms doodgewoon te druk voor hen was. Ze ging daarom minder vaak met haar bij hen op bezoek dan ze vroeger met de jongens had gedaan en dat vond ze jammer.

Ze wierp een zijdelingse blik op Tom Webster, die met zijn handen op zijn schoot naast haar zat en voor zich uit staarde. Ze had de Volvo schoongemaakt voordat ze hem had afgehaald, maar de wagen rook nog steeds een beetje muf. Al kon dat ook aan de smog liggen. De rechercheur had niet veel gezegd sinds ze hem bij het politiebureau had afgehaald. Hij voelde zich waarschijnlijk niet erg op zijn gemak bij de vrouw van zijn baas, een eigenaardige joodse vrouw die een hoofddoek om had en zelfs in deze hitte lange mouwen droeg die ze tot haar ellebogen oprolde. Tom was een typische goj met zijn blonde haar, blauwe ogen, magere gezicht en zuidelijke accent. Misschien zag hij ook op tegen het bezoek aan het Tolerance Center. Webster was daar nog nooit geweest, terwijl Rina er kind aan huis was. Ze besloot een praatje met hem aan te knopen. Hij zat er zo stijfjes bij in zijn blauwe pak, witte overhemd en blauwe stropdas. Aangezien ze allebei nogal warm gekleed waren, had ze de airconditioning in de hoogste stand gezet.

'Als je vragen hebt, moet je het zeggen, Tom.'

Hij draaide zijn hoofd naar haar toe, liet zijn handen op zijn schoot liggen. 'Nee, op het moment niet.' Hij sprak met afgemeten stem. 'Straks waarschijnlijk wel.'

'We gaan niet naar het museum. Het onderzoekscentrum ligt ertegenover. Daar zijn de bibliotheek en de archieven ondergebracht, tot de renovatie rond is.'

'Aha.'

'Ben je ooit in deze buurt geweest?'

'Nee. Ik ben wel een paar keer in Beverly Hills geweest voor de klassieke autoshow in Rodeo Drive. Kent u die? Dan zetten ze alle straten af en er is een kermisachtige toestand bij. Heel leuk, vooral voor mijn zoon. Die is gek op auto's.'

'Daar zitten vast wel fraaie exemplaren bij.'

'In mijn ogen wel. Maar voor de rijke bewoners van Beverly Hills zijn ze waarschijnlijk niets bijzonders.'

Rina zei: 'Mijn ouders wonen in Beverly Hills en hebben een doodgewone Pontiac.'

Webster bloosde en stamelde iets verontschuldigends.

'Rustig maar.' Rina glimlachte. 'Mijn ouders zijn welgesteld, maar hebben geen enkele belangstelling voor auto's. Peter wel. Die is stapel op zijn Porsche. Ook mijn jongste zoon is gek met auto's. Vooral *hot rods*.'

'Een jongen naar mijn hart.'

'Hij vindt de Viper en de Sheldon erg mooi... heb ik de namen goed?'

'Shelby...'

'Ja, dat is 'm.' Rina lachte. 'Mijn oudste zoon geeft er niets om. Die leeft in zijn eigen gedachtewereld. Gek, dat ze zo verschillend zijn.'

'Ja,' zei Webster aarzelend. Hij voelde zich nog steeds niet op zijn gemak. 'Dus... u bent hier opgegroeid?'

'Ja.'

'Maar de inspecteur niet.'

'Nee...' Rina glimlachte. 'Hij is opgegroeid in Florida. In Gainesville.'

'O ja?' zei Webster verrast. 'Dan komt ook hij dus uit het diepe zuiden.'

'Inderdaad.'

Webster wilde iets zeggen, maar deed zijn mond weer dicht. Rina wist wat zijn vraag zou zijn geweest, als hij die had durven stellen. Waar hadden Peter en zij elkaar dan in hemelsnaam leren kennen? Het antwoord was: tijdens het onderzoek naar een moord. Hij was de leidinggevende rechercheur, zij de hoofdgetuige. Ze hadden niets gemeen. Hij was een man van de wereld, zij had niet veel van de wereld gezien. Zij was religieus, hij niet. Hij was gescheiden, zij was weduwe. Ze kwamen uit heel verschillende werelden en het had nooit wat moeten worden.

Als er niet zo'n enorme aantrekkingskracht tussen hen had bestaan.

Ze glimlachte in zichzelf.

Dat was wat Webster wilde weten, maar ze vertelde hem niets. Ze richtte haar aandacht weer op de weg en bewaarde een professionele afstand waarbij ze zich allebei op hun gemak voelden.

Het museum was gevestigd in een hoog gebouw van roze en zwart marmer; het onderzoekcentrum aan de overkant van de straat maakte een veel zakelijker indruk. Ze kwamen eerst in een kleine hal waar een bewaker zat. Webster liet zijn penning zien en Rina schreef hun namen in het register. De bewaker gaf per walkietalkie door dat ze er waren. Even later gleden de deuren van een van de vier liften open en kwam een magere vrouw naar buiten. Ze was midden vijftig, gekleed in een eenvoudige zwarte jurk, had sprankelende blauwe ogen en een bos gitzwarte, korte krullen. Ze had Rina's oudere zuster kunnen zijn. Ze kuste Rina's wang.

'Hoe is het ermee? Je man zal het wel druk hebben met die afgrijselijke moorden.'

'Het zijn inderdaad afgrijselijke moorden. Dat is een van de redenen waarom ik hier ben. Dit is rechercheur Tom Webster. Hij heeft informatie nodig.'

De vrouw gaf hem een hand. 'Hebben wij elkaar niet al eens ontmoet?'

Ze had zo'n zwaar New Yorks accent dat het bijna leek alsof ze het erom deed.

Webster zei: 'Dat geloof ik niet...'

'Jawel, jawel.' Ze tikte met een lange, rode, gemanicuurde nagel tegen haar slaap. 'Maar niet in het kader van uw of mijn werk. Het was in...' Weer tikte ze tegen haar slaap. 'Moment... Baja Mexico, niet het land, maar het restaurant. Uw zoon had kip *fajita grande* besteld en deelde die met mijn kleinzoon, die de vegetarische burrito had genomen. Uw vrouw was hoogzwanger. Het was... zeven of acht maanden geleden bij een van die autoshows in Beverly Hills.' Ze drukte op de

knop van de lift. 'Wat is het geworden? Een jongen of een meisje?'
Webster staarde haar aan. 'Eh, een meisje.'
'O, wat fijn! Ze wilde zo graag een meisje. Ze had niets tegen u gezegd omdat ze u niet van streek wilde maken, voor het geval het weer een jongetje zou zijn. Wilt u haar namens mij feliciteren?'
Webster was met stomheid geslagen. De liftdeuren gleden open. Ze stapten in. Zodra de deuren dicht waren, glimlachte de vrouw naar hem. Ze had mooie, witte tanden. 'Heb ik me al voorgesteld? Kate Mandelbaum. Hoe heet uw vrouw ook alweer? Karen?'
'Carrie.'
'Da's waar ook. Kijk maar niet zo benauwd dat u zich mij niet kunt herinneren. Ik oefen in gezichten onthouden. Dat komt me bij mijn werk goed van pas.'
Ze stapten uit op de derde verdieping. Kate ging hun voor door een lange gang, heupwiegend vanwege haar hoge hakken. Zodra ze haar kantoor waren binnengegaan, drukte ze op het knipperende knopje van haar antwoordapparaat en luisterde terwijl ze een stapeltje kaartjes met binnengekomen berichten doorkeek.
'Hallo, Kate...'
Ze wiste het bericht.
'Hallo, Katie...'
Dat bericht spoelde ze door.
'Kate, met Neil. Ik vroeg me af of je het dossier over Farkas van me kon overnemen...'
'Ben je mal!' Ze wiste het bericht.
'Hallo oma. Met mij... Reuven. Ik vroeg me af of u naar de grootouderdag op mijn school zou willen komen. Ik zing ook in het koor. Maar geen solo. Bel me maar op nummer...'
Ze spoelde het bericht door. 'Alsof ik het nummer niet weet.' Ze drukte op de snelkeuzetoets om verbinding te maken. 'Dag lieverd. Ik heb je bericht ontvangen en wil graag komen. Geef maar door wanneer en waar. Tot dan. Daag!' Ze plofte op een stoel neer en wuifde zich koelte toe met een pamflet. Ze zei tegen Rina: 'Je wilt dus dat ik hem iets vertel over racistische groeperingen? Maar jij weet daar inmiddels net zo veel over als ik.'
'Dank je voor het compliment,' antwoordde Rina.
Webster pakte zijn notitieboekje. 'Ik meen dat u al eens met een van mijn collega's hebt gesproken. Wanda Bontemps.'
'Ja, Wanda ken ik,' antwoordde Kate. 'U werkt dus met haar samen?'
'Zelfde locatie, andere afdeling. Ik zit op Moordzaken.'
'Dan denkt u dus dat blanke racisten iets te maken hebben met de moord op die twee psychologen. Dat zou me niets verbazen. Racisten haten psychologen bijna net zo erg als joden.'
'De meeste psychologen zijn trouwens joods,' zei Rina.
'Ja, en dat versterkt hun paranoïde ideeën dat de joden het op hen

voorzien hebben. Het verandert hun hersenen in pulp. De weinige hersenen die ze hebben.' Kate wendde zich tot Webster. 'Ik heb trouwens gehoord dat er een homoseksueel aspect aan de zaak kleeft. Dat de vrouw haar man en de jongen in een compromitterende houding heeft aangetroffen.'

'Het onderzoek is nog gaande,' zei Webster.

'Dat wil zeggen dat hij er niet over kan praten,' zei Rina.

Kate zei: 'Ernesto Golding, de jongen die samen met Merv Baldwin is vermoord, is degene die zo heeft huisgehouden in jullie synagoge, niet?'

Rina knikte.

'Dus je denkt dat er een verband tussen die zaken bestaat?'

'Geen idee,' zei Rina. 'Ik ben alleen meegekomen om rechercheur Webster te helpen.'

'Kom, kom, je man vertelt je vast wel dingen.'

'Nee, echt niet.'

'Ik geloof je niet.'

'In Amerika mag je geloven wat je wilt,' antwoordde Rina.

'Heel grappig. Goed, wat wilt u weten, rechercheur? Wat had Wanda u niet kunnen vertellen?'

Webster zei: 'Wanda is deskundig in het onderzoeken van racistische misdaden zoals die van Ernesto Golding: vandalisme door rijke, blanke tieners die zich vervelen. Een drievoudige moord is een heel andere zaak. We nemen van alles onder de loep, inclusief plaatselijke groeperingen van blanke racisten.'

'Hoe plaatselijk?'

'Zuid-Californië.'

'In Zuid-Californië wemelt het van die groeperingen. San Diego, bijvoorbeeld, is het terrein van Tom Metzger. Kent u Tom Metzger?'

'Ja. De American Nazi Party...'

'Nee, de ANP is opgericht door George Lincoln Rockwell en zit in Chicago. Niet te verwarren met de thuisbasis van de NSDAP, die in Lincoln, Nebraska zit. Metzgers groepering is de White Aryan Resistance, oftewel WAR.'

'Wat is het verschil?' vroeg Webster.

'Hun namen. Alle groeperingen zaaien haat.'

'Hoeveel groeperingen zijn er in Zuid-Californië?'

'Twintig tot vijfentwintig. Dit wil niet zeggen dat Zuid-Californië bol staat van die lammelingen, alleen dat het moeilijk is nauwkeurige cijfers te geven, omdat de groeperingen voortdurend veranderen.'

'Kunt u me wat namen geven?'

'Ik weet dat hier een afdeling zit van de World Church of the Creator...'

'Wat is dat?' vroeg Webster.

'Een zijtak van de American White Party... Matthew Hale,' antwoordde Rina.

Kate zei: 'Hale heeft er in 1995 de leiding overgenomen. Het is een groepering van blanke racisten, gebaseerd op sociaal darwinisme, op survival of the fittest. Het kan hun niet schelen wie je bent, als je maar blank bent. Ze zijn atheïst, in tegenstelling tot de christelijke racistische sekten die het christendom gebruiken om hun racisme te rechtvaardigen. Zo ongeveer iedere etnische groepering heeft een racistische tegenhanger: de latino's hebben Aztlan, de Afro-Amerikanen hebben de Nation of the Islam. Blanken hebben veel keus: aftakkingen van de Klan, de neonazi's, de Straight Edges, de Skinheads, de Peckerwoods...'

'Peckerwoods?' Webster lachte. 'Wie noemt zich nou een Peckerwood?'

'Peckerwood was oorspronkelijk een scheldnaam voor negers,' zei Kate. 'Peckerwoods gebruiken drugsgeld om hun neonazi-activiteiten te financieren, in tegenstelling tot groeperingen als de Hammerskins, van wie men zegt dat ze tegen drugshandel zijn. Dit is globaal genomen het partijprogramma. De verschillen zijn miniem en worden met de dag kleiner.'

Rina zei: 'Ik geloof dat rechercheur Webster in het bijzonder belangstelling heeft voor de Hoeders van de Etnische Integriteit, omdat de thuisbasis daarvan in de North Valley zit.'

'De Hoeders van de Etnische Integriteit.' Kate knikte. 'Oorspronkelijk een afsplitsing van de World Church of the Creator. De afgelopen vier jaar hebben ze hard gewerkt om hun imago in een net jasje te steken. Ze hebben het bijvoorbeeld niet meer over blanke suprematie en zelfs niet over het blanke ras. In plaats daarvan gebruiken ze termen als de integriteit van de Europees-Amerikaan, die dan in dezelfde categorie zit als de Afro-Amerikaan en de Latijns-Amerikaan.' Ze ging achter haar bureau zitten en bewoog de muis om haar bewegende screensaver te laten verdwijnen. 'De HEI zal wel een website hebben.'

'Ja, die hebben ze.' Webster gaf haar de URL. 'Ik had gehoopt dat u me méér zou kunnen vertellen dan wat ik al op internet heb gelezen.'

'Nou, laten we eerst even kijken naar wat ze preken. Aan de leuzen kunnen we meestal al zien met wie ze zich verwant voelen.' Zodra de webpagina op het scherm kwam, trok Kate een gezicht. De thuispagina had felle kleuren en was driedimensionaal. Ze zagen een gedetailleerde, driedimensionale Uncle Sam die de wacht hield bij een topografische kaart van de Verenigde Staten. 'De lay-out is nieuw... en van erg goede kwaliteit. Het werk van een beroeps. Ze hebben blijkbaar een goede geldschieter.'

'Waar kan dergelijk geld vandaan komen?' vroeg Webster.

'Dat weet ik niet, en dat is een probleem. Onlangs hebben twee blanke racisten hun maatschappij in Silicon Valley voor meer dan honderd miljoen dollar aan een grote computermaatschappij verkocht. Vervolgens hebben ze een gigantische racistische campagne gefinancierd in de Tri-state: Washington, Oregon en Idaho. En nu wordt het geld van hun dot-com gebruikt om de advocaten te betalen die Garvey McKenna verdedigen.'

'Die ken ik niet,' zei Webster.

'Een gewelddadige racist,' zei Rina. 'Hij had zijn werkterrein in Sacramento. Hij was betrokken bij de brandstichting in twee synagogen en een zwarte baptistenkerk. Hij wordt momenteel berecht voor de beroving en mishandeling van een joodse juwelier in Sacramento.' Rina fronste. 'Was hij niet al schuldig bevonden?'

'Hij is in hoger beroep gegaan,' antwoordde Kate. 'Het is echt treurig. Een van de manieren om deze lui te grazen te nemen, is via rechtszaken. Hen aanklagen tot ze failliet zijn. Maar door de toevloed van technogeld wordt dat voor ons steeds moeilijker.'

'Hoe zit het met de Hoeders van de Etnische Integriteit?' vroeg Webster.

'Ik weet niet wie hun geldschieter is.'

Rina vroeg: 'Hoeveel mensen loggen op hun webpagina in?'

'De webpagina die ik hier op het scherm heb...' Kate drukte wat toetsen in. '... krijgt gemiddeld zeventig bezoekers per dag. Sommigen van hen hebben cookies – identificeerbare pixels – die dienst doen als een computerspoor. We kunnen nagaan waar de bezoekers hiervandaan naartoe gaan, welke webpagina's ze nog meer bekijken. Veel van hen hebben naspeurbare pixels, zodat we kunnen zien waar de berichten vandaan komen.'

'Kunt u de adressen achterhalen?' vroeg Webster.

'Nee, maar meestal wel de stad. Internet is een sluw ding. Ze zeggen dat je privacy wordt gewaarborgd, maar in werkelijkheid laat alles een duidelijk elektronisch spoor achter. Je moet alleen weten waar je zoeken moet.'

'Dus u houdt de mensen in de gaten die deze webpagina's bezoeken?'

'We kunnen ze onmogelijk allemaal in de gaten houden, maar als een naam een bepaald aantal keren opduikt bij bepaalde webpagina's, leggen we een dossier aan over die persoon. Goh, het grafische werk van deze website is echt geweldig.'

'Zegt de naam Ricky Moke u iets?' vroeg Webster.

'Ricky Moke,' herhaalde Kate. 'Nee. Wie is dat?'

'Daar proberen we juist achter te komen,' zei Webster. 'Zijn naam staat op de FBI-lijst van computerhackers. Zes maanden geleden, toen de synagoge was vernield, ben ik Darrell Holt van de HEI vragen gaan stellen. Zijn assistente, een jong meisje genaamd Erin Kershan, noemde de naam Ricky Moke. Maar niemand weet wie hij is.'

'Ik zal hem opzoeken.'

'En Darrell Holt zelf?'

'Die houden we al een tijdje in de gaten,' zei Kate.

'Iemand heeft me verteld dat hij ongeveer vier jaar bij de HEI zit. Klopt dat?'

'Ja.'

'Darrell is dus bij de HEI gekomen toen ze daar begonnen hun imago te verbeteren,' merkte Rina op. 'Misschien is dat van hém uitgegaan.'

'Dat klinkt logisch,' zei Kate. 'Darrell had een diploma van UC Santa Cruz...'

'Ik dacht van Berkeley,' zei Webster.

'Kan ook. Hij was van radicaal omgeturnd in conservatief. Dat zie je bij die lui wel vaker. Tom Metzger was een communist voordat hij een nazi werd. Ik zal Holt straks in de computer opzoeken. Laten we eerst eens kijken waar de HEI nu mee bezig is. Oké, dit is hun huidige stokpaardje. Ze verzetten zich tegen de nieuwe wereldorde...'

'En die is?' vroeg Webster.

'Alles wat samenwerking en vrede tussen landen bewerkstelligt,' zei Kate. 'Toen Bush sr. president was, had hij het vaak over een nieuwe wereldorde. Dat voedde de achtervolgingswaanzin van al die geschifte figuren inzake regeringscomplotten. Ze begonnen anarchie te preken, met als strijdwapen het opblazen van regeringsgebouwen. Willis Carto, uit Escondido in Zuid-Californië, geeft een krant uit genaamd *The Spotlight*, een van de oudste antisemitische propagandabladen, die nu bijna geheel anti-nieuwewereldorde is. Misschien heeft ook de HEI zijn oorsprong in Escondido. Misschien komt het geld voor dit prachtige grafische werk daarvandaan.'

'Als Ricky Moke bestaat,' zei Rina, 'en als hij een computerdeskundige is die lid is van de HEI, heeft *hij* de website misschien voor hen gemaakt. Gratis.'

Dat vond Webster slim bedacht en dat zei hij ook tegen haar. Hij keek over Kates schouder mee toen ze begon te scrollen. Ze zei: 'Nee, de HEI kan niet verbonden zijn met de World Church of Christ. Ze zijn anti-Third Position.'

Rina zei: 'De Third Position vindt dat nationaliteit niet relevant is, zolang je maar blank bent.'

'U bent blank,' zei Webster tegen Rina. 'Zou u lid kunnen worden?'

Kate gaf antwoord op zijn vraag. 'In wezen kan ze dat, omdat de Third Position van mening is dat blanke joden geen echte joden zijn. Als ze dus haar joodse identiteit zou laten varen en zich zou uitspreken voor blanke superioriteit, zouden ze haar waarschijnlijk als lid opnemen.'

Webster zei: 'U weet dat Darrell Holt een beetje zwart is.'

Kate keek op van het scherm en dacht even na. 'Hoe kun je een beetje zwart zijn? Dat is net zoiets als "een beetje zwanger".'

'Hij ziet eruit alsof hij gemengd bloed heeft,' zei Webster. 'Hebt u hem nooit gezien?'

'Alleen op foto's. Hij zegt dat hij Cajun is. Hij lijkt mij typisch iemand uit New Orleans.'

'Ik heb hem horen zeggen dat hij een Acadiër is uit Canada. Nova Scotia. En dat zou best eens waar kunnen zijn, want de Acadiërs uit Nova Scotia hebben negerbloed.'

'Dan zou het logisch zijn dat hij anti-Third Position is,' zei Rina.

'We hebben dus te maken met een man die een voorstander van apartheid en een racist is, maar geen blanke racist omdat hij negerbloed heeft,' zei Webster. 'Waarom heeft hij zich dan niet aangesloten bij een groepering als de Nation of Islam?'

'Misschien heeft hij dat in Berkeley geprobeerd, maar was hij niet zwart genoeg,' zei Rina.

Webster glimlachte. 'Dat zou een mop zijn. Iemand met een racistische inslag, die te gemengd bloed heeft om bij een groepering te kunnen horen.'

'En daarom zijn eigen groepering opricht,' zei Rina.

'Nee, de HEI bestaat al langer dan vier jaar,' zei Kate.

'Maar vier jaar geleden hebben ze hun imago veranderd,' bracht Webster haar in herinnering.

'Je hebt het zelf gezegd, Kate,' zei Rina. 'Holt heeft diverse transformaties ondergaan.'

'Misschien kunt u Holt even opzoeken?' vroeg Webster.

'Laat me eerst deze pagina even sluiten...' Ze klikte de officiële webpagina van de HEI weg en tikte 'Darrell Holt' in als zoekterm. 'Hij heeft een eigen webpagina... gelinkt aan de HEI.'

'Wie heeft de HEI opgericht?' vroeg Webster.

'Ik geloof dat het oorspronkelijk een splintergroep van de Methods of Mad White Boys was, een van de survival-militiegroepen van Garvey McKenna in Idaho.'

'Een survival-militiegroep,' herhaalde Webster. 'Heeft hij een militaire achtergrond?'

'Dat geloof ik wel. De marine, als ik me niet vergis.'

'Kijk eens aan,' zei Webster. 'Zegt de naam Hank Tarpin u iets?'

'Dertig seconden geleden nog niet,' antwoordde Kate. 'Maar nu wel, want Holts webpagina heeft een link naar Tarpin.'

25

DECKER VROEG: 'ALS TARPIN DE BALDWINS HEEFT VERMOORD VANWEGE zijn racistische ideologie, waarom heeft hij daar dan zo lang mee gewacht?'

'Hij had een handlanger nodig,' antwoordde Oliver. 'Er kwamen allerlei soorten psychopaten naar die survivalkampen van de Baldwins. Tarpin heeft gewacht tot er een geschikte bij zat.'

'En het heeft acht jaar geduurd voordat hij de juiste psychopaat had gevonden?' vroeg Wanda Bontemps sceptisch.

'Tarpin heeft veel geduld,' antwoordde Oliver.

Wanda sprak hem niet tegen. Scott stond in rang boven haar en ze wilde hem niet tegen zich in het harnas jagen door aanmerkingen te maken op zijn verzinsels, ook al zagen de anderen die ook niet erg zitten. Het was bijna twee uur 's middags en in Deckers kantoor hing de bedompte geur van sportsokken. De bureauventilator stond in de hoogste stand, maar bracht weinig verkoeling. Hij blies wél paperassen in het rond. Decker kwam koffiemokken te kort om als presse-papier te gebruiken. Iedereen wuifde zich koelte toe met de pamfletten over de op handen zijnde LAPD-picknick in Rodgers Park. *We wensen jullie een veilige en rustige Onafhankelijkheidsdag met mooi vuurwerk.* Decker zat te wachten op de rapporten van de patholoog-anatoom en de afdeling Ballistiek. Misschien zouden de resultaten van de forensische onderzoeken uitwijzen wie de moordenaar was.

Marge zei: 'Neem me niet kwalijk dat ik het vraag, maar de Baldwins waren psychologen. Dan zouden ze toch veel mensenkennis moeten hebben? Hoe komt het dan dat ze er geen flauw idee van hadden dat Tarpin hun naar het leven stond?'

'Ze waren arrogant.' Oliver hield voet bij stuk. 'Het concept van de oude Grieken... hoogmoed komt voor de val.'

'*Hubris*,' antwoordde Marge.

'Hoe weet *jij* dat?'

Marge verstijfde. 'Om te beginnen, Scott, ben ik niet dom. Bovendien leert Vega momenteel *Oedipus Rex* op school.'

'Tarpin is degene die de lijken heeft gevonden,' zei Oliver. 'Hij was de enige met voldoende kennis van zaken om de moord te hebben kunnen plegen. De jongen over wie Webster het had... Riley Barns... zei dat hij gedaanten heeft gezien.'

Decker zei: 'Barns was daar vaag over. Misschien heeft hij gedaanten gezien; misschien droomde hij.'

'Hij droomde niet,' hield Oliver vol. 'Hij heeft twee gedaanten gezien: Holt en Tarpin. Twee survivalists; allebei met een militaire achtergrond. Ze hebben gewacht tot iedereen sliep. Toen hebben ze een camouflagepak aangetrokken en Baldwin en Ernesto vermoord, waarna ze stilletjes zijn weggeslopen. Tarpin is teruggekeerd naar de jongens, Holt is Dee gaan vermoorden.'

Martinez zei: 'Scott, het is net zo aannemelijk dat Dee Baldwin uit wroeging de hand aan zichzelf heeft geslagen, nadat ze haar man in een vlaag van woede had vermoord, omdat ze hem samen met Ernesto had betrapt.'

Marge trok een gezicht. 'Dat lijkt me sterk.'

'Je hebt het lijk niet gezien. Alles wijst op zelfmoord.'

Webster zei: 'Tarpin gaat om met ongure figuren, Bert. Jullie zouden de artikelen eens moeten lezen over Garvey McKenna en zijn militie – de Methods of Mad White Boys.'

'Het zijn idioten,' zei Martinez.

'Dat wil nog niet zeggen dat ze niet gewelddadig zijn,' ging Webster ertegen in.

'Misschien is dat de reden waarom Tarpin bij die groep is weggegaan,' opperde Martinez.

'Waarom verdedig jij die lamstraal van een Tarpin?' vroeg Oliver aan Bert.

'Ik *verdedig* hem niet.' Martinez zette zijn stekels op. 'Het lijkt me alleen raar dat Tarpin en Holt, met al hun racistische ideeën, jaren hebben zitten duimendraaien voordat ze de Baldwins hebben vermoord. Vooral omdat hij en Holt elkaar misschien al heel lang kennen.'

'Misschien is de factor geld erbij gekomen,' zei Wanda.

'Kan ook,' zei Oliver. 'Iemand van de HEI heeft Tarpin betaald om de Baldwins te vermoorden, omdat de Baldwins niet alleen liberale rakkers waren, maar ook nog psychotherapeuten, en omdat ze bij de HEI wisten dat Tarpin bij hen over de vloer kwam.'

Decker trok een gezicht. 'Ik heb anders niemand horen zeggen dat de Baldwins ten strijde trokken tegen de HEI of andere racistische groeperingen. Het lijkt mij nogal onlogisch dat juist zij het doelwit van zo'n groepering zouden zijn.'

'Heeft Ernesto's vader niet erg liberale politieke denkbeelden?' vroeg Wanda.

'Aha!' zei Oliver triomfantelijk. 'Drie in één klap.'

'Ernesto is vermoord, niet zijn vader,' zei Marge.

'Als je iemand echt wilt raken, pak je zijn kinderen,' zei Oliver.

'Dat is waar.' Decker formuleerde zijn gedachten. 'Maar als Tarpin het heeft gedaan, heeft hij wel erg de aandacht op zichzelf gevestigd. Er zijn veiliger manieren om iemand te vermoorden.'

Martinez zei: 'Vind ik ook. Waarom zou Tarpin de aandacht op zichzelf vestigen?'

'Omdat hij een achterlijke racist is,' zei Oliver.

'Geef me een echte reden, Scott,' zei Martinez, 'niet "dat hij een achterlijke racist is".'

'Is dat niet genoeg?'

'Nee, als je een achterlijke racist bent, hoef je nog geen drievoudig moordenaar te zijn,' antwoordde Martinez.

'Maar het kan wel.'

'Deze discussie wordt zo langzamerhand erg infantiel,' zei Marge.

Wanda opperde: 'Is het mogelijk dat een van de jongens in het kamp gecharmeerd was van Tarpins racistische denkbeelden en die op een extreme manier in praktijk heeft gebracht?'

'Alles is mogelijk,' zei Decker. 'Laten we beginnen met wat we weten. Mogelijkheid A: een drievoudige moord. Mogelijkheid B: een dubbele moord en een zelfmoord.'

'De moordenaar heeft een geluiddemper gebruikt,' zei Marge. 'Als het een impulsieve daad van Dee was, zou ze geen pistool met geluiddemper bij zich gehad hebben.'

'Misschien verdacht ze haar man al jaren en had ze nu pas voldoende moed bij elkaar geraapt. We weten het doodgewoon niet.'

'Bert heeft gelijk,' zei Decker. 'Wat we wél weten, is dat Hank Tarpin nog leeft en dat hij in het kamp was op het tijdstip van de moorden. We weten dat Hank Tarpin de lijken heeft gevonden. We weten dat Tarpin lid is van de HEI, net als Holt. We weten dat Tarpin een ex-marinier is, net als Garvey McKenna. We moeten Tarpin nog een keer aan de tand voelen.'

Martinez zei: 'Ondanks dat we hem al vier uur hebben ondervraagd zonder dat er een advocaat bij was en we niets te weten zijn gekomen?'

'We moeten het nog een keer proberen,' zei Decker. 'Bedenk een aannemelijke smoes zodat hij niet meteen juridische dekking zoekt.'

Marge zei: 'Misschien dat we vermoeden dat de Baldwins hun invloed gebruikten om kinderen op bepaalde universiteiten te krijgen, en dat we willen weten wat Tarpin daarvan denkt?'

'Dat is geen smoes, dat is de waarheid,' zei Oliver. 'De Baldwins gebruikten écht hun invloed om kinderen op de beste hogescholen te krijgen.'

Decker zei: 'Des te beter. Dan komen we geloofwaardig over.'

'Maar Deck, daar weet Tarpin waarschijnlijk helemaal niets van,' zei Martinez. 'Hij is alleen maar de kampleider.'

'Is dat wel zo?' vroeg Decker. 'Misschien zijn er jongens die hem verteld hebben hoezeer ze van de Baldwins afhankelijk zijn om op bepaalde universiteiten te komen en dat ze er daarom in hebben toegestemd deel te nemen aan hun survivalkampen. Als je iets beters weet, Bert, wil ik dat graag horen.'

Stilte.

'Goed, Bert en Tom gaan met Tarpin praten.' Decker zette de opdracht in zijn logboek. 'Verder moeten we contact opnemen met Marjam Estes, die Baldwins praktijk nu waarneemt.'

'Is dat huiszoekingsbevel er nog steeds niet?' vroeg Marge.

'Nee.' Decker keek op van zijn notitieboekje en liet zijn ogen heen en weer gaan tussen Marge en Oliver. 'Maar zelfs als we toestemming krijgen om alle dossiers door te nemen, zullen we de zaak moeten toespitsen. Probeer Estes dus over te halen ons te helpen. Zoek uit of er kinderen of ouders zijn die wrok koesterden jegens de Baldwins. Vragen?'

Geen vragen.

'Dan kunnen we aan de slag.' Decker keek naar Bontemps. 'Jij belt de Raad van Examinatoren om uit te zoeken of er in de afgelopen tien jaar klachten zijn ingediend tegen de Baldwins. Verder bekijk je de bankrekeningen van de Baldwins, hun onroerend goed, andere bezittingen en wat je verder maar te pakken kunt krijgen. Probeer er een idee van te krijgen wat ze waard zijn en of er grote bedragen zijn overgemaakt. Wanneer je daarmee klaar bent, moet je hun verzekeringspolissen bekijken. Wat voor soort verzekeringen ze hadden, wie de begunstigden zijn, wie profijt heeft van hun dood.'

Martinez zei: 'Iemand moet uitzoeken of ze huwelijksproblemen hadden. Dat zou de moord/zelfmoordtheorie ondersteunen.'

Decker zei: 'Wanda, steek ook op dat gebied je voelsprieten uit. Is er al nieuws over Ruby Ranger?'

Wanda antwoordde: 'Ik bel iedere dag alle bureaus in San Francisco. Ze hebben haar auto nog steeds niet gezien.'

'Dan is ze daar misschien niet. Maar blijf bellen.' Hij schreef haar taken in het logboek. 'We hebben dus allemaal iets te doen. Ik ga naar het mortuarium om te zien wat de bevindingen van de patholoog-anatoom zijn. Ernesto's lichaam is een uur geleden vrijgegeven. De begrafenis is om zes uur en iedereen moet daarbij aanwezig zijn. We weten nog niet wat er is gebeurd, maar zelfs als Ernesto zijn dood heeft uitgelokt, is het voor de ouders een afgrijselijke tragedie. Als iemand hier nog iets belangrijks aan toe te voegen heeft, moet hij of zij dat nú zeggen.'

Stilte.

Decker stond op. 'Adios, amigo's. Veel succes.'

Het grootste deel van de beschikbare vloerruimte van de bibliotheek werd in beslag genomen door dozen en klapstoelen van de lezing die er de avond tevoren was gehouden. Het was een zeer geslaagd evenement geweest met meer dan tweehonderd man publiek, volgens Georgia Rackman, de hoofdarchivaris van het Center, een forse vrouw met brede polsen en enkels, en geblondeerd haar, dat was getoupeerd en stijf stond van de lak. Ze had een rond, gaaf, openhartig gezicht, en sprekende bruine ogen die dik waren aangezet met eyeliner. Ze sprak met een zwaar Texaans accent en verontschuldigde zich niet voor het feit dat haar stem ver boven het gebruikelijke volumeniveau zat.

'In Dallas,' schalde ze, 'doen we alles op grote schaal.'

De bibliotheek was ingericht met een eenvoudig, verstelbaar plankensysteem en bevatte duizenden boeken, alle gewijd aan de rampzalige gevolgen van de oorlog. Zo veel titels... te veel memoires: *De archieven van de holocaust, De holocaust en de geschiedenis van het ontstaan van Israël, De joden van Warschau, De dagboeken van de dodenkampen, De opstand in Warschau, Wandelen met geesten*... Maar de joden waren niet de enige etnische groep die was vertegenwoordigd. Andere boeken gingen over de massamoord op de Armeniërs, de slachting die door de atoombommen was aangericht in Hiroshima en Nagasaki, de uitroeiing van de Cambodjanen onder Pol Pot, de burgeroorlog tussen de Hutu's en de Tutsi's in Afrika, het bloedbad in het voormalige Belgisch-Kongo. Het was Rina duidelijk dat geen van de groepen vervolging kon opeisen als iets wat alleen hun eigen was – een erg trieste conclusie over de aard van de mens.

De kleine bibliotheek bood werk aan een fulltime bibliothecaris, een fulltime archivaris, een parttime archivaris en twee studenten uit Oostenrijk die een jaar in het Center werkten in plaats van in hun eigen land in militaire dienst te hoeven.

Georgia zat aan haar bureau en bekeek de zwartwitfoto's die Rina haar had gegeven. 'Ze zeggen me niet veel. Ik weet niet eens of ze authentiek zijn. Het papier lijkt erg nieuw.'

Rina woog de mogelijkheden af. 'Je kunt tegenwoordig veel doen met computers. Of misschien zijn het nieuwe afdrukken van oude negatieven.'

'Dat is inderdaad een mogelijkheid.' Georgia bestudeerde er een. 'Jammer genoeg vertellen ze me niets specifieks, maar ik zal ze aan wat mensen laten zien. Bijna niemand heeft Treblinka overleefd. Dat weet je.'

Rina ging naast haar zitten. 'Ja, dat weet ik.'

'Ik zou er erg mee geholpen zijn als je aan dat Poolse document kon komen. Het kan een werkvergunning zijn, een visum, een reisdocument... we zouden er veel uit kunnen opmaken.'

Rina zuchtte. 'Ik weet zeker dat meneer Golding het ons zou hebben gegeven, als hij wist waar het was.'

'En hij weet dus niet zeker of de taal Pools is?'

'Nee.'

'Het zou een verschil maken. Veel joden hebben enige tijd in het getto van Warschau gezeten, vooral tegen het einde, voordat de stad werd platgebombardeerd. Onder hen bevonden zich Tsjechen, Esten, Letten, Litouwers, Denen, Zweden...' Ze hief haar handen op. 'De nazi's vermoordden iedereen die ze te pakken kregen. Ik zou er echt mee geholpen zijn als ik meer informatie had.'

'Ik wil wedden dat meneer Golding het zelf ook jammer vindt dat hij niet meer heeft. Toen ik hem vanochtend sprak, was hij er heel slecht aan toe. Je hebt zelfs kans dat hij zich amper iets van ons gesprek herinnert.' Rina zuchtte. 'Arme man.'

'Waarom houdt hij zich juist nu hiermee bezig? Heeft hij geen belangrijker dingen aan zijn hoofd?'

'Misschien wil hij niet aan die dingen denken, Georgia. Bovendien verwerken mannen pijn door iets te doen. Vrouwen doen het door te praten.'

'Lees jij tegenwoordig zelfhulpboeken?'

'Nee, maar ik zie wat mijn man doet. Wanneer hij ergens mee zit, gaat hij thuis aan het klussen. Ergens wel gunstig, want Peter is heel handig. Wanneer hij met een probleem worstelt, worden alle lekkende kranen gerepareerd.'

Georgia glimlachte. 'Je weet dus niet eens of deze Jitschak Golding nog leeft of dat hij dood is?'

'Dat klopt,' zei Rina. 'Ernesto Golding, de vermoorde jongen, heeft gezegd dat hij informatie had gevonden over een Jitschak Golding die in Treblinka is omgekomen, samen met al zijn familieleden. Maar er kan een andere Jitschak Golding zijn en die zou de vader van meneer Golding geweest kunnen zijn. Ik weet het niet, Georgia. Daarom vraag ik het aan jou.'

'Uit welke bron heeft hij de informatie over de Golding die in Treblinka is gestorven?'

'Dat weet ik niet.'

'Kan hij het hebben verzonnen?'

'Kan ook, ja.'

'Weet je in welk jaar Jitschak Golding is gestorven?'

'Nee.'

'Dan zal ik beginnen bij de "Amerikaanse archieven van overlevenden van de holocaust". Als ik daar niets vind, probeer ik het bij het Rode Kruis, Jad Vasjem, de Centrale Archieven, de HIAS... geen gebrek aan organisaties, al is het zo dat de meeste zich bezighouden met degenen die tot '45 en later in leven zijn gebleven. Zoals je weet, is Treblinka veel eerder opgeheven.' Georgia aarzelde en keek weer naar de foto's. 'Hmmm.'

'Wat wil "hmmm" zeggen?'

'Als Goldings vader een nazi was en als hij Jitschaks naam heeft aangenomen, moet hij om te beginnen geweten hebben dat Jitschak Golding dood was. Verder moet Jitschak Golding indruk op hem gemaakt hebben. Want het kamp is in '43 opgeheven en de oorlog heeft tot '45 geduurd. Lang nadat Treblinka niet meer bestond, zijn er nog miljoenen joden omgebracht. Golding heeft dus minstens twee jaar in de gedachten van de nazi rondgespookt. Weet je wat dat voor mij wil zeggen?'

'Wat dan?'

'Dat de dode Jitschak Golding een krachtige figuur was die opviel. Misschien was hij betrokken bij een opstand en was hij plaatselijk een held. Mogelijk een van de helden van de opstand in het getto van Warschau.'

'Maar de joden die daaraan deelnamen, zijn in het getto gestorven, niet in Treblinka.'

'Misschien was hij dan betrokken bij een opstand in het kamp. Er zijn meerdere opstanden geweest, weet je.'

'Ja, dat weet ik, maar ik ben in geen van de verhalen de naam Golding tegengekomen.'

'Er waren duizenden bij betrokken die anoniem zijn gestorven. Hij kan een van de velen zijn die niemand zich herinnert.'

'Iémand herinnerde zich hem,' zei Rina. 'Iemand draagt zijn naam en is misschien helemaal geen familie van hem.'

'Ja, het wordt steeds mysterieuzer.' Georgia keek op haar horloge, niet omdat ze haast had, maar omdat ze opgewonden was. 'Wat ik je nu ga vertellen, blijft onder ons, goed?'

'Goed.'

'Ik ken een man, Oscar Adler. Hij is een jaar of negentig en hij komt uit Tsjecho-Slowakije. Hij is eerst naar Warschau gedeporteerd en toen naar Treblinka, vlak voordat het kamp werd opgeheven. Toen de nazi's probeerden het kamp in brand te steken, vlak voor de Russische invasie, is een handjevol mensen ontsnapt. Ze hebben zich in de bossen van Polen schuilgehouden. De meesten zijn door de Poolse politie gepakt en weer uitgeleverd aan de nazi's. Oscar Adler is dus in meer dan één opzicht een overlevende. Hij is nog heel goed bij, maar er is één probleem.'

Ze liet de woorden in de lucht hangen ofwel om een dramatisch effect te creëren ofwel omdat ze moeite had door te gaan.

'Hij weigert over zijn verleden te praten. Ik heb hem al ik weet niet hoe vaak gesmeekt zijn verhaal te laten optekenen voor het nageslacht. Ik heb iedere tactiek gebruikt die je maar kunt bedenken, maar hij blijft zwijgen.'

Net als Goldings vader. 'Waar ken je hem van?'

'Hij woont in het bejaardentehuis waar een oom van mij zit. Je kent me: ik babbel met iedereen en oude mensen zitten meteen op hun praatstoel als ze iemand vinden die wil luisteren. Op een dag liet hij zich ontvallen dat hij in Treblinka had gezeten. Volgens mij zei hij het per ongeluk expres. Ik viel zowat van mijn stoel van verbazing. Ik wist meteen hoeveel hij voor het Center zou kunnen betekenen, maar toen ik erover begon, bevroor hij als een ijspegel. Toen liep hij rood aan van woede en hoogspanning, en liet me in niet mis te verstane termen weten dat ik het aan niemand mocht vertellen. Ik vond dat bijzonder onbillijk, maar ik was niet van plan de man een hartaanval te bezorgen. Dus heb ik me aan mijn belofte gehouden. Hoe graag ik hem ook met vragen zou willen bestoken, ik ben er nooit meer over begonnen.'

Het was spijtig, maar Rina zou nooit een oordeel vellen over iemand die zulke afgrijselijke beproevingen had doorstaan. Ze zei: 'Jammer. Er zijn vast nog altijd veel mensen die niet weten wat er van hun familieleden is geworden.'

'In dit geval ligt dat iets anders. In Treblinka zijn hele families uitgeroeid, drie generaties tegelijk. Heel af en toe geef ik Oscar een naam. Als hij die kent, zegt hij dat. Maar tot op heden heeft hij geen van alle namen herkend. Zie je, tegen de tijd dat hij in Warschau aankwam, waren de nazi's de joden al in zo'n hoog tempo aan het liquideren, dat hij niemand langer dan een week heeft gekend. Hijzelf heeft het overleefd, omdat hij zich tot het bittere einde verborgen heeft weten te houden.'

'Ik neem aan dat hij op zijn negentigste vindt dat hij het recht heeft verworven er niet over te hoeven praten.' Rina dacht na. 'Is er een bepaald gerecht waar hij erg van houdt? Zelfgemaakte soep, bijvoorbeeld?'

Georgia draaide haar hand heen en weer. 'Soep is misschien een goed idee.'

'Als ik nou eens kippensoep voor hem maakte? Of nee, ouderwetse koolsoep met gekookte runderlap?'

'Of allebei.'

'Geen probleem. Ik zal twee pannen soep maken. Ik zal zelfs matzaballetjes en kreplech in de kippensoep doen. Of hij nu zal praten over zijn afschuwelijke ervaringen of niet... de soep krijgt hij.'

'Misschien lukt het.' Georgia haalde haar schouders op. 'Maar wees niet teleurgesteld als hij weigert met je te praten.'

'Wanneer hij mijn soep eenmaal heeft geproefd, zal hij geen nee zeggen.'

Georgia keek Rina aan. 'Ik zal zeggen dat je mooi bent. Oscar heeft nooit nee kunnen zeggen tegen een mooi smoeltje.'

26

TOEN EMMA LAZARUS HAAR BEROEMDE WOORDEN SCHREEF AAN DE VOET van het vrijheidsbeeld, moest ze wijken zoals die rond bureau Foothill van de LAPD in gedachten gehad hebben: een multiculti mix van ontheemde, hardwerkende blanken, negers, latino's, Aziaten en leden van andere etnische groepen die in de immigrantensalade waren gegooid. Het was een onvruchtbare streek, waardoor het er 's zomers zo heet was als in de Sahara, maar dan met een gore nevel van uitlaatgassen. Foothill was het bureau dat Decker vijftien jaar zijn thuis had genoemd. Hij zat er nog toen het onder de loep werd genomen na het Rodney King-incident. In de eenzame geografische misser genaamd Northeast Valley behoorde de titel 'Held van de Eeuw' nog steeds toe aan Ritchie Valens. Voor Bert Martinez stond de dode zanger nog steeds aan de top.

Achter het stuur van de Dodge reed Martinez in een fiks tempo over de 5 North, langs verpauperde flatgebouwen en met onkruid overwoekerd terreinen waar ontmantelde auto's in de zon stonden te bakken. Het chroom en staal van de wrakken weerkaatste wel hitte, maar straalde geen warmte uit.

'Ik heb niet ver hiervandaan op school gezeten,' zei Martinez.

Webster wierp een blik op hem. 'O ja?'

'Ja. Pacoima High. Het meisje met wie ik naar het eindexamenfeest ben geweest woonde aan deze weg, die toen nog geen snelweg was. Er stonden hier toen alleen maar gewone huizen en één warenhuis, een White Front.' Hij veranderde van rijbaan. 'Mijn vader was huisschilder.'

'Dat wist ik niet.'

'Zijn broer ook. De twee gezinnen samen hadden zeven zonen. Mijn vader droeg altijd een brede, zwarte riem en vond dat hij ons daarmee best af en toe een pak slaag mocht geven.' Een glimlach. 'Dat was in de tijd dat nog niemand van kinderbescherming had gehoord.' Hij schudde zijn hoofd; wat vloog de tijd. 'Ik zeg niet dat lijfstraffen goed zijn, maar mijn drie broers en ik hebben hem er nooit op aangekeken. We wisten niet beter.'

'Of misschien wist je vader wanneer hij moest stoppen.'

'Misschien.' Martinez haalde diep adem. 'Toen was dit mijn thuis. Nu vind ik het een deprimerende sloppenwijk. Toch is er niet eens zo gek veel veranderd. Het ligt helemaal aan je perspectief.'

'Heb je hier nu nog familie?'

'Nee. Zodra iemand een béétje geld had, trok hij weg.'

'Waar woont Luis?'

'In Montebello.'

'Waar hij werkt.'

'Ja. Heb ik je verteld dat hij tot brigadier is bevorderd?'

'Nee. Feliciteer hem namens mij.'

'Zal ik doen. De andere twee wonen in Union Station.'

'Dat weet ik. Mijn vrouw heeft al zo'n beetje de halve buurt naar hun winkel verwezen. Iedereen vindt het prachtig wanneer je broer een schroevendraaier pakt en op de kast begint te beuken om te bewijzen hoe sterk het hout is.'

Martinez grinnikte. 'Ja, die stunt heeft hij zo onderhand geperfectioneerd.'

De Dodge begon te loeien toen de weg langzaam opliep in de richting van de bergen. Het wijzertje van de temperatuurmeter liep op. Niet onrustbarend, maar genoeg voor enige bezorgdheid.

'Zullen we de raampjes maar opendoen?' stelde Martinez voor.

'Beter dan dat de motor oververhit raakt.'

Hete lucht stroomde de Dodge binnen. Webster zuchtte en knoopte zijn overhemd een stukje open. 'Goed beschouwd staat ons bureau in een erg gemengde wijk. Er wonen zowel rijke als doodgewone mensen...'

'Ga door,' zei Martinez.

'Soms kom je bij iemand thuis... iemand als Alice Ranger, bijvoorbeeld. Die woont in een prachtige, nieuwe villa, van alle gemakken voorzien, maar zuipt zich de vergetelheid in. En iemand als ik maakt eerst het college af en werkt zich dan te pletter voor tweeënvijftigduizend dollar per jaar. '

'Plus extra's.'

'Niet dat ik klaag,' zei Webster. 'Ik had immers net zo goed een ander beroep kunnen kiezen, en ik klaag ook niet...'

'Dat heb je al gezegd.'

'Dus het klink alsof ik klaag?' Webster glimlachte. 'Ik heb het niet slecht. Ik vraag me alleen af wat mensen als Alice Ranger te klagen hebben. Wij krijgen beroepshalve te maken met mensen als zij, maar ook met doodgewone mannen en vrouwen die hard moeten werken voor hun brood. Hoe voelt een macho super-Amerikaan en ex-marinier als Hank Tarpin zich, wanneer hij dag in dag uit met rijkeluiskinderen moet werken? Zoiets moet toch wel frustreren.'

'Niet als je zelf geen grote ambities hebt.'

'Schei uit, zeg. Niemand droomt ervan om in middelmatigheid te blijven steken.'

'Tommy, voor wie als kind onder de middelmaat leefde, is de middelmaat al heel wat.'

Webster zei niets.

Martinez aarzelde. 'Armoede is niet de reden waarom deze hufters racisten worden.'

'Het is een van de redenen.'

'Het is een van de voorwendsels,' antwoordde Martinez. 'Een van de vele.'

'We moeten de volgende afslag hebben. Na de Honor Farm.'

Martinez zwenkte naar de rechterrijbaan, nam de afslag en kwam terecht in een strogeel, kurkdroog heuvellandschap. De hitte straalde van het asfalt af. Knoestige, verwrongen dwergeiken gedijden goed in de geblakerde grond. Hoge eucalyptussen met glinsterende zilveren bladeren verspreidden een mentholgeur. Struikgewas tierde welig in de gebarsten bodem. De Dodge ploegde voort door het eenzame landschap, door de stilte en de hitte. In ieder geval was het zicht hier beter. Hier trok zelfs de smog zich terug, weggebrand door de onverbiddelijke zonnestralen. Zweet parelde op delen van Websters huid waar dat normaal gesproken nooit het geval was.

Martinez vroeg: 'Waar is het precies?'

'In de canyon.'

'Ja, maar welke?'

'De Sierra Canyon. Dicht bij het natuurreservaat Placerita Canyon. Ben je daar wel eens geweest?'

'Nee.'

'Ik wel, vijf jaar geleden. Niet in deze hitte, maar in de lente. Mijn hooikoorts stak flink de kop op.'

'Je bent een echte stadsjongen, zeg.'

'Voor zover ik weet, is niemand allergisch voor beton.'

'Hoe moet ik rijden?'

'Moment.' Webster bekeek de kaart, die niet in vakjes was ingedeeld. De wegen in de Thomas Guide waren bibberige zwarte lijntjes. Hij gaf Bert zo goed en zo kwaad als het ging aanwijzingen: een kilometer zus, twee kilometer zo. Martinez nam behoedzaam een paar haarspeldbochten, afdalend naar de smalle, beschutte vallei, waar de weg godzijdank werd overschaduwd door hoge platanen, waardoor de temperatuur een paar graden zakte. De temperatuurmeter van de Dodge zakte ook.

'Zullen we de airconditioning weer proberen?' stelde Webster voor.

'Welja. Dat houdt de spanning erin.'

Ze deden de raampjes dicht en zetten de airco aan, maar de lucht die naar binnen blies, was nauwelijks koel te noemen. Kleine houten huizen – soms amper groter dan een schuur – stonden half verscholen in het landschap. Na een poosje kwamen ze in de bochtige canyon bij een biker-bar. Het chroom van de Harleys flonkerde in het zonlicht. Dikke mannen met baarden en ontbloot bovenlijf zaten buiten aan tafeltjes, hun buiken over hun broek hangend als tongen van hijgende honden. Martinez streek over zijn snor en nam iets gas terug om hen te bekijken.

'Wat denk je? Zou de HEI hier sympathisanten hebben?'

'Vast wel.'

'Zin in een biertje, Tom?'

'Nou... zij zijn met een man of zestig, en wij maar met ons tweeën. Een andere keer maar.'

Ze lachten allebei, maar op een nerveuze manier. Voort reden ze, de wildernis in, steeds verder van de telefoonpalen, steeds verder van de beschaving.

Webster zei: 'Te oordelen naar dit landschap voelde Tarpin zich in Baldwins survivalkamp helemaal thuis.' Hij bestudeerde de kaart, bekeek de route die hij in het rood had aangegeven. 'Ongeveer anderhalve kilometer verderop moet een onverharde weg zijn: Homestead Place. Er zal waarschijnlijk geen bord bij staan.'

'Ik zal de geurmeter aan zetten.'

'Het is aan de linkerkant.' Ze reden in stilte door, speurend naar de zijweg. Webster kneep zijn ogen iets toe. 'Zou dit het zijn?'

Martinez minderde vaart. 'Zou kunnen.'

De auto rammelde toen ze de keiharde, hobbelige weg insloegen. Ze deden allebei een schietgebedje dat ze geen lekke band zouden krijgen. Terwijl ze voortkropen over de kronkelende weg, zagen ze links en rechts nog meer armoedige huisjes tussen de armetierige bomen. De huisjes hadden nummers, maar die tartten alle logica. Vijf minuten later hadden ze Tarpins adres gevonden, min of meer bij toeval, nadat ze een paar keer verkeerd waren gereden. Toen ze uit de gekoelde auto stapten, sloeg de hitte hen in het gezicht. Maar hoe erg de hitte ook was, de stank was nog veel erger.

'Goeie god!' Webster hield zijn neus dicht. 'Ik weet niet wat er hier is doodgegaan, maar het was iets heel groots.'

Martinez transpireerde hevig, en niet alleen van de warmte. Hij was zichtbaar van streek. 'Wat vreselijk! We hebben hem gisteren nog gesproken!'

'Aangenomen dat hij het is.' Webster veegde zijn gezicht droog met de punt van zijn overhemd. 'Bel jij de sheriff?'

'Moeten we niet eerst gaan kijken?'

'Mijn neus zegt me genoeg.'

Martinez keek hem veelbetekenend aan.

Webster haalde nonchalant zijn schouders op. 'Ga je gang.'

'In mijn eentje? Stel dat er achter het huis iemand op de loer zit.'

Webster trok een gezicht. 'Je wilt me alleen maar mee hebben om me te zien kotsen.'

'Wees niet zo'n watje.'

'Wees niet zo stoer.'

'Vooruit. Kom mee.'

Ze liepen over een tapijt van droge bladeren en dode takken, die knapten onder hun voeten. De stank werd steeds erger en steeds organischer – de weeë geur van rottend vlees en ingewanden. Grote wolken zwarte vliegen zwermden rond hun hoofd, hun gezoem als de mantra van een monnik. Webster sloeg ze bij zijn gezicht vandaan.

De deur van Tarpins huis stond halfopen. Martinez haalde zijn zakdoek uit zijn zak, bond hem rond zijn hand en gaf de deur een flinke duw.

Nog meer vliegen vlogen op, samen met ander vliegend en kruipend spul: bijen, wespen, muggen, mijten, kevers en motten. Een waarlijk insectenfestijn van zwart- en zilvergevleugelde beestjes die zich samen met glanzend, kronkelend ongedierte te goed deden aan vlees, bot en bloed. Een grote bruine rat trippelde weg over de houten vloer. Te midden van het gezoem van het ongedierte en de stank van verrotting lag Tarpin, in een zwartgeaderde, donkerbruine plas kleverig, gestold bloed en lichaamssappen. Van zijn ogen was niet veel meer over; zijn mond hing open. Maden wriemelden in alle lichaamsholten. Zijn haar was nat en kleverig, een geliefde broedplaats voor alles wat zes poten had. Hij was volledig gekleed en had een schotwond in zijn hoofd.

Martinez begon foto's te maken. Webster voelde zich duizelig worden en zag bliksemschichten en vonken. Hij draaide zich abrupt om.

Martinez keek hem na. In ieder geval was Webster zo verstandig buiten de plaats delict te gaan overgeven. Het zou erg onprofessioneel van hem zijn als hij hier de boel had bevuild.

Oliver zeeg neer op een van de harde klapstoelen en boog zijn hoofd achterover. Hij sprak tegen het plafond, ook al waren er drie mensen aanwezig in de kamer. 'Iedere keer dat we een verdachte hebben, gaat die dood.'

'Bekijk het positief,' zei Marge. 'Er blijven steeds minder mensen over op onze verdachtenlijst. De negatieve kant is dat als de rest ook doodgaat, we de hele zaak op onze buik kunnen schrijven.'

Oliver ging rechtop zitten, trok zijn jasje uit en maakte zijn stropdas los. 'Geloven ze hier niet in airconditioning?'

'In de winter doet-ie het heel goed.' Decker droogde zijn gezicht met een zakdoek en gooide Oliver een envelop toe. 'Je paspoort. Dr. Estes verwacht jou en Marge over een uur.' Hij bekeek de bezwete gezichten van de rechercheurs. 'Als jullie meteen vertrekken, heb je ruimschoots de tijd.'

Oliver haalde het huiszoekingsbevel uit de envelop. 'Hoe heb je dat zo snel voor elkaar gekregen?'

'Ik ken hooggeplaatste personen. En Tarpins dood heeft geholpen.' Decker had zijn jasje uitgetrokken, maar hield zijn stropdas om. Hij had grote, natte plekken onder zijn oksels, en zijn hals en nek waren nat van het zweet. Zowel Marge als Wanda droeg een bloes met korte mouwen, maar ook bij hen was de stof onder de oksels vochtig.

Marge keek op haar horloge. 'Hoe laat begint de begrafenis?'

'Halfzeven.'

Ze fronste. Dan hadden Oliver en zij iets meer dan drie uur om naar Beverly Hills te rijden, de dossiers van de Baldwins door te nemen en terug te rijden naar de Valley. Netto minstens vijftig minuten reistijd, maar waarschijnlijk meer omdat ze net aan het begin van het spitsuur zouden zitten. 'Dat halen we nooit.'

'Jullie hoeven ook niet naar de begrafenis te gaan. Door deze nieuwe moord verandert alles.' Decker keek naar Wanda. 'Wat heb jij voor nieuws?'

Ze beet op haar onderlip. 'Niet veel goeds, meneer. Het kantoor van de HEI is volkomen leeg. Er is geen stukje papier meer te vinden.'

'Ook geen meubilair?' vroeg Marge.

'Ja, dat stond er nog wel,' antwoordde Wanda.

'Logisch,' zei Decker. 'Wie halsoverkop vertrekt, kan moeilijk de meubels meenemen.'

'Ik heb iemand van de technische recherche ernaartoe gestuurd voor een onderzoek,' zei Wanda.

'Wat hoop je eigenlijk te vinden?' vroeg Oliver uitdagend.

'Ik weet niet wat ik *hoopte* te vinden,' antwoordde Wanda, 'maar de resultaten zijn verrassend. Er zaten nauwelijks vingerafdrukken op de muren en het meubilair.'

'Nauwelijks?' vroeg Oliver.

'Ze hebben ruim tien vingerafdrukken gevonden en een paar afdrukken van handpalmen. Veel minder dan je zou verwachten.'

Decker zei: 'Ze hebben alles dus schoongepoetst voordat ze zijn vertrokken.'

Oliver zei: 'Je bedoelt dat Darrell Holt alles heeft schoongepoetst voordat hij is vertrokken.'

'Ja, dat bedoel ik.' Decker pakte zijn blocnote. 'Voer de vingerafdrukken in de computer in. Ik ben benieuwd wat eruit komt.'

'Zoiets kost een paar dagen,' antwoordde Oliver.

'Heb je vakantieplannen of zo?' reageerde Decker vinnig.

'Nee, ik ben alleen teleurgesteld. Ik heb weinig hoop dat we dit snel zullen oplossen.'

'Ik leef met je mee, Scott.' Decker probeerde alles op een rijtje te zetten. 'Wat weten we? We weten dat Holt bij de Baldwins onder behandeling heeft gestaan. Volgens Tarpin was Holt niet een van Baldwins successen. Verder weten we dat Tarpin een band had met Holt en de HEI. Maar dat is het enige wat we weten.'

Oliver zei: 'Dus als Holt de dader is, moeten we ons afvragen welke reden hij had om de Baldwins en Tarpin om te brengen.'

Decker zei: 'Je vergeet Ernesto.'

'Die was volgens mij gewoon toevallig op de verkeerde plek.'
'Denk je?'
'Ja.'
'Goed, laten we daar dan even van uitgaan, al ben ik er niet van overtuigd. Als dat zo is, wat is dan de reden dat Holt de Baldwins dood wilde hebben?'
Wanda zei: 'Misschien wisten de Baldwins iets over hem.'
'Holt had niet bepaald plannen om hogerop te komen,' antwoordde Oliver. 'Wat kan nog schadelijker zijn dan zijn lidmaatschap van de HEI?'
'Dat hij op jonge jongens valt?' vroeg Oliver.
'Of op jonge meisjes?' zei Wanda. 'Het meisje dat voor hem werkte, was beslist nog minderjarig.'
Oliver gooide een paar theorieën in de groep. 'Misschien was het andersom. Misschien chanteerde Holt de Baldwins, met Tarpin als tussenpersoon. Misschien moesten de Baldwins de racistische Tarpin daarom in dienst houden.'
Marge zei: 'Scott, als je iemand geld aftroggelt, wil je die persoon juist in leven houden.'
'Misschien hadden de Baldwins hun buik vol van de chantage,' antwoordde Oliver. 'Misschien dreigden ze Holt aan te geven en heeft Holt hen vermoord om dat te voorkomen.'
Decker wendde zich tot Wanda. 'Werden er van de bankrekening van de Baldwins met regelmaat vaste bedragen afgeschreven?'
'Ja, zo'n beetje iedere cent.'
'Chantagegeld?' zei Oliver.
'Of ze gaven gewoon veel geld uit,'zei Wanda.
Decker zei: 'Wat kan Holt over hen te weten zijn gekomen? Wat was er zo erg dat hij hen ermee kon chanteren?'
Oliver zei: 'Misschien zijn de Baldwins in hun jonge jaren racisten geweest. Hun clientèle zou het niet leuk vinden als ze bijvoorbeeld exleden van de HEI waren.'
'Hun praktijk bestaat al vijfentwintig jaar,' merkte Decker op. 'Veel langer dan de HEI.'
'Misschien heeft Holt via Tarpin een ander lijk in de kast gevonden.'
'Zoals?' vroeg Decker.
Oliver haalde zijn schouders op. 'Waar stonden de Baldwins om bekend? Dat ze baldadige, rijke jongetjes meenamen naar hun dure kamp in plaats van dat die jongens op school straf kregen. In het geval van Ernesto kwam het kamp in plaats van de gevangenis. Misschien gaven de Baldwins smeergeld voor iedere jongen die hun door een rechter of een school werd toegestuurd. Of misschien had Holt ontdekt dat de Baldwins met de hulp van een insider aan de SAT-tests wisten te komen. Of wist Tarpin ervan en heeft hij de informatie doorgegeven aan Holt.'
'Waarom zou hij?' vroeg Marge.
'Omdat Tarpin heilig geloofde in al die onzin van de HEI,' zei Oliver,

nu helemaal op dreef. 'Holt en hij gebruikten het chantagegeld om de belachelijke filosofie van de HEI uit te dragen.'

Wanda mengde zich in het gesprek. 'Scott, de HEI was een armetierige organisatie. Als Holt iemand chanteerde, stopte hij het geld niet in de HEI.'

'Dan was de HEI misschien een façade om het chantagegeld wit te wassen en naar hun persoonlijke rekeningen over te maken.' Oliver glimlachte. 'Hoe klinkt dat?'

'In theorie wel goed,' zei Decker, 'maar ik ben drie kwartier geleden teruggekomen van de plaats delict. Tarpin woonde in een klein, armoedig huisje. En Holt huurde een zitslaapkamer ten noorden van Roscoe Boulevard. Ze smeten bepaald niet met geld.'

'Holts flat is leeggehaald,' voegde Wanda eraan toe.

'Je bedoelt dat Holt zijn flat heeft leeggehaald,' zei Oliver.

'Maakt niet uit,' antwoordde Wanda. 'De flat is in ieder geval leeg. We stellen nu een onderzoek in naar Holts ouders... of in ieder geval naar zijn vader. Die woont hier in de stad. Volgens zijn secretaresse is Darrells moeder er al een hele tijd niet meer – niet per se dood, maar in ieder geval niet aanwezig.'

'Waar is Holt sr. op dit moment?' vroeg Decker.

'Ergens in de lucht.'

Oliver zei: 'En het meisje?'

'Erin Kershan?' zei Wanda. 'Het adres op haar rijbewijs klopt niet. Ik heb het idee dat ze van huis is weggelopen en met Holt samenwoonde. Ik ben nog bezig de databanken na te lopen.'

'Dus je denkt dat ze erbij betrokken is?' vroeg Oliver.

'Het is een erg timide meisje... en ze leek volkomen onschuldig toen Webster en Martinez hun een paar maanden geleden vragen zijn gaan stellen.' Wanda haalde haar schouders op. 'Maar je weet hoe jonge meisjes zijn. Ze kunnen snel in de ban raken van iemand. Misschien is dat het... misschien is ze in de ban geraakt van Holt en de HEI. Als dat zo is, hoop ik dat ze bij de hele zaak betrokken is. Want als dat niet zo is, en Holt wel, dan is dat niet best. Het zou niet prettig zijn als zij slachtoffer nummer vier werd.'

'Vijf,' verbeterde Decker haar. 'Vergeet Ernesto niet.'

'Wat vreselijk, hè?' Marge keek ontdaan. 'Hoeveel mensenlevens gaat het nog kosten voordat we deze zaak oplossen?'

Oliver zei: 'Dit is inderdaad niet best voor de misdaadstatistieken van L.A..'

Decker nam niet de moeite hem op de vingers te tikken. Scott kon gruwelijke zaken alleen aan door er luchthartig over te doen. Opeens begon de temperatuur in zijn kleine kantoor te dalen.

Oliver droogde zijn voorhoofd met een papieren zakdoekje. 'Het lijkt wat koeler te worden.'

Decker zei: 'Ik geloof dat de airco begint te werken.'

'Fijn dat er tenminste íéts is wat de goede kant op gaat,' zei Marge somber.

Decker zei: 'Jullie tweeën moesten maar eens gaan. Jullie moeten alle dossiers doornemen, net zolang tot we iets vinden.'

Dat zou weer nachtwerk worden. 'Mogen we eerst even wat gaan eten?' vroeg Oliver.

'Jullie kunnen een afhaalmaaltijd declareren,' zei Decker. 'Zodra Webster en Martinez klaar zijn met Tarpins huis, komen ze jullie helpen. Wanda, jij blijft zoeken naar Holt en Kershan. En spit nog wat verder in de bankrekeningen en het telefoonregister van de Baldwins. Misschien kom je iets interessants tegen.'

'Goed.'

'Tom zei dat Tarpin ongeveer twintig minuten geleden in de lijkwagen is afgevoerd. Ik heb de patholoog-anatoom al verzocht er haast achter te zetten... of in ieder geval de kogel te verwijderen en naar Ballistiek te sturen.' Decker stond op en rekte zich uit tot zijn volle lengte van één meter negentig. 'Ik moet me gaan douchen. Ik wil niet stinkend als een bunzing naar de begrafenis gaan.' Hij schudde zijn hoofd. 'Al zal waarschijnlijk niemand er erg in hebben.'

27

MARGE REED VANAF HET PARKEERTERREIN OOSTWAARTS TOT SNELWEG 405 South, op weg naar de praktijk van de Baldwins in Beverly Hills. De kans dat de moorden snel opgelost zouden worden, werd steeds kleiner. Niet dat ze had gedacht dat het een makkie zou zijn, maar het zou toch wel prettig zijn als ze op z'n minst een duidelijke verdachte hadden. Ze zette de teleurstelling van zich af door zich op de weg te concentreren. Oliver was ongewoon zwijgzaam en doodde de tijd met het lezen van de berichten over nieuwe incidenten die over het monitorscherm van de surveillancewagen gleden.

Pas na twintig minuten zei Oliver iets. Hij leek zelf een beetje te schrikken van zijn stem, nadat het zo lang stil was geweest in de auto: 'In Brentwood is een smeuïge huiselijke ruzie gaande.'

'We zitten ver van Brentwood.'

'Ik zeg ook niet dat we ernaartoe moeten.'

'Waarom begin je er dan over?'

'Omdat ik me afvroeg waar rijkelui over ruziën.'

'Dat meen je niet.'

'Jawel.'

'Scotty, kijk eens naar je eigen scheiding.'

'Ik was overspelig om te ontsnappen aan het gezeur van mijn vrouw dat we nooit geld hadden! Op slaapkamergebied was ik misschien een klootzak, maar ik smeet geen geld over de balk. Als ik meer geld had gehad, was alles anders geweest.'

'Denk je? Ik wil wedden dat jullie dan constant ruzie hadden gehad over waar jullie dat geld aan zouden uitgeven.'

Oliver ontkende dat niet. Ze had waarschijnlijk gelijk. 'Ik zou liever zúlke problemen gehad hebben.'

Marge wierp een meelevende blik op hem. Oliver ging uit met allerlei onnozele jonge meisjes, maar kon de beslist niet onnozele juffrouw Decker niet vergeten. Cindy had hem danig van streek gebracht en hij was nog lang niet zichzelf. Hij zat onrustig naast haar, nijdig en ongeduldig. Dat wilde zeggen dat het menens was. Dat wilde ook zeggen dat hij zijn werk goed zou doen.

'Wat bedoelt u met *alle* dossiers?' Marjam Estes blokkeerde met haar slanke, zijdezachte armen de doorgang. De bronzen ledematen waren tot aan de ellebogen gesierd met tientallen zilveren en gouden armbanden. 'De dossiers zijn vertrouwelijk! Zeker die van de patiënten die nog onder behandeling zijn!'

'In het huiszoekingsbevel staat heel duidelijk *alle* dossiers van de patiënten die door de Baldwins werden behandeld,' zei Oliver. 'Het staat er in het Engels, juffrouw Estes, uw moedertaal.'

'Dergelijke sarcastische opmerkingen zijn onder deze omstandigheden echt overbodig!'

'U mag best verontwaardigd zijn,' zei Marge, 'als u ons maar ons werk laat doen.'

Oliver zei: 'Met andere woorden: opzij, alstublieft.'

'Nee!'

Een paar seconden keken ze elkaar strak in de ogen. Oliver overwoog de bevoegde autoriteiten erbij te roepen om haar letterlijk opzij te zetten. Als zíj haar aanraakten, liepen ze het risico aangeklaagd te worden wegens handtastelijkheden. Maar de tijd drong, dus stak hij zijn handen uit en kietelde haar onder haar oksels. Toen ze in een reflex haar armen naar beneden deed, glipte hij langs haar heen.

Een praktische oplossing die het gewenste effect had.

Marjam liep met boze stappen achter hem aan en marcheerde toen voor hem uit, terwijl ze nijdige blikken over haar schouder wierp. 'Ik zal me beklagen bij uw meerdere.'

'Moet u vooral doen.' Oliver probeerde niet al te opvallend naar haar mooie kontje te kijken. Niet dat hij dat kontje erg goed kon zien, omdat ze vandaag een wijd uitlopende jurk droeg. Die was echter dieprood en mouwloos, dus erg sexy. Haar krullen waren tot een paardenstaart gebonden en lieten haar gezicht helemaal vrij. Het was een ovaal, mokkakleurig gezicht met een gladde huid, op een paar acne-littekentjes na, kleine ontsieringen die haar juist nog aantrekkelijker maakten. Om nog maar te zwijgen van de donkerbruine ogen en de dikke rode lippen. Alleen de piercing in haar neusvleugel, hoe klein ook, vond hij nog steeds vreemd. Maar och, je kon niet alles hebben.

Heel even, mogelijk vanwege Marjams dominante persoonlijkheid, zag Oliver Cindy voor zich. Hij miste haar meer dan hij wilde toegeven, vooral tegenover zichzelf. Soms, wanneer hij 's nachts in zijn eentje in bed lag en aan haar dacht... Een paar dagen geleden had hij voldoende moed bij elkaar weten te rapen om haar te bellen en te vragen of ze, geheel vrijblijvend, met hem uit eten wilde. Tot zijn verbazing had ze ja gezegd. Dat had vanavond moeten gebeuren, maar vanwege de moord op Tarpin kwam er nu niets van.

Terwijl ze de driftig lopende Marjam volgden, zei Marge tegen hem: 'Eerst Holt maar?'

'Ja.'

Marge bleef abrupt staan. 'Maar Holt staat momenteel niet onder behandeling en we kennen het archiefsysteem van de Baldwins niet. Zullen we dus maar proberen vrede met haar te sluiten?'

'Graag. Ik ben er de man niet naar om mooie vrouwen boos te maken.' Hij overwoog hoe ze het beste te werk konden gaan. 'Als ik nu eens allereerst de bureaus in hun kantoor doorneem en jij haar naar de dossiers vraagt. Het kan zelfs een voordeel zijn als we eerst naar Holt vragen, omdat hij geen patiënt meer is. Dan heeft ze misschien minder moeite met de kwestie van de vertrouwensrelatie.'

Marge draafde achter Marjam aan en probeerde haar voor zich te winnen. 'Dr. Estes, wacht even. Laten we dit even uitpraten.'

'Er valt niets uit te praten.'

'Er valt heel veel te bepraten. Wilt u het niet horen?'

Geen antwoord, maar Marjam bleef wel staan. Ze sloeg haar armen over elkaar en tikte met haar in een open schoentje gestoken voet op de vloer. Haar rode teennagels gingen in snel tempo op en neer.

'Om te beginnen leef ik echt met u mee. Dit moet een erg moeilijke tijd voor u zijn. Eerst meneer en mevrouw Baldwin, en nu Hank Tarpin. U begrijpt natuurlijk wel dat we snel moeten zijn. We doen dit in de eerste plaats voor uw veiligheid.'

Marjam hield haar voet stil. 'Voor *mijn* veiligheid?'

Marge zette een verbaasd gezicht op. 'Dr. Estes, u wilt me toch niet vertellen dat dit nog helemaal niet bij u is opgekomen? Eerst uw werkgevers, toen meneer Tarpin. Wat ons betreft, verkeert u in gevaar.'

Marjam keek onthutst. 'Niemand heeft het op mij voorzien.' Haar stem trilde. 'Waarom zou iemand het op mij hebben voorzien?'

'Waarom had iemand het op Merv en Dee Baldwin voorzien? En op Hank Tarpin?' Dit was het moment waarop Marge haar slag moest slaan. 'Volgens mij staat het antwoord in de patiëntendossiers.'

'Ik geloof er niks van.'

'Waarvan?'

'Dat iemand het op mij heeft voorzien! Het heeft niets te maken met de praktijk van Merv en Dee. Het zal wel iets te maken hebben met het survivalkamp, vanwege die *kerel*!'

'Tarpin?'

'Ja!' Ze probeerde net zo goed zichzelf te overtuigen als Marge. 'De kampen waren niet mijn terrein. Zoals ik u de eerste keer al heb verteld, werkte ik hoofdzakelijk met Dee. We hielden ons bezig met het onderzoek naar en therapie voor angstsyndromen.' Haar kaken spanden zich, maar haar ogen stonden nerveus. 'Met Mervin had ik in feite weinig te maken. En met Hank Tarpin helemaal niets!'

'U mocht hem niet,' concludeerde Marge.

'Nee, natuurlijk niet. Hij was een racistisch zwijn.'

'Zei hij onbeschofte dingen tegen u?'

Ze klemde haar lippen opeen. 'Niet direct.'

'Wel indirect?'

'Nee,' gaf ze toe. 'Maar hij was lid van die smerige racistische groepering.'

'De Hoeders van de Etnische Integriteit?'

'Daar weet u dus van.'

'Ja, dr. Estes, daar weten we van. Heeft Tarpin daarover met u gesproken?'

'Nee, *hij* niet. Maar die griezel die hij meebracht, nam geen blad voor de mond!'

'Darrell Holt?'

Marjam keek geshockeerd. 'Ja. Darrell Holt. Hoe...'

'Wat weet u over hem?' Marge deed haar best niet te laten merken hoe opgewonden ze was.

'Wat weet *u* over hem?' vroeg Marjam op haar beurt.

Haar vraag beantwoord met een vraag. Marge hield het kort. 'Dat hij aan het hoofd stond van het plaatselijke kantoor van de Hoeders van de Etnische Integriteit.'

'Die engerd had het lef te insinueren dat ik me op een bepaalde manier gedroeg omdat ik me zou schamen voor mijn afkomst. Dat ik moest uitzoeken *wat* ik was om te kunnen weten *wie* ik was. Alsof je het zou kunnen verdoezelen dat je zwart bent. Ik ben erg trots op wie ik ben en wil dat mijn volk me beschouwt als een rolmodel voor wat ze kunnen bereiken. Ik heb me nog nooit van mijn leven zo beledigd gevoeld. Ik zou hem ter plekke de deur uit hebben gezet, als dr. Baldwin niet net was binnengekomen en met hen naar de spreekkamer was gegaan.'

'Waar hadden ze het over?'

'Ik heb geen idee. Ik was zo ontdaan over wat hij had gezegd dat ik meteen lunchpauze heb genomen!'

'Hebt u het er met dr. Baldwin over gehad?'

Ze boog haar hoofd. 'Nee! Ik heb die engerd maar één keer gesproken. Ik wilde er verder niet moeilijk over doen. Maar ik heb wel tegen Tarpin gezegd dat hij hem niet meer moest meebrengen wanneer ik hier was.'

'Dus Holt kwam vaak?'

'Nee, niet vaak.' Marjam aarzelde. 'Ik heb hem in de anderhalf jaar dat ik hier nu werk, misschien drie keer gezien.'

Drie keer. Dat kon geen toeval meer zijn. 'Hoe reageerde Tarpin toen u zei dat hij Holt niet meer mocht meebrengen?'

Marjam aarzelde. 'Eerlijk gezegd bood hij min of meer zijn verontschuldigingen aan voor het gedrag van die griezel. Hij gaf toe dat Holt geen blad voor de mond nam, maar zei erbij dat hij in veel opzichten gelijk had.'

'In welke opzichten?'

'Daar heb ik niet naar gevraagd, omdat het me niet interesseerde.'

'Wat is volgens u de reden waarom Holt met dr. Baldwin kwam praten?'

De vraag maakte haar onrustig. 'Dat vroeg ik me juist af. Het was natuurlijk wel zo dat Dee vaak... erg gestoorde mensen de hand reikte. Ze is erg oecumenisch.'

'*Dee* was oecumenisch,' zei Marge.

'Ja. Maar Merv ook.'

Marge moest even omschakelen. Iedere keer dat iemand het over 'dr. Baldwin' had, was ze ervan uitgegaan dat het over Mervin ging – dat kreeg je ervan als je was opgegroeid als dochter van een beroepsmilitair. Een doctor was automatisch een man. 'Dus *Dee* was degene die met Tarpin en Holt sprak?'

'Ja, heb ik dat niet gezegd?'

'U hebt niet gezegd *welke* dr. Baldwin,' antwoordde Marge. 'Wist u dat Darrell Holt een patiënt van Mervin Baldwin is geweest?'

Haar gezicht betrok. 'Wie heeft u dat verteld?'

'Tarpin,' antwoordde Marge. 'Hij zei dat Holt ongeveer acht jaar geleden bij dr. Baldwin onder behandeling was geweest.' Ze trok een gezicht. 'Ook hij heeft er niet bij gezegd wélke dr. Baldwin. Maar Holt lijkt er sowieso geen baat bij gehad te hebben.'

'Waar heeft hij gestudeerd?' vroeg Marjam.

'Wat?'

'Weet u of Holt aan een college of universiteit heeft gestudeerd?'

'Naar verluidt heeft hij op Berkeley gezeten. Waarom vraagt u dat?'

'Omdat Holt misschien niet Merv nodig had voor een gedragsstoornis, maar Dee voor studieadvies. En als hij op Berkeley is aangenomen, heeft hij er wel degelijk baat bij gehad.'

Ze bleef haar bazen tot het bittere einde verdedigen. Marge zei: 'Er is mij verteld dat Holt wel degelijk onder behandeling is geweest wegens een gedragsstoornis.'

'Dan weet u meer dan ik.'

'Zullen we dat dan even uitzoeken?' zei Marge. 'Zullen we Holts dossier even bekijken?'

'Ik maak uit uw vragen op dat Darrell Holt u grote zorgen baart.'

'Ja. U niet?'

Nu keek Marjam ongerust. Ze hief haar hand op naar haar keel. Opeens leek ze klein en kwetsbaar met haar blote armen en haar gelakte nagels.

Marge zei nogmaals: 'Laten we Holts dossier gaan bekijken.'

Marjam beet op haar nagels. 'Kom maar mee.' Ze haalde een sleutel te voorschijn en ontsloot een deur die toegang gaf tot een kleine, raamloze kamer met neonverlichting. Rondom stonden metalen dossierkasten. 'Hier slaan we de informatie over onze ex-patiënten op.'

'Het zijn er nogal wat.'

Daar reageerde Marjam niet op. Ze trok de gewenste lade open en liep met haar vingers de vele tabs langs. Even later trok ze een dunne map uit de la. Met een geroutineerde beweging nam ze de vellen papier eruit en keek die vluchtig door. Het waren maar drie of vier pagina's. Toen begon ze bij het begin en las de tekst aandachtig, waarbij ze af en toe een diepe zucht slaakte, als interpuncties. Haar handen trilden.

'Mag ik dat even zien?' vroeg Marge.

'Er staat niet veel bijzonders in, rechercheur.' Marjam leek het dossier niet graag te willen afgeven. Misschien had ze gehoopt dat het dossier een magische oplossing bevatte. 'Deze diagnoses...' Nog een zucht. '... zijn precies hetzelfde als die van duizenden andere tieners die hier zijn behandeld.' Ze sloeg met de rug van haar hand op de pagina's. 'Holt is behandeld door Mervin. Hij was een opstandige tiener die blijk gaf van oppositionele gedragsproblemen. Verder had hij een onverwerkt oedipuscomplex vanwege de afwezigheid van zijn moeder. Omdat hij gemengd bloed heeft, leed hij aan een identiteitscrisis. En dat is de man die het waagde *mij* ervan te betichten...'

'Mag ik het dossier even zien?'

Marjam keek op; haar gezicht was helemaal bezweet.

Marge nam de vellen papier van haar over. 'Als ik u was, ging ik even zitten.'

'Ja, misschien is dat...' Er stond een klapstoel in de kamer. Marjam zakte erop neer en liet haar kin op haar borst zakken. 'Ik neem het waarschijnlijk te zwaar op. Ik ben erg makkelijk te beïnvloeden.'

'Volkomen begrijpelijk,' zei Marge. 'Ik heb een paar minuten nodig om dit te lezen, goed?'

Toen Marge het dossier begon te lezen, begreep ze meteen dat Marjam aan het improviseren was geweest. Baldwin geloofde niet in volledige zinnen. Hij gebruikte zo veel mogelijk afkortingen. Het rapport bevatte meer losse woorden en delen van zinnen dan volzinnen. Het eerste blad leek een soort afsprakenpagina met data in de linkermarge van het lijntjespapier. Naast iedere datum stond met rode inkt een getal dat eruitzag als het volgnummer van een cheque, en de afkorting VH. Er stonden echter geen geldbedragen. Op sommige van de regels stond 'vooruitgang', op andere 'achteruitgang'.

De aantekeningen op de tweede pagina waren met de pen op ongelijnd papier geschreven. De eerste had als kop ACHTERGROND GEZIN en was met een rode viltstift in blokletters geschreven.

Gebracht door vader. Moeder afw. 'Op zijn tiende verdwenen' aldus V. Weigert erover te praten. Enige zoon van Preston en Myna Holt. Vlgs V, voldr baby met norm Apgarscore, maar V weet niet. Praat over voorlijk kind, maar V kent mijlpalen niet... lopen, praten, zindelijkheid. Gedragsprob vanaf 10 jr, tot in puberteit. Parallel aan afw moeder?

V: kil, gereserveerd... erg rijk!

Marge zei: 'Hier staat dat de vader rijk is.'

'Laat eens kijken...' Marjam las de aantekening. 'In de betreffende context geloof ik dat dr. Baldwin een psychologisch profiel heeft geschetst van een man die meer om geld geeft dan om zijn kind.'

'Dat staat er niet,' zei Marge.

'Je moet tussen de regels door kunnen lezen.'

'Als u het zegt.'

Marge begon aan de tweede pagina. Meer data, nummers van cheques en VH's. Een paar diagnostische opmerkingen:

Wrsp en boos, onopg id crisis re gemengd ras – M 1/2 zwart, onopg OE com, orig; sl borst. Moeder???? Weggelopen of verwijderd????

Ze wees naar de afkortingen en zei tegen Marjam: 'Kunt u dit even voor me vertalen?'

Marjam zuchtte weer. 'Weerspannig en boos, onopgeloste identiteitscrisis – moeder was voor de helft zwart, onopgelost oedipuscomplex vanwege slechte borst. Dat laatste is een freudiaanse manier om een kille, afstandelijke moeder te beschrijven."

'Wat bedoelt Baldwin met "weggelopen of verwijderd"?' vroeg Marge. 'Heeft de vader de moeder de laan uit gestuurd of zo?'

'Dat weet ik niet,' antwoordde Marjam. 'Maar het is iets waarvoor Darrell door dr. Baldwin werd behandeld.'

Marge zei: 'Is het ongebruikelijk dat de vader weigert over de moeder te praten?'

'Veel mannen hebben problemen met communicatie.' Marjam trok een gezicht. 'Wanneer iemand zo resoluut volhardt in zijn of haar zwijgen, wil dat zeggen dat de situatie bijzonder pijnlijk was – erger dan de gebruikelijke stress die een echtscheiding met zich meebrengt.'

'Een buitenechtelijke verhouding?'

Marjam haalde haar schouders op.

'Heeft de moeder het gezin abrupt in de steek gelaten?'

'Dat weet ik niet. Maar het is wel duidelijk dat het voor de vader een erg traumatische ervaring was.'

Marge keek weer naar de pagina. 'Wat betekent VH?'

Marjam bloosde. 'Ik denk dat het "vol honorarium" betekent.'

Dat *denkt* ze.

'Dat kan kloppen,' zei Marge. 'Het komt in ieder geval overeen met het feit dat Mervin had aangetekend dat de vader rijk is.'

Marjam wendde haar blik af. Ze wilde blijkbaar niets weten van wat dat impliceerde.

De volgende pagina stond vol krabbels, gemaakt op verschillende dagen in verschillende kleuren:

Aso G, uit zich in T, DG, afzondering, veel uren voor de computer. Extreem oppositioneel gedrag!!!!! Perfect voor survivalkamp. Gespr met V: afgesproken voor juni-kamp. VH.

Weer liet ze de pagina aan dr. Estes zien. 'Waar staat dit voor?'

De psychologe keek naar de aantekeningen. 'Aso G is asociaal gedrag. T betekent teruggetrokkenheid. DG betekent drugsgebruik.'

'En wat is oppositioneel gedrag ook alweer?'

'Aanstellerij,' antwoordde Marjam. 'Darrell Holt kampte met een enorm gedragsprobleem.'

'En we hebben ook weer een VH. Ditmaal lijkt het te betekenen dat de vader bereid was het volle pond voor het kamp te betalen.'

'Waarom misgunt u dr. Baldwin het recht een goede boterham te verdienen?'

Marge besloot het niet op de spits te drijven. 'Het spijt me als het zo overkomt. Ik probeer alleen maar hem beter te doorgronden.'

'Hij deed het niet om bakken geld te verdienen. Hij had nog veel meer kunnen verdienen aan radio- en tv-optredens, maar hij weigerde dat spel te spelen, omdat hij en Dee dat onethisch vonden!'

Marge trok een gezicht alsof ze haar geloofde. Ook de derde pagina stond vol aantekeningen met afkortingen. Een afspraak met de vader om over het survivalkamp te praten.

Op de laatste pagina, waarboven een datum van zes jaar geleden stond, waren de forse blokletters verdwenen. Midden op de pagina stond 'Harvard'. Eronder een volledige zin: 'Afspraak voor SAT-bespreking gemaakt voor zaterdag de 15de.' Ze liet de pagina aan Marjam zien. 'Een ander handschrift.'

'Dit is geschreven door Dee. Holt kreeg blijkbaar studiebegeleiding en -adviezen van haar.'

Marge zei: 'Hij had dus voor die zaterdag een afspraak met Dee voor studiebegeleiding?'

'Dat staat er.'

'Wat houdt die studiebegeleiding in?'

'Een gesimuleerde SAT-test. Ze nemen samen de antwoorden door en bespreken hoe je de vragen het beste kunt benaderen. Het is in feite een privé-test.'

'Bestaan er cursussen voor hoe je je op de SAT-test moet voorbereiden?'

'Ja. Als ik me goed herinner hebt u een dochter van dertien? Dan krijgt u daar over een poosje vanzelf mee te maken.'

'Wat voor soort vragen stelt u bij zo'n proeftest?'

'Vragen die volgens Dee representatief zijn voor de test.'

'Hoe kwam ze aan die vragen? Haalde ze die uit tests van voorgaande jaren?'

'Voor een deel. Maar dat is niet genoeg, omdat die beschikbaar zijn voor iedereen. Dee verzon zelf vragen, uitgaande van haar grote kennis over de vaardigheden die vereist zijn om die examens te doen. Haar begeleiding was erop gericht haar patiënten niet alleen optimaal te laten kennismaken met typerende testvragen, maar hun ook te leren de test met zo weinig mogelijk examenvrees tegemoet te treden, teneinde een zo goed mogelijke prestatie te leveren. En als u daar geringschattend over mocht denken, moet u maar eens bekijken hoeveel succes Dee daarmee had.'

'Ik denk daar helemaal niet geringschattend over,' zei Marge. 'De druk om hoog te scoren is dus groot...'

'Heel groot. Soms ligt het aan de kinderen zelf, maar vaak komt het door de ouders. Die zijn heel fel wat hun kinderen betreft. Je zou zweren dat ze zélf de test gingen doen. Als hun kinderen er niet in slagen op de gewenste hogeschool te komen, beschouwen ze dat als een falen van hún kant.'

'Waarom?'

Ze zuchtte. 'Omdat ze, jammer genoeg, hun kinderen beschouwen als een afspiegeling van hun eigen status. Veel van deze ouders hebben zelf niet aan vooraanstaande universiteiten gestudeerd. Ze willen voor hun kinderen iets beters dan ze zelf hadden. En degenen die wél aan goede universiteiten hebben gestudeerd, vinden dat hun kinderen de traditie moeten voortzetten.' Ze liet haar tong over haar lippen glijden. 'Het gaat nogal ver allemaal.'

'Het is waanzin!' zei Marge. 'Er is meer in het leven dan college.'

'Niet in de prestatiegerichte wereld van vandaag. Je moet een voorsprong hebben.'

'Is dat wat Dee Baldwin verkocht?' vroeg Marge. 'Een voorsprong?'

'Ze verkocht helemaal niets! Het enige wat ze deed, was kinderen helpen hun potentieel tot een maximum te ontplooien!'

'Weet u wat er gebeurt met machines die op volle toeren draaien?'

'Mensen zijn geen machines!'

'Maar ze kunnen wel last krijgen van burn-out. Hoeveel betalen de ouders voor die voorsprong?'

'Ze betalen voor de therapie en voor de begeleiding. Het varieert van kind tot kind.'

'Ongeveer.'

'Driehonderdvijftig per uur. Hetzelfde honorarium als van juristen, en zij deden veel beter werk dan advocaten.' Ze wrong haar handen. 'Het is geen gemakkelijke opgave om voor ieder kind de juiste universiteit te vinden. Soms willen de ouders per se iets anders, ook al liggen de kansen dan niet zo goed. Je doet wat je kunt met het ruwe materiaal. Sommige ouders denken dat je wonderen kunt verrichten.'

'En wat gebeurt er wanneer ze erachter komen dat je geen wonderen kunt verrichten? Wat gebeurt er in die gevallen?'

Daarop volgde een stilte. Toen zei Marjam: 'Het succespercentage van Dee lag erg hoog. Daar kon ze altijd op terugvallen.'

'Dee heeft het woord "Harvard" op Holts kaart gezet. Maar Holt is naar Berkeley gegaan,' zei Marge. 'Wil dat zeggen dat hij niet naar de universiteit van zijn dromen kon?'

'Ik heb geen idee.' Marjam aarzelde. 'Berkeley is een vooraanstaande universiteit.'

'Maar het is geen Harvard...'

'Eerlijk gezegd is Berkeley in bepaalde opzichten beter dan Harvard.'

'Maar het heeft niet hetzelfde... cachet, nietwaar?'

'Alleen als je een erg bekrompen gedachtewereld hebt.'

'Of als je een boze, opstandige tiener bent.'

'Wilt u suggereren dat Holt de Baldwins heeft vermoord omdat hij *acht jaar geleden* niet op Harvard is toegelaten?'

De hamvraag: als Holt op wraak uit was geweest, waarom had hij dan zo lang gewacht? 'Zegt de naam Ricky Moke u iets?'

Ze dacht na en schudde toen haar hoofd. 'Nee, nooit van gehoord.'

'Kunt u even kijken of er een dossier over hem is?'

'Vanwege dat huiszoekingsbevel heb ik weinig keus.'

'Dat klopt, maar ik wil gewoon beleefd blijven.'

Marjam sloeg haar ogen neer. 'U bent in ieder geval eerlijk. Hoe oud is hij?'

'Dat weet ik niet... waarschijnlijk ongeveer van Holts leeftijd.'

'Een voormalige patiënt?'

'Dat neem ik aan.'

Marjam trok de betreffende lade open en zocht in de dossiers. 'Ik zie de naam niet. Ik zal nog een keer kijken.' Een paar ogenblikken verstreken. 'Nee. Hij zit er niet bij. Is het mogelijk dat hij nog onder behandeling staat?'

'Dat kunnen we nazien.'

Ze verlieten de kleine kamer en liepen terug naar het weelderige kantoor van de Baldwins met het grote dubbele bureau als pièce de résistance. Het interieur was met veel zorg gekozen. De roze tint in de bekleding van de banken paste precies bij de roze bekleding van de fauteuils. Op de tafels stonden precies de juiste accessoires. Zelfs de schilderijen leken op kleur te zijn gekozen.

Oliver, die aan Mervins kant van het dubbele bureau zat, keek op toen de vrouwen binnenkwamen. Hij trok één wenkbrauw op.

Marge wist wat dat betekende. 'Heb je iets interessants gevonden?'

'Iets *heel* interessants. Drie keer raden wie er voor Dee Baldwin werkte.'

'Darrell Holt,' antwoordde Marge.

'Darrell Holt?' Olivers reactie was een vraag.

Dat bracht Marge in verwarring. 'Niet Darrell?'

Oliver schudde zijn hoofd. 'Ricky Moke.'

Marjam keek perplex. 'Wie is die Ricky Moke toch?'

Marge sloeg met haar vlakke hand tegen haar voorhoofd. 'Ricky Moke is Darrell Holt!'

28

De kerk was ontworpen door een architect die licht en lucht lief had: een hoog, gewelfd plafond, veel ramen en een enorm dakraam van glas-in-lood. Ondanks dat, en ondanks dat de airconditioning op volle kracht werkte, was het er vanwege de opeengepakte mensenmassa ondraaglijk warm. Dat Decker een pak met stropdas droeg, werkte uiteraard niet in zijn voordeel. Binnen een paar minuten voelde hij zich zo klam en verlept als een vaatdoek.

Hij stond helemaal achterin met de anderen voor wie geen zitplaats over was. Alle banken waren gereserveerd voor de familieleden en vrienden van de Goldings. De doodskist was bedekt met een prachtig geborduurd kleed en stond op een verhoging, die was omringd met rouwkransen van witte bloemen: lelies, anjers, gardenia's en rozen. Het koor was gekleed in satijnen gewaden in rood en wit en stond op een laag podium. Decker kende de liederen niet, want het was een unitaristische kerk en de liturgie verschilde van die waarmee hij als baptist was opgegroeid. De akoestiek van de koepelgewelven deed de prachtige, melancholieke melodieën eer aan. Als er een hemel bestond, dan was Ernesto daar beslist.

Er werd hoorbaar gehuild; de snikken echoden tegen de stenen muren en vulden de hele ruimte. Ernesto's ouders en broer zaten op de voorste rij, een in het zwart gekleed trio. Decker had slechts een glimp van hen opgevangen toen ze door het middenpad naar voren waren gelopen, en dan nog alleen omdat hij zo lang was. Jill, klein en teer, had schokkerig gelopen, alsof haar heupen haar enorm veel pijn deden; alsof het bekken waarin ze haar zoon had gedragen, haar had verraden. Carter had met gekromde schouders naast zijn vrouw voortgesukkeld als een lamgeslagen oude man. Karl was in twee dagen jaren ouder geworden. Ze hadden zich aan elkaar vastgeklampt, bij elkaar steun zoekend alsof ze zich op een zinkend vlot bevonden.

De dominee sprak over de jaren waarin Ernesto tot een jongeman was uitgegroeid, jaren die wreed waren beëindigd door een afgrijselijk lot. Hij zei dat het de taak van de parochianen was de handen ineen te slaan om Jill, Carter en Karl te helpen vanuit de vallei der duisternis terug te keren naar het licht. Het zou tijd kosten – maanden, jaren, misschien eeuwig – maar ze mochten hun pogingen nooit opgeven, hun nooit de rug toekeren, nooit vergeten wat een prachtig mens Ernesto Che Golding was geweest. Hij drukte de familie op het hart het leven te blijven omhelzen.

Daarna sprak hij rechtstreeks tot de ouders met een persoonlijk woord van troost. Vervolgens was Karl aan de beurt. De rol van degene die in leven is gebleven, is het moeilijkst. Hij zegende de jongen en zei dat hij moest proberen de draad van zijn leven weer op te pakken, dat hij zich de levensvreugde van Ernesto moest blijven herinneren, en die vreugde in praktijk moest brengen. Dat zou de beste hommage aan zijn broer zijn: de dood van één zoon mocht niet de dood van twee zonen worden.

Decker kende dat fenomeen. De dood nam vaak niet alleen het slachtoffer tot zich. De dominee was een gezette, gedrongen man van midden vijftig, lichamelijk niet aantrekkelijk, maar erg charismatisch. Hij verstond de kunst het gezin op een intieme manier toe te spreken, terwijl zijn woorden toch tot op de achterste rijen verstaanbaar waren. Terwijl hij sprak, rees en daalde het snikken van de mensen als golven die rusteloos over rotsen spoelen.

Als tijdverdrijf zocht Decker naar bekende gezichten. De burgemeester was er, een senator, diverse leden van het Congres. De hoofdinspecteur en de commissaris zaten achter de politici in een gepaste hiërarchie. De plaatselijke televisiestations hadden hun camera's in de zijbeuken opgesteld. Hij zag Lisa Halloway, met trillende handen en een betraand gezicht. Directeur Williams bette zijn ogen. Jaime Dahl huilde openlijk. Ernesto's klasgenoten... jongens van dezelfde leeftijd als Deckers zonen. Ruby Ranger had ervoor gekozen de dienst niet bij te wonen. Hoewel... ze kon er best zijn. Hij kende haar alleen van foto's.

Decker had een brok in zijn keel, zijn ogen brandden en hij had hoofdpijn. Zijn hart begon te bonken. De hitte was bijna niet te harden en zijn voeten deden pijn van het lange staan. In zijn hoofd begon iets te rinkelen – heel hard. Opeens besefte hij dat het zijn mobiele telefoon was.

Gegeneerd liep hij de kerk uit. De telefoon ging al voor de vijfde keer over toen hij opnam.

'Decker.'

'Met mij.'

Mij was Marge. Decker zei: 'Wat is er?'

'Waar ben je?'

'In de kerk.'

'Gaat het nog lang duren?'

'Weet ik niet. Wat heb je ontdekt?'

'Van alles en nog wat. Het lijkt me verstandig dat je even hier komt.'

'Waarom? Heb je iets gevonden over Holt?'

'Over Holt én Ricky Moke. Holt had een professionele band met Dee

Baldwin. Dr. Estes heeft hen in bespreking gezien, samen met Hank Tarpin. Maar nu komt het: Ricky Moke staat bij Baldwin op de loonlijst.'

Het kwartje viel. Decker zei: 'Ricky Moke is Darrell Holt.'

'Dat is ook onze conclusie.'

'Hadden Moke/Holt en Dee Baldwin alleen beroepsmatig met elkaar te maken?'

'Dat is nog onduidelijk. Daarom zou je hierheen moeten komen.' Ze gaf hem een korte samenvatting van haar gesprek met Marjam Estes.

Decker zei: 'Het ziet er dus naar uit dat Scott gelijk had... dat de Baldwins een insider hadden die hun informatie verstrekte over de tests.'

'Ja. Wanneer denk je dat je daar weg kunt?'

'Dat weet ik niet. Ik moet de familie mijn gezicht laten zien.'

Marge zuchtte. 'Pete, misschien kan dat wachten. We hebben hier een goed spoor.'

'Nee, het kan niet wachten. Om te beginnen vind ik, als vader, dat het niet meer dan fatsoenlijk is. Ik moet mijn condoleances aanbieden en dat moet ik persoonlijk doen. Bovendien, als we er naast zitten met onze theorie over Moke en Holt, zal ik de Goldings nog nodig hebben naarmate de zaak vordert. Ik heb geen zin om goodwill te verspelen. Ik kom zodra ik hier weg kan.'

'Je wordt soft op je ouwe dag.'

'Een van de voordelen van die ouwe dag, Dunn.' Decker verbrak de verbinding en belde Martinez. 'Ben je nog op de plaats delict?'

'Nee, we zijn op de terugweg,' antwoordde Bert. 'Ik dacht dat je wilde dat we Marge en Oliver gingen helpen.'

'Ik had graag dat jullie gingen kijken of jullie Darrell Holts vader te spreken kunnen krijgen. Zoek uit of zijn vliegtuig al is geland en ga hem zo snel mogelijk ondervragen. Misschien weet hij waar Darrell is.'

'Ik dacht dat Wanda dat zou doen.'

'Ik wil nu dat Moordzaken het doet. We moeten Darrell Holt te pakken zien te krijgen, en wel zo snel mogelijk.'

Martinez hoorde aan Deckers stem hoe belangrijk het was. 'We gaan meteen aan de slag. Zodra we iets weten, bel ik.'

'Doe dat.' Decker verbrak de verbinding. Buiten was het ook warm, maar er stond tenminste wat wind. Hij trok zijn jasje uit en besloot tot het einde van de dienst buiten te blijven. Hij ging in de schaduw van een grote plataan staan en haalde zijn notitieboekje te voorschijn.

Hij noteerde wat losse aantekeningen:

Moke is Darrell. Zelfde leeftijd, zelfde universiteit – Berkeley. Moke op de loonlijst. Wat kon Moke voor de Baldwins doen? Moke verdacht van hacken... Darrell als hacker? Wat kon Darrell voor de Baldwins doen? Zich toegang verschaffen tot het Education Testing Center en kopieën maken van de tests voordat die werden gedistribueerd. Dee betaalde Holt/Moke daarvoor. Heeft ze gedreigd ermee op te houden en heeft Holt hen toen vermoord? Hoe zit het met de HEI? Tarpin en Darrell lid van de HEI. Gebruikten geld van hacken om HEI te financieren? Staken het in hun zak? Tarpin leidde een armoedig leven. Darrell ook?

De deuren van de kerk gingen open, maar de verwachte stroom mensen bleef uit. Er stroomde alleen plechtige muziek naar buiten, een trage, slepende treurzang. Na een paar minuten kwam de doodskist in zicht, gedragen door zes mannelijke dragers, allemaal tieners, klasgenoten en neven van Ernesto. Jongens die bijna volwassen waren, maar openlijk hadden gehuild en nu rode ogen en een vlekkerig gezicht hadden.

Daar gaat hij, met de genade Gods.

Vlak achter de kist liep Jill, ondersteund door Carter. Karl liep achter zijn ouders, als een beer die in zijn winterslaap is gestoord. Zijn ogen gingen heen en weer zonder zich ergens op te richten. Ze gleden over Deckers gezicht, maar keerden er toen naar terug, en hij mimede: ik moet met u praten!

Decker trok zijn wenkbrauwen op, rechtte zijn rug en draaide zijn handpalmen naar boven, alsof hij vroeg: wanneer? Hij deed een stap naar voren, maar Karl schudde bijna onmerkbaar zijn hoofd en mimede: bij mij thuis... over een uur.

Een uur was op geen stukken na genoeg om heen en weer te rijden naar de praktijk van de Baldwins. Hij kon beter hier blijven. Dus liep Decker naar zijn auto en reed mee met de rouwstoet.

De begraafplaats was vijftien minuten rijden bij de kerk vandaan, in de heuvels van de Valley, met uitzicht op het met smog gevulde bekken van L.A.. Het duurde even voor iedereen een parkeerplaats had gevonden en de mensen zich rond het graf hadden verzameld. Het liep nu tegen het eind van de dag en omdat de zon vlak boven de horizon stond, waren de stralen erg warm en oogverblindend. Jill wankelde een paar keer. Ook Carter stond op zijn benen te zwaaien. Toen de kist in het gat werd neergelaten, groeide het huilen uit tot een luid, naargeestig geweeklaag. Het verdriet was ook zo moeilijk te verteren, zelfs voor een door de wol geverfde inspecteur. Om beurten gooiden vrienden en familieleden aarde op de kist. Dat de rouwenden zelf deelnamen aan het volgooien van het graf, was geen christelijk gebruik. Het was daarentegen een joods gebruik om het lijk niet achter te laten voordat het volledig bedekt was met aarde. Aangezien de dienst unitaristisch was geweest, nam Decker aan dat ze van verschillende religies iets hadden geadopteerd.

Hij keek naar de jongens en meisjes, de mannen en vrouwen, die in het licht van de ondergaande zon hun klasgenoot, hun vriend, hun neef begroeven. Nu stapte Karl naar voren en pakte een schop. Zijn brede schouders schokten van het huilen toen hij de kluiten aarde in het graf van zijn broer schepte. Zwetend bleef hij scheppen en scheppen en scheppen.

Na een halfuur was het gat in de grond veranderd in een bergje verse aarde. De diepbedroefde familie keerde terug naar de rouwauto en de stoet daalde de heuvel weer af. Een lange rij auto's, bumper aan bumper. Decker had er een halfuur voor nodig om bij de doorgaande weg te komen. En bij het huis van de Goldings had hij er twintig minuten voor nodig om een parkeerplek te vinden. Uiteindelijk moest hij genoegen nemen met een plek twee straten verderop.

Mensen kwamen de voordeur uit. Sommigen hadden een glas in hun hand, anderen aten iets en praatten. Niemand huilde; niemand keek zelfs bedroefd. Het had een feestje kunnen zijn, als de gesprekken niet op zo'n gedempte toon waren gevoerd, zonder het luchthartige, parelende lachen dat meestal gepaard gaat met het nuttigen van alcohol.

Steeds 'pardon' mompelend werkte Decker zich naar binnen, zonder acht te slaan op de boze blikken. De mensen keken naar hem alsof hij een grizzlybeer was die in hun tent kwam snuffelen. Omdat het huis hoge plafonds had, was het binnen een kakofonie van echoënde stemmen, geluiden en snikken. Decker buitte zijn lengte uit door over de hoofden te kijken, maar zag Karl nergens. Jill wel. Ze zat te huilen, met een zakdoek tegen haar gezicht gedrukt. Hij zag ook Carter, die de dominee een hand gaf. Ze stonden aan het andere einde van de kamer en om bij hen te komen, zou hij zich een weg moeten banen tussen een heleboel mensen door. Hij aarzelde, maar stapte toen toch de menigte in.

Carter zag hem en begroette hem met een kort knikje. Decker knikte terug. Een aarzeling, toen zei Carter: 'Dominee, dit is inspecteur Decker...' Daarna stokte hij. Zijn onderlip trilde en hij wendde zijn hoofd af.

Decker zei: 'Ik heb de leiding over het onderzoek.'

'Jack Waylen.' De dominee stak zijn hand uit.

Decker gaf hem een hand. 'U hebt gesproken met uw hart.'

'De woorden kwamen dan ook uit mijn hart.'

Decker wendde zich tot Golding. 'Het was een erg mooi afscheid van uw zoon.' Hij zuchtte. 'Ik wilde u laten weten dat ik dag en nacht tot uw beschikking sta.'

Carter sloot zijn ogen. 'Dank u.'

'Wilt u zo goed zijn dat ook aan uw vrouw door te geven, wanneer het straks wat rustiger is?' Weer zuchtte Decker. 'Ik wil het zelf ook wel doen, maar ik ben bang dat mijn aanblik haar op dit moment alleen maar verdriet zal doen.'

'Dat denk ik ook.' Carter sloeg zijn handen ineen. 'Dank u dat u bent gekomen.'

Dat was een teken dat hij kon gaan. Decker was opgelucht. 'Nogmaals, mijn welgemeende condoleances.' Hij draaide zich om en baande zich weer een weg tussen de mensen door. Even later merkte hij dat iemand achter hem aan kwam. Het was de dominee.

'Hebt u al enig idee wat er achter de moord zit?' vroeg Waylen.

'Ik heb een paar ideeën.' Hij draaide zich om naar de kleine man.

'Maar ik kan er niets over zeggen.'

'Deze zaak mag zich niet voortslepen. Het zou blijvende schade toebrengen aan het imago van de politie en het moreel van de gemeenschap.'

'Ik doe mijn uiterste best, dominee.'

'Wij zijn niet zoals The Order, inspecteur,' zei Waylen. 'We zijn geen geïsoleerde sekte. De Goldings zijn erg betrokken bij de gemeenschap. Ze zijn erg geliefd en genieten veel respect. Geen enkele tragedie heeft er zo diep ingehakt sinds de moord op dr. Sparks zes jaar geleden. We hebben behoefte aan een ontknoping, en snel, anders kan het genezingsproces niet op gang komen.'

Onwillekeurig zette Decker zijn stekels op. Niet vanwege Waylens vermaning, maar vanwege de naam Sparks. 'Die zaak hebben we opgelost en we zullen ook deze oplossen.' Een korte stilte. 'Verder nog iets?'

Waylen zei: 'Als u me iets wilt vertellen, kan dat altijd.'

'En als u míj iets wilt vertellen, ben ook ik een welwillend luisteraar.' Decker keek hem diep in de ogen. 'U weet net zo goed als ik dat de biecht de pijler is waarop geestelijken en politiemannen steunen.'

De dominee trok zijn wenkbrauwen op, maar kreeg geen gelegenheid om op Deckers woorden te reageren, want op dat moment dook Karl naast hen op. Waylen vatte meteen zijn taak weer op. Hij omhelsde de jongen en hield zijn hand vast terwijl hij tegen hem zei: 'Wat kan ik voor je doen, Karl?'

'Niets. Het gaat wel, dominee.'

'Ik sta altijd voor je klaar, als je me nodig hebt. Dat weet je.'

'Dank u, dominee.' De jongen sloeg zijn ogen neer en trok zijn hand weg uit die van de dominee. 'Dat stel ik erg op prijs.'

Even zwegen ze alle drie.

Karl droogde zijn voorhoofd met een papieren zakdoekje. 'Ik ben moe.'

Waylen zei: 'Misschien moet je een poosje gaan liggen, Karl.'

'Ik kan mijn ouders niet alleen laten.' Karl keek Waylen smekend aan. 'Zou u... zou u een halfuurtje bij hen kunnen blijven? Dan kan ik... mijn schoenen uittrekken en...'

'Natuurlijk.'

Karl wendde zich tot Decker. 'Inspecteur...'

'Ja, Karl?' zei Decker.

'Zou u me een glas koud water willen brengen?' vroeg de jongen.

'Natuurlijk.'

'Ik doe het wel,' bood de dominee aan.

'Dominee, ik geloof dat mijn ouders... dat u bij hen moet blijven.'

'Ga jij maar even liggen,' zei Decker. 'Dan haal ik een glas water voor je.'

'Dank u.' Karl liep snel tussen de mensen door, zonder in te gaan op hun pogingen hem aan te spreken. Decker liet de dominee staan en ging op weg naar de keuken, maar zag halverwege een tafel met glazen frisdrank. Hij pakte een 7Up en liep met het glas in zijn hand naar Karls slaapkamer. De deur was dicht.

Decker klopte aan. 'Ik ben het, Karl, inspecteur Decker.'

Voetstappen, toen ontsloot de jongen de deur. 'Snel!' zei hij. Zodra Decker binnen was, deed de jongen de deur op slot. 'Ik... ik wil gewoon met niemand anders praten.'

'Ik heb 7Up voor je meegebracht,' zei Decker. 'Is dat ook goed?'

De jongen viel neer op het bed, draaide zich op zijn rug en staarde naar het plafond. 'Ik heb geen dorst. Het was maar een smoesje om u hierheen te krijgen.'

'Waar zal ik het glas neerzetten?' vroeg Decker.

'Weet ik niet... maakt niet uit.'

Decker zette het op het bureau. Iemand had de kamer opgeruimd sinds de laatste keer dat hij hier was geweest. Alles was brandschoon. 'Gaat het een beetje?'

Karl gaf geen antwoord. Decker ging op de bureaustoel zitten en wachtte.

'Ik heb zin om iemand te vermoorden,' zei Karl.

'Iemand in het bijzonder?' vroeg Decker.

'Ik zou zeggen mijn broer, maar die is al dood.' Seconden tikten weg. 'Voor zo'n pientere jongen was hij erg dom wat meisjes betrof.'

'Dat is met de meeste tieners zo.'

'Nee, ik bedoel écht dom. Hij had een leuk vriendinnetje, maar hij heeft haar gedumpt.'

'Lisa Halloway.'

'Ja,' zei Karl. 'Lisa is leuk om te zien en intelligent en ze was gek op hem. Ik geloof dat ze zelfs met elkaar naar bed gingen. Ik snap niet waarom... nee, dat neem ik terug. Ik wéét waarom hij in de ban van Ruby Ranger is geraakt.' Abrupt ging de vijftienjarige rechtop zitten, stak zijn hand onder het matras en trok er een pakketje onder vandaan. Hij gooide het Decker toe. 'Ik kon gisteravond niet slapen en ben mijn kamer gaan opruimen... omdat... ik weet niet... ik moest iets dóén. Ik heb deze brieven onder mijn matras gevonden. Ernesto moet ze daar verstopt hebben.'

'Heb je ze gelezen?'

'Ja.' Hij haalde zijn handen langs zijn ogen. 'Er was iets met de Baldwins. Ze deden iets wat niet mocht, en Ruby wist ervan. Ik geloof dat ze hen chanteerde. En dat Ernesto ervan wist.'

Decker bekeek de brieven – drie stuks, zonder afzender. De poststempels waren van Oakland en dateerden van vijf, drie en twee maanden geleden. 'Mag ik ze hier lezen? Iedere minuut telt.'

'Ga uw gang.'

Decker begon met de oudste brief, die vlak na het incident in de synagoge was geschreven. Er stond geen datum boven. Hij las:

Hé Italiaanse superminnaar:

Hoe gek het ook mag klinken, de koningin van de discipline heeft een paar misplaatste gevoelens, en een daarvan heeft ertoe geleid dat ik je op een vleselijke manier mis... vooral die heerlijke penis van je. Als ik er maar aan dénk, word ik al helemaal nat, om nog maar te zwijgen over het feit dat ik dol ben op mannen in uniform. Ik vraag me af wat de kleine Lisa zou zeggen als ze me eraan zou zien zuigen met mijn gezicht vol geil...

Decker liet zijn ogen over de regels glijden tot hij iets vond wat voor hem van belang was.

Ik hoop dat Druilerige Dee en haar manneke je het leven niet al te zuur maken met hun schijnheilige gezeik. Als dat zo is, vertel je hun maar dat jij Ruby's favoriete toy boy bent, dan houden ze hun bek wel. Ik ken het systeem, schat, en daarom ben ik gevaarlijk. Dat moet je goed onthouden. Wat we in bed doen, is van ons tweeën. Voor de rest is het ieder voor zich.

Er stond geen naam onder de brief, maar een voordeel was dat hij met de hand was geschreven, niet getypt, en het was ook geen geprinte e-mail. Als Alice Ranger een voorbeeld had van Ruby's handschrift, kon via een eenvoudige analyse bepaald worden of zij deze brief had geschreven. Verder hadden ze de poststempel, die weliswaar niet erg recent was, maar toch van belang kon zijn om de jonge vrouw op te sporen.

Hij zei: 'Enig idee over welk systeem ze het heeft?'

'Nee,' zei Karl. 'Maar ze heeft het er nog een paar keer over. Ernesto wist er blijkbaar van, want ze legt er niets over uit. Leest u de rest maar.'

Dat deed Decker. De volgende brief was twee maanden na de eerste verstuurd... een maand voordat Ernesto van school zou komen.

Gefeliciteerd dat je op Brown bent aangenomen – alsof ik niet allang wist dat dat zou gebeuren. Je boft dat je pappie zo veel invloed en centen heeft, dat hij de rechter heeft kunnen overhalen te verdoezelen dat je een heel erg stoute jongen bent die het leuk vindt om heel erg stoute dingen te doen.

Daarna beschreef ze weer wat ze in bed hadden gedaan, tot in de meest onsmakelijke details. Decker had in zijn leven al heel wat vuiligheid gezien, maar de puur seksuele taal – rauw en grof – bezorgde hem een bijzonder onaangenaam gevoel. Hij wist dat hij uiteindelijk alles zou moeten lezen, om te zien of er tussen de regels informatie verborgen zat, maar nu sloeg hij de gore taal over en las alleen de laatste paragraaf.

Ik vind het echt niet te geloven dat je er serieus over denkt naar dat kamp te gaan. Er zijn pas twee maanden verstreken, maar je wordt nu al zo zacht als boter in de zon. Ben je helemaal gek geworden? Macht is alleen goed, schat, als je er gebruik van maakt. Je weet dat je er makkelijk onderuit kunt komen. Je hoeft alleen maar te laten doorschemeren dat je op de hoogte bent van het systeem, dan zullen ze aan je voeten liggen. Ik zeg niet dat je het onomwonden moet gaan vertellen... dat kan gevaarlijk zijn. Maar een jongen met zo'n fantastische pik én al die ervaring in het debatteam, weet vast wel hoe hij zoiets heel subtiel moet aanpakken. Ze zullen vast wel snappen hoe de vork in de steel zit. Dat kamp is je reinste shit en Tarpin is nota bene een marinier! Ik hoop dat je niet zó snel aan het verslappen bent. Misschien moet ik even langskomen om je bij te stellen, je zo lang pijpen tot je je herinnert dat jij de dienst uitmaakt, niet zij. Als je dát maar steeds in gedachten houdt, zul je het ver schoppen. Maar als je dat niet doet, maken ze gehakt van je. En dat zou zonde zijn van die prachtige, harde, geribbelde buik van je, om nog maar te zwijgen over je heerlijke piemel.

Ook ditmaal stond er geen naam onder. Decker vouwde de brief op en stopte hem terug in de envelop. 'Wat weet jij over de Baldwins?'

Karl schudde zijn hoofd. 'Ik ben nooit bij hen in therapie geweest. Ik ben sowieso nooit in therapie geweest. Ik ben een saaie jongen die nooit problemen veroorzaakt. Ernie was de ster van de familie. Heel intelligent, maar een beetje in de war... zoals een genie betaamt. Ik ben maar gewoon. Ik moet nog twee jaar naar de middelbare school. Als alles was verlopen zoals het was gepland, had ik over een jaar naar de Baldwins moeten gaan voor studiebegeleiding. Alle laatstejaars van Foreman Prep gaan naar de Baldwins. Het is bijna een ritueel.'

'Een ritueel?'

'Het hoort erbij. We gaan allemaal naar dezelfde scholen, doen dezelfde dingen, spelen in dezelfde voetbalteams, gaan naar dezelfde zomerkampen, naar dezelfde feestjes, vrijen met dezelfde meisjes en wanneer de tijd is gekomen, gaan we allemaal naar de Baldwins. Het is net alsof onze ouders bang zijn uit het gelid te lopen. Want dat zou betekenen dat het kind van een ander misschien een voorsprong krijgt op je eigen kind. Ik hou van mijn ouders. Ik vind dat ze erg... hoe zal ik het zeggen ...'

'Integer zijn?'

'Ja. Maar ook zij zijn in de val gelopen. Ze zeggen dat het komt omdat ze voor ons het beste willen. Dat is waar, maar het is ook zo dat ze tegenover hun vrienden geen figuur willen slaan. Het zou hen in verlegenheid brengen als we niet goed terecht zouden komen. En daar zijn de Baldwins voor. Die voorkomen dat ouders in verlegenheid worden gebracht. Van onze school werd bijna iedereen aangenomen op het college dat ze hadden gekozen, omdat de Baldwins precies wisten welk college voor welke leerling het beste was, en zo was iedereen tevreden. Dat was de reden van de studiebegeleiding.'

'Heeft niemand ooit laten doorschemeren dat ze iets illegaals deden om leerlingen op de juiste hogescholen te krijgen?'

'Nee. Dat las ik voor het eerst in deze brieven. Maar laten we onze kop niet in het zand steken. Wie kijkt er nou niet de andere kant op als hij daardoor kan krijgen wat hij wil? Maar wat voor illegale dingen denkt u dat ze deden?'

'Het is mogelijk dat ze inside information over de SAT-tests hadden.'

Karl keek niet-begrijpend. 'Inside information?'

'Voorkennis over de vragen.'

'Ik zou het niet weten,' zei Karl.

Decker zei: 'Ik vraag me af of dat het systeem is waar Ruby het over heeft. Dat ze een insider hadden.'

'Daar weet u dan meer over dan ik,' zei Karl. Hij ging weer liggen. 'God, wat ben ik moe.'

Decker wist dat hij de jongen eigenlijk met rust moest laten, maar dit was een unieke gelegenheid. Hij sneed een ander onderwerp aan. 'Je zei dat jullie allemaal naar dezelfde feestjes gingen. Heeft Ernesto je wel eens meegenomen naar de feestjes waar hij naartoe ging?'

'De drugsfeesten?' Karl blies met kracht zijn adem uit. 'Tuurlijk. Wie op Foreman niet naar de drugsfeesten gaat, is een nerd of een watje. Ik ging erheen om gezien te worden, maar ik vond er niks aan. Ik gebruik geen drugs. En als je geen drugs gebruikt, heb je daar niks te zoeken. Het is stomvervelend om naar mensen te zitten kijken die stoned zijn.'

Karl was geen domme jongen wat echt belangrijke dingen betrof. Decker zei: 'Heb je daar ooit vrienden van Ruby gezien?'

'Ruby bracht haar vrienden nooit mee. Volgens mij had ze helemaal geen vrienden. Ik heb haar maar een paar keer gezien, met haar broer Doug, de potroker.'

'Ze was er dus niet altijd bij?'

'Nee, maar wanneer ze kwam, trok ze wel veel aandacht. Ze was erg sexy. Ik mocht haar niet, maar ik snap wel wat Ernesto in haar zag.' Hij schudde verwonderd zijn hoofd. 'Als ze zelfs maar de *helft* deden van wat ze heeft geschreven, heb ik mijn linkertestikel ervoor over om een nacht met haar door te brengen.' Hij fronste zijn wenkbrauwen. 'Nou, misschien niet mijn testikel.'

'Ik snap wat je bedoelt.'

'Alle jongens waren geil op haar. Alleen Ernesto had genoeg lef om naar haar toe te gaan en een gesprek met haar aan te knopen. Een echt gesprek. Meestal was zij degene die aan het woord was en luisterden de jongens. Ze hingen aan haar lippen...' Karl zweeg abrupt. Zijn blik ging naar Deckers gezicht en toen wendde hij zijn ogen af.

Decker zei: 'Ik weet dat mijn zoon naar sommige van die feestjes ging.'

'Dat heeft niet lang geduurd.' Karl kon hem niet aankijken. 'Echt niet. Ik heb hem al een jaar niet gezien. Hij is erg intelligent. En alle meisjes dwepen met hem.'

'Behalve Ruby,' zei Decker.

'O.' Karl bloosde. 'Heeft hij u dat verteld?'

Decker knikte.

'Ja, dat was niet best. Het was Ruby's schuld. Ze zat hem constant te treiteren. En Ernesto spoorde haar aan. Op een gegeven moment had Jake er genoeg van. Hij heeft haar flink te grazen genomen, maar leuk was anders. Nu ik erover nadenk, was dat de laatste keer dat ik hem heb gezien.'

Dat kwam overeen met wat Jacob hem had verteld. Decker moest nog één brief lezen. 'Laat me even zien wat er in de derde brief staat en dan zal ik je met rust laten.'

'Goed.'

Wat klonk hij moe, de arme jongen! Deckers ogen vlogen over de regels en hij zag meteen dat de toon was veranderd: meer gesluierde waarschuwingen dan seks.

Als je in het complot wilt zitten, moet je weten waar je aan begint. Als we van tevoren weten dat je het niet zult volhouden, heeft het weinig zin. Je moet daden bij je woorden weten te voegen. Het is waarschijnlijk het beste dat ik even naar je toe kom om een en ander uit te leggen. Tot dan kun je beter je mond houden, anders begrijpen de mensen bepaalde dingen misschien verkeerd. We kunnen de B's wel aan, maar ze zijn niet achterlijk. Je moet voorzichtig te werk gaan of helemaal niets doen.

Hoe langer ik erover nadenk, hoe meer ik ervan overtuigd raak dat ik beter even kan komen. Ik zit me hier toch maar te vervelen. Ik heb al zo'n twintig kerels afgewerkt, allemaal rijke dot-com nerds, allemaal boven de veertig. Het is wel leuk dat ze me mee uit nemen en ik gratis maaltijden krijg, en net zo veel pillen en stickies als ik wil, maar ik mis jouw jonge, stevige pik. Ik wil die in mijn binnenste voelen. Ja, ik denk dat ik maar even langskom om de details met je uit te werken voordat je wordt afgevoerd naar Auschwitz West. Het is duidelijk dat we even moeten praten.

Decker herlas deze laatste twee alinea's. Dit leek erop te wijzen dat Ruby in Los Angeles was. Of er in ieder geval was geweest. Hij keek naar Karl. 'Ernesto voerde iets in zijn schild.'

'Ja, iets wat hij helemaal niet aankon, die stomme klootzak!' Karl sloot zijn ogen. 'Ik hield van mijn broer, weet u.'

'Dat geloof ik onmiddellijk.'

'Ik keek erg tegen Ernie op, maar soms deed hij zo arrogant... dan voelde je je heel klein. Ruby is net zo. Denkt u dat zij de dader is?'

'Ze staat in ieder geval nog op ons lijstje,' zei Decker. 'Enig idee waar ze is?'

'Nee. Ze zei nooit iets tegen mij, inspecteur Decker. Ze zei nooit iets aardigs tegen me en ook niets gemeens. Ze verkwistte haar tijd niet eens met me te pesten, zoals ze Jake pestte. Ik was lucht voor haar. Wat haar betrof, bestond ik niet.'

29

'WE HEBBEN DE VADER VAN DARRELL HOLT GEVONDEN,' ZEI MARTINEZ. 'Philip David Holt. Volgens zijn privé-secretaresse is hij krap drie uur geleden aangekomen, maar hij is bereid ons te woord te staan. Hij woont in een van de wolkenkrabbers in Wilshire Corridor. Zijn flat beslaat de volledige twaalfde verdieping.'

'Wat doet hij voor werk?' vroeg Decker.

'Hij is investeringsbankier en kapitaalmanager,' antwoordde Martinez. 'Hij heeft kantoren in Encino en Beverly Hills. Klinkt de naam Holt Investments je bekend in de oren?'

'Nee, maar ik behoor niet tot de mensen die een kapitaalmanager nodig hebben.'

'Je zou hem waarschijnlijk ook niet kennen als je wél tot die groep behoorde. Hij beheert een van de grootste beleggingsmaatschappijen voor Afro-Amerikanen aan de Westkust. Hij gaat over activa met een waarde van bijna een miljard dollar. Een één met negen nullen...'

'Oké, ik ben zeer onder de indruk.' Decker bracht de mobiele telefoon over naar zijn andere oor. 'Impliceert zijn clientèle dat meneer Holt zwart is?'

'Darrell zei van zichzelf dat hij negerbloed heeft, dus denk ik dat we dat mogen aannemen.' Martinez zweeg even. 'Al zou ik Darrell nooit voor een neger hebben gehouden. Zijn huid is lichter van kleur dan die van mij! En ik ben niet erg donker.'

'Wanneer gaan jullie naar hem toe, Bert?'

'Ik heb gezegd dat we over een uur bij hem kunnen zijn. We zijn nog in de Valley.'

'Hij is nu dus thuis.'

'Ja.'

'Mooi,' zei Decker, 'dan weet ik het goed gemaakt. Ik zit momenteel op de 405, niet ver van Sunset.'

'Vlak om de hoek dus,' zei Martinez.

'Ja. Geef me het telefoonnummer van meneer Holt, dan zal ik hem bellen. En omdat jullie zo goed zijn in het opsporen van mensen die ons proberen te ontlopen, mogen jullie teruggaan naar Alice Ranger en haar het vuur na aan de schenen leggen. Ik moet weten waar Ruby is.'

Stilte op de lijn.
Toen zei Martinez: 'Ik mag dat meisje niet.'
'Je bent niet de enige. En je hoeft haar ook niet aardig te vinden. Je moet alleen je werk doen.'

Decker stuitte eerst op de portier, die een uniform droeg dat hem deed denken aan een bandleider. Vervolgens stuitte hij op een balie-employé in een driedelig pak. Daarna werd hij naar de twaalfde verdieping gebracht door een liftbediende die een uniform droeg en witte handschoenen. Toen de liftdeuren opengleden, kwam Decker uit in een gang die eerst naar rechts boog en toen naar links. Na ongeveer vijftien meter eindigde de gang bij een dubbele deur van koper. Hij drukte op de bel. Een butler in livrei deed open. De man was ooit lang geweest, maar de leeftijd had zijn schouders gekromd. Hij had een ingevallen gezicht, troebele grijze ogen en een huidskleur die Decker deed denken aan een doffe cent. Zijn hoofd was kaal, op een rand grijze krulletjes na die op zijn achterhoofd van oor tot oor liep.
In de flat was de *Pastorale* van Beethoven te horen. Decker liet de butler zijn penning zien. 'Inspecteur Decker van de LAPD. Meneer Holt verwacht me.'
De butler stapte opzij. 'Ja, meneer. Komt u binnen.'
Toen Decker naar voren liep, kreeg hij prompt het gevoel dat hij vloog, en toen dat hij viel, want tegenover hem was een wand die geheel uit glas bestond. Omdat er geen sponningen rond de glasplaten zaten, was het net alsof hij regelrecht in het luchtruim boven de lichtjes van de stad stapte. De grote kamer had een plafond van zeker vier meter hoog, met verzonken panelen en gebeeldhouwde balken. De vloer was van glanzend zwart graniet, bedekt met Perzische tapijten die net voldoende versleten waren om er kostbaar uit te zien. Het meubilair was bekleed met stof in brons- en zilverlamé, had een golvende vormgeving en was groot genoeg om de ruimte te vullen, maar niet zo groot dat het de hele ruimte in beslag nam. In een van de muren zat een tot het plafond reikende granieten open haard, en aan de tegenoverliggende muur hingen grote olieverfschilderijen: De Koonings kronkels, Motherwells abstracten, Bacons verwrongen lichamen en een Jackson Pollock waar het rood vanaf droop.
Binnen klonk de muziek harder... erg hard zelfs. Het was het eerste deel van de symfonie en Decker had geen moeite zich de kleine, duivelse centaurs in te beelden die op kwieke, naakte centaurvrouwtjes joegen. In zijn jonge jaren was hij twee keer met Cindy naar een uitvoering van *Fantasia* geweest.
'Deze kant op, alstublieft,' zei de butler.
Een gang door, langs een kamer die veel leek op de eerste: zelfde plafond en vloer, zelfde wand van glas. Maar deze kamer had een kleinere open haard, met tegen dezelfde muur een ultramoderne hifi-installa-

tie. Ertegenover bevond zich een ingebouwde bar, ten gerieve van dorstige bezoekers. En in het midden van het vertrek stond een glanzend zwarte vleugel met de klep open.

Tegenover deze kamer was de eetkamer, waar een zwartgelakte tafel stond die plaats bood aan achttien mensen. Ook hier een geheel uit glas bestaand uitzicht, maar nu op een ander deel van de stad. De tafel was gedekt, compleet met grote en kleine borden voor meerdere gangen, glanzend bestek en kristallen glazen voor witte en rode wijn en water. Geen enkel stofje ontsierde de gedekte tafel. Het was alsof Holts gasten ieder moment konden binnenkomen, maar er waren geen bak- en braadgeuren te bespeuren, zelfs geen enkel teken van leven.

De butler nodigde hem met een gebaar uit mee te lopen door een gang die eindigde bij alweer een dubbele koperen deur. De butler drukte op een knop, en even later klonk er een zoemer.

De slaapkamersuite leek wel honderd vierkante meter te bestrijken en had ook al een glaswand en er hingen dezelfde soort kunstwerken als in de rest van het appartement. De suite was van alle gemakken voorzien, inclusief televisie, hifi, en een keukenhoek met een koelkast en een gasstel. Er stonden banken, stoelen, tweezitsbankjes en fauteuils. Maar het pièce de résistance – midden in de kamer – was een verhoging met daarop een kingsize bed met een bruine suède sprei. Grote suède kussens rustten tegen het ebbenhouten hoofdeinde. Tegen de kussens geleund zat Holt, gekleed in een blauwe zijden pyjama die om zijn magere lichaam slobberde. Zijn mokkakleurige gezicht was klein en rond, en de huid zat strak over de uitstekende jukbeenderen en de brede neus. Hij had donkerbruine ogen en zwart haar dat erg kort was geknipt. Aan zijn voeten droeg hij dikke sokken. Rondom hem lagen stapels paperassen, twee laptops, diverse mobiele telefoons, één gewone telefoon en een elektronische tickertape. Decker zag neongroene tekentjes langsvliegen.

'Buitenlandse markten.' Holt typte terwijl hij sprak. Hij moest erg hard praten vanwege de harde muziek. 'God heeft vierentwintig tijdzones gecreëerd zodat er altijd een beurs is om in de gaten te houden.' Hij keek op en glimlachte. 'Een grapje. Gaat u zitten, inspecteur Decker. Ik hoop dat u het niet vervelend vindt dat ik onder het praten doorwerk. Ik ben erg goed' – hij typte iets – 'in het uitvoeren van meerdere taken tegelijk. Bovendien...' Een mobieltje ging over. Hij nam op, fluisterde instructies en hing op. '... geloof ik dat we niet veel te bespreken hebben.'

'Ik kan u slecht verstaan.'

'Ik kan u heel goed verstaan.'

De man leek niet van plan de muziek zachter te zetten. Decker riep: 'Is het goed dat ik op de rand van het bed ga zitten?'

'Ja, hoor.'

Op wonderbaarlijke wijze daalde het volume van de muziek iets. Holt keek verrast op en zag dat de butler dicht bij de hifi stond. Holt leek iets te willen zeggen, maar bedacht zich.

De butler vroeg: 'Wilt u iets nuttigen, meneer?'
'Eh, ja, George. Thee graag...' Tegen Decker: 'Is thee goed?'
'Prima.'
'Earl Grey, George. Zonder cafeïne. Het is al wat aan de late kant, niet? Ik heb geen idee in welke tijdzone ik me bevind, maar ik zie dat het bijna donker is. Hoe laat is het?'
'Halfnegen, meneer.'
'Doe er wat boterkoekjes bij.' Holt bleef typen op een laptop. 'Thee met boterkoekjes. Heerlijk.'
'Goed, meneer.'
De dubbele koperen deur ging open en weer dicht.
'Nee, ik weet niet waar...' Holt tikte rad. 'Mooi zo! Nu even ...' Weer tikte hij iets en wachtte. 'Momentje. Ik moet zeker weten dat deze opdracht wordt doorgestuurd... Zo. Heel goed. Ik weet niet waar Darrell is, inspecteur. Ik ben hem helemaal uit het oog verloren. Ik heb hem al drie of vier jaar niet gezien. Hij heeft ooit een spaarrekening gehad, dus kunt u hem via de bank vermoedelijk wel opsporen, al meen ik dat hij dat geld een jaar geleden heeft opgemaakt.'
'U hebt dus vier jaar geleden voor het laatst contact met hem gehad?'
Holt nam weer een telefoontje aan, draaide zich van Decker af, fluisterde iets, verbrak de verbinding, pakte een ander mobieltje op. Fluister, fluister, fluister. Hij typte, belde, fluisterde, typte weer iets. Een paar minuten later zei hij: 'Ja, ik geloof inderdaad dat het al zo lang geleden is. Toen hij vanuit het noorden was teruggekeerd naar Los Angeles en betrokken raakte bij die belachelijke racistische groepering.' Hij lachte kort. 'Darrell is naar Afro-Amerikaanse maatstaven bijna blank, maar hij voelt zich niet blank.'
'Voor zover ik weet, beweert hij ook niet dat hij blank is. Hij heeft mijn rechercheurs verteld dat hij een Acadiër is.'
'Da's een goeie.' Weer een lach. 'Darrell de Cajun. Wat een mop. Darrell heeft zichzelf al vele malen opnieuw gecreëerd. Hij is geen Acadiër, alhoewel zijn moeder uit Louisiana komt. Darrell is... een beetje getikt. Niet verbazingwekkend, gezien zijn genen.' Hij keek op naar Decker. 'Niet de mijne; de hare.'
'Die van zijn moeder.'
'Zijn moeder was een slet.' Hij snoof krachtig. 'Ik weet niet eens zeker of Darrell mijn zoon is, maar ik heb hem als zodanig geaccepteerd omdat...' Hij pauzeerde, tikte razendsnel iets en vervolgde het gesprek. 'Omdat ik vond dat ik geen keus had. Ik schaamde me, ik geneerde me, ik was dom en ik was zo in de ban van de seksuele vaardigheden van die vrouw dat ik geen vragen stelde. En diep in mijn hart had ik medelijden met dat kleine opdondertje. Misschien ís het mijn kind. Welk zaad er ook is binnengedrongen in de baarmoeder van die vrouw, het heeft in ieder geval een intelligent kind geproduceerd. De jongen is niet dom. Alleen immoreel... en lui. Heel erg lui. Hij wilde al dit moois wel heb-

ben...' Holt maakte een weids gebaar naar de kamer, 'maar hij heeft er nooit voor willen werken.'

'Heeft hij u gedurende de afgelopen vier jaar ooit gebeld?'

'Misschien. Ik heb hem nooit te woord gestaan. Hij wilde toch alleen maar geld, dus waarom zou ik? Maar als u wilt, kunt u dat bij de telefoonmaatschappijen nagaan, inspecteur.'

'Enig idee hoe hij zijn brood verdient?'

'Hij is vierentwintig en kan goed omgaan met computers.' Holt keek naar de tickertape. 'Goed, heel goed. Waar hadden we het over?'

'Over hoe Darrell zijn brood verdient.'

'Hij kan vast wel iets. Hij heeft twee jaar aan Berkeley gestudeerd. En hij is bijzonder manipulatief. Ik maak me over hem geen zorgen.'

'Weet u of hij een baan heeft?'

'Nee, geen idee.'

Er werd op de deur geklopt.

'Ah, daar is de thee.' Hij reikte opzij en drukte op een knop. De dubbele deur ging open. 'Precies op tijd. Kun je even inschenken, George?'

'Jazeker, meneer.'

'George, misschien kun jij de inspecteur helpen. Hij wil dingen weten over Darrell.'

De oude man hield even op met inschenken en ging er toen mee door. 'Ja, meneer?'

'Heb je hem de laatste tijd nog gezien?'

'Nee, meneer.'

Maar de aarzeling vertelde Decker een ander verhaal.

'Heeft hij gebeld?' vroeg Holt aan zijn butler.

'Nee, meneer.'

Holt hief zijn handen op. 'Als George niet weet waar Darrell uithangt, dan weet niemand het. Darrell mocht George graag, nietwaar?'

'Dat mag ik hopen, meneer.' George gaf Holt een goudgerand porseleinen theekopje en bood Decker een identiek kopje aan. Nadat hij hun de thee had aangereikt, hield hij hun een schaaltje met boterkoekjes voor. Holt nam er twee, maar Decker bedankte.

'Neem toch een koekje, inspecteur,' moedigde Holt hem aan. 'Het leven mag af en toe wel wat gezoet worden.'

'Nee, echt niet, dank u. Wat kunt u me nog meer over Darrell vertellen?'

'Ik heb u alles al verteld.' Hij glimlachte. 'Hij is getikt. Meer valt er niet te vertellen. George, weet jij nog iets?'

'Nee, meneer.'

'Wanneer hebt u hem voor het laatst gesproken?' vroeg Decker.

'Jaren geleden.'

'Hoeveel jaren?'

'Ik meen dat ik hem niet meer heb gesproken sinds hij betrokken is geraakt bij die rare groepering.'

'De Hoeders van de Etnische Integriteit?' zei Decker.
George trok een gezicht. 'Een stelletje gestoorde figuren bij elkaar.'
'Goed gezegd,' stemde Holt in.
'Kan ik u verder nog ergens mee van dienst zijn, meneer?' vroeg George.
'Nee, George, dank je.'
George vertrok. Decker wachtte even en stond toen op, het theekopje in zijn hand. Hij haalde een visitekaartje uit zijn zak. 'Neemt u contact met ons op als u iets van hem hoort?'
'Natuurlijk.' Holt keek op van de laptop waar hij iets op aan het tikken was. 'Wat heeft hij eigenlijk gedaan?'
'Daar kan ik me niet over uitlaten, meneer Holt, omdat het onderzoek nog gaande is.'
'Dan moet u vooral uw mond stijf dichthouden.' Holt bleef typen. 'Waar u hem ook van verdenkt,' – tik, tik, tik – 'hij heeft het vast en zeker gedaan.'
Decker wachtte. Toen zei hij: 'Ik zal de deur achter me dichtdoen.'
'Da's goed. Neem een koekje voor onderweg.'
'Dank u.' Decker deed een van de koperen deuren open en trok hem zachtjes achter zich dicht. Het theekopje bood hem een mooi smoesje. Hij liep snel de gang door, langs de kamer met de piano en de hifi, naar de andere kant van de woning, waar zijn tocht eindigde bij alweer een dubbele koperen deur. Decker drukte op de bel en even later betrad hij een hol aandoende keuken. De keukenkastjes hadden gladde, zwart-wit gelakte deurtjes zonder handvatten. In het midden van de ruimte stond een fornuis met acht pitten. Erboven hing een grote metalen afzuigkap. Ondanks dat geen van de pitten brandde, straalde er van het fornuis warmte af. De aanrechtbladen waren vervaardigd van inktzwart graniet en er stond helemaal niets op: geen keukengerei, geen broodtrommel, geen potten met meel of suiker, geen bosje bloemen, geen snuisterijen, geen kookboeken, niets van de dingen die je nodig hebt om te kunnen koken. Alleen een blok met messen met stalen heften. Het was er zo gezellig als in een mortuarium.
George stond bij een roestvrijstalen gootsteen de theepot om te spoelen. Langzaam draaiden zijn gekromde, reumatische handen de pot om en om. Hij hield zijn ogen op de waterstraal gericht toen hij sprak. 'Hij had ook goede kanten.'
'Dat geloof ik graag,' zei Decker. 'Er is altijd een keerzijde.'
'Hij heeft een moeilijke jeugd gehad. Strenge vader, losbandige moeder. Hij heeft het zwaar gehad.'
'Hoe lang werkt u al voor meneer Holt?'
'Zestig jaar.'
Philip Holt leek begin vijftig te zijn. Decker zei: 'Dus u werkte ook voor de vader van meneer Holt?'
'Ja. Ezekial Holt. Een intelligente man, de oude meneer Holt, maar

hij had problemen. Hij heeft de jongen vreselijk verwend. Hij en zijn vrouw, Inez. Ze hebben de jongen veel te veel verwend.'

'Darrell?'

'Nee, Philip. Toen Philip met die vrouw trouwde, was Inez er kapot van. Ze wist meteen dat die vrouw niet deugde. Maar Philip luisterde niet naar zijn moeder. Philip... zag alleen wat hij wilde zien.'

'Heeft Philip ruzie gehad met zijn ouders vanwege die vrouw? Hoe heette ze?'

'Dorothy. Maar iedereen noemde haar Dolly Sue.'

'Wat is er gebeurd nadat Philip met Dolly Sue was getrouwd?'

'Hij kreeg ruzie met zijn vader en zijn moeder. Ze waren allebei tegen het huwelijk. Die vrouw was slecht, van het begin af aan.'

'Losbandig.'

'Ze hield van mannen. En ze kreeg ze ook. Met haar mooie blauwe ogen en haar zachte, honingblonde haar. Ze was een flirt. Met haar lijzige, zuidelijke accent. Philip had geen schijn van kans.'

Blauwe ogen, blond haar, zuidelijk accent. Decker zei: 'Ze was blank.'

'Ja, ze was blank. Philip heeft haar leren kennen in Shreveport, waar hij werk deed voor het plaatselijke college. Ze werkte daar als secretaresse. Op het college. Zodra ze erachter was dat Philip wat geld van zijn vader had gekregen, lokte ze hem haar bed in. Daarna... ach... tegen dergelijke verlokkingen is geen man opgewassen.'

'Was Philips vader dan rijk?'

'Voor een neger was Ezekial erg rijk. Hij werkte als vrachtwagenchauffeur voor Coca-Cola in Atlanta, Georgia, en iedere cent die hij verdiende, belegde hij in de aandelen van Coca-Cola.'

'Een man met een vooruitziende blik.'

'Nou, hij was daar niet zelf opgekomen, hoor. Hij deed het om indruk te maken op een blank meisje dat hij leuk vond. Ziet u, haar broer kocht van die aandelen. Dus deed Ezekial het ook. Alleen was het in die dagen voor een neger erg moeilijk om aandelen te kopen. Geen enkele effectenmakelaar was bereid aan negers te verkopen. Dus deed de blanke jongen het in zijn plaats. Hij zei dat hij er veel aan zou verdienen. Ezekial heeft de aandelen tijdens de recessie voor een paar centen gekocht. Hij heeft heel goed geboerd.'

'Een blanke jongen heeft aandelen gekocht voor Ezekial, op Ezekials naam?'

'Ja, meneer, hij heeft ze op Ezekials naam gezet. Het was een heel goede jongen. Hij heeft Ezekial rechtvaardig behandeld. Niet alle blanken haatten negers. De meesten wel, maar niet iedereen.'

'Interessant.'

'Na de oorlog... in de jaren vijftig... heeft Ezekial in de oude negerwijk van Atlanta een mooi huis gekocht. Een groot huis. En daarna had hij nog geld over. Philip is opgegroeid als rijkeluiskind. Kon naar goede scholen. Naar de universiteit. Hij heeft *alles* gekregen wat hij wilde. Het probleem is dat hij dingen wilde die niet goed voor hem waren. Vergeet niet dat ik het heb over de jaren zestig. De negers begonnen macht te krijgen... ze kregen de smaak te pakken van dingen die helemaal niet goed voor hen waren. Blanke meisjes wilden zomaar met hen vrijen in het kader van de vrije liefde. Daardoor gingen de negers denken dat ze net zo waren als de blanken. Het was heel erg.'

George deed de kraan dicht en droogde de theepot af. Maar hij draaide zich niet om.

'Dolly Sue was net zo. Vrije liefde... met negers... met iedereen. Ze was verdorven.'

'Hoe lang heeft het geduurd tot Philip doorhad dat Dolly Sue overspel pleegde?'

'Niet lang.'

'Hoe lang is niet lang, meneer? Een jaar? Twee jaar?'

'Derde jaar, met de kerst.' Hij zette de theepot in een van de zwarte kastjes. 'Hij en Dolly Sue woonden hier in Los Angeles. Ze waren met de kerst gaan logeren bij Philips ouders.' Hij draaide zich om naar Decker. 'Geeft u mij dat kopje maar, meneer.'

Decker gaf hem het theekopje. 'Wat is er gebeurd?'

George draaide zich om en deed de kraan weer open. 'Hij heeft haar met een andere man in bed aangetroffen.'

Decker trok een gezicht. 'Een andere man?'

'Ja, meneer.'

'Mag ik vragen wie die man was?'

George boog zijn hoofd. 'Ik schaam me ervoor het te zeggen, meneer.'

Decker kromp ineen. 'Philips vader?'

'Ja, meneer.' George' zwarte gezicht had een rode gloed gekregen, als een overrijpe kers. 'Philip en Inez waren cadeautjes gaan kopen. Philip keerde vroeg terug naar huis omdat hij zich niet lekker voelde. Hij heeft hen op heterdaad betrapt. Ezekial... heeft zich aan de genade van zijn zoon overgeleverd. Philip was een verwend kind, maar hij was geen monster. Hij heeft het zijn vader vergeven en hem beloofd dat hij zijn moeder niets zou vertellen. Hij wilde scheiden van Dolly Sue, maar een maand daarna vertelde ze hem dat ze een baby verwachtte.'

Stilte.

George zei: 'Niemand weet wie de vader is, meneer. Ze heeft het met allebei gedaan, dus kunnen ze het allebei zijn. Inez... heeft nooit iets geweten. En Philip... Philip heeft zijn best gedaan, meneer. Hij heeft geprobeerd er nog iets van te maken. Maar Dolly Sue bleef met Jan en Alleman flirten. Toen de tweede baby was geboren, had Philip weer zijn verdenkingen. De baby was veel te donker.'

'De baby was te donker?'

'Ja, meneer. Philip is niet erg donker, omdat zijn moeder geen negerin is. Ze was een Mexicaanse. En Dolly Sue was blank. De baby was zo zwart als roet. Toch heeft Philip het geprobeerd. Vier jaar lang mocht de bastaard hem pappa noemen. Maar uiteindelijk werd het hem te veel. Hij heeft zijn vrouw gedwongen de kleuter te laten adopteren.'

Decker likte aan zijn lippen. 'En heeft ze dat gedaan?'

'Ja, meneer. Ze wilde Philip niet kwijtraken en ze wilde ook Darrell niet kwijtraken. Zonder hen was ze niets en had ze niets. Dus heeft ze de kleine laten adopteren.'

'Ze heeft haar eigen kind, een kleuter van *vier*, afgestaan?'

'Ja, meneer.' George schudde zijn hoofd. 'Het was heel triest. Ik had medelijden met haar, maar het was haar eigen schuld. Ze had niet het recht een buitenechtelijk kind in meneer Philips huis te laten opgroeien alsof het zijn eigen kind was. Maar ik had nog het meeste medelijden met Darrell. De kleine was Darrells broer. Hij vond het vreselijk dat hij weg moest.'

Decker probeerde de woede uit zijn stem te houden. 'Ja, ik kan me voorstellen dat zoiets erg traumatisch is.'

'Het is niet zo dat Philip het niet heeft geprobeerd.'

'Maar het was een ellendige situatie,' zei Decker, in een poging de gewetenswroeging van de oude man te verzachten.

'Precies.' Nog een zucht. 'Maar zelfs dat haalde niets uit. Ze bleef het met andere mannen aanleggen. Uiteindelijk heeft Philip haar de deur gewezen. Hij heeft haar geld gegeven onder voorwaarde dat ze zou vertrekken. Darrell was tien. Maar zelfs als tienjarige huilde hij een zee van tranen. Meneer Holt kon het in zijn eentje niet aan en heeft mij toen uit het huis van zijn vader gehaald om voor Darrell te zorgen. Ik was degene die de jongen 's nachts troostte.'

'Dus hij heeft Darrell, ondanks alles, wél bij zich gehouden. Waarom?'

'Omdat de jongen zijn eigen vlees en bloed was – misschien zijn halfbroer, misschien zijn zoon, maar in ieder geval zijn vlees en bloed. Toen hij zijn vrouw de deur uit had gezet, heeft hij tegen zijn vader gezegd dat hij Darrell niet in zijn eentje kon opvoeden. Toen ben ik voor meneer Philip gaan werken.' George zette het theekopje op het kale, granieten aanrecht. 'Een paar jaar nadat meneer Philip haar het huis uit had gezet, is Dolly Sue gestorven...'

'Waaraan?'

'Aan een infectie en bloedvergiftiging... ze hebben haar been moeten amputeren. Het was heel triest. Meneer Philip heeft voor de crematie betaald. Dat vond hij correct.'

Sportief van hem, dacht Decker. Maar mocht hij wel over hem oordelen? Toen dacht hij: waarom niet? Hij had voor zijn dochter gezorgd nadat hij was gescheiden, hij zorgde voor de zonen van zijn vrouw, hield van hen en behandelde hen alsof ze zijn eigen kinderen waren – wat ze nu wettelijk ook waren – ondanks dat het geestelijk heel wat van hem vergde. Ja, hij mocht wel degelijk oordelen.

'En het kleine broertje?' vroeg Decker. 'Wat is er van hem geworden?'

George haalde zijn schouders op. 'Dat weet ik niet, meneer. Darrell... heeft me een keer verteld dat de jongen is gestorven. Maar hij heeft me ook verteld dat de jongen nog leeft en indertijd is geadopteerd door rijke mensen. En ook dat hij een Zwarte Moslim was geworden. Darrell heeft veel fantasie. Hij verzint altijd van alles.'

Decker knikte. 'Bedankt voor de thee, George.'

'Graag gedaan.' Hij wendde zich weer tot Decker. 'Oordeelt u niet te slecht over Darrell. Hij heeft een moeilijke jeugd gehad.'

'Dat snap ik.' Decker tikte nerveus met zijn voet op de vloer. 'Wanneer heb je voor het laatst iets van Darrell gehoord, George? En nu wil ik graag de waarheid.'

'Drie dagen geleden,' bekende de butler. 'Hij had geld nodig... zoals meneer Philip al zei.'

'Heb je hem geld gegeven?'

'Vierhonderd dollar... van mijn spaargeld. Dat was misschien niet verstandig van me, maar zoals ik al zei, heeft de jongen een moeilijke jeugd gehad.'

'Enig idee waar hij is?'

'Nee, meneer. Dit was voor het eerst in drie jaar dat ik hem zag.'

'Hoe zag hij eruit? Nerveus of kalm?'

'Hij was geagiteerd. Ik dacht dat hij alleen maar zenuwachtig was omdat hij moest verdwijnen voordat zijn vader thuis zou komen. Ik heb nog gezegd dat hij best kon blijven slapen, omdat zijn vader die avond niet thuis zou komen, maar hij heeft het geld aangepakt en is vertrokken.'

'Heeft hij niets gezegd?'

'Hij zei: "Dank je, George. Dankjewel. Ik hou van je."' De oude man kreeg tranen in zijn ogen. 'En ik geloof dat hij dat ook meende.'

'Vast wel.' Decker aarzelde en zei toen: 'Tussen haakjes, de broer van Darrell die werd geadopteerd... heette die soms Richard... en werd hij Ricky genoemd?'

George zette grote ogen op. 'Hoe weet u dat?'

'Een gokje, George.' Decker klopte de butler op zijn gekromde schouder. 'Alleen maar een gokje.'

30

DECKER KEEK OP VAN MERV BALDWINS COMPUTER. 'HOEVEEL JAAR STAAT Moke al op de loonlijst?' vroeg hij.

'Officieel?' Oliver legde een grootboek neer en pakte een ander. 'Ik heb zes cheques gezien die op zijn naam zijn uitgeschreven. De eerste was van drie jaar geleden.'

'Voor hoeveel geld ook alweer?' vroeg Decker. 'Vijfduizend dollar per cheque? Kijk niet zo naar me, Oliver. Ik heb een hoop dingen aan mijn hoofd.'

Oliver probeerde zijn honende blik te verzachten. 'De eerste was voor vijftienhonderd, de volgende voor tweeduizend, daarna vijfentwintighonderd, toen vijfduizend, toen vijfenzeventighonderd. De laatste was voor tienduizend. Die was van een halfjaar geleden. Misschien had Moke om nóg meer gevraagd en had Baldwin uiteindelijk geweigerd.'

'Je hebt het over de vrouwelijke Baldwin, niet?' Marge zat voor Dee's computer. 'Zíj schreef de cheques uit voor Moke.'

Oliver zei: 'Ja, ik heb het over Dee.'

'Maar Dee schreef niet de meeste cheques uit,' zei Decker.

'Dat klopt,' zei Oliver. 'Merv deed meestal de boekhouding.'

'Correctie,' kwam Marjam Estes tussenbeide. 'De boekhouder deed meestal de boekhouding. Merv zette alleen zijn handtekening op de cheques.'

Decker keek haar aan. 'Hoe weet u dat?'

Ze bewoog haar hoofd met nerveuze beweginkjes naar voren en naar achteren. 'Ik had een keer een vraag over mijn salaris. Merv zei dat ik het met de boekhouder moest opnemen.'

'Wat voor vraag?' vroeg Marge.

'Niets bijzonders. Dee was vergeten mijn extra uren uit te betalen toen ik een keer haar plaats had ingenomen bij groepstherapie. Ze was niet de beste boekhoudster ter wereld. Ik heb dat aan Merv uitgelegd en uiteindelijk werd het netjes gecorrigeerd.'

'Wie ondertekende uw salarischeque?' vroeg Oliver.

'Dr. Baldwin... Merv.'

'Ook al werkte u voornamelijk voor Dee,' merkte Marge op. 'Zie je, dat bedoel ik nou. Merv ondertekende alle cheques, maar niet die voor

Moke. Dat deed Dee. Volgens mij heeft *zij* hem ingehuurd. Misschien heeft ze haar man er niet eens iets over verteld.'

'Het geld van de cheques werd anders allemaal van dezelfde bankrekening afgeschreven,' zei Oliver. 'Dus zelfs als het niet Mervs idee was om Moke in dienst te nemen, moet hij ervan op de hoogte zijn geweest. Het gaat om vrij grote bedragen.'

Marjam zuchtte lijdzaam en hield de roman die ze aan het lezen was voor haar gezicht. Decker glimlachte naar Marge, en Marge glimlachte naar Oliver. Ze hadden beslag gelegd op de hele kantoorruimte. Het dubbele bureau van de Baldwins lag vol patiëntendossiers, reçustrookjes, grootboeken, agenda's en stapels paperassen. Oliver had de saaiste klus: de losse paperassen sorteren; Marge zat voor Dee's computer om haar elektronische dossiers door te nemen en Decker deed hetzelfde op Mervs computer.

Marjam deed zwakke pogingen zich van hen te distantiëren door net te doen alsof ze zat te lezen of haar eigen dossiers aan het bijwerken was. Haar mobiele telefoon was zo vaak gegaan dat Marge haar uiteindelijk had verzocht hem af te zetten. Oliver wierp af en toe een blik op de psychologe. Ze was nerveus en gespannen; haar gezicht verslapte geen moment. Ze mengde zich regelmatig in het gesprek, vooral wanneer ze vond dat haar werkgevers onheus werden bejegend. Oliver had al een paar keer laten doorschemeren dat het onderzoek veel tijd in beslag zou nemen en dat ze best naar huis kon gaan, maar ze had zichzelf duidelijk tot taak gesteld de tot nu toe smetteloze reputatie van de Baldwins te beschermen.

Oliver en Marge zeiden zo min mogelijk tegen haar. Decker, daarentegen, leek zich niets van haar stuurse gedrag aan te trekken.

'Uw werkgevers waren niet erg goed georganiseerd,' had hij op een gegeven moment gezegd.

Ze had hem met betraande ogen woest aangekeken. 'Dat zou ik graag aan hen doorgeven, als het had gekund!'

Decker staarde naar de knipperende cursor op het scherm. De dossiers waren erg saai: werkschema's en aantekeningen over de patiënten. Marge had in één opzicht gelijk: Moke leek helemaal Dee's verantwoordelijkheid te zijn. Hij had in Mervs dossiers nog niets gevonden met betrekking tot het werk.

Hij keek op van het scherm. 'De eerste cheque is van drie jaar geleden. Holt is vier jaar geleden bij de HEI gekomen. Ze hebben er dus een jaar over gedaan om de zwendel op poten te zetten.'

Marjam kon zich niet inhouden. 'Nee!' Ze bloosde van verontwaardiging. 'U zit er helemaal naast...'

'Volgens mij niet,' antwoordde Decker. 'Darrell Holt/Ricky Moke chanteerde Dee, of deed iets illegaals voor haar, of allebei. Als Holt haar chanteerde, wil dat zeggen dat de Baldwins iets deden wat tegen de wet was. En u weet al wat ik denk dat het is, dus ik ga dat niet nog een keer herhalen.'

'Voor de honderdste keer,' zei Marjam, 'niemand kan de computers van de Educational Testing Services hacken om aan de vragen van de SAT-tests of andere tests te komen. Ze hebben daar een eigen zenuwcentrum dat met niemand on line is verbonden!'

Decker zei: 'En voor de honderdste keer zeg ik u dat er waarschijnlijk een werknemer van de ETS was, die informatie vanuit dat zenuwcentrum naar de computers van de Baldwins of Holt stuurde.'

'U hebt de dossiers doorgenomen...'

'Niet alle dossiers.' Marge zuchtte.

Decker zei: 'Bovendien zijn wij geen professionele hackers.' Hij blies met kracht zijn adem uit. 'Misschien kunnen we beter al deze spullen meenemen naar het bureau.'

'Er zitten patiëntendossiers in die computers!' protesteerde Marjam. 'Uw huiszoekingsbevel geeft u alleen het recht te *zoeken*, niet iets te *ontvreemden*. Dit is een ongehoorde inbreuk op de privacy van...'

'Dr. Estes...'

'Waarom zouden de Baldwins zoiets doen?' riep de psychologe uit. 'Waarom zouden ze alles waarvoor ze gewerkt hadden, op het spel zetten? U weet dat het succes van de Baldwins niet pas drie jaar geleden is begonnen! Ze staan al minstens tien jaar aan de top op het gebied van studiebegeleiding!'

'De concurrentie is moordend,' zei Marge. 'Dat hebt u zelf gezegd.'

'Concurrentie tussen de leerlingen, niet tussen de psychologen. De Baldwins waren een klasse apart. U slaat er maar een slag naar... u weet niet eens zeker dat die Moke en die afgrijselijke Holt een en dezelfde persoon zijn.'

'Hoeveel wilt u daaronder verwedden?' vroeg Marge droogjes.

Marjam sloeg haar ogen ten hemel. 'Wat een kinderachtige opmerking.'

'Wilt u weten wat ik denk?' vroeg Oliver.

'Nee, maar dat krijg ik natuurlijk tóch te horen, of ik het nu leuk vind of niet.'

'Dee moest aan de top blijven met die studiebegeleiding, teneinde er veel geld voor in rekening te kunnen brengen.' Oliver pakte een stapeltje paperassen, afrekeningen van creditcards. 'Ze had een goede, maar dure smaak. Ik heb hier afrekeningen van Gucci, Tiffany, Armani, Valentino, Escada, Zegna – die is zeker voor meneer...'

'Vergeet de verbouwing van hun huis in Beverly Hills niet,' voegde Marge eraan toe. 'En de tienduizend dollar huur voor het huis aan het strand...'

'Maar waar zijn die mysterieuze SAT-dossiers dan?' vroeg Marjam. 'U hebt geen bewijs!'

'Dat vinden we nog wel,' zei Decker. 'Zo niet ikzelf, dan iemand anders. Ook als de informatie is gewist, zijn er duizenden manieren om die terug te krijgen. Nou, misschien niet duizenden...'

'U weet niet waarover u het hebt!' zei Marjam verontwaardigd.

'U ook niet,' antwoordde Decker. 'Als Dee Baldwin iemand betaalde om de dossiers van een privé-instituut te stelen, mag u van geluk spreken als *uw* reputatie hierdoor niet wordt geschaad. Het is misschien verstandig een jurist in de arm te nemen. U maakt immers deel uit van deze praktijk.'

Weer welden tranen op in Marjams ogen. 'Dit is te gek voor woorden.'

'Ik probeer alleen maar behulpzaam te zijn.'

'Nou, dat bent u niet!' Marjam dook weer in haar boek, maar haar trillende been gaf aan dat ze allesbehalve kalm was. Even later liet ze het boek weer zakken. 'Ik ga een frisse neus halen. Ik ben over vijf minuten terug.'

Decker knikte.

Op hoge benen verliet ze het kantoor. Zodra Marge de deur hoorde dichtslaan, slaakte ze een zucht van verlichting. 'Gelukkig!'

'Zegt niks,' zei Oliver. 'Ze staat waarschijnlijk achter de deur te luisteren.'

'Denk je?'

'Je kunt even gaan kijken.'

'Och.' Marge maakte een wuivend gebaar. 'Van mij mag ze.' Ze leunde achterover op de kantoorstoel en rolde er een eindje mee achteruit. 'Weet je, Pete, na dat verhaal van George heb ik een beetje medelijden met Holt.'

'Ook als hij een massamoordenaar is?'

'Nou, nee, dan niet.'

'Aangenomen dat het allemaal waar is,' zei Decker.

Oliver keek op. 'Je zei dat die ouwe een eerlijke indruk maakte.'

'Ja,' zei Decker, 'maar ik begin me nu af te vragen of hij niet heeft overdreven. Of hij niet heeft geprobeerd sympathie te wekken omdat hij weet dat Holt in moeilijkheden verkeert.'

'Het moet anders niet zo moeilijk zijn het verhaal te controleren,' zei Oliver.

'O nee? Hoe dan?' vroeg Decker. 'De moeder is naar zijn zeggen dood. Waar kunnen we navragen wat er van de jongen is geworden?' Hij wreef over zijn voorhoofd, want hij voelde een hoofdpijn opkomen. 'Laten we nu eerst maar proberen Holt te vinden.'

Marge zei: 'Ik hoop dat we gelijk hebben... dat Holt en Moke een en dezelfde persoon zijn. Zo niet, dan staan we mooi voor gek.'

Oliver zei: 'De brieven die je van Karl hebt gekregen. Weet je zeker dat die echt zijn?'

'Ik zou niet weten waarom niet,' zei Decker.

'Het kan een truc zijn,' zei Oliver. 'Misschien heeft Karl het gedaan en wil hij Ruby Ranger ervoor laten opdraaien.'

Decker keek hem indringend aan. 'Waarom zou Karl zijn broer vermoorden?'

Oliver haalde zijn schouders op. 'Oké. Misschien weet hij niet wie zijn broer heeft vermoord, maar laat hij Ruby ervoor opdraaien, omdat hij haar niet kan uitstaan.'

Decker sneed hem de pas af. 'Zo machiavellistisch is hij niet.'

'Hoe zit het met Ernesto?' vroeg Marge. 'Wist hij van de zwendel?'

Decker antwoordde: 'Dat weet ik niet zeker. In iedere brief die Ruby hem heeft geschreven, stond een versluierd dreigement of een waarschuwing. Het is mogelijk dat Ernesto zich bedacht had en overwoog de hele zaak te verraden. En dat hij daarom is vermoord.'

'De jongen die alle muren van een synagoge had beklad met hakenkruisen was opeens braaf geworden?' vroeg Marge weifelachtig.

'Ik heb een paar gesprekken gehad met Ernesto,' zei Decker. 'Hij had spijt van het vandalisme. Voeg daar Ruby's waarschuwingen aan toe dat hij niets moest doen waar hij later spijt van zou krijgen...' Hij ging peinzend door. 'Misschien zat hij daarom 's nachts om drie uur in die tent met Merv Baldwin te praten. Misschien was hij bezig de psycholoog in te lichten over waar zijn vrouw mee bezig was...'

Oliver flapte eruit: 'Of dreigde hij met zijn verhaal naar de politie te gaan als Merv hem geen zwijggeld betaalde.'

'En daarom heeft Holt hen allemaal vermoord?' Marge trok een gezicht.

'Waarom niet?' zei Oliver. 'Elk van hen vormde een bedreiging voor Holt. Ze wisten allemaal van de zwendel.'

'Dat zou betekenen dat ook Ruby Ranger een bedreiging voor hem vormt,' zei Marge.

'Tenzij ze in het complot zit,' zei Decker.

'En hoe hebben Holt en Ruby elkaar leren kennen?'

Decker zei: 'Ze zaten gelijktijdig op Berkeley.'

Oliver zei: 'Holt is ouder dan Ruby, niet?'

'Twee jaar,' zei Decker.

'Darrell heeft de afgelopen vier jaar in L.A. gezeten. Ze hebben dus maar één jaar gelijktijdig gestudeerd.'

'Misschien hebben ze elkaar juist híér leren kennen,' zei Marge. 'Zei je zoon niet dat Ruby interesse had voor nazi's en racistische groeperingen?'

'Ze heeft gezegd dat ze Hitler een held vond of zoiets. Ik weet het niet meer precies. Het is mogelijk dat ze ooit interesse had voor de HEI.'

Oliver mengde zich weer in het gesprek: 'Dat is nu precies wat ik niet snap. Hoe kan Holt een spreekbuis zijn voor een groep die zich hoofdzakelijk inzet voor blanke superioriteit, als hij zelf negerbloed heeft?'

Marge zei: 'Holt haatte zijn zwarte vader, omdat die zijn moeder en zijn broertje het huis uit had gezet. Dus verloochent Holt zijn negerbloed en identificeert hij zich met het slachtoffer – zijn moeder – die blank was.'

'Niet in het begin,' zei Decker. 'Op Berkeley was hij een typische radicaal.'

'Maar hij heeft een grote metamorfose ondergaan. Uiteindelijk koos hij de zijde van zijn moeder, omdat die de underdog was, en omdat pa een schoft was.'

'Ik heb niet gezegd dat zijn vader een schoft was.'

'Je zei dat hij een ellendeling was,' zei Oliver.

'Ja, maar het kan best zijn dat zijn vrouw inderdaad niet deugde.'

'Misschien deugde ze niet als echtgenote, maar was ze wel een goede moeder. Darrell heeft nooit de kans gekregen uit te zoeken wie ze was, omdat zij en Darrells broer werden verbannen.' Marge rolde met haar stoel terug naar de computer. 'Hoe vind je mijn uitleg? Daar heb ik in gedachten een uur aan gewerkt.'

'Freud zou trots op je zijn,' zei Decker.

'Doe even serieus,' zei Marge met klem. 'Klinkt het logisch?'

'Ik kan er wel wat mee,' zei Oliver.

Decker zei: 'We kunnen al deze dossiers nooit zelf ontcijferen. We hebben professionele hulp nodig.'

'Dat ben ik met je eens,' zei Marge. 'Maar Estes zal het nooit goedvinden dat we de computers meenemen, tenzij we daarvoor een goede reden weten te verzinnen.' Ze dacht even na. 'We moeten Holt zien te vinden. Zou zijn vader echt niet iets achtergehouden hebben?'

Decker haalde zijn schouders op. Zijn mobieltje ging. Hij drukte op de groene toets. 'Decker.'

'Erin Kershan heet in werkelijkheid Erin Beller.' Wanda sprak op opgewonden toon. 'Ze is vijftien, woont in Scarsdale, New York, en is van huis weggelopen. Haar ouders zijn al een halfjaar naar haar op zoek. Ze was al eens eerder van huis weggelopen, maar dat heeft slechts een week geduurd. De vorige keer was ze ervandoor gegaan met een vunzige biker die ze in Woodstock, New York had ontmoet, waar ze met haar ouders op vakantie was.'

'Enig idee waar ze nu is?'

'Ja. Ze hebben familie hier in L.A., in Brentwood. Familie met wie ze niet op goede voet staan.' Wanda gaf hem het adres. 'De familie Beller heeft indertijd de familie Frammel in Brentwood opgebeld om te zeggen dat Erin vermist werd, en of ze alsjeblieft wilden bellen als ze soms bij hen zou aankloppen. De Frammels hebben uiteraard gezegd dat ze dat zouden doen.'

'Maar tot nu toe hebben ze dat niet gedaan.'

'Nee. Maar dat ze geen contact hebben opgenomen met de ouders wil nog niet zeggen dat Erin niet bij hen is.'

'En jij hebt tegen de Bellers gezegd dat ze de Frammels nu niet mogen opbellen.'

'Inderdaad. Ik heb uitgelegd dat zij en wij Erin zouden kwijtraken, als ze haar er nu op zouden attenderen dat haar verblijfplaats bekend is.

De ouders vonden het niet leuk – ze willen met haar praten – maar voorlopig werken ze mee.'

'Ik zit vrij dicht bij Brentwood,' zei Decker. 'Ik zou onaangekondigd bij hen kunnen langsgaan.'

'Dat lijkt mij een erg goed idee.'

Alice Ranger was nog altijd even mager en haar gezicht leek nog scherpere trekken te hebben door de overdadige make-up, die haar een spookachtig uiterlijk gaf. De make-up zag eruit alsof ze die zojuist had opgebracht, alsof ze plannen had om uit te gaan. Maar als dat zo was, liet ze niet merken dat ze haast had. Integendeel, ze gedroeg zich gastvrij, alsof Webster en Martinez voor de gezelligheid bij haar op bezoek waren. Haar knokige lichaam was gevat in een bruin, wollen broekpak, en haar teennagels waren aubergine gelakt.

'Kom erin, kom erin.' Alsof ze oude vrienden waren. 'Wilt u iets drinken?'

Webster schudde zijn hoofd, maar Martinez zei dat hij graag een glaasje water wilde. Hij kwam uit een cultuur waar het als een belediging wordt beschouwd wanneer je niet ingaat op gastvrijheid.

Alice bekeek hem misnoegd. In haar poging op één plek te blijven staan, wankelde ze op haar benen. 'Alleen maar water?'

'Of iets fris, cola...'

'Een rum-cola dan misschien?'

'Nee, dank u.'

'Vooruit, neem toch iets.'

'Een kopje koffie dan,' zei Martinez.

'Koffie?' Ze keek hoogst verbaasd. 'Maar het borreluur is allang begonnen.'

'Dank u, maar ik heb toch liever koffie. Als u nu eens een pot ging zetten.'

'Een hele pot?'

'Ja. Tom lust ook wel een bakje. En u neemt zelf ook, natuurlijk.'

Alice trok een gezicht. 'U wilt mij koffie laten drinken?'

'Ja. Vooruit, mevrouw Ranger, ga een pot lekkere koffie zetten.'

'Nou...' Het duurde even voordat het allemaal volledig tot haar doordrong. '... dan zal ik dat maar doen.'

'Dank u.'

'Ik ben zo terug.'

'Goed.'

'Niet weggaan, hoor.'

'Nee, we gaan niet weg,' zei Webster.

'Gut, hij kan praten,' grapte Alice.

'Ja.'

Alice' mond trok scheef toen ze glimlachte. 'Ik ben zo terug.'

'Da's goed.'

Eindelijk verdween ze. Martinez bekeek de woonkamer, in de hoop uit de inrichting iets meer te kunnen opmaken over het gezin. Maar het decor was een uitgestrekt sneeuwlandschap van witte vloerbedekking met daarop mollige witte en crèmekleurige meubels. De kunstwerken aan de vanillekleurige muren waren saai en vormeloos, de bijzettafeltjes zo kaal als een woestijn. Geen foto's, vazen, schalen, borden of snuisterijen. Ook geen televisietoestel. Wel een goed gevulde bar die de helft van de kamer in beslag nam, met een granieten werkblad en een spiegelwand.

Webster volgde Martinez' blik tot die op de bar bleef rusten. Hij fluisterde: 'Hoeveel vermout denk je dat dat mens in haar lever heeft zitten?'

'Dat is een zaak tussen haar en God. Het is onze taak haar zo nuchter te krijgen dat ze redelijk kan denken.'

'Daar is méér voor nodig dan koffie.'

'Dan zullen we er de tijd voor moeten nemen.'

'Zal ik even boven gaan kijken of Ruby er toevallig is?' stelde Tom voor. 'Dat kan de reden zijn waarom haar moeder nu al zo teut is.'

'Ja, goed idee,' zei Martinez. 'En als ze er niet is, kun je in ieder geval haar kamer bekijken. Ik blijf wel hier. Als ze terugkomt en zich afvraagt waar je bent, zeg ik dat je naar de wc bent.'

'Ze mag jou volgens mij sowieso meer dan mij.'

'Dat komt omdat ik een vriendelijk gezicht trek wanneer ik met haar praat.'

Webster knikte, stond op en liep zachtjes de smalle trap op. Hij herinnerde zich dat Ruby op de derde verdieping had gehokt, op een kamer die meer zolder dan kamer was. Toen hij de deur opendeed, zakten zijn schouders van teleurstelling. Er was niets van Ruby's persoonlijke stijl over. De kamer was veranderd in een onpersoonlijke logeerkamer. Ivoorkleurige muren, een vloer van licht eikenhout, een Perzisch aandoend vloerkleed en een tweepersoonsbed met een roze sprei en bijpassende quiltbekleding tegen het hoofdeinde van het bed. In het kleine vertrek pasten met moeite ook nog een eikenhouten boekenkast met daarin een tv, en twee nachtkastjes. Nietszeggend, karakterloos. Ruby was hier al heel lang niet geweest.

Uit gewoonte, of uit verveling, trok Webster de laden open, keek onder het bed en de nachtkastjes, tastte onder het kussen, tilde de dekens op, en stak zijn arm tussen het matras en de bodem van het bed. Wat had hij gedacht te zullen vinden? Een pistool? Een computerdossier? Geld? Drugs?

Het enige wat hij vond, waren stofpluizen.

Tegen de tijd dat hij weer naar beneden ging, was Alice er al met de koffie.

'Was u verdwaald?' vroeg ze hem.

'Ik zocht naar het toilet.'

'Op de derde verdieping? Hebt u het toilet bij de voordeur dan niet gezien?' Ze liet haar ogen rollen. 'U was aan het snuffelen.'

Webster grijnsde jongensachtig. De vrouw was niet zo dronken als hij had gedacht.

Alice zei: 'U zult daar niets van haar vinden. Ik heb de kamer helemaal laten opknappen. En dat deed me echt goed. Het werkte bijna therapeutisch om al haar rotzooi weg te doen. Dat meisje heeft me haar hele leven niets dan problemen bezorgd.'

'Zoals?' vroeg Martinez.

'Zoals?' Alice schudde haar hoofd. Ze had voor zichzelf een kristallen glas meegebracht, gevuld met een amberkleurige vloeistof en blokjes ijs. 'Liegen, drinken, stelen. En dat zijn haar goede kanten.' Maar op haar gezicht was een enorm verdriet te lezen. 'Weet u, de weg ernaartoe is moeilijk, maar zodra je het besluit hebt genomen de band te verbreken, is de rest heel eenvoudig. Ik had het al veel eerder moeten doen.' Ze maakte haar lippen nat met haar drankje. 'Nu ze weg is... is het rustiger. Ik trek me de dingen niet meer zo aan. Zelfs zijn maîtresses doen me niets meer.' Ze wees met haar hoofd naar niets bepaalds. 'Nee, zelfs *hij* doet me niks meer.'

Hij was zeker haar man.

'Wanneer hebt u Ruby voor het laatst gezien?' vroeg Webster.

'Wanneer hebt ú haar voor het laatst gezien?' was haar wedervraag. 'Dat was ook voor mij de laatste keer.'

'Ongeveer een halfjaar geleden,' zei Martinez. 'Heeft ze sindsdien geen contact met u opgenomen?'

'Nee.'

'Niet eens om alleen maar gedag te zeggen?'

'Vooral niet om gedag te zeggen.'

'Ook niet omdat ze geld nodig had?'

'Nee. Maar áls ze had gebeld, zou het alleen zijn geweest omdat ze geld nodig had. Nee, ik heb niets van haar gehoord. Ruby hád de laatste jaren trouwens genoeg geld. Misschien verdiende ze dat met tippelen. Of stelen. Of met handelen in drugs.'

'Of met hacken?'

'Wat?'

'Rommelen met computers.'

'Ja, dat deed ze aldoor.'

Webster zei: 'Ik heb boven haar computer niet zien staan.'

'Ze heeft hem meegenomen.'

'Wat hebt u gedaan met de spullen die ze had achtergelaten, mevrouw Ranger?'

'Weggedaan. Ik had alles het liefst in de open haard gemikt, als symbool dat het me menens was, weet u wel, maar ik was bang dat het brandalarm zou aanslaan.'

'Heeft ze cd's of cd-roms achtergelaten?' vroeg Webster.

'Die heb ik niet gezien.' Alice liet de ijsblokjes in haar glas ronddraaien. 'Ik had een laptop voor haar gekocht. Het allernieuwste model. Kostte me bijna achttienhonderd dollar. Ik tuinde er iedere keer weer in.'

'Dus alles wat in haar kamer was achtergebleven,' zei Martinez, 'hebt u weggegooid?'

'Weggegooid, weggedaan. Ze had een oud Nintendo-spel. Dat heb ik aan een liefdadigheidsorganisatie gegeven. Haar bed, haar meubels, haar oude tv en de kleren die ze had achtergelaten... heb ik allemaal weggegeven. Wat mij betreft is ze alleen nog maar mijn dochter omdat dat op haar geboortebewijs staat.'

Webster zei: 'U bent boos.'

'Woedend.'

'Weet u of ze illegale dingen deed?' vroeg Martinez.

'Ze gebruikte drugs.' Alice haalde haar schouders op. 'Dat is wettelijk verboden.'

'Wat voor soort drugs?'

'Weet ik niet... daar heb ik nooit naar gevraagd. Ze deed het op haar veertiende al. Ik weet niet of ze dingen deed die echt fout zijn. Maar ze verkeerde altijd in verkeerd gezelschap.'

'Zoals?'

'Ze bracht soms eigenaardige jongens mee naar huis. De laatste was echt een griezel. Een negerjongen. Hij had een lichte huid, maar je kon het toch zien.'

'Darrell Holt?'

Alice dacht even na. 'Hij heeft niet gezegd hoe hij heette. Ze heeft hem twee keer meegebracht. Ik ben toen krachtig opgetreden en heb gezegd dat ze geen jongens mocht meenemen naar haar kamer. Ze lachte me uit en zei dat ze godver dit en dat zelf wel zou bepalen of ze jongens meenam naar haar kamer of niet.' De vrouw zuchtte. 'Ik had haar het huis uit moeten trappen.' Tranen. 'Maar het was mijn eigen dochter.'

'Bracht ze ook andere vrienden mee?'

'Ze is een of twee keer thuisgekomen met de jongen die in de krant heeft gestaan.' Er gleed een verdrietige uitdrukking over haar gezicht. 'De jongen die...'

'Ernesto Golding,' vulde Martinez aan.

Alice streek over haar wangen. 'Wat is er gebeurd?'

'Daar proberen we juist achter te komen,' antwoordde Webster.

'Denkt u dat Ruby er iets mee te maken heeft?'

'Wat denkt *u*?'

'Hoe moet ik dat nu weten? Ik wist nooit wat ze deed.' Maar haar ogen vertelden een ander verhaal.

Martinez drukte door. 'Hebt u Ernesto ooit gesproken?'

Alice knikte langzaam. 'Eén keer. Toen hij hier op Ruby zat te wachten. Uiteindelijk kwam ze helemaal niet.' Ze deed haar mond open en weer dicht. 'Hij deed zijn best beleefd te zijn. Dat vond ik netjes van hem.' Weer schoten tranen in haar ogen. 'Ruby... had grote praatjes, maar zou nooit... kan nooit... u weet wel.'

Ze wisten het.

'Ernesto... leek een aardige jongen.' Een slokje. 'Hij was op dat moment haar favoriet. Ze maakte waarschijnlijk misbruik van hem. Maar misbruik maken van mensen is iets anders dan... dat andere... dat ze nooit...' Maar ze klonk niet overtuigd. 'Dat ze nooit zou doen.'

'U bedoelt een moord plegen?' verduidelijkte Webster.

Alice kromp ineen. 'Mijn dochter is geen moordenares!'

Ze had er duidelijk moeite mee zich van haar kind los te maken, hoe heftig ze ook beweerde dat ze zich niets meer aan haar gelegen liet liggen.

Martinez zei op zachte toon: 'U hebt uw best gedaan.'

'Ja,' zei Alice. 'Ik heb heel erg mijn best gedaan. Maar dat was niet genoeg. Ik heb mijn best gedaan, maar toch heb ik gefaald.'

'Enig idee waar ze is?'

'Nee, maar als u haar vindt, mag u tegen haar zeggen dat ik nog geld van haar krijg voor het laten leegruimen van haar kamer.'

Webster zei: 'Mevrouw Ranger, hebt u misschien een oude telefoonrekening uit de tijd dat ze nog thuis woonde?'

'Dat denk ik wel.'

Een lange stilte.

'Zou u die voor ons kunnen opzoeken?'

'Nu?'

'Ja,' zei Martinez.

'Dat kan wel even duren.'

'We hebben de tijd.'

Alice staarde naar haar glas. 'Ze staat er niet best voor, hè?' Weer een lange stilte. Toen fluisterde ze: 'Verkeert ze in gevaar?'

Martinez haalde zijn schouders op, maar gaf geen antwoord. Alice voelde een rilling door zich heen gaan. Het waren de dingen die *niet* werden gezegd, die haar altijd de meeste angst aanjoegen.

31

HET HUIS HING TEGEN EEN BERGWAND. HET WAS EEN VAN DIE RISKANT gesitueerde bouwsels, steunend op betonnen palen, ontworpen door optimisten die voor het gemak vergaten dat er in Zuid-Californië aardbevingen voorkwamen. Het was al donker, dus was de kleur van de buitenmuren moeilijk te onderscheiden, maar het leek lichtbruin en wit pleisterwerk te zijn met witte sierranden. Aangezien het huis als splitlevel was gebouwd, was het grootste deel ervan aan het oog onttrokken; dat deel was (hopelijk) in de bergwand uitgehouwen, of in ieder geval stevig eraan vastgeklonken. Niet alleen vanwege het opwindende element van het gevaar vond dit soort woningen veel aftrek, maar vooral vanwege het schitterende uitzicht op de diepe, groene valleien en de glinsterende lichtjes van de stad in de diepte.

Het hek was op slot en Decker zou moeten aanbellen om binnen te komen, maar als hij zei dat hij van de politie was, zou het verrassingselement weg zijn. Hij keek om zich heen. Achter de metalen barrière was een korte geasfalteerde oprit en daar stond een eenzame, zwarte Mercedes. Buiten het hek, op het hoogste punt van de hellende straat, stonden een SUV en een drie jaar oude Mustang.

Decker drukte op de bel. Uit de intercom klonk de stem van een vrouw.

'Ja?'

'Die oranje Mustang die hier geparkeerd staat. Is die van u?'

'Wie bent u?'

'We moeten die wagen meenemen. Wegens vier onbetaalde parkeerbonnen.'

'Wat? Wacht! Justin! Kom hier! Er is iemand die zegt...'

'Ik neem de auto nú mee.'

'Wacht!'

'Het kan niet wachten,' zei Decker. 'Ik moet mijn werk doen.'

'Maar dit moet een vergissing zijn...'

'Nee, mevrouw. Sommige van de bonnen zijn meer dan een jaar oud.'

'Wacht! Neem de auto niet mee. Wacht alstublieft even!' riep ze. '*Justin! Kom hier!*'

Decker zei met opzet niets meer. Even later draaide het hek open.

Licht stroomde uit de geopende voordeur naar buiten. Een vrouw kwam op hem af hollen. 'Pardon! Wie bent u?'

Ze was zo mager als een lat en leek even hard. Een smalle neus, ingevallen wangen, stevige kin en een glanzend wit voorhoofd waarboven steil, zwart haar dat recht naar achteren was gekamd en stijf stond van de lak.

'Wat moet dit voorstellen?' Hijgend keek ze met een ruk eerst naar links en toen naar rechts. 'Ik zie geen sleepwagen.'

Decker liet haar zijn penning en legitimatiebewijs zien. 'Er is ook geen sleepwagen. Ik leid het onderzoek naar de moord op de Baldwins. En ik wil wedden dat u heel goed weet waarom ik hier ben, mevrouw Frammel.'

Met paniek in haar ogen keek ze van het legitimatiebewijs naar Deckers gezicht en weer terug. 'Ik... ik wil...'

'Laten we naar binnen gaan. De hele buurt hoeft niet mee te genieten.' Decker pakte haar bij de elleboog, maar ze stribbelde tegen.

'U moet maar terugkomen wanneer mijn man thuis is.'

'Nee, want u verleent onderdak aan een voortvluchtige die verdacht wordt van moord,' antwoordde Decker.

Weer was de vrouw volkomen overdonderd. 'Verdacht van... nee, nee, nee, nee, nee. Dat hebt u helemaal mis.'

'Laten we naar binnen gaan, dan mogen Erin en u het aan me uitleggen.'

Toen ze de naam van haar nicht hoorde, kromp de vrouw ineen. 'Jezus! Waarom moet *mij* dit nou weer overkomen!'

'Laten we naar binnen gaan.'

'Hoe weet ik dat die penning echt is? Hoe weet ik dat u me niet iets zult doen als ik u binnenlaat?'

'Omdat ik dat dan allang gedaan zou hebben.' Decker stapte langs haar heen, liep snel naar de voordeur en duwde die open. Hij liep het huis in, moest meteen twee traptreden afdalen en voelde zijn voeten wegzakken in hoogpolige grijze vloerbedekking. Zijn blik ging automatisch naar de glazen wand tegenover hem.

Het uitzicht was adembenemend: een verbluffend panorama van twinkelende gekleurde lichtjes. Onder de pinkelende skyline lagen brede gitzwarte stroken waar de beboste valleien moesten zijn die je alleen overdag kon zien. Het meubilair in de zitkamer van de familie Frammel was zo'n twintig jaar geleden modern geweest: een leren bankstel met verende rugdelen, tafels van chroom en glas. Tegen de ene zijmuur bevond zich een uit baksteen opgetrokken bar, tegen de muur ertegenover een open haard. Boven de schoorsteenmantel hing een indrukwekkend oningelijst schilderij van een springend wezen. Het kon een hert zijn of een panter, of zelfs een Matisse-achtige danseres.

'Waar is ze?' vroeg Decker.

'Ik wil een advocaat laten komen.'

'Mij best, maar dat maakt het voor u misschien alleen maar erger. Want als u een advocaat laat komen, moet ik dingen doen zoals... iemand officieel in hechtenis nemen. Maar ga gerust uw gang.'

De vrouw tikte nerveus met haar voet op de vloer. 'Ik wil mijn man bellen.'

'Ook goed.' Decker keek op zijn horloge. 'Maar ik heb niet veel tijd. Als ik het vraaggesprek niet hier kan afronden, moet ik Erin meenemen naar het bureau, en het bureau waar ik werk is in de Valley.' Zijn blik ging weer naar het uitzicht. 'Dan zult u daarheen moeten komen.'

'Laat me in ieder geval mijn zus bellen.' Ze dacht even na. 'Dat zal alles nog ingewikkelder maken.'

'U kent uw zus goed.'

'Mijn zus is niet het probleem, maar haar man. Als hij een nog grotere fascist was, zou hij een nazi zijn. En dat zou wel erg sterk zijn, omdat hij joods is.' Ze liet haar ogen rollen. 'Ik ben geen antisemiet. Mijn zwager is gewoon een lamstraal.'

'Elke familie heeft er een. Ik wil nu Erin graag spreken.'

'Ik *wist* dat het geen goed idee was om haar in huis te nemen. Maar ze keek zo... bang.'

'Ze heeft redenen om bang te zijn. Daarom wil ik ook met haar praten.'

Ze wrong haar handen. 'Ik weet het niet...'

Ze sprak meer tegen zichzelf dan tegen Decker. Hij zei: 'Tot u een besluit neemt, kijk ik even rond.' Hij liep door een lange gang waar net zulke dikke vloerbedekking lag als in de zitkamer. Het hoogpolige tapijt was zo zacht dat het bijna leek alsof hij door zand liep.

De vrouw kwam achter hem aan. 'Hé, u mag niet zomaar... Godsamme! *Justin, zet die afgrijselijke muziek wat zachter!*'

Het volume ging niet merkbaar omlaag. Ze riep tegen Decker: 'Blijf staan! Ik zal niet toestaan dat de politie mij of Erin of wie dan ook probeert te intimideren! Dat arme kind heeft het al moeilijk genoeg.'

Decker liep terug naar de zitkamer, weg van het lawaai. 'Ja? Vertel eens.'

De vrouw klemde haar lippen op elkaar.

'Mevrouw Frammel, u mag waarschijnlijk van geluk spreken dat ik hier ben. Iemand heeft binnen twee dagen vier mensen om het leven gebracht. Gezien dat aantal vermoed ik dat de dader of daders niet zullen aarzelen nog meer mensen te vermoorden.'

Ze huiverde. 'Hoe kunt u zoiets afgrijselijks zeggen?' Ze hief haar hand op naar haar hals. 'U bent een sadist. Net als mijn zwager.'

'Ik ben geen sadist, ik probeer u alleen maar duidelijk te maken hoe ernstig de zaak is.'

De vrouw sloeg haar armen om haar lichaam. 'Ze is niet in een van deze kamers.'

Decker bekeek haar aandachtig: hij zag een naïeve, bezorgde, bange vrouw. 'Waar is ze dan?'

'Waarom zou ik u vertrouwen... eh... hoe zei u dat u heet?'

'Inspecteur Peter Decker. Mijn naam staat vandaag op de voorpagina van alle kranten. Ik word geciteerd in verband met de dood van Dee Baldwin. Waar is Erin, mevrouw Frammel?'

De vrouw aarzelde. 'We hebben een grot... onder het huis. Mijn man wilde... meer contact met de natuur. Hij heeft een kamer uitgehouwen in de bergwand.' Ze trok een gezicht. 'Hij is er erg trots op. Hij heeft het helemaal in zijn eentje gedaan, maar we hebben er geen vergunning voor.'

'Ik beloof u dat ik hem niet zal aangeven bij de woningbouwcommissie. Hoe kom ik in die grot?'

Ze verzocht hem met haar mee te lopen. Ze ging hem voor door een grote, nogal steriele keuken vol roestvrijstalen apparatuur, een roestvrijstalen aanrecht, en witgelakte kastdeurtjes. In het midden stond een eettafel met stoelen, uitgevoerd in leer en staal. De tafel had een rond blad dat rustte op iets wat er meer uitzag als een gigantische springveer dan als een poot die was ontworpen om iets zwaars te dragen. De stoelen hadden zwartleren zittingen, die eveneens op springveren rustten. Als je er hard genoeg op neerplofte, zou je misschien terugveren en je kop tegen het plafond stoten.

'Het is deze kant op,' zei de vrouw.

'Dank u, mevrouw Frammel.'

'Doreen.'

'Dank je, Doreen,' herhaalde Decker.

'Ik zou daar eigenlijk "graag gedaan" op moeten antwoorden, maar ik weet niet of ik dan wel de waarheid zou spreken,' zei ze laatdunkend. 'God, waarom moet die muziek altijd zo oorverdovend hard staan?'

'Om je te ergeren.'

'Nou, dat lukt hem dan aardig.' Ze trok een lade open en pakte er een sleutel uit. Toen ging ze hem voor naar een bijkeuken. In een Miele wasmachine draaiden kletsnatte kleren rond. Doreen bleef een ogenblik naar de draaiende trommel staan kijken. 'Soms vind ik dit beter dan de televisieprogramma's.'

'Er zit in ieder geval meer vaart in.'

Dat ontlokte haar een flauwe glimlach. 'Ze is erg ontspoord. Dat geef ik onmiddellijk toe. Maar ze verdient het niet in de gevangenis gestopt te worden omdat ze op de verkeerde mannen valt. Net als haar moeder.'

'Voor het vallen op verkeerde mannen gaat ook niemand de gevangenis in. Voor hulp aan een misdadiger wel.'

'Ze is alleen maar dom,' hield Doreen vol. 'Wees een beetje coulant.'

'Laat me nu eerst maar even met haar praten.'

De vrouw wreef in haar ogen en ontsloot een deur. Toen ze een kleine schakelaar omdraaide, ging er gelig licht branden boven een smalle trap. 'Voorzichtig op de trap, en denk om uw hoofd. Ik hoop dat u niet aan claustrofobie lijdt.'

'Nee.'

'Dan bent u er beter aan toe dan ik. Ik vind dit een verschrikking. Eerlijk gezegd verklaar ik mijn man voor gek.'

De trap was van hout en nogal gammel, de treden te smal voor zijn voeten. Decker moest af en toe op zijn tenen balanceren. En hij moest bukken. Tegen de tijd dat ze bijna beneden waren, moest hij zijn hoofd gebogen houden. De trap eindigde bij een deur. Muziek sijpelde langs de rotswanden: heavy metal. Het klonk echter zo gedempt dat Decker alleen het bonken van de bassen hoorde.

Doreen klopte op de deur. 'Erin, liefje, doe even open. Ik ben het.'

Geen antwoord.

Ze klopte nogmaals. 'Erin?'

Geen reactie.

'Erin! Doe open!' Ze beukte op de deur.

Opeens werd de muziek zachter gezet. De deur ging open. Het meisje nam de situatie razendsnel op en besloot dat ze het beste de deur weer kon dichtgooien. Maar Decker had dat verwacht. Hij had zich al in positie gezet, leunde nu naar voren en ving de klap op met zijn schouder, zijn *goede* schouder, die zonder het litteken van de kogelwond. Tegelijkertijd gooide hij zijn hele gewicht tegen de solide, houten deur, die openvloog.

Hij ging naar binnen. Hij kon nét rechtop staan. Op sommige plekken raakte het plafond van de grotkamer zijn haar, wat wilde zeggen dat het daar niet hoger was dan één meter negentig.

Decker begreep dat meneer Frammel klein van stuk moest zijn.

De grotkamer was redelijk groot, ongeveer achttien vierkante meter. De vloer was bedekt met kurktegels, maar de muren bestonden uit kale bergwand, waardoor het vertrek een primitieve holbewonersfeer had. Ieder stukje muur dat geen rotswand was, was van glas. Op één punt was de kamer zodanig geconstrueerd dat het leek alsof de vloer vlak voor je voeten wegviel, wat je uit je evenwicht bracht en je het gevoel gaf dat je zweefde of vloog. Griezelig maar origineel, dat moest hij meneer Frammel nageven.

In de kamer stonden een bed, een tv en een bureau met een computer, modem, telefoon en fax. Er was een boekenplank waarop meer videofilms dan boeken stonden, al waren er wel wat pocketboeken, bijna allemaal van het genre 'waar gebeurde misdaden'. Griezelige misdaden. Decker herinnerde zich een deel ervan. Hij vroeg zich af of meneer Frammel een geheim kastje met gesels en ketenen had.

Erin had zichzelf opgesloten achter een deur, vermoedelijk die van de badkamer.

Decker zette de blèrende stereo af. 'Kom naar buiten, Erin. Ik ben gekomen om je te helpen.'

'U hoort erbij. Ga weg!'
'Waar hoor ik bij?'
'Zijn wereldwijde bondgenootschap. De Nieuwe Wereldorde.'
'Ik hoor nergens bij.'
Erin zei niets.
Decker dacht even na. 'Als je je veiliger voelt achter de deur, vind ik het best. Als je maar met me praat, goed?'
Seconden gleden voorbij, toen een volle minuut.
'Tante Doreen?' Het stemmetje achter de deur klonk heel kleintjes.
'Ja, ik ben er nog.'
'Het spijt me.'
'Dat is wel goed, lieverd. Kom maar te voorschijn. Hij...' Ze keek met een zuur gezicht naar Decker. 'Ik geloof dat hij je wil helpen.'
'Dat *geloof je*?' fluisterde Decker.
Ze snibde terug: 'Ik weet helemaal niet wie u bent.'
'Tante Doreen?' vroeg ze klagerig.
De vrouw begon haar geduld te verliezen.
Decker fluisterde: 'Als jij nu eens je man of je zus ging bellen, Doreen.'
'En u met haar alleen laten?'
Decker deed een stap naar voren zodat zijn borst die van de vrouw bijna raakte. 'Denk je nu werkelijk dat je haar tegen mij kunt beschermen?'
Ze slikte moeizaam.
Decker stapte weer achteruit. 'Ik sta aan jouw kant. Bel de politie maar als je me niet gelooft.'
De vrouw aarzelde.
'Tante Doreen?'
'Ja, Erin?'
'Denkt u dat het in orde is?'
Een zucht. 'Ja, lieverd, ik denk het wel. Ik geloof dat het de hoogste tijd is dat we de politie alles vertellen.'
Seconden verstreken... toen ging de deur open.

32

HET MEISJE WAS BROODMAGER: EENDIMENSIONALE ARMEN EN BENEN, een te verwaarlozen lichaam. Ze had dun bruin haar, lang, sluik en dof. Grote, droevige ogen en smalle lippen. Een rode druipneus. Ze veegde erlangs met een knokige vinger.

'Ze is erg verkouden,' zei Doreen.

'Ga maar naar boven, Doreen,' zei Decker tegen haar. Zijn stem klonk luider nu. 'Maak je geen zorgen.'

Doreen keek naar Erin. Het meisje knikte.

'Ik laat de deuren open,' zei Doreen. 'Roep maar als je me nodig hebt.' Ze begon aan de tocht terug naar boven. Decker wachtte tot het geluid van haar voetstappen was verstomd. Toen ging hij op het voeteneinde van het bed zitten. Erin zat op het hoofdeinde, schuin in de hoek, met haar benen opgetrokken onder haar uitgemergelde lichaam, haar hoofd achterover tegen de kussens.

Decker pakte zijn notitieboekje en een kleine bandrecorder. 'Heb je hier iets op tegen?'

Ze schudde haar hoofd.

'Je moet hardop antwoord geven, Erin, anders registreert de bandrecorder het niet.'

'U mag het opnemen. Het kan me niets schelen.'

'Mooi.' Decker stelde het volume in en legde de recorder in het midden van het bed. 'Hoe lang ben je al aan de drugs?'

Erins blik ging schichtig heen en weer en bleef rusten op de bandrecorder.

Decker zei: 'Ik ga je daarvoor niet oppakken. Ik ben alleen nieuwsgierig.'

'Weet ik niet. Meer dan een jaar.' Ze wreef aan haar neus, stapte van het bed en deed de deur dicht. Ze plofte weer op het bed neer, waardoor de bandrecorder opwipte. 'Daarom ben ik zo lang bij Darrell gebleven. Hij had altijd dope voor me.'

'En de biker met wie je ervandoor was gegaan?'

'Dat is niks geworden.' Ze rechtte haar rug. 'Ik dacht dat hij voor me zou zorgen... maar toen dwong hij me ervoor te werken.' Haar mondhoeken gingen naar beneden. 'Hufter.'

'En Darrell?'

'Net zo'n hufter. Een verwaande zak, maar dat zijn de meeste kerels. Maar bij hem hoefde ik tenminste niet te werken voor mijn dope. Ik hoefde hem alleen maar te geven wat hij wilde, op de manier zoals hij het graag had. Seksspelletjes – voor hem en haar.'

'"Haar" is Ruby Ranger?'

Ze knikte.

'Wat voor seksspelletjes?'

Ze haalde haar schouders op.

'Filmde hij ze?'

'Niet voor zover ik weet.' Ze snoof luidruchtig. 'Ze vonden het leuk om op feestjes tieners op te pikken... en die dan te naaien... en met hun hersenen te klooien. Dat vonden ze nog het leukst... met hun hersenen klooien.'

'Hoe heb je hem leren kennen?'

Ze krabde met een vieze nagel op haar hoofd. 'De biker met wie ik was weggelopen, was lid van een bende. De leider heeft me aan Darrell gegeven, tegen betaling. Waanzinnig. Alsof ik voor duizend piek werd verkocht.'

'Verkocht?'

'Ja, maar het viel mee. Ik hoefde niet te tippelen.'

'Wat moest je dan doen?'

'Alleen de spelletjes meespelen... me laten vastbinden en gillen... u weet wel, doen alsof ik bang was.' Ze trok een gezicht, stak haar tong uit. 'Heel stom, maar het was beter dan te moeten tippelen. Ik denk dat ik wel had kunnen wegkomen – Darrell zou geen moeite hebben gedaan me terug te halen – maar ik besloot te blijven. Het was beter dan thuis.'

'Had je het thuis dan zo slecht?'

Haar gezicht verstrakte. 'Ik heb afgrijselijke ouders. Mijn moeder is zo'n perfecte huisvrouw, die nooit tegen mijn vader in zal gaan, en mijn vader is een megaklootzak. Mijn zus is het zonnetje in huis. Ik ben de domme trut die nooit iets goed doet. Ik heb nooit iets anders te horen gekregen dan hoe dom ik ben, en hoe lelijk, en dat ik nooit iets zal bereiken, omdat ik zo dom en lelijk ben...' Er sprongen tranen in haar ogen. 'Hij vertrouwde me ook niet. Hij doorzocht mijn laden. In het begin vond hij niets, omdat ik niets verkeerds deed. Later vond hij de dope. Toen heeft hij me meteen in een afkickcentrum laten opsluiten. Jezus, ik rookte alleen maar hasj, maar hij deed alsof ik zwaar verslaafd was aan de heroïne. Daarna moest ik naar een school waar allemaal kneusjes zaten. Ik ben mooi weggelopen. Toen zei hij dat hij me naar een kostschool of een internaat zou sturen, waar het nog veel erger zou zijn dan het afkickcentrum. Ik zei 'over mijn lijk', en ben hem aangevlogen, maar hij sloeg terug en toen ben ik met mijn kop ergens tegenaan gevallen. Die zak had me bijna het ziekenhuis in geslagen.'

'Waarom heb je hem nooit aangegeven?'

Tranen drupten over haar wangen. 'Hij heeft connecties. Het was makkelijker om gewoon van huis weg te lopen. Mijn moeder was heel kwaad dat mijn vader me had geslagen. Maar net niet kwaad genoeg om hem de deur te wijzen. In plaats daarvan kwam ze op het briljante idee dat we er met ons allen een weekje uit moesten. Dus gingen we naar Woodstock. En daar heb ik Brock ontmoet.'

'De biker.'

Ze knikte en zakte achterover tegen de kussens.

Decker probeerde objectief te blijven, maar het viel niet mee. Al die beschadigde levens.

Ze ging door. 'Darrell is pervers, maar hij deed me in ieder geval geen pijn. En hij gaf me drugs. Hij kon het zich veroorloven. Hij had altijd geld zat.'

'De Baldwins betaalden hem dus goed?'

Ze haalde haar schouders op.

'Wat heeft hij je over hen verteld?'

'Niet veel. Ik stelde geen vragen over dingen die me niet aangingen.'

'Wat deed je wel?'

'Ik hielp Darrell bij de HEI. In het begin dacht ik dat er een steekje loszat bij hem, maar het kon me niets schelen, zolang hij me dope gaf. Maar na een poosje begon ik er wel iets in te zien. Wat hij zei, kwam best logisch over. Vooral over dat de joden overal aan de touwtjes trekken. Wanneer je een vader hebt zoals die van mij – de meest overheersende klootzak op de hele wereld – dan is zoiets heel makkelijk te geloven. Dat is wat Darrell en ik in feite gemeen hebben. We haten onze vaders!'

Op de een of andere manier was alles altijd de schuld van de ouders. Haar woorden bezorgden Decker een wee gevoel. Voor Jacobs opstandige gedrag waren weliswaar massa's andere verklaringen – het feit dat hij zo jong zijn vader had verloren, en dat hij vermoedelijk was aangerand, het tweede huwelijk van zijn moeder, de nieuwe baby, en zijn eigen temperament – maar had Decker wel genoeg gedaan om de jongen erdoorheen te loodsen? Alle avonden dat hij had overgewerkt in plaats van er te zijn voor zijn gezin...

Erin ging door. 'Na een tijdje begon ik erin te geloven... in de filosofie van de HEI. Darrell beweerde dat hij de meeste ideeën van een geniale figuur had die Ricky Moke heette. Nu ben ik misschien niet erg slim, maar ik had al gauw door wie Moke was. Ik speelde het spelletje uiteraard mee. Darrell vond dat prachtig – verschillende identiteiten aannemen. Hij had er een heleboel. En ze kwamen allemaal naar voren in zijn seksspelletjes.'

'Wanneer gebruikte hij de naam Darrell Holt en wanneer Ricky Moke?'

'Ricky Moke was zijn slechte ik.' Ze leunde naar voren en grinnikte veelbetekenend. Daardoor zag ze er opeens jaren ouder en geharder uit.

'Hij wás Ricky Moke, compleet met afzonderlijke pasfoto's, een *social security*-kaart, een schooldiploma. Dat vond ik hartstikke knap van hem. Ik heb gevraagd of hij voor mij ook zoiets kon regelen. Het was alsof Darrell zichzelf in tweeën had gesplitst. Als Darrell was hij de politieke activist. Soms was dat heel eigenaardig, want Darrell praatte dan over Ricky alsof Ricky heel iemand anders was. Een zelfstandige persoon. Alsof hij twee afzonderlijke mensen was.'

'Ik snap het.'

'En dan zei hij bijvoorbeeld dat hij weliswaar ontzag had voor Ricky, maar dat hij Ricky evengoed niet mocht, omdat die illegale dingen deed, zoals hacken en bommen leggen en rare seksspelletjes spelen. Eerlijk gezegd vond ik Ricky leuker dan Darrell. Hij was opwindender. Weet u dat Ricky door de FBI wordt gezocht?'

'Voor hacken.'

'Voor hacken en voor het opblazen van dingen.'

'Ik heb geen bewijs gevonden dat hij dingen heeft opgeblazen.'

'Blijf zoeken. Ik zie Ricky er best voor aan.'

'Ricky en Darrell zijn een en dezelfde persoon, Erin.'

'Dat weet ik,' antwoordde het meisje. 'Maar ze zijn al zo lang twee afzonderlijke personen dat ik hen moeilijk anders kan zien. Darrell... is eigenaardig, maar erg intelligent.'

'Zegt men.'

'En waarom zou u eraan twijfelen? Verknipte personen zijn meestal erg intelligent.'

'Nee, Erin, dat is niet waar. Er zijn ook veel verknipte personen die dom zijn.'

'Niet degenen die ik ken.'

'Dat kan best zijn, maar je kunt van mij aannemen dat de intelligente verknipte personen het gevaarlijkst zijn, omdat die in staat zijn hun misdaden te plannen. En deze moorden zijn niet impulsief gepleegd. Ze zijn volgens een plan uitgevoerd, en we weten allebei wie dat plan heeft bedacht.'

Tranen blonken in haar ogen. Ze gaf geen antwoord.

Decker zei: 'Ik wil graag van je weten waar Darrell is.'

'Dat weet ik niet.'

'Dat weet je wel!'

Maar ze ontkende het met een felle blik in haar ogen en een kort hoofdschudden. '*Nee, ik weet het niet!* Vergeet niet dat Darrell een survivalist is. Hij heeft op zijn zestiende of zeventiende aan zo'n kamp van Baldwin meegedaan. Hij baalde als een stier, maar heeft er wel geleerd hoe je in de wildernis in leven kunt blijven. En wat hij tijdens dat kamp niet heeft geleerd, is hij later te weten gekomen van Hank Tarpin, toen hij zich bij de HEI had aangesloten. Darrell gaat al jaren als Ricky Moke de wildernis in. Hij zegt dat hij alle kampeerplekken van heel Californië kent. Hij kan zich makkelijk schuilhouden. U zult hem nooit vinden. De FBI heeft hem ook nog steeds niet gevonden.'

'Enig idee waar hij zit?'

'Nee. En als hij naar de flat heeft gebeld om te zeggen waar hij naartoe ging, heb ik dat bericht nooit ontvangen. Ik ben er meteen vandoor gegaan toen ik hoorde dat Ernesto en dr. Baldwin om zeep waren gebracht.'

'Het adres van de flat dat je ons had gegeven, bestaat niet. Waar woonde je?'

'Bij Darrell.'

'En je zocht niets achter het feit dat Darrell die avond niet thuis was gekomen?'

'Nee. Hij bleef zo vaak hele nachten weg.'

'Waar zat hij dan?'

'Weet ik veel.'

'Waar denk je?'

'Misschien bij Ruby.'

'En waar woont Ruby?'

'Geen idee.'

Decker dacht na. Er klopte iets niet. Toen de synagoge was vernield, woonde Ruby nog thuis. Daarna was ze naar het noorden getrokken. En op een gegeven moment was ze vermoedelijk teruggekeerd naar L.A. Waar zou ze nu zitten?

Alice Ranger zwoer dat ze haar dochter al maanden niet had gezien. De lege kamer leek dat te bevestigen. En Wanda had nog altijd geen adres van Ruby gevonden. Ze had navraag gedaan bij het bureau van de motorrijtuigenbelasting, bij de elektriciteitsmaatschappij, de plaatselijke creditcardmaatschappijen, de bank waar Ruby een rekening had gehad, maar er was niets boven water gekomen. Daarom kreeg Decker nu het vermoeden dat ook Ruby misschien andere namen had, à la Ricky Moke. Darrell en Ruby konden allebei goed overweg met internet. Ze konden iedere willekeurige wereld binnentreden op afstanden van duizenden kilometers, onder honderden verschillende namen. De ruimte die dit bood voor allerlei misdaden, was gigantisch.

Erin praatte door.

'... wat spullen in een rugzak gestouwd en ben hierheen gekomen. Ik heb Darrell nooit verteld wat mijn achternaam is. Maar ik weet dat hij daar makkelijk achter kon komen, als hij dat wilde.' Ze beet op een nietbestaande nagel aan haar rauwe, rode vingertoppen. 'Denkt u dat hij hierheen zal komen?'

'Aan die mogelijkheid heb ik gedacht.'

'Er wordt hier gepatrouilleerd, maar de bewakers zien er niet erg angstaanjagend uit. Ik zou ze vermoedelijk zelf kunnen uitschakelen als ik er de wapens voor had.'

Decker keek naar Erins jonge gezicht. De kille manier waarop ze dat zei, deed hem huiveren. 'Ik zal het bureau West L.A. bellen om te zeggen dat ze je moeten beschermen. Een paar patrouillewagens zullen hier de wacht houden tot we meer weten.'

'Fijn. Ik zou niet willen dat mijn tante iets zou overkomen. Zij is de enige persoon in de hele wereld die ooit aardig voor me is geweest.'

Wat kwam dat er treurig uit. Haar ziel was gebroken, maar dat wilde niet zeggen dat ze geen schade kon aanrichten. Straatjunks, vooral de jongsten, die binnen betrekkelijke korte tijd veel ellende meemaakten, stonden bekend om hun onberekenbaarheid.

'Dus ook toen jij bij Darrell woonde, bleef hij hele nachten weg?'

'Soms.'

'Zei hij waarom?'

'Nooit. Ik ging er gewoon van uit dat hij bij Ruby was, om die stomme spelletjes te spelen.'

'Kon het je niets schelen wat Darrell deed?'

'U bedoelt of ik jaloers was?' Ze lachte. 'Nee, het interesseerde me niks, zolang hij maar aardig voor me was.'

Aardig wilde zeggen dat hij haar drugs verstrekte. Hij zei: 'Ik denk meer aan illegale dingen. Was je niet bang dat de politie je te pakken zou krijgen.'

'Een beetje wel, maar het was de gratis drugs waard.' Ze wreef over haar neus. 'Denkt u dat ik me moet laten onderzoeken?'

'Op aids?'

'Ja. Toen ik bij Darrell introk, moest ik me van hem laten onderzoeken. Ik was negatief. Sindsdien heb ik het maar met drie andere mannen gedaan, geloof ik. Vindt u dat ik me nu nog een keer moet laten onderzoeken?'

'Dat lijkt me een goed idee.'

'Ja, mij ook.' Ze snufte. 'U gaat me nu zeker in hechtenis nemen?'

'Ja.'

'Dan moet ik een advocaat hebben, hè?'

'Ja,' zei Decker. 'Als je er geen geld voor hebt, krijg je er eentje pro Deo.'

'Mijn ouders zijn rijk. Die huren wel iemand voor me.' Ze keek hem aan. 'Maar hoe moet het met mijn dope? Ik ga echt niet in één klap afkicken.'

Dat commandeerde maar alsof ze het voor het zeggen had. Maar waarom zou hij haar op stang jagen? Dat zou de arrestatie alleen maar moeilijker maken. 'Als je meewerkt, zal ik proberen je in een ziekenhuis te krijgen, zodat je onder toezicht van een arts komt te staan.'

'Voor methadon, bedoelt u?'

'*Als* je meewerkt,' benadrukte Decker. 'Nog een paar vragen, Erin. Heb je Ernesto Golding ooit ontmoet?'

Ze hoefde niet over het antwoord na te denken. 'Een tijdje geleden. Ruby heeft hem een paar keer meegebracht naar de HEI. Vlak voordat hij de synagoge heeft vernield.'

'Wist je daarvan?'
'Van tevoren, bedoelt u?'
'Ja.'
'Nee, alleen achteraf. Omdat het op het nieuws was.'
'Erin, volgens mij heeft Ernesto daarbij hulp gehad. Wat denk jij?'
'Geen idee.'
'Met hulp bedoel ik Darrell Holt.' Hij keek haar aan. 'Je zou er verstandig aan doen me de waarheid te vertellen, Erin. Dat zal goed zijn voor je eigen gemoedsrust en het zal goed overkomen bij de autoriteiten.'
'Voor zover ik weet, had Darrell niets te maken met de vernielingen in de synagoge.'
Decker streek over zijn snor. 'En Darrell als Ricky Moke?'
'Nee, die ook niet.'
Decker bekeek haar aandachtig. 'Denk je echt dat Ernesto de vernielingen in de synagoge helemaal in zijn eentje heeft aangericht?'
'Ik weet het niet. Ik zeg alleen dat Darrell het niet heeft gedaan. En Ricky ook niet. En ik ook niet.'
'En Ruby Ranger?'
Ze schokschouderde. 'Nee, Ruby ook niet. Die maakt haar handen nooit vuil. Stel je voor dat een van haar nagels zou breken. Maar ik kan me heel goed voorstellen hoe ze Ernesto heeft gemanipuleerd, met seks als beloning. Dat deden ze allebei graag... mensen manipuleren.'
Ze kreeg een kleur en boog haar hoofd. Decker vroeg waar ze aan dacht. Na enig aandringen zei ze uiteindelijk: 'Ik was verbaasd dat Ernesto was vermoord. Het was... een schok.'
'Je had er geen idee van?'
'*Nee!* Ik schrok me wezenloos toen ik het hoorde.' Ze klonk oprecht. 'Ik dacht dat hij...'
'Bij de zwendelpraktijken van de Baldwins betrokken was?' vulde Decker aan.
'Ik wilde zeggen: "Ik dacht dat hij een van ons was",' antwoordde Erin. 'Ik weet niet of iemand het echt op hem had voorzien of dat hij toevallig op de verkeerde plek zat.'
'Wat denk *jij?*'
'Nou, Darrell was erg kwaad over het vandalisme in de synagoge, maar toen Ernesto eenmaal had bekend, dacht ik dat het... daarbij zou blijven.'
'Waarom was Darrell kwaad over het vandalisme?' vroeg Decker. 'Je zou juist denken dat het goed past bij het hoogdravende beeld dat hij van zichzelf heeft.'
'Het leidde de politie naar de HEI,' legde Erin uit. 'Het laatste wat Darrell wilde, was opvallen, omdat hij met Dee Baldwin onder één hoedje speelde... de zwendel met de tests.'
'Vertel me daar eens iets meer over.'

'Ik weet er niets van.'

Decker keek haar dreigend aan. 'We kunnen *hier* blijven praten, of ik kan je meenemen naar het bureau.'

'U zou me toch evengoed meenemen?'

'Ja, maar op het bureau ben *ik* niet degene die met je zal praten.'

'O, moet ik daar de martelkamer in? Ik heb wel erger dingen meegemaakt.'

'Je mag het zelf weten.'

'Wat vroeg u ook alweer?'

'Wat je weet over de Baldwins.'

'Ik doe maar een gok, oké?'

'Oké.'

'Goed dan.' Ze ging rechtop zitten. 'Voor zover ik heb begrepen, gaf die Dee Ricky Moke geld om de computer van het testcentrum te hacken, zodat ze de toelatingstests voor de universiteiten konden stelen of iets dergelijks. Hij had een heel netwerk, want je kunt die tests niet krijgen door alleen maar te hacken, omdat de computers beschermd zijn door dingen als firewalls... al zijn die voor Ricky geen probleem. Het probleem was dat ze in het testcentrum een eigen computer hebben, die niet on line in verbinding staat met andere computers. Maar Ricky kende veel mensen. Ik denk dat hij iemand heeft omgekocht.'

'En wat heeft Hank Tarpin hiermee te maken?'

'Hij was lid van de HEI.'

'En hij werkte voor de Baldwins.'

'Ja, hij was het hoofd van het survivalkamp.'

'Had hij ook iets te maken met het hacken?'

'Dat weet ik niet. Waarom vraagt u dat niet aan hem?'

Meende ze dat echt? Decker zei: 'Omdat hij dood is.'

Het meisje werd bleek als een gekookte bloemkool. 'O!' Ze stak een afgekloven vinger in haar mond. 'O god! Wanneer?'

'We hebben hem ongeveer zes uur geleden gevonden. Het is al op het nieuws geweest.'

'Ik heb helemaal geen nieuws gezien!' Abrupt sprong ze overeind en begon te ijsberen terwijl ze op haar duim kloof. 'Jezus, hij dekt zich wel van alle kanten in, hè?'

'Ik zal het je nog één keer vragen. Had Tarpin iets te maken met het hacken?'

'Nee,' antwoordde ze. 'Tarpin was zo stom als het achtereind van een varken. En zo paranoïde als de pest over iedere vorm van technologische vooruitgang!'

Ze liep vlak voor het panoramaraam driftig heen en weer. Eén verkeerde beweging en ze zou een paar honderd meter naar beneden storten.

'Ga zitten, Erin,' beval Decker haar.

De tiener leek hem niet te horen. 'Hank identificeerde zich helemaal met de HEI: alles moest weer worden zoals in de goeie, ouwe tijd toen de blanke man de sterke, almachtige, doch goedgunstige vader was.'

Decker stond op en greep haar arm. Instinctief verzette Erin zich. Hij zei: 'Ik ben alleen maar bang voor ongelukken. Je staat griezelig dicht bij het raam.'

Ze keek om en zag nu pas dat ze een paar centimeter bij de glazen wand vandaan stond. 'O... ja.' Ze ging weer zitten. 'Het is anders best verleidelijk. Om gewoon te springen.'

Opeens zag hij zijn eigen dochter langs een bergwand naar beneden storten; zijn hart begon te bonken.

Doe niet zo raar, hield hij zichzelf voor. Ze werkt op bureau Hollywood en ze doet het uitstekend. Ze is er zelfs een stuk beter aan toe dan jij op dit moment. 'Er zijn mensen met wie je kunt praten zodra we deze zaak opgelost hebben.'

'Een zielknijper? Dank je feestelijk!' Ze lachte bitter. 'Kijk maar wat de Baldwins deden.'

'Je denkt dus dat Tarpin niets met het hacken te maken had?'

'Inderdaad. De Tarpin die ik ken, hield zich aan een raar soort erecode: je mocht mensen best haten, als je het maar eerlijk toegaf. Misschien had hij dat bij de marine geleerd.' Ze keek Decker aan. 'Hank heeft bij de marine gezeten.'

Dat wist Decker. Maar Marjam had Holt en Tarpin een halfjaar geleden samen het kantoor van Dee Baldwin zien binnengaan. Als Tarpin niets met het hacken te maken had, waar was dat gesprek dan over gegaan?

'Tarpin...' Ze haalde diep adem en blies die langzaam uit. 'Rond de tijd van het vandalisme had hij een meningsverschil met Darrell. Wanneer is dat ook alweer gebeurd? Een halfjaar geleden?'

'Zo ongeveer.'

'Ik heb alleen het laatste stukje ervan opgevangen.'

'Waar ging het over?'

'Het had te maken met het bestuur van de HEI.' Ze tikte nerveus met haar voet op de vloer. 'Weet u dat Tarpin degene was die Darrell drie, vier jaar geleden in contact heeft gebracht met Dee?'

'Nee, dat wist ik niet,' zei Decker.

Erin ging opgewonden door. 'De HEI verkeerde in financiële moeilijkheden. Darrell had geld nodig om de zaak draaiende te houden. Hij is toen naar Hank gestapt en toen heeft Hank Dee overgehaald Darrell een baantje te geven. Hij moest met de computers werken, omdat ze zelf geen bal verstand had van computers. Darrell heeft me verteld dat hij aanvankelijk alleen kantoorwerk moest doen. Maar allengs leerden Darrell en Dee elkaar beter kennen... ze leerden elkaar zelfs heel goed kennen.' Haar glimlach veranderde in een wellustige grijns. 'Al werkend en spelend kwam van het een het ander.'

'Van wie was het idee afkomstig om in het testcentrum in te breken?'

'Vermoedelijk van Darrell. Maar daar weet ik verder niets van. Ik weet alleen dat Hank kwaad was op Darrell. Hij zei dat Darrell de integriteit van de HEI in gevaar bracht en de Baldwins schade berokkende. Darrell hield vol dat het Dee's idee was geweest en dat Hank daarom beter zijn mond kon houden.'

'Tarpin mocht de Baldwins dus graag?'

Ze haalde haar hand langs haar neus. 'Tarpin mocht de jongens graag... niet om te naaien, maar om mee op kamp te gaan. Hij vond het leuk om de stoere marinier uit te hangen. Ik geloof nooit dat hij de jongens ooit kwaad zou doen, ook Ernesto niet. En ik kan me niet voorstellen dat hij de Baldwins heeft vermoord.'

Decker speelde met een aantal ideeën. Had Tarpin gedreigd het hackercomplot aan de grote klok te hangen? Was dat de reden dat hij was vermoord? Maar dan had Darrell er zes maanden over gedaan om zijn plan uit te voeren. En Ernesto? Hoe paste die in het geheel? Decker vroeg Erin om haar mening.

Ze boog haar hoofd. 'Een keer, toen Darrell dacht dat ik sliep, heb ik Ruby tegen hem horen zeggen... dat Ernesto een probleem was.'

'Een probleem...' Decker wachtte tot hij oogcontact kreeg met het meisje. Hij keek streng. 'Wat heeft hij daarop geantwoord?'

'Iets van: "Daar moet dan wat aan gedaan worden."'

Daar moet dan wat aan gedaan worden.

'Wat dacht jij dat dat betekende, Erin?'

Het meisje gaf geen antwoord.

De kleine psychopaat! Ze had het al die tijd geweten. Decker zei: 'Zei je daarnet niet dat je vreselijk was geschrokken van de moord op Ernesto?'

'Ik *was* ook geschrokken!'

'Dan zal ik mijn vraag herhalen. Wat betekende "Daar moet dan wat aan gedaan worden" naar jouw mening?'

Ze begon te huilen. 'Ik wist niet dat Ernesto dood moest!'

'Maar je wist wel dat ze niets goeds in de zin hadden.'

'Ik dacht dat Darrell alleen maar... cool deed of zoiets.'

'Iemand vermoorden is cool?'

'U legt me woorden in de mond!' Ze snikte het nu uit. Decker liet haar een poosje begaan. Toen zei hij: 'Ruby heeft Ernesto dus in de val gelokt?'

'Dat kon ik toch ook niet weten? Ik ben maar een stomme junk die van de ene shot naar de andere leeft!'

Een domme, psychotische, *leugenachtige* junk, wilde Decker zeggen. Hij zette de bandrecorder af, leunde naar voren en pakte het meisje bij de schouders. Zijn ogen boorden zich diep in haar lege pupillen. 'Erin, waar kan ik Darrell vinden?'

'Ik weet het niet,' piepte ze. 'Echt niet.'

Decker liet haar armen los en leunde naar achteren om haar wat bewegingsruimte te geven. Zijn ogen bleven zich in de hare boren. 'Geef me *een idee*, kind! Een richting!'

'Ik denk dat hij zich schuilhoudt in de heuvels tussen Santa Barbara en Orange County. Ik denk dat hij in ieder geval nog in Zuid-Californië is.'

'Wees specifieker!' beval Decker haar.

'*Schreeuw niet zo tegen me!*' gilde ze.

'Wat gebeurt daar beneden?' riep een stem van boven. Hulptroepen, in de vorm van Doreen. 'Ik kom eraan!'

Decker keek Erin dreigend aan. 'Je verkeert in grote moeilijkheden...'

'Ik weet niet waar hij is!' jammerde ze. 'Waarom gaat u Ruby Ranger niet ondervragen? Die kent Darrell veel langer dan ik.'

Doreen kwam binnen. 'De ondervraging is afgelopen!'

'Prima. Ze gaat mee naar het bureau.'

'Wat?' riep Doreen woedend. 'Dat kunt u niet maken!'

'Jawel. Als je wilt, mag je meegaan. Het zou zelfs goed zijn als je meeging.'

'En mijn eigen kinderen dan?!'

'Dan ga je niet mee.'

'U gaat haar dus zomaar arresteren?' vroeg Doreen.

'Ik neem haar mee voor verdere ondervraging,' verbeterde Decker. 'Om precies te zijn, neem niet ik haar mee, maar ga ik een vrouwelijke rechercheur van de afdeling Jeugdzaken bellen, en die zal haar komen halen. Het zal dus nog wel een uurtje duren.' Tegen Erin zei hij: 'Dat geeft jou mooi de tijd om je om te kleden en op te frissen, als je wilt.' *Om jezelf nog een shot te geven*, was de stilzwijgende boodschap. 'Maar je mag de deur naar de badkamer niet op slot doen. Als je dat toch doet, trap ik hem in.'

'Waarom?' vroeg Doreen.

'Regels,' zei Decker. 'Ik moet haar in de gaten kunnen houden.'

'Ik heb *medewerking* verleend,' zei Erin nors.

Decker antwoordde op scherpe toon: 'En daarom mag je je van mij gaan opfrissen, Erin.'

'Goed. Dan ga ik me opfrissen.' Ze keek Decker in de ogen. 'Ze zullen wel ergens samen zitten, Ruby en Darrell, maar niet zoals u denkt.'

Een sluwe glimlach speelde om haar lippen. Decker had veel zin om haar een klap in haar gezicht te geven. Hij zei: 'Erin, dit is geen spel. Je verkeert in grote moeilijkheden. Als ik later merk dat je iets hebt achtergehouden, zal ik je niet alleen juridisch te grazen nemen, maar kun je dat ziekenhuis wel vergeten.'

Doreen riep uit: 'Genoeg!'

Maar Erin ging door: 'Ik weet niet waar hij is.' Een aarzeling. 'En ik ben allejezus bang!'

'Met recht!' antwoordde Decker. 'Je kunt je vast nog wel herinneren hoe je je voelde in het afkickcentrum. Denk je dat het in de gevangenis zonder medische begeleiding beter zal zijn?'

'U intimideert haar!' riep Doreen.

‘Ik vertel haar alleen maar wat ze kan verwachten.’ Decker boorde zijn ogen weer in die van Erin. ‘Als je me helpt, zal ik jou helpen. Dat zal het leven een stuk aangenamer voor je maken.’

‘Ik weet niet waar ze zijn,’ herhaalde Erin. ‘Als ik het wist, zou ik het u zonder meer vertellen, maar ik weet het niet.’

‘Je vervalt in herhalingen. Vertel eens iets anders.’

‘Oké, oké... eh, dat Darrell Ruby’s loslippigheid een probleem vindt?’

Decker nam dat in zich op. ‘Een groot probleem?’

‘Een heel groot probleem.’ Weer die grijns. ‘Ze maakte deel uit van Darrells onderneming. Nu moet Darrell verder. Dus is ze een...’ Ze knipte een paar keer met haar vingers. ‘Hoe noem je zoiets? Een risicofactor.’

‘Een hoe grote risicofactor?’

Erin wendde haar blik af. ‘Zo groot, dat er iets aan gedaan moet worden. Darrell houdt niet van onafgewerkte dingen. Hij houdt van... permanente oplossingen.’

‘En dat wil zeggen?’

Ze imiteerde met uitgestoken wijsvinger en duim van haar hand een pistool en deed alsof ze schoot. Haar grijns veranderde in een lelijke glimlach, die ze op haar tante richtte. ‘Maar het zal *mij* een zorg zijn! Ik haatte dat kreng!’

33

Hij was een van die oude mannen die nog steeds de haardos van een jonge man hebben: dik en golvend, maar nu spierwit. Hij moest vroeger blond zijn geweest. Met zijn lichtblauwe ogen en bleke huid had hij makkelijk kunnen doorgaan voor een van Hitlers Übermenschen. Misschien had het daarom zo lang geduurd voordat hij in een treinwagon was geduwd, op weg naar een zekere dood. Zijn overleving was een bewijs dat wonderen wel degelijk bestonden.

Door zo lang in leven te zijn gebleven, droeg Oscar Adler de oorlogslintjes van de ouderdom. Zijn gezicht en handen zaten vol levervlekken en zijn voorhoofd werd ontsierd door glanzende roze deukjes, het littekenweefsel van weggehaalde gezwellen. Ook Rina's vader had een paar verdachte vlekjes moeten laten weghalen, omdat hij zo'n lichte gelaatskleur had. Haar ouders hadden allebei een lichte huid en een lichte kleur ogen, maar haar moeder had altijd een hoed gedragen wanneer ze in de zon zat en daar plukte ze nu de vruchten van. Ze had nog steeds een prachtige huid.

Oscar was ouder dan haar vader en moeder. Zijn wangen bekleedden de onderliggende beenderstructuur als een zacht rubberen masker. Zijn ogen lagen diep in hun kassen en waren omlijst door vergeelde huidplooien en de irissen leken speldenknopjes achter de dikke brillenglazen. Tot haar verbazing had hij al zijn eigen tanden nog, al waren sommige beschadigd en waren ze allemaal zo geel als eierdooiers. Rina kon dat zien, omdat Oscar tijdens het slurpen van zijn soep steeds naar haar lachte.

De man had een gezonde eetlust. Hij had ook de hele runderlap naar binnen geschrokt, al had hij een derde daarvan weer opgehoest.

'U eet te snel,' zei ze vermanend.

'Nnnnja,' antwoordde hij.

'U neemt te grote happen.'

'Een *bissel Fleisch*.'

'Niet een *bissel*. *Asach*. Te veel.'

Hij wuifde dat weg en probeerde nog een stuk vlees naar binnen te werken. Weer begon hij te hoesten. Rina klopte hem zachtjes op zijn rug. 'Gaat het een beetje?'

'Ja, ja...'

Ze pakte de lepel. '*Esse de kraut.*'

'In kool zit geen proteïne.'

Zijn stem had een hoge klank. Hij moest moeite doen om de woorden uit zijn keel te krijgen.

'Maar veel vitaminen,' zei Rina. 'En het smaakt toch lekker?'

Oscar gaf geen antwoord.

'Niet?'

'Ja, ja. U hoeft niet in het Jiddisch te praten. Ik spreek Engels.'

'U sprak zelf in het Jiddisch.'

'Een *bissel Fleisch* is geen Jiddisch.'

'Nee? Welke taal is dat dan?'

'Het is... een uitdrukking.'

'Een uitdrukking in het Jiddisch.'

'Het is... Engels. *Bissel* is Engels.'

'Alleen als Bissel toevallig een merknaam is.'

Ze zaten in de eetzaal van het bejaardentehuis. Tachtig joodse mensen van boven de tachtig, hoofdzakelijk vrouwen. Sommigen moesten mooi zijn geweest in hun jonge jaren – dat kon je nog zien aan hun regelmatige gelaatstrekken – maar het verstrijken van de tijd had hen in de categorie 'mensen op leeftijd' geplaatst. Wat ook wel enige opluchting bracht. Vooral voor de vrouwen was er een hoop druk verdwenen. Ze hoefden een plakje cake niet meer te laten staan. Als ze aten en op gewicht bleven, was dat een teken dat ze gezond waren. Het verbaasde Rina allerminst dat ze uiterlijk zo veel variatie toonden. Sommige vrouwen hadden zich opgemaakt en droegen sieraden, maar andere, en niet per se de oudste, liepen rustig rond in een peignoir en op pantoffels.

Dit ben ik over vijftig jaar, dacht Rina, als ik geluk heb. Hoe belangrijk het heden ook leek te zijn, het werd onvermijdelijk verleden tijd. De eindeloze cirkelgang van het leven ontlokte haar een glimlach. Ze had al zo vaak met vroegtijdige sterfgevallen te maken gehad dat ze niet depressief werd van gedachten aan ouderdom.

Ze streek haar rode, katoenen rok glad en stroopte de mouwen van haar witte bloes op tot aan de ellebogen. De airconditioning stond zachtjes aan, maar de lucht was lauw. Te veel koele lucht was niet goed voor deze mensen, met hun zwakke botten en gezwollen gewrichten. Dus verdroeg Rina de warmte welwillend, blij dat ze behoorde tot de gelukkigen die nooit erg transpireerden. Er stonden twintig tafels in de zaal, waar fel neonlicht brandde. Enkele van de rolgordijnen waren opgetrokken, zodat Rina een glimp opving van de maan en de sterren. Het geblokte linoleum op de vloer was verkleurd, maar schoon; op de muren zat nieuw behang met een klimroospatroon. In witte uniformen geklede Latijns-Amerikaanse vrouwen duwden karretjes tussen de tafels door en deelden de soep van de dag uit: kippensoep met vermicelli.

Dat had een probleem opgeleverd.

Aanvankelijk had men in de keuken gezegd dat Oscar Rina's soep niet mocht hebben. Niet om gezondheidsredenen – ze had de soep speciaal zonder zout bereid – maar omdat de diëtiste bang was dat Rina's soep, die gebonden was en vlees bevatte, een rebellie zou ontketenen onder de andere bewoners. Rina had aangeboden met Oscar naar zijn kamer te gaan. Maar dat mocht ook niet. Stel dat Oscar zich zou verslikken? (Dat bleek hij nogal vaak te doen.) Rina had gezegd dat ze met Oscar op het terras kon gaan zitten, maar ook dat werd geweigerd.

Na twintig minuten vleien en soebatten was de diëtiste uiteindelijk gezwicht. Oscar mocht zijn soep in het bijzijn van de anderen opeten.

En dat vonden de anderen niet leuk. Ze keken met afgunstige blikken naar wat hij te eten had gekregen. Bovendien zat Oscar genoeglijk te smakken, per ongeluk expres.

'Lekkere soep,' zei hij.

'Natuurlijk is het lekkere soep. Ik heb hem zelf gemaakt.'

'Niet alle zelfgemaakte koolsoep is lekker. Soms is hij vettig.'

'De mijne niet.'

'Nee, die van u is prima.'

'Dank u.'

Oscar knikte. Daarbij leek zijn hoofd als een wattenbolletje te deinen op de dunne stengel van zijn magere nek. Hij droeg een blauw met rood gestreept overhemd met korte mouwen en een lichtbruine broek. Zijn knokige ellebogen waren zo puntig dat hij er iemand mee kon doodsteken. Hij at luidruchtig tot de kom leeg was en schoof die toen naar Rina toe.

'Hebt u nog meer soep?' vroeg hij.

'Die krijgt u morgen.'

'Waarom pas morgen?'

'De diëtiste zei dat het bij twee kommen moest blijven.'

'Waarom?'

Rina haalde haar schouders op.

'Ik heb nog trek. Geef me nog een kom soep.'

'Dat mag niet. Ze zei twee kommen. Als ik me daar niet aan hou, gooit ze de rest van de soep weg.'

'Waarom maar twee kommen?'

Rina leunde naar voren. 'Omdat de anderen jaloers zijn, denk ik.'

'Nnnnja.'

'Ik geloof dat u wel iets van uw gewone maaltijd mag, als u er zin in hebt.'

'Nnnnja.'

'Wilt u naar uw kamer gaan?'

Hij dacht even na en schudde toen zijn hoofd.

'Wilt u een stukje wandelen?'

Weer schudde hij zijn hoofd.

'Zullen we hier dan een poosje blijven zitten?'

Ditmaal knikte hij. Een van de helpsters was een jonge Latijns-Amerikaanse vrouw genaamd Jolanda. Ze vroeg Rina of ze iets wilde eten.

'Alleen een kopje thee graag, als u tijd hebt,' antwoordde Rina. 'Wilt u thee, meneer Adler?'

'Graag.'

'Twee thee.'

'Oscar heeft graag honing in zijn thee,' zei Jolanda. 'En u?'

'Doe mij ook maar honing,' antwoordde Rina.

'Het komt er zo aan.'

'We hebben geen haast,' antwoordde Rina.

Oscar tilde de soepkom op en haalde zijn vinger langs de binnenrand. Op zijn knokige vingertop bleven wat soepresten achter. Hij likte het gretig op. Rina zuchtte, greep de kom en stond op. 'Dit is belachelijk.'

Oscar keek benauwd. 'Waar gaat u heen?'

Als een kind dat iets stouts heeft gedaan. 'Ik ga nog wat soep voor u halen.'

Ze liep met grote stappen naar de keuken. Na tien minuten onderhandelen kwam ze terug met de kom halfvol. 'Wat een *tirannen* daar in de keuken.'

Oscar knikte. 'Nu weet u hoe moeilijk we het hier hebben.'

Rina zei: 'Al kunnen ze natuurlijk niet iedereen geven wat hij wil.'

'Waarom niet?'

'Veel mensen moeten een streng dieet volgen.'

'Dat is mijn zorg niet.'

'Maar iemand moet daarvoor zorgen,' antwoordde Rina.

'Iemand, ja... maar niet ik.' Oscar at de soep op. 'Nu ben ik voldaan. Dank u.'

'Graag gedaan.'

'Bent u een vriendin van Georgia?'

'Een kennis.'

'Bent u net zo bemoeiziek als zij?'

'Daar zou ik graag bezwaar tegen maken. Georgia en ik zijn niet bemoeiziek... we zijn geïnteresseerd in onze medemensen.'

'Nnnnja. U komt me hier lastigvallen. Denkt u nu werkelijk dat u een oude man kunt omkopen met soep?'

'Jazeker. Ik heb alle vertrouwen in mijn kookkunst. Mijn moeder is een uitmuntende kokkin.'

'Uw moeder leeft dus nog?'

'Allebei mijn ouders leven nog. Mijn moeder is zevenenzeventig, mijn vader tweeëntachtig.'

'Jonge broekjes.'

'Dat zal ik doorgeven.'

'Waar zijn ze geboren?'

'Mijn moeder in Duitsland; mijn vader is van Hongaarse afkomst.'

Rina zweeg even en zei toen: 'Eerlijk gezegd is mijn moeder meer Hongaars dan Duits. Ze is op haar tiende naar Boedapest verhuisd. Haar moeder is vóór de oorlog omgekomen bij een tragisch ongeluk, waar ze niet graag over praat.'

'Dat kan ik haar niet kwalijk nemen.'

'Ik ook niet,' zei Rina. 'Maar het is evengoed jammer. Ze bezit een unieke hoeveelheid informatie over de familie, die voor altijd verloren zal gaan.'

'Sommige dingen kun je maar beter niet weten,' was Oscars antwoord.

'Misschien.' Maar de uitdrukking op Rina's gezicht sprak dat tegen.

'Waarom is het verleden zo belangrijk?' vroeg Oscar nors. 'We zeggen dat we van het verleden leren? We leren *niets* van het verleden.'

'Dat lijkt me niet helemaal waar.'

'Op goede dagen, wanneer mijn ogen goed genoeg zijn, lees ik de krant. Vervolgens vraag ik me af waarom ik dat eigenlijk doe. De mensen moorden elkaar nog steeds uit.'

'Dat is waar.'

'Het verleden... Hmmmf!' Hij knipte met zijn magere vingers. 'Niets! Lege ruimte!'

'Zo denkt mijn moeder er ook over. Maar soms heb ik het gevoel dat het aan haar vreet. Als ze het onder ogen zou zien...'

'Nnnnja. Ze ziet het wel onder ogen. Neem dat maar van mij aan. Het achtervolgt je in nachtmerries. Afgrijselijke dromen. Dromen waar je met praten niet van afkomt, dromen die door geen enkele psychoanalyse kunnen worden weggenomen, dromen waar slaapmiddelen niet tegenop kunnen. Het zijn dromen die je je hele leven achtervolgen. Het is al erg genoeg dat je last hebt van het verleden wanneer je slaapt. Waarom zou je er ook aan denken wanneer je wakker bent?'

Rina vond dat allemaal erg logisch klinken. Toch zei ze: 'Ik weet niet hoe het met u is, meneer Adler, maar als mijn moeder er overdag over zou praten, zou ze misschien die nachtmerries niet hebben.'

'Nee, dat hebt u mis. Dan zou ze er overdag aan denken *en* er 's nachts over dromen.' Oscar raakte een beetje buiten adem. 'In welke kampen hebben ze gezeten?'

Hij zei het nonchalant, alsof hij vroeg waar ze op school hadden gezeten. 'Auschwitz. Mijn vader zat aan de joodse zijde, maar mijn joodse moeder zat aan de kant van de gojim: Monowitz.'

Oscar keek haar niet-begrijpend aan.

'Het werkkamp.' Rina beet op haar lip. 'Mijn moeder heeft donker haar maar een lichte huid en blauwe ogen...'

'Uw moeder ging voor een van hen door?'

'Ik denk dat de *Kommandant* dat graag wilde. Ze was verbluffend mooi. Hij... mocht haar graag.'

'Oj.'

'Ze heeft het vermoedelijk overleefd dankzij haar schoonheid. Al haar vriendinnen waren naar de joodse zijde gestuurd, naar Birkenau, en zijn allemaal vermoord. Bovendien sprak ze Duits, waarmee ze een grote voorsprong had op de Hongaarse meisjes. Hij liet haar in de keuken werken. Het was een afgrijselijk bestaan, maar in ieder geval verhongerde ze niet. Zo heeft ze mijn vader leren kennen... ze smokkelde voedsel naar de andere kant. Mijn vader was de "voedselsmokkelaar" aan de mannenkant.'

'Als ze was betrapt, zou ze zijn doodgeschoten.'

'Ja, ze kan erover meepraten. Ze was erg bang. Ze heeft me verteld dat de eerste stap de moeilijkste was. Daarna werd het bijna een gewoonte.'

'Ze is een heldin.'

'Ik denk dat ze gewoon verliefd was. Pappa was erg knap, zelfs toen hij maar vijftig kilo woog.' Rina glimlachte. 'Ze vindt dat ze erg heeft geboft. Ze had brood en soep en af en toe een bot om op te kluiven. Ze had schoon water en ze hadden weliswaar haar haar afgeschoren, maar ze had nooit luis, alleen wanneer het in de zomer erg warm was. Ze heeft vaak gezegd dat ze zich vergeleken bij de joodse gevangenen als een koningin voelde. Ik weet nog steeds niet hoe ze het hebben overleefd.'

'Je doet wat je doen moet.'

Rina haalde haar schouders op.

Oscars blik versomberde. 'Nu ziet u zelf hoe moeilijk het is erover te praten.'

'Ja, ik weet het. Het is vreemd. Mijn moeder kan wel praten over de holocaust, maar niet over haar eigen moeder...'

'Sommige mensen kunnen over bepaalde dingen niet praten. Dat moet je eerbiedigen.'

'Daar hebt u gelijk in.'

'Dus... dank u wel voor de soep... en adieu.'

Rina slaagde er niet in haar teleurstelling te verbergen. Maar ze was geenszins van plan zonder zijn instemming van alles overhoop te halen. 'Misschien kom ik u volgende week weer opzoeken.'

'Dan krijgt u dezelfde antwoorden.'

Rina glimlachte. 'U vond de soep zo lekker. De volgende keer smokkel ik die naar uw kamer.'

'Denkt u dat ik dan zal praten? Als er niemand bij is?'

'Nee. Maar dan hebben we geen last van al die afgunstige blikken.' Ze kneep zachtjes in zijn hand. 'Tot ziens.'

Oscar greep haar hand. Er stonden tranen in zijn ogen.

'Rustig maar,' zei Rina. 'Ik ben niet boos.'

De ogen bleven vochtig, maar de tranen kwamen niet los. 'Waarom doet u dit?'

Rina haalde alleen haar schouders op.

Abrupt beet Oscar haar toe: 'Wat is de naam?'

'Jitschak Golding.'

Hij dacht lang na en schudde toen zijn hoofd. 'Nee.'

'Jammer. Ik kom evengoed volgende week terug...'

'U moet niet vergeten... elke dag werden er mensen vermoord. Je werkte hooguit een week, dan werd je doodgeschoten of vergast. Het verloop was groot... er kwamen steeds nieuwe joden om vermoord te worden. De volhouders... niemand bleef langer dan een paar maanden in leven. Bijna een miljoen joden in één graf. Stapels lijken. Allemaal verloren... vergeten.'

'Niet vergeten,' zei Rina. 'Ze zullen nooit worden vergeten. Dat staat de joodse wet niet toe. U kent de *halacha*... over wanneer het lijk van een onbekende binnen de stadsgrenzen wordt gevonden. De *chok* over het rode kalf.'

Oscar keek haar niet-begrijpend aan.

'Het staat in de *choemasj*. Als in de stad een lijk wordt gevonden en niemand er de verantwoordelijkheid voor opeist, is de gehele gemeenschap er verantwoordelijk voor. Het is dan de taak van de gemeenschap de dode te begraven. Dat is het enige wat ik probeer te doen, meneer Adler. Deze man een graf geven.'

'De naam zegt me niets. Wat is uw relatie tot hem?'

'Ik verleen iemand een gunst. Niet omdat hij een vriend van me is, maar omdat hij een vader is. Zijn zoon is vermoord, meneer Adler.'

'Ach! Wat erg!'

Langzaam vertelde Rina hem het verhaal. Halverwege sloot Oscar zijn waterige ogen, maar Rina zag dat hij bleef luisteren, op een intense manier. Tegen de tijd dat ze klaar was, waren bijna alle andere mensen uit de eetzaal verdwenen. Daardoor leek het opeens alsof ze nogal hard sprak en liet ze haar stem dalen. 'Ik heb een foto van hen... van hen samen. Die heb ik gekregen van de zoon van de man. Carter Golding.'

'Carter? Wat is dat nou voor naam?'

'Een gojse naam. Zijn moeder was niet joods.'

'Dan is *hij* ook niet joods. Waarom helpt u een goj terwijl er zo veel joden zijn?'

'Hij is een vader.'

De oude man vroeg met een gekromde wijsvinger om de foto. Rina haalde de foto uit haar tas en liet hem aan hem zien: grootvader, vader en twee lachende zonen. Oscar staarde naar de generaties Goldings. Ze vroeg of hij de foto zelf wilde vasthouden om hem beter te kunnen bekijken. Hij nam het vier jaar oude kiekje aan met handen die trilden vanwege de ziekte van Parkinson.

'Jitschak is de oudere man.'

'Dat snap ik. Ik ben niet achterlijk.'

Hij deed weer kribbig. Daar was Rina blij om. 'Ik bedoel ook niet...'

'Nnnnja,' antwoordde Oscar minachtend. 'Wilt u weten op wie hij volgens mij lijkt?'

Rina vroeg opgewonden: 'Op wie?'

'Op een ouwe vent die ik nog nooit heb gezien. Alstublieft,' zei Oscar. 'Ik ken die man niet, al zou ik een uur naar de foto staren.'

Rina pakte de foto van hem aan en hield hem vast tussen twee vingers. 'Meneer Adler, mag ik u nog één ding vragen?'

'Ga uw gang.'

'Kunt u zich herinneren dat ongeveer zes maanden geleden in de Valley in een sjoel vernielingen zijn aangericht?'

De ogen van de oude man werden troebel. 'Misschien.'

'Dat was *mijn* sjoel...'

'Oj vej.'

'Degene die heeft bekend dat misdrijf te hebben gepleegd...' Ze hield Oscar de foto nog een keer voor. '... was deze jongen. En hij is degene die is vermoord.'

Oscar staarde haar aan. 'Ik begrijp het niet goed. Als dit de jongen is die denkt dat zijn grootvader... Misschien moet u het me nog een keer van het begin af aan vertellen.'

'Graag, maar dan kunnen we beter een plekje zoeken waar we meer privacy hebben.'

Oscar wuifde dat weg. 'Waarom helpt u de ouders van zo'n slechte jongen?'

'Zo'n verwarde jongen...'

'Slechte.'

'Verwarde,' hield Rina vol.

'Slecht en verward. Dat gaat hand in hand.'

Rina ging door. 'Toen de jongen de sjoel vernielde, heeft hij zwartwitfoto's achtergelaten. Hij had veel foto's... onaangename foto's van lijken. Maar ze waren anders dan de foto's die ik tot dan toe had gezien.'

Oscar wachtte af.

'We kennen allemaal de foto's van de opeengestapelde lijken...' Rina moest haar ogen afwenden. Het was te pijnlijk om de oude man aan te kijken. 'Dit waren individuele foto's, van joodse mannen en joodse jongens.' Ze kreeg een brok in haar keel. 'Erg scherp, erg duidelijk. Daarom was het zo erg om ernaar te moeten kijken.'

Oscar zei niets.

Rina moest nu vragen of hij bereid was naar die foto's te kijken, maar ze had er het hart niet toe. 'Ik weet het niet.' Ze gaf zijn hand een kneepje. 'Ik moet maar eens gaan.'

'U wilt dat ik ernaar kijk.'

'Nee... nee, dat kunt u beter niet doen.'

'De foto's... de lijken... zijn ze naakt?'

Rina dacht even na. 'Sommige wel, sommige niet.'

Er blonk iets in Oscars ogen. 'Laat me de foto van de oude man en de jongens nog eens zien.'

Rina gaf hem het kiekje. Ditmaal bekeek Oscar het een heel lange tijd. 'Deze jongen...' Hij wees met een kromme vinger naar Karl Golding. 'Die ken ik.'

Rina keek verbaasd. 'Meneer Adler, hij is niet degene die is gestorven.'

'Dat zeg ik ook niet. Ik zeg... dat ik hem ken.'

'Waarvan?'

Hij zwaaide met zijn wijsvinger terwijl hij nadacht. 'De foto's die zijn achtergelaten. Niet van opeengestapelde lijken, zegt u? Eén lijk per foto?'

'Ja. En?'

'Deze jongen...' Weer die zwaaiende vinger. 'Als je... vier, vijf jaar bij zijn leeftijd optelt, is hij misschien, héél misschien, de jongen met het fototoestel. De Poolse jongen. Ongeveer... zestien. Geen dorpsjongen, een stadsjongen.'

Rina was verbluft. Maar natuurlijk! Het was volkomen logisch. Als Oscar zich iemand zou herinneren, zou het niet een oude man zijn die zich Jitschak Golding noemde; het zou een jong gezicht zijn dat zestig jaar geleden in het geheugen van Oscar was gegrift. 'U herinnert zich een jongen met een fototoestel?'

'Ja, er was een jongen met een fototoestel. Hij nam foto's, ongeveer een week voordat het kamp in brand is gestoken.'

Rina wees naar Karl. 'En hij leek op deze jongen.'

Oscar knikte.

'Niet deze jongen.' Ze wees naar Ernesto.

'Nee, deze.' Weer wees hij naar Karl.

Rina zei: 'Een Poolse jongen. Wie was hij?'

Oscar haalde zijn schouders op. 'Een jongen met een fototoestel. Dus moet hij rijk zijn geweest. Ik denk dat zijn vader een hoge rang had bij de *Polnische Polizei*.'

De Poolse politie. Rina knikte. 'Kunt u me verder nog iets over hem vertellen?'

Weer ging de vinger heen en weer. 'Hij nam foto's vanachter de omheining... Het prikkeldraad stond onder stroom. Als je probeerde te ontsnappen...' Hij sloeg zijn handen met een harde klap ineen. 'Als een mot tegen een lamp. Je kon ze horen sissen... je kon het ruiken.' Hij sloeg zijn handen voor zijn mond en liet ze toen zakken. 'Dus raakte hij het hek niet aan. U hebt de onaangename zwartwitfoto's hier?'

Rina knikte.

'Laat me er eens een zien.'

Rina zocht in haar tas en pakte de minst aanstootgevende foto die ze kon vinden: een knokige oude man die eruitzag alsof hij in zijn gestreepte pyjama lag te slapen.

Oscar bestudeerde de foto. 'Ja... ja. Ziet u deze lichte strepen? Dat is de omheining. Dat is het prikkeldraad!'

Rina drukte haar hand tegen haar mond en knikte. 'Ja, ik zie het.'

Hij gaf de foto terug aan Rina. 'Ik ken de jongen niet. Sommige mensen praten tegen de jongen. Sommigen verzoeken hem een foto van hem te nemen. Een man... komt met zijn dode zoon... laat de jongen een foto van hem nemen. Ik?' Hij schudde zijn hoofd. 'Ik zeg niks tegen hem. Hij komt vijf, tien minuten, neemt foto's, duikt weer het bos in. Je moet nooit lang bij de kampen rondhangen. Dan schieten ze je dood.' Oscar fronste zijn voorhoofd. 'Hij brengt brood... niet echt brood, het meeste was *ersatz*... zaagsel... maar beter dan wat wij kregen. Hij maakt er kleine balletjes van en gooit die tussen het prikkeldraad door. Hij gooit nooit mis. Hij kan goed mikken.' Hij knikte bewonderend. 'Het is riskant. Als zo'n balletje de omheining raakt, gaat de stroom aan. Dan weet de bewaker dat er iets gebeurt. Hij gooide nooit mis.'

Tranen stroomden over Rina's wangen. 'Hij gaf u eten?'

'Kleine broodballetjes... ersatzbrood. En stukjes wortel en peen. En één keer... kleine wilde aardbeien. Hebt u enig idee wat een luxe dat was? Aardbeien? In Warschau hadden ze niets te eten! Dat hij aardbeien had... en het zich kon veroorloven ze weg te geven. *Oj vej*, hij was een erg rijke jongen, de jongen met het fototoestel die eten naar ons gooide.'

'Sprak hij met de gevangenen?'

Oscar dacht na en schudde toen zijn hoofd. 'Nee, hij zei nooit iets. Hij nam alleen foto's. Misschien wilde hij om de joden lachen wanneer we allemaal dood waren.'

'Of misschien wilde hij zich hen herinneren. Hij kan niet zo wreed zijn geweest als hij u eten gaf.'

'Misschien vond hij het leuk om te zien dat de joden zich gedroegen als dieren – aapjes voeren in de dierentuin. We *gedroegen* ons ook als dieren, we snuffelden de grond af, op zoek naar de broodballetjes en de stukjes peen.'

'Als hij kwaad in de zin had gehad, zou hij op z'n minst één keer de omheining hebben geraakt. Dan zou hij niet steeds goed hebben gemikt.'

'U wilt het goede in hem zien.'

Rina knipperde haar tranen weg en knikte. 'Ja.'

'Dat is aardig van u.' Oscar haalde zijn schouders op. 'Broodballetjes. Ze smaakten... net zo lekker als uw soep.'

'Dat is een groot compliment.'

'Ja.'

'Zal ik u nog meer foto's laten zien die in de synagoge zijn aangetroffen? Zodat u me kunt vertellen of ook dat foto's zijn die de jongen heeft genomen?'

'U zei dat er alleen foto's zijn van dode mensen?'

'Dat kan ik me niet precies herinneren. Misschien waren sommigen van hen nog in leven.'

'Maakt niet uit. Ze zijn nu toch allemaal dood.'

'Misschien heeft hij uw foto genomen.'

'Zo ja, dan wil ik die niet zien!' Hij sprak met kracht. Toen blies hij zijn adem uit en zakte zijn borst in, alsof zijn longen niet langer in staat waren lucht op te nemen. 'Die jongen... misschien wilde hij helpen. Misschien niet. Maar zelfs als hij wilde helpen, was hij geen grote held. Dat niet.'

Een stilte.

Toen zei Oscar: 'Hij was hooguit een kleine held.' De oude man glimlachte bitter. 'Toch is een kleine held beter dan niets.'

34

Het zou nachtwerk worden, dus besloot Decker eventjes thuis zijn neus te laten zien. Toen hij de oprit op reed, zag hij dat er in de woonkamer geen licht brandde, wat betekende dat zijn gezin niet thuis was, dat ze zich elders zonder hem amuseerden en dat hij dus net zo goed op het bureau had kunnen blijven. Het besef dat ze hem niet nodig hadden en dat hij niet gemist werd, wekte gemengde gevoelens in hem op. Aan de ene kant was hij een beetje gekwetst, aan de andere kant was hij blij dat zijn geliefden zich zonder hem wisten te redden, al was dat een schrale troost. Nu hij toch thuis was, besloot hij even onder de douche te gaan en schone kleren aan te trekken.

Toen hij naar binnen ging, merkte hij echter meteen dat het huis niet helemáál in duisternis was gehuld. In Jacobs kamer brandde licht, maar er klonk geen muziek uit de stereo. Hij hoorde ook geen stemmen. Dat bezorgde hem een onaangenaam gevoel.

Iedere keer dat Jacob alleen thuis was en het zo stil was op zijn kamer, verdacht Decker hem ervan dat hij met iets ongeoorloofds bezig was. Want al riep hij nog zo hard dat hij vertrouwen in zijn zoon had, hij slaagde er niet in zijn twijfels volledig opzij te zetten.

Hij liep op zijn tenen naar Jacobs kamer en bleef even staan luisteren. Stilte. Hij klopte op de deur.

Jacob riep meteen dat hij binnen mocht komen. Decker hoopte dat de jongen zijn zucht van verlichting niet hoorde. Jake zat met een zwartleren keppeltje op aan zijn bureau geconcentreerd de Aramese tekst van een van de talmoedboeken te lezen. Hij keek op.

'Hoi.'

'Ben je alleen thuis?'

'Met Hannah.'

'O.' Decker luisterde maar hoorde niets. 'Ik hoor de tv niet.'

'Het is over negenen, pap. Ze slaapt.'

Dat wekte nieuwe schuldgevoelens op. 'Ach, natuurlijk.'

'Zal ik even bij haar gaan kijken?'

'Nee, dat doe ik wel.' Maar Decker verliet de kamer niet meteen, gefascineerd door het ongewoon leergierige gedrag van zijn stiefzoon. 'Ik dacht dat de vakantie al begonnen was.'

'Ik probeer wat voor te werken voor de jesjiva. Ik wil niet al te dom overkomen.'
'Jij kunt nooit dom overkomen.'
'Dat zou je hard tegenvallen. En hoe meer je leert, hoe meer je weet.'
'Een cliché, maar het is wel waar.'
'Sammy en ik hebben daarnet twee uur samen zitten leren, maar toen belde een vriend van hem en heb ik gezegd dat hij moest gaan. Hij zag een beetje bleek.'
'Wilde je niet mee?'
'Iemand moest bij Hannah blijven. Ima is naar een bejaardentehuis om te praten met iemand die in een concentratiekamp heeft gezeten. Ze zou proberen snel terug te komen zodat ik kon uitgaan. Ik geloof dat ze zich zorgen maakt dat ik te veel zit te leren. Hoe vind je die? Ik heb gezegd dat ik best thuis wilde blijven. Dat bezoek leek nogal belangrijk te zijn. Bovendien kon ik wel wat tijd voor mezelf gebruiken. Het is hier de laatste tijd zo onrustig geweest.'
Decker gaf hem een zoen boven op zijn hoofd, op zijn keppeltje. 'Het spijt me, Jacob.'
'Geeft niks.' Hij stond op. 'Je ziet er moe uit. Ga lekker onder de douche. Zal ik onderhand een prakje voor je opwarmen?'
'Graag.'
Zonder nog iets te zeggen liep Jacob naar de keuken. Decker stak zijn hoofd om de deur van zijn dochters kamer, maar zag alleen rode krulletjes op het kussen. Hij liep op zijn tenen naar binnen. Ze ademde rustig en diep, de deken ging traag op en neer als een kalme zee. Ze rook naar shampoo en wasverzachter. Hij glimlachte, wederom verbaasd dat zo'n wonder aan zijn lendenen was ontsproten. Hij verliet met tegenzin haar kamertje, kleedde zich uit en stapte onder de hete naalden van de douche. Nadat hij schone kleren had aangetrokken, liep hij naar de keuken, waar hem een stuk kalkoenborst, aardappelpuree, nogal verpieterde broccoli, maar ook verse sla wachtte. Zijn stiefzoon was gekleed in een zwart T-shirt en een zwarte lange broek. Als kind was Jacob altijd broodmager geweest. Nu was hij lang en slank en omdat hij met gewichten werkte, had hij een goed ontwikkelde borst en armen en harde buikspieren. Hij was bijna volwassen. Nog een jaar of twee en hij zou opklimmen naar de klasse James Dean en vele harten breken: een kritische jongeman met felblauwe ogen en een honende grijns. Maar wat hem echt gevaarlijk maakte, was zijn intellect.
'Je stelt me steeds weer voor verrassingen.' Decker at met smaak.
'Ik ben een kei in prakjes opwarmen. Zal ik ook koffie zetten?'
'Dat doe ik zelf wel.'
'Welnee, dat gaat in één moeite door.' Toen Jacob het koffiezetapparaat had gevuld, zag hij dat zijn stiefvader zijn bord al leeg had. 'Er is nog meer, als je nog trek hebt.'
'Nee, ik zit vol.' Hij leunde achterover. 'Ik heb te snel gegeten. Dat is

niet goed.' Hij zuchtte. 'Op een goede dag hou ik op met werken.'

'Ja, ja.' Jacob keek naar de druppelende koffie. 'Ben je naar Ernesto's begrafenis geweest?'

Decker knikte.

'Erg emotioneel zeker?'

'Ja.' Hij keek op, wilde iets zeggen, maar bedacht zich.

'Wat?' vroeg Jacob.

'Niks.'

'Nee, zeg het maar.'

Decker wreef over zijn voorhoofd. 'Je kent zeker geen vrienden van Ruby Ranger?'

Daar had je die honende grijns weer. 'Nee. Maar ik ken veel van haar vijanden. Iedereen haatte haar.'

'Weet je toevallig naar wie ze toe zou gaan als ze in moeilijkheden verkeerde?'

Jacob ging zitten. 'Wat is er aan de hand? Verkeert ze in moeilijkheden?'

'Dat denk ik.'

'Dat verbaast me niets. Ze is een erg slecht mens.'

'Misschien komt dat haar nu duur te staan. Volgens mij verkeert ze letterlijk in gevaar. Ze wordt vermist en niemand weet waar ze is. Als je vrienden van haar kent die bereid zouden zijn haar onderdak te verlenen, wil ik dat graag van je horen. Het zou prettig zijn te weten dat ze nog leeft.'

Jacob trok wit weg. Eén ogenblik dacht Decker dat Jacob iets te maken had met haar verdwijning. En alhoewel dat absurd was, had hij het verpletterende weeë gevoel dat hij een gevoelige snaar had geraakt. Hij bleef naar het gezicht van de jongen kijken. 'Is er iets wat je me wilt vertellen?'

Jacob bleef zwijgen, maar keek nerveus.

'Jacob.'

'Nee, niets!' Hij wendde zijn gezicht af. 'Ik weet niets!'

Decker had geen tijd voor spelletjes. 'Hou op met liegen, verdomme! Ze verkeert in grote moeilijkheden, Jacob. *Vertel me wat je weet!*'

'Ik weet niet waar ze is!' schreeuwde Jacob. 'Waarom denk je altijd het ergste van me?! Zo'n hufter ben ik nou ook weer niet, verdomme! En als je dat wel denkt, kun je doodvallen!'

Zonder na te denken gaf Decker hem een klap in zijn gezicht, zo hard dat het hoofd van de jongen opzij vloog; zo hard dat er een handafdruk op zijn wang achterbleef. 'Waag het niet om zoiets óóit nog een keer tegen me te zeggen!'

De ogen van de jongen smeulden toen hij zijn hand op zijn brandende wang legde. Met haat in zijn blik keek hij naar zijn stiefvader. 'Ik kan je hiervoor aanklagen.'

'Ga je gang, held! Godverdomme nog aan toe. Wil je het nummer? Kun je zo van me krijgen!'

Tranen sprongen in de helderblauwe ogen. 'Waarom mag jij wel vloeken en ik niet?'

'Omdat ik een vader en een hypocriet ben.' Decker leunde naar voren, greep de kin van de jongen en keek hem diep in de ogen. 'Ze is óf een dader óf een slachtoffer. In beide gevallen verkeert ze in grote moeilijkheden. Wat kun je me over haar vertellen?'

Jacob trok met een ruk zijn hoofd achteruit en sloeg zijn ogen neer, zijn hand nog op zijn wang. 'Ik weet niet waar ze is!'

Decker zweeg. Toen zei hij zachtjes: 'Maar je weet *iets*.'

Het duurde even voordat Jacob zijn stem had gevonden. De toon waarop hij sprak hield het midden tussen schaamte en razernij. 'Weet je nog dat ik... dat ik je heb verteld dat ik op een feestje ruzie met haar had gekregen?'

'Je zei dat je had gedreigd haar te vermoorden.'

Jacob knikte. 'Zoiets.'

'Ga door!'

'Nadat ik... na die ruzie ben ik het huis uit gerend. Ik weet niet eens wat ik daar eigenlijk deed. Het was een paar weken nadat je me had betrapt met Shayna. Ik had je beloofd dat ik van de drugs zou afblijven. Ik gebruikte ook geen drugs meer, ik wilde niet eens naar dat stomme feest. Maar toen belde Lisa... ze zei dat ze was uitgenodigd en dat ze er niet in haar eentje naartoe wilde. Ik was nog steeds erg opstandig.' Een zucht. 'Ik ben stiekem gegaan. Ik heb Sammy niet eens om hulp gevraagd, al weet ik dat hij me gedekt zou hebben als het had gemoeten.'

Jezus, man, vertel me iets wat ik nog niet weet, dacht Decker. Hij strengelde zijn vingers ineen om zichzelf ervan te weerhouden nogmaals uit te halen. Hij zou de jongen het liefst door elkaar rammelen. Hem bij de schouders grijpen en door elkaar schudden tot hij om genade smeekte. Hij wist zijn woede te bedwingen, maar niet zijn ongeduld.

'Schiet een beetje op!'

'Ik doe mijn best. Dit is erg moeilijk!'

Decker slikte, telde tot vijf. 'Ga door.'

'Ik ben dus dat huis uit gevlucht. Ik ben gaan lopen en zwoer dat het nu echt afgelopen zou zijn. Nooit meer, nooit meer, nooit meer! Ik meende het echt. Opeens werd ik ingehaald door Ruby. Ze greep mijn arm en zei dat ik niet zo hard moest lopen... dat ze met me wilde praten. Haar hele houding was veranderd, totaal veranderd. Het was net alsof ze uit twee afzonderlijke personen bestond. Het was heel raar.'

En het klonk griezelig bekend. Darrell en Ruby: meesters van de wisselende identiteiten. 'Ga door.'

'We begonnen te praten. We hebben ongeveer twintig minuten voor dat huis staan praten... of eigenlijk twee huizen verderop. Toen vroeg ze of ik een eindje met haar wilde gaan rijden... alleen maar om te praten.'

'En heb je dat gedaan?'

'Niet meteen. We zijn naar haar auto gelopen en hebben eerst nog een poosje verder gepraat.' Hij wendde zijn blik af. 'Alleen maar gepraat.'

Decker gebaarde dat hij moest opschieten.

'Ze had pillen.' Tranen sprongen in zijn ogen. 'Ik weet dat ik weinig ruggengraat heb. Ik walg ervan hoe zwak ik ben. Maar daar gaat het nu niet om. We werden allebei hartstikke high... helemaal geflipt.'

'Wat heb je geslikt?'

'Iets stimulerends... uppers. Na een paar minuten begin je van alles te voelen.'

Woede sidderde in Deckers binnenste. Hij kneep zijn handen nog harder ineen. 'Zoals?'

'Je wordt er amoureus van.' Jacob kon hem niet in de ogen kijken. 'Ik was high en zij ook. Ze begon me te betasten. Ze wist wat ze deed. Ik werd hartstikke geil.' Hij fluisterde: 'De details kan ik je zeker wel besparen?'

'Jullie hebben het met elkaar gedaan.'

'Het zat wat ingewikkelder in elkaar. Ze startte de motor en heeft me meegenomen ergens naartoe. Ik denk dat we een minuut of tien, vijftien hebben gereden. Ik weet het niet precies meer, omdat ik zo high en zo hitsig was. Het kan niet erg ver van dat feestje zijn geweest, maar het was een geïsoleerde plek, in de bossen. Daar stond een huis, een klein huis. Het was duidelijk dat ze daar al vaak was geweest.'

Nu pas begreep Decker waar deze bekentenis toe leidde. Ze had hem meegenomen naar een huis. *Een locatie!*

Erins woorden: *in de heuvels tussen Santa Barbara en Orange County. Ik denk dat hij nog in Zuid-Californië is.*

Een locatie.

Niet aandringen, niet aandringen. Hij zal zich alles veel duidelijker herinneren als je niet aandringt.

Jacob liet zijn hand zakken. De handafdruk op zijn wang was donkerder geworden. Decker voelde diepe schaamte, maar durfde de jongen niet te onderbreken. Hij bleef kijken naar zijn stiefzoon, die met zijn vingers op de keukentafel begon te trommelen.

'Binnen was het een kale bedoening,' zei hij. 'Een grote kamer met een groot bed. Ze had een kast vol spullen – kostuums.' Hij likte aan zijn lippen. 'Attributen voor haar fantasieën.'

Decker wachtte af.

'Ze koesterde afgrijselijke fantasieën. Echt afgrijselijk!'

'Zoals?'

'Ze wilde...' Hij verborg zijn gezicht in zijn bevende handen. 'Ze wilde dat ik een kostuum zou aantrekken. Ze zei dat ze daar heel opgewonden van zou worden en dat het fantastisch zou zijn.'

De jongen was lijkbleek geworden. Zijn stem daalde tot een fluistering.

'Het was het uniform van een SS-officier. Misschien was het zelfs een origineel uniform.' Hij kneep zijn ogen dicht. Maar de tranen ontsnapten evengoed. 'Ze had alle bijbehorende attributen: de leren zwepen, de laarzen, de touwen. Ze wilde dat ik net zou doen alsof ik... een SS'er was. Ze zei dat ik in het Duits tegen haar moest praten. Om de een of andere reden dacht ze dat ik Duits sprak. Geen idee waarom.'

Hij wachtte even.

'Ze... ze zei dat ik haar moest vastbinden. En dat ik haar moest slaan... geselen. Ik moest net doen... alsof ik haar verkrachtte. Ze zei dat ze daar heet van werd.'

Hij zweeg. Nu begreep Decker waar Ernesto's fantasieën vandaan kwamen... in combinatie met het onduidelijke verleden van zijn grootvader. Wat voor goor zaad had ze in de geest van die arme jongen gezaaid? En wat had het teweeggebracht in de kwetsbare psyche van zijn stiefzoon? De seconden tikten weg. Decker voelde dat hij vanbinnen begon te trillen, dat zijn hart bonkte. Hij drukte zijn hand tegen zijn mond.

'Heb je het gedaan?'

Jacob schudde afwijzend zijn hoofd. 'Ik was onder de invloed van die pillen, maar... een oergevoel ...' Tranen stroomden over de wangen van de jongen. 'Opeens werd ik doodmisselijk. Van het ene moment op het andere was de heftige opwinding verdwenen en voelde ik me zo ziek als een hond. Ik dacht letterlijk dat ik doodging. Ik zag de aarde voor me opensplijten, als Korach in de woestijn, en had een visioen dat ik in een peilloze diepte zou vallen...'

Een lange stilte.

'En toen?' vroeg Decker.

Jacob droogde zijn tranen en dwong zichzelf zijn stiefvader aan te kijken. 'Vanaf dit punt is alles nogal onduidelijk... vanwege de drugs. Ik moet zijn gevlucht... ik moet vrij hard hebben gelopen, want ze was buiten adem toen ze me inhaalde. We waren buiten, ergens in een bos. Ik had geen idee waar ik was. Ruby was helemaal over haar toeren. Ze bood uitgebreid haar verontschuldigingen aan. Dat bracht me volslagen uit mijn evenwicht. Ik had haar nog nooit zo angstig meegemaakt. Ze zei dat het alleen maar een spelletje was geweest. Dat ze het ook met andere jongens had gedaan en dat die het leuk hadden gevonden. Ze wilde alleen een beetje lol maken. Ze probeerde me... op mijn gemak te stellen. Ze zei dat ze er spijt van had dat ik zo kwaad was geworden. Ze was erg berouwvol. Ze begon te huilen. Ze huilde en huilde en huilde. Ze hield niet op! Op dat moment... ik weet niet... had ik medelijden met haar.'

Weer wreef hij met zijn vingers de tranen weg – stille tranen die het wit van zijn mooie blauwe ogen rood maakten.

'Ik had geen idee waar ik was en Ruby was zo... van streek. Ik vond... dat ik beter kon proberen haar te kalmeren zodat ze me naar huis kon brengen. Dan zou er tenminste een einde komen aan die afgrijselijke nachtmerrie. Ik beloofde God dat als ik dit zonder kleerscheuren zou overleven, ik stappen zou ondernemen om af te kicken. Dat ik niet meer zou stelen, niet meer naar feestjes zou gaan, niks meer zou slikken, geen stomme dingen meer zou doen...'

'Jacob, deze vrouw wordt vermist.'

'Sorry als ik doordraaf,' fluisterde Jacob. 'Ik wil gewoon alles opbiechten, oké?'

'Oké.' Decker leunde naar voren. Jacob schrok instinctief terug. Decker kreeg een wee gevoel, voelde zijn maag omdraaien. Hij pakte de hand van de jongen en drukte er een kus op. 'Ga door. Wees niet bang.'

Jacob trok zijn schouders op. 'We zijn teruggegaan naar het huis. Ik probeerde haar duidelijk te maken dat het niets gaf, dat ik niet kwaad was en dat we het beste naar huis konden gaan.' Hij wendde zijn blik af. 'We begonnen weer te vrijen. Ik weet niet hoe het is gebeurd.'

Een lange stilte.

'We... zijn met elkaar naar bed gegaan. Gewoon... zonder rare dingen. Het was binnen... dertig seconden voorbij.' Hij doorstond de indringende blik van zijn vader. 'Ik was nog maagd, zie je.'

Deckers hart bonkte zo dat hij bijna geen adem kon halen. De jongen zag er zo triest uit dat Decker hem het liefst in zijn armen had gesloten om de pijn weg te nemen. Maar hij hield zich in. 'Heeft ze je belachelijk gemaakt?'

'Nee... integendeel.' Hij trok zijn hand weg en raakte zijn pijnlijke wang weer aan. 'Had ze dat maar gedaan. Dan had ik haar kunnen haten met pure haat. Maar ze zei dat ik stil moest blijven liggen... terwijl ik nog in haar was... dat ik na een paar minuten weer hard zou worden en dat het de tweede keer langer zou duren en beter zou zijn. En zo was het ook.'

Decker kamde met zijn vingers door zijn dikke haar. 'Heb je een condoom gebruikt?'

'Ja.'

'Je moet me nu echt de waarheid vertellen.'

'Pap, ik zweer het op abba's graf ...'

'Dat hoeft nou ook weer niet,' zei Decker. 'Hoe kwam je aan het condoom, als dit afspraakje volkomen spontaan was?'

'Ik geloof dat het huis niet van Ruby was, maar van een man. Er was een la vol condooms. Volgens mij zijn ook al die spullen – de gesels en laarzen en uniformen – van hém en niet van haar.'

Het sekshol van Darrell Holt. 'Wat hebben jullie na het vrijen gedaan?'

Jacob zei: 'We hebben ons aangekleed en ze heeft me naar huis gebracht. We hebben de hele weg geen woord tegen elkaar gezegd. We hebben elkaar zelfs niet gedag gezegd.' Hij blies zijn adem uit. 'Daarna heb ik haar niet meer gezien. Ik heb nooit meer met haar gepraat en ook niet met de anderen. Het is nu meer dan een jaar geleden en ik zweer dat ik sindsdien niets zwaarders heb geslikt dan aspirine. Ik heb ook meisjes afgezworen tot ik... ouder ben. Het ging... te makkelijk. De hele zaak heeft me doodsbang gemaakt. Je hebt geen idee. Pas wanneer je aan de poort van de hel hebt gestaan, weet je hoe dankbaar je moet zijn. Sindsdien heb ik geprobeerd mijn verloren tijd in te halen en dat is niet makkelijk geweest.'

'En nu denk je dat Ruby daar is? In dat huis?'

Hij haalde zijn schouders op. 'Zou kunnen.'

'Je bent moedig, dat moet ik je nageven. Je hebt er goed aan gedaan het me te vertellen.'

'Ik had geen keus. We zijn allemaal *Tselem Elohim*, gecreëerd naar Gods beeld.' Hij glimlachte bedroefd. 'Ik heb toch *iets* geleerd van de rabbijnen.'

Decker sloot zijn ogen en opende ze weer. 'Het spijt me dat ik je heb geslagen. Dat was fout van me.'

'Ik schoot uit mijn slof en jij ook.' Hij glimlachte weer. 'Ik had graag teruggeslagen, maar je bent groter dan ik. Ik bof dat ik nogal pragmatisch ben.'

Decker stond op. 'Je moet ijs op je wang doen.'

'Ja? Is hij rood?'

'Ja.'

'Opgezet?'

'Een beetje.' Decker pakte een *cold pack* en gaf het aan de jongen. 'Alsjeblieft.'

Jacob hield het tegen zijn wang. 'Ik krijg met basketballen nog wel eens een bal in mijn gezicht. Het wordt altijd meteen een rode plek, omdat ik zo'n lichte huid heb. Het zakt zo dadelijk wel. Maak je er maar niet druk om.'

Decker zei niets. Hij was doodmoe en nog steeds een beetje misselijk. Hij was vijftien centimeter langer dan Jacob en zo'n dertig kilo zwaarder. Hij had niet alleen gefaald als vader, maar ook als mens. Maar ja, hij moest nu eenmaal zijn werk doen, en had hiermee wél bewezen dat hij een goede rechercheur was. Twee fout, één goed... geen slechte score.

Jacob klopte zachtjes op zijn hand. 'Ik meen het, pap. Vergeet het nou maar.'

'Herinner je je iets specifieks over de plek waar jullie waren?' vroeg Decker.

'Ja. Daar ging het me eigenlijk om toen ik je dit begon te vertellen. Op de terugweg heb ik een straatnaam gezien: Herald Way. Vijf of tien minuten later waren we weer in Devonshire. Als ik toen mijn rijbewijs al had gehad, had ik er vast beter op gelet. Nu ik zelf mag rijden, ken ik al heel veel straatnamen.'

'Hoe oud was je dan?'

'Op twee maanden na zestien. Zij was tweeëntwintig of zo. Niet best, hè? Ze heeft duidelijk voorkeur voor jonge jongens. Ik, Ernesto, en er waren er vast nog meer.'

Dat kwam overeen met wat Erin hem had verteld. Decker zei: 'Jullie zaten dus in de bossen, maar niet ver van de stad.'

'Ja.'

'Denk je dat je je meer zult herinneren als ik je naar die buurt zou brengen?'

'Zou kunnen.'

Decker stond op. 'Laten we dat dan doen.'

'Iemand moet bij Hannah blijven.'

'Weet je waar Sammy is?'

'Ja.'

'Bel hem dan en zeg dat hij moet komen oppassen. Dit gaat voor.'

'Ik kan ima bellen...'

'Nee!' Decker hoorde zelf hoe luid hij sprak. 'Ze zal me vermoorden als ze te weten komt dat ik je meeneem om het huis van een waanzinnige te zoeken.' Hij keek naar de wang van zijn zoon. 'Ze zal me ook om andere redenen vermoorden. Soms ben ik een enorme klootzak!'

'Welkom bij de club.' Hij stond op. 'Vergeet het nou maar, Peter. Ik heb je het afgelopen jaar een hoop ellende bezorgd. Wat hier is voorgevallen, blijft onder ons.'

Het was heel lang geleden dat de jongen hem Peter had genoemd. Decker kon zich niet eens herinneren wanneer. De woede smeulde dus nog. Hij zei: 'Jij belt Sammy en ik zal onderhand Webster en Martinez optrommelen. Ik wil er een paar beroeps bij hebben. En misschien weten zij waar Herald Way is.'

35

OP DE KAART WAS HET EEN KRONKELLIJNTJE DAT UITLIEP IN DE BERGEN. IN de meest recente stratenatlas van Los Angeles had Herald Way zelfs een zijstraat, die verhoudingsgewijs breder was en Manor Lane heette. Bert Martinez chauffeerde en Tom Webster zat naast hem met zijn hand losjes op de kolf van het pistool in zijn holster. Decker zat achterin met zijn veiligheidsgordel om, maar leunde opzij, op zijn stiefzoon, zo zwaar en warm als een wollen deken. In de heuvels was de temperatuur vandaag tot bijna veertig graden gestegen en het was nog steeds warm en benauwd. Jacob zweette zich een ongeluk onder het gewicht van zijn vader.

'Pap, ik stik zowat.'

'Liggen blijven.'

'Ik blijf ook liggen! Maar als je zo op me blijft leunen, kan ik niet uit het raam kijken. En dat was toch de bedoeling?'

'Minder wat vaart, Bert.' Decker keek om zich heen. Geen lantaarnpalen. Een donkere, verlaten weg door een bos. De geur van rottende bladeren gemengd met de scherpe stank van stinkdiervocht. In de drukkende warmte zwermde een koor van elkaar lokkende insecten, begeleid door het krassen van uilen. Het onophoudelijke geraas van het verkeer op de snelweg in de verte klonk als het spinnen van een kat. 'Stop!'

Martinez trapte op de rem. Ze waren aangekomen bij de kruising van de twee straten.

'Zie je die bordjes daar? Manor Lane en Herald Way.' Decker leunde op de rugleuning van de stoelen en wees door de voorruit. 'Precies in het licht van de koplampen.'

Jacob knikte.

'Herinner je je deze plek?'

De tiener leunde naar voren. 'Ja...' Jacobs hart bonkte. 'Ja, hier was het.'

'Weet je het zeker?'

'Ja, ik herinner me dat de bordjes een beetje scheef stonden... dat ze naar één kant gezakt waren. Volgens mij kan ik beter voorin gaan zitten, daar zat ik ook toen ze me naar huis bracht.'

'Dat weet ik. Maar achterin is veiliger. Je zit achter de stoel waarin je toen zat, dus zie je ongeveer hetzelfde.'

'Ja, maar ik kijk niet rechtstreeks door de voorruit. Het is tóch anders, pap.'

'Niks aan te doen. Welke kant moeten we op, Jacob?'

'Eh... ik weet het niet zeker.'

'Neem gerust de tijd.'

De stem van zijn stiefvader klonk geruststellend. Jacob werd gegrepen door onaangename herinneringen. Zijn hand ging heen en weer alsof hij bochten in de weg beschreef, maar hij schudde zijn hoofd. 'Ik herinner me dat de weg naar beneden liep. Naar welke kant loopt de weg het meeste op?'

'Links,' antwoordde Webster.

'Dan gaan we linksaf,' beval Decker. 'Ga weer zitten, zak onderuit en doe je riem om.'

'Goed, goed. Je hoeft me niet zo te betuttelen.'

'Als ik je echt zou betuttelen, zat je niet hier.'

Martinez sloeg links af en stuurde de Honda over een gedeeltelijk geasfalteerde weg. Ondanks dat ze heel langzaam reden, protesteerden de schokdempers tegen iedere hobbel, bobbel en kuil. Grind knerpte onder de banden. Bert schakelde over op vierwielaandrijving. 'Ik heb altijd geweten dat dit me nog eens van pas zou komen.'

'Gebruik je de vierwielaandrijving dan voor het eerst?' vroeg Webster.

'Voor het eerst op een weg als deze. Mijn vrouw gebruikt 'm ook wanneer het hard regent.'

'Zie je iets bekends?' vroeg Decker aan zijn zoon.

Jacobs ogen zochten het landschap van schaduwen en schimmige vormen af. 'Nee... Het lijkt allemaal op elkaar.'

'Geeft niks. We proberen het gewoon. Er wordt niets van je verwacht.'

En dat was maar goed ook, omdat ze niets zouden krijgen. Jacob slikte moeizaam. Peter had geen idee hoezeer drugs je waarnemingsvermogen konden verstoren. Maar stoned zijn had paradoxale effecten. Sommige aspecten van die avond stonden onuitwisbaar in zijn geheugen gegrift, zo uniek als een vingerafdruk. De eucalyptusboom, bijvoorbeeld, waarvan de stam door een storm was gespleten en verbogen. De boom had Jacob doen denken aan een gebochelde heks met een bezemsteel, een rol die hij Ruby toebedeelde, ook nadat ze intieme omgang hadden gehad. Zelfs nu ze misschien in levensgevaar verkeerde, bleef Jacob haar beschouwen als een heks.

Zijn ogen zochten de dichtbegroeide heuvel af, op zoek naar de opvallende boom. Het was zomer en alles stond in bloei. Weelderig staken de boomkruinen af tegen de donkere hemel. Takken zwiepten met windvlagen mee. Jacob had zijn vader niets over de gebroken boomstam verteld, omdat die hem dan om de tien seconden zou vragen of het deze of die boom was. Voor zijn eigen gemoedsrust kon Jacob het zich niet veroorloven nog meer fouten te maken.

Waar was die boom nou? Bestond hij eigenlijk wel?

De auto kroop voort. Webster zei: 'Staat dat huis *aan* Herald Way?'

'Nee, dat geloof ik niet,' antwoordde Jacob.

'Dus we moeten uitkijken naar een zijweg?'

'Dat neem ik aan.'

'Het probleem is, dat er geen zijwegen op de kaart staan.'

'Ik herinner me dat we ergens zijn afgeslagen...' Jacob likte aan zijn lippen, die gebarsten waren door het likken en de droge warmte. Hij pakte een stift cacaoboter en smeerde de rauwe gedeelten in. 'Het is lang geleden.' *En ik vloog met de snelheid van het geluid*. 'Maar het kan ook gewoon een bocht in de weg zijn geweest.'

'En er zitten nogal wat bochten in deze weg,' zei Martinez.

Opeens zag hij de heks. Allemachtig, ze stond er nog, met bezemsteel en al. Jacob zei: 'Ja, dit is de goede weg! Die gespleten boom...' Hij wees ernaar. 'Die herinner ik me. Ik denk dat er daarna een zijweg is.'

'Ja, daar.' Martinez bracht de auto tot stilstand. 'Aan de linkerkant.' De weg was niet breder dan een wandelpad, maar leek breed genoeg voor een auto. In het licht van de koplampen zagen ze smalle bandensporen, van een lichtgewicht motorfiets of een mountainbike. 'Wat denk je, Pete? Zal ik dat weggetje inslaan?'

'Dit is verraderlijk terrein.' Decker staarde naar de smalle weg. 'We moeten een vluchtweg hebben. Als hij op een motorfiets achter ons aan komt, moeten we ruimte hebben om te manoeuvreren.'

'Maar op een motorfiets is hij onbeschermd,' zei Webster. '*Wij* zitten veilig in de auto.'

Martinez zei: 'Hij kan rondjes om ons heen rijden en onze banden kapotschieten en dan kunnen we niks terugdoen. We kunnen beter te voet gaan.'

'Dan kan hij ons een voor een afschieten,' zei Webster.

'Als we met de auto verdergaan, maken we bovendien lawaai,' ging Martinez door. 'Dan hoort hij ons al van verre aankomen.'

'Bert, als we te voet gaan, zijn *wij* onbeschermd.'

'Er zijn bomen en struiken om achter weg te duiken. En we zijn gewapend. Er kan ons weinig gebeuren, tenzij hij met handgranaten gaat gooien of mijnen heeft gelegd. In dat geval kunnen we om versterking vragen als we het zelf niet aankunnen.'

Decker mengde zich in hun dialoog. 'We zijn niet hierheen gekomen om initiatieven te nemen. Dat wil zeggen dat we geen inval gaan doen, ook niet als het er makkelijk uitziet. We zijn hier alleen om het terrein te verkennen. Daarna bellen we om versterking. Mijn probleem is dat ik Jacob niet te voet kan meenemen.'

'Jullie hebben mij nodig,' zei Jacob.

'Dat weet ik.'

'Ik ben niet bang.'

'Dat is nu juist het probleem. Je zou wél bang moeten zijn.'
'Goed, dan ben ik bang.'
Decker wierp hem een blik toe. Jacob grijnsde terug. 'We kunnen codenamen gebruiken. Wat dacht je van Caleb en Joshua?'
'Jij krijgt veel te veel praatjes.'
Jacob keek weer serieus. 'Ik wil graag iets goedmaken.'
Decker legde zijn hand op de wang van zijn stiefzoon. 'Nergens voor nodig.'
Maar Jacob geloofde hem niet. 'We zouden een eindje het pad op kunnen lopen, om te zien of ik iets herken. Dat lijkt me nauwelijks gevaarlijk.'
'Dat kan héél gevaarlijk zijn,' zei Decker.
'Zelfs als ik het huis zou vinden, is Ruby daar misschien niet eens. Waarom niet doorzetten, nu we zo dichtbij zijn?'
'Omdat ik wil dat je hart blijft kloppen.'
'Jij bent gewoon bang voor ima.'
Decker glimlachte. 'Dat is waar, maar dat niet alleen.'
Martinez zei: 'Als Tom en ik nu even een kijkje gaan nemen en jij hier blijft met de jongen.'
'Maar jullie weten niet waar jullie naar moeten zoeken,' zei Jacob. Zonder op toestemming te wachten, stapte hij de auto uit. Decker vloog achter hem aan en greep hem bij zijn elleboog. Toen legde hij zijn vinger op zijn lippen. Hij fluisterde: 'We gaan terug wanneer ik het zeg.'
Jacob knikte. Hij kreeg een strak gevoel in zijn borst en zijn ademhaling was snel en oppervlakkig. De andere twee kwamen bij hen staan. Martinez hield de zaklantaarn vast toen het viertal langzaam de zijweg in liep. Het was niet veel meer dan een zanderig pad door het dichte bos. Insecten zoemden, uilen krasten, prairiewolven huilden.
Vijftien meter.
Hoge bomen aan weerszijden van het pad. De dichte begroeiing belemmerde het zicht: ze konden niet zien wat zich achter de gebladerde wolkenkrabbers bevond. De hemel werd lichter van kleur, veranderde van antraciet in staal toen de maan opkwam, een halve cirkel van zilver licht.
Dertig meter.
Ze liepen met afgemeten passen... behoedzaam, geruisloos, behalve wanneer iemand per ongeluk met zijn hak over een steen schraapte. Gelukkig werd ieder geluid overstemd door dat van de nachtdieren.
Veertig meter.
Martinez hield de lichtbundel op de grond gericht, zodat hij niet per ongeluk door het raam van een huis zou schijnen en daarmee hun aanwezigheid zou verraden. Het nadeel was dat hij de dichte struiken langs het pad niet nader kon bekijken.
Vijftig meter.
Decker ging langzamer lopen, zijn houding werd aarzelender naar-

mate ze verder liepen over het hun onbekende pad, verder weg van de auto. De bandensporen waren zoetjesaan vervaagd en verdwenen. Waar was de mountainbike of motorfiets gebleven?

Zeventig meter... honderd... en nog steeds geen enkel teken van leven. Afgezien van het bochtige pad was er geen aanwijzing dat hier mensen woonden. Het huisje was ofwel niet hier, of stond verder van het pad af in het dichte bos.

Honderdtwintig meter. Geen grote afstand, een korte sprint terug naar de auto: twintig, vijfentwintig seconden. Maar in twintig seconden kon veel gebeuren. Herinneringen spookten door Deckers hoofd, in het bijzonder beelden van de brand die de Orde van de Ringen van God had vernietigd. Wat waren ze dicht bij dat crematorium geweest. Nog een paar seconden en ze waren zelf in as veranderd. Het gruwelijke visioen was zo hardnekkig dat Decker het niet kon wegredeneren. Zijn groeiende angst om het welzijn van zijn zoon was groter dan zijn bezorgdheid om een leven dat *misschien* in gevaar was. Hij had al die tijd Jacobs arm vastgehouden. Nu kneep hij nog harder, waardoor de jongen ineenkromp.

'We gaan terug,' fluisterde hij.

'Wat? Waarom?' fluisterde de jongen terug.

'Omdat we al te ver zijn gelopen. En omdat ik het zeg.'

'Maar we zijn er bijna.'

Martinez mengde zich in het gesprek. 'Hoe ver is het nog?'

'Ik weet het niet precies, maar volgens mij is het niet ver meer,' zei Jacob.

'Maar je weet het niet zeker?' Decker schudde zijn hoofd. 'Dat is niet goed genoeg. Je weet niet eens of dit het juiste pad is.'

'Jawel! Dat weet ik zeker.' Jacob keek naar zijn sceptische stiefvader. 'Ik weet dat ik stoned was, maar ook wanneer je high bent vallen sommige dingen je op.' Hij keek ingespannen het pad af. Opeens kneep hij zijn ogen tot spleetjes en stak zijn hoofd naar voren. 'Is dat daar een licht?'

'Waar?' vroeg Martinez.

Jacob wees. 'Ziet u dat lichtpuntje daar... ongeveer honderd meter rechts van die grote plataan?'

Hoewel Decker 's nachts niet goed kon zien, zag hij het. Hij was er niet zeker van of het een lamp was of misschien de ogen van een dier die licht weerkaatsten. 'Misschien is daar iets.'

'Hebben jullie het over het licht daar aan de rechterkant van het pad?'

'Ja,' zei Jacob.

'Schuin vooruit,' zei Martinez. 'Ik zie het. Wat zullen we doen, Pete?'

Decker zei: 'We gaan terug, voordat...'

Opeens werd het licht feller en breder. Er was geen tijd om na te denken... nauwelijks genoeg tijd om te reageren. Decker wierp zich op zijn stiefzoon en viel samen met hem op de grond. Martinez, eveneens een Vietnam-veteraan, trok Webster met zich mee tegen de grond. De kogels kwamen in een gestage stroom – *pfiew, pfiew, pfiew* – en vlogen rakelings over hen heen. Liggend op zijn buik trok Decker Jacob mee de bosjes in.

Sommige dingen vergeet je nooit.

Seconden verstreken. Toen doofde het licht. Diepe duisternis. Of misschien kon Decker niets zien omdat hij plat op de grond lag tussen de bosjes. Zijn hart leek uit zijn borst te willen barsten. Hij moest dit overleven, niet voor zichzelf, maar voor Jacob. De kin van de jongen was geschaafd. Hij was erg geschrokken, maar leek niets te mankeren.

Martinez was de eerste die sprak: 'Denk je dat hij een infrarood vizier heeft?'

'Waarschijnlijk,' zei Decker. 'Hij is een survivalist.'

'Dan zitten we als het ware in het daglicht,' zei Martinez.

Decker zei: 'Ja, als hij ons in het vizier kan krijgen.'

'Waarom schiet hij dan niet?' vroeg Webster.

'Omdat hij ons niet in het vizier kan krijgen,' antwoordde Decker.

Martinez zei: 'Omdat het struikgewas te dicht is. Pete, als jullie op je buik door het bos wegkruipen, maken jullie een goede kans. Ga jij maar met Jacob, dan zorg ik voor een afleidingsmanoeuvre.'

'Als je dat doet, kun je net zo goed een schietschijf op je voorhoofd plakken,' zei Decker.

'Wat moeten we dan?' vroeg Webster.

Decker haalde zijn mobiele telefoon uit zijn zak. De verbinding was slecht, maar ondanks de haperingen wist hij een gesprek te voeren. 'We blijven hier liggen en wachten op versterking.'

Een paar minuten later arriveerden de eerste politieauto's, die grind en stof in het rond deden vliegen. Decker kon de grijze wolk zien, ook al waren de auto's een eind van hun ongerieflijke schuilplaats gestopt. Hun komst, compleet met sirenes en zwaailichten, lokte geen nieuwe salvo's uit, waardoor de situatie erg onduidelijk werd. Was de schutter nog in het huis? Was hij ervandoor gegaan? Misschien zat hij rustig te wachten tot hij kon schieten op wie hij in zijn vizier kreeg. Of waren de auto's buiten het gezichtsveld van de schutter gestopt? Decker dacht na over hoe ze de afstand konden overbruggen om veilig en wel achter de auto's te komen.

Hij sprak fluisterend in zijn telefoon: 'We zijn met ons vieren... honderdtwintig meter vanaf het begin van het pad, aan de rechterkant. Met hoeveel auto's zijn jullie?'

'Twee... en een derde komt er net aan.'

'Goed. We doen niks tot er nog een paar meer zijn. Bel het bureau. Ik wil een dubbele blokkade, aan beide uiteinden van het pad, standaard patroon, bumper aan bumper. En ik heb twee auto's nodig om ons op te pikken. Niemand mag schieten voordat we in veiligheid zijn. Wanneer

de andere auto's er zijn, zal ik jullie nadere orders geven.'
Decker verbrak de verbinding.
Jacob zei: 'We moeten hier dus wachten?'
'Ja. Smoor ik je?'
'Zo ongeveer.'
'Niks aan te doen.'
Minuten verstreken. Een vaag gejank in de verte zwol aan tot krijsende sirenes. Het pad werd beter zichtbaar toen de rode en blauwe banen van de zwaailichten eroverheen gleden. Decker kon nu meer zien, maar het licht maakte hen ook kwetsbaarder. Zijn telefoon ging.
'We hebben nu in totaal zes patrouillewagens.'
Decker zei: 'Laat er twee staan waar jullie zijn, stuur er twee naar het einde van het pad en laat er twee komen om ons te halen. Blijf aan de lijn, dan zal ik zeggen waar ze moeten stoppen. Degene die achter het stuur zit, moet onderuit zakken... letterlijk. Ik weet niet wat de schutter in zijn vizier kan krijgen, maar we mogen geen risico nemen. Naar het geluid van de schoten te oordelen, zit hij op een afstand van ongeveer tweehonderdvijftig meter van de plek waar jullie nu zijn. We hebben daar licht gezien. Ik weet niet of het een zaklantaarn was of een lamp. Als het een zaklantaarn was, is hij mobiel, dus wees voorzichtig. Als het een lamp was, kunnen we ervan uitgaan dat er een hut of een huis is, dat is aangesloten op het lichtnet. Maar we weten niet precies waar.'
'Wat voor soort wapen gebruikt hij volgens u?'
'Het klonk als een halfautomatisch wapen. Ik heb zes of zeven schoten gehoord.'
'Oké. We komen u halen.'
'Graag.'
Vanaf hun schuilplaats kon Decker de auto's niet zien, alleen de bloedrode en bleekblauwe gloed van de zwaailichten. Maar algauw hoorde hij motoren die gestart werden en het knerpen van banden. Een paar seconden later kwamen twee auto's in zicht. Ze reden heel langzaam.
'Ik zie jullie,' zei Decker. 'Ga door... ga door... ga door... nog een stukje... Stop. Nu moeten jullie keren... stop aan de rechterkant van het pad, zet de motor af. En blijf bukken!'
Het geluid van de motoren verstomde.
'Goed,' zei Decker. 'We zitten rechts van jullie... op minder dan dertig meter afstand. Blijf bukken en doe de portieren op een kier open. Ik wil niet dat hij openzwaaiende portieren ziet. Begrepen?'
'Begrepen.'
Hij verbrak de verbinding. 'Wil jij de voorste of de achterste auto, Bert?'
'Maakt me niet uit. De voorste.'
'Goed, dan nemen wij de achterste.' Zodra Decker een van de portieren zag bewegen, zei hij tegen Jacob: 'Luister goed. Je moet zo laag mo-

gelijk bij de grond naar de achterste auto kruipen, naar het achterportier. Je doet het portier een klein stukje open, net genoeg om naar binnen te kruipen. Kom niet overeind en trek het portier niet dicht, want ik kom vlak achter je aan. Begrepen?'

'Begrepen.'

'Jacob, ieder stukje huid dat niet met kleding is bedekt, zal te lijden hebben. Maar hoe vervelend dat ook is, *je moet plat op je buik blijven kruipen*. Ook in de auto blijf je bukken. Ga op de vloer tussen de stoelen en de achterbank liggen. Waag het niet om je hoofd op te tillen en om je heen te kijken. Het is heel erg belangrijk dat je precies doet wat ik zeg.'

'Dat begrijp ik.'

'Probeer zo laag mogelijk bij de grond te blijven. Ik kom vlak achter je aan.'

'Ik red me wel.'

'Je onstuitbare optimisme is verfrissend.' Decker tilde zijn bovenlichaam van de grond om Jacob bewegingsruimte te geven. 'Nu!'

Jacob kroop onder zijn stiefvader vandaan en schoof op zijn buik door de struiken. Het was jammer dat hij een T-shirt met korte mouwen droeg, want nu kwamen zijn armen meteen vol krassen te zitten van alles wat in een bos nu eenmaal op de grond ligt: twijgen, stenen, kiezels, bladeren, dennenappels, dennennaalden en de stekelige omhulsels van bosvruchten, waarvan sommige zelfs onder zijn T-shirt terechtkwamen en zijn borst schramden. Het ergste waren de kleine steentjes die in zijn buikhaar bleven hangen en eraan trokken bij het schuiven. Alleen zijn benen hadden nergens last van, dankzij Levi Strauss en de basketbalschoenen van Reebok.

Hij zou bang moeten zijn.

Maar hij was juist opgewonden.

Decker zei altijd dat adrenaline de ultieme rush was. Jacob stond er versteld van hoe weinig haast hij had, hoezeer hij genoot van ieder ogenblik van het avontuur. Veel te snel was het voorbij. Hij tilde zijn hand op, stak zijn vingers onder het stalen frame van het autoportier en opende het net voldoende om in de wagen te kunnen kruipen. Hij ging op de vloer tussen de stoelen liggen. Even later kwam Decker boven op hem liggen. Hij sprak in zijn mobieltje.

'Hebben jullie de anderen? Goed, dan gaan we!'

De auto's reden het pad af. Decker wachtte tot hun auto achter de politiebarricade stond. Toen kwam hij overeind, opende het portier en stapte uit. Hij stak Jacob zijn hand toe. Jacob greep die en was een paar seconden later bevrijd. Hij kneep zijn ogen tot spleetjes tegen het felle licht van alle koplampen. Peter sprak weer in de telefoon.

'Stuur drie helikopters. Ik moet licht hebben, en snel!' Hij schoot de eerste agent aan die hij zag. 'Breng deze jongeman naar huis.'

'Ik wil anders best blijven,' zei Jacob.

'Vergeet het maar. Naar huis jij!' Hij wendde zich tot Martinez. 'We moeten een team samenstellen.' Hij fronste. 'Maar eerst moeten we weten waar het huis precies is.'

'Inspecteur Decker?'

Decker draaide zich om. Sebastian Bernard, bijgenaamd Bastard, was een geüniformeerde brigadier van midden veertig met twintig jaar ervaring. Hij was lang en kaal en had een grote moedervlek bij de rechterhoek van zijn lip: net als Cindy Crawford, maar dan veel groter.

'Wilt u er een team op afsturen?'

'Ja, ik ben bezig met de planning.'

'Hoeveel ramen, hoeveel deuren?'

'Ik weet er niks van. We moeten het huis nog vinden. En daarna moeten we uitzoeken of er boobytraps zijn.'

'We kunnen een hond sturen. Kijken wat er gebeurt. We kunnen ook wat rookbommen gooien.'

'Maar dan zien we de mogelijke boobytraps niet.'

'Ik kan voor gasmaskers zorgen.'

'Met gasmaskers kunnen we ademhalen, maar we kunnen er niet beter door zien.' Decker masseerde zijn nek. 'Laten we een paar patrouillewagens erop afsturen en een megafoon gebruiken.'

'Mag ik mee?' vroeg Jacob.

'Nee, je mag niet mee!' viel Decker uit. 'Ben je helemaal gek? Wat doe je hier nog?' Weer wendde hij zich tot de agent, een jongeman die weinig ouder was dan Jacob. 'Heb ik jou niet opgedragen hem naar huis te brengen?'

De agent kreeg een kleur. Jacob schoot hem te hulp. 'Ik ben in het huis geweest. Ik kan op z'n minst een plattegrondje tekenen.'

Bastard keek de tiener aan. 'Jij bent in het huis geweest?'

Jacob voelde een blos opkomen. 'Lang geleden.'

'Beter dan niets.' Bastard wachtte af.

Decker onderdrukte de ergernis over het feit dat hij was verslagen. 'Wat kun je je herinneren?'

'Ik herinner me dat er maar één kamer is.' Hij bloosde nu hevig. 'Wanneer je de deur opendoet, zie je meteen het bed. Verder is er een kast en een badkamer. Het is een heel klein huis. Meer een hut.'

'Geen keuken?' vroeg Bastard.

'Die heb ik niet gezien. Maar misschien is die me niet opgevallen.'

'Ramen,' zei Decker. 'Hoeveel ramen?'

'Ramen, ramen...' Jacob probeerde het zich voor de geest te halen. 'Eén aan de voorkant, naast de voordeur.' Hij maakte een wuivend gebaar met zijn hand. 'Eén aan de linkerkant... nee, de rechterkant. Eén raam in de muur aan de voorkant, één rechts wanneer je binnenkomt, links als je al binnen bent. De kast is links als je met je gezicht naar de achtermuur staat.'

'Je herinnert je dus maar twee ramen?' vroeg Decker.

'En een in de badkamer,' zei Jacob. 'Met matglas... een klein raam. Te klein om doorheen te kruipen.'

'En geen keuken,' zei Bastard nogmaals.
'Niet voor zover ik me kan herinneren.' Hij dacht even na. 'Ik geloof dat er geen keuken was. Ik meen me een kookplaat te herinneren.'
'Deuren?'
'De voordeur. En er was een deur... naast de kast aan de linkerkant.'
'Tegenover het raam?'
'Ja. Toen ik naar buiten ben gestormd, heb ik volgens mij die deur genomen en liep ik rechtstreeks de heuvel op. Rondom het huis is verder niks.'
'Oké, daar hebben we tenminste iets aan,' gaf Decker toe. 'En nu ga jij naar huis.' Tegen Bastard, Martinez en Webster zei hij: 'We gaan die hut zoeken, omsingelen en dan de megafoon gebruiken. Als er geen reactie komt, gooien we een paar traangasgranaten om te zien of er iemand naar buiten komt. Als dat niet gebeurt, sturen we de hond erop af en wapenexperts om ons ervan te verzekeren dat de schoft geen boobytraps aan de ramen en deuren heeft bevestigd. Als alles oké is, gaan we naar binnen om de situatie daar op te nemen. Als de schutter al is gevlucht, en dat is bijna zeker, moeten we de omliggende heuvels systematisch afzoeken. We kunnen daarmee beginnen zodra de helikopters er zijn en we meer licht hebben.'
Voordat Decker de patrouillewagen bereikte, haalde Jacob hem in. 'Ik weet dat je het druk hebt, maar ik wilde je toch even gedag zeggen.'
Decker was volkomen geconcentreerd op zijn taken. Zijn ogen zagen Jacob, maar zijn gedachten waren elders. 'Dank je voor je hulp, Jacob, maar je moet nu echt gaan.'
Jacob glimlachte, al was hij wat teleurgesteld over de reactie. 'Ik weet het. Tot straks. Wees voorzichtig.'
Decker woelde door het haar van zijn zoon en ging snel achter het stuur van een van de patrouillewagens zitten. Het rulle pad baadde nu in een zee van licht achter de muur van auto's. Zoekend naar de plek waar ze het licht hadden gezien, met de plataan als houvast, vond hij het huisje, te midden van de bomen en struiken. Het duurde ongeveer twintig minuten tot ze alle auto's op de juiste plek hadden, en nog twintig minuten tot de hut was omsingeld.
Hij sprak door de megafoon. Dat leverde geen reactie op.
Vervolgens werden de traangasgranaten door de ramen naar binnen geschoten. Ruiten versplinterden, glasscherven vlogen als stukjes kristal door de lucht. Rook walmde door de gebroken ruiten naar buiten: dikke, grijze wolken. Decker wachtte, maar er kwam niemand naar buiten. Misschien hadden ze hun toevlucht genomen tot de badkamer. Hij schoot een traangasgranaat door het kleine raampje van de badkamer.
Geen reactie.
Verder kon hij van buitenaf niets doen. Hij stuurde een wapenploeg en bomexperts naar voren om te kijken of er boobytraps op de ramen en deuren zaten. Nadat beide ploegen het teken hadden gegeven dat alles

veilig was, deed Decker zijn gasmasker op en stormde door de voordeur naar binnen. Een golf van intense hitte omsloot zijn lichaam. Hij stond op zijn benen te zwaaien, voelde zich duizelig... zag sterretjes. Hij dwong zichzelf langzaam en regelmatig te ademen.

Niet te diep, niet te oppervlakkig.

Omdat hij een masker droeg en zijn neus en mond in een kleine ruimte opgesloten zaten, hoorde hij zijn eigen ademhaling. Hij zweette als een rund terwijl hij voorzichtig een stap naar voren deed.

Hij zag geen hand voor ogen vanwege het masker, de duisternis en de rook. Hij deed zijn zaklantaarn aan, maar dat veranderde de donkergrijze rook alleen maar in lichtgrijze rook. Hij tastte de muur af naar een lichtschakelaar, maar kon die niet vinden. Hij struikelde ergens over toen hij langzaam naar voren liep. Opeens stootten zijn benen op kniehoogte tegen een groot, onbeweeglijk voorwerp, waardoor hij naar voren viel en de zaklantaarn uit zijn greep ontsnapte. Hij vond zijn evenwicht terug en bukte zich om uit te zoeken waaraan hij zich had gestoten. Zijn handpalmen zakten weg in iets zachts en verends.

Wanneer je de deur opendoet, zie je meteen het bed.

Wat hij voelde, was een matras.

De zaklantaarn was op de grond gevallen en richtte een wazige lichtstraal op het plafond. De stofdeeltjes reflecteerden de fotonen en gaven de kamer een griezelige gloed, alsof er een atoombom was ontploft. Hij kon niet veel zien. Zijn vingers betastten omgewoeld beddengoed, hij klopte op dekens en lakens.

Opeens voelde hij iets stevigs.

Zijn hart begon te bonken toen hij zich dieper bukte om te zien wat het was, en hij begon met beide handen de vorm af te tasten. Hij voelde een voet, nog warm, maar dat was te verwachten, omdat het bloedheet was in de kamer. De voet zat vast aan een been. Hij volgde het been naar boven en voelde dat het vastzat aan een romp. Het naakte lichaam van een vrouw van wie de armen aan de bedstijlen waren vastgebonden. Hij bukte zich zo diep als hij kon, zo dicht bij de vrouw als mogelijk was, maar rook en vuil beletten hem de gelaatstrekken te onderscheiden. Hij zag echter wel het bloed.

Toen hij zich oprichtte, werd hij weer duizelig. Hij wankelde. Het duurde een paar seconden voordat hij weer rationeel kon denken en handelen. Hij boog zich nogmaals voorover en legde zijn vingers op het zachte deel van de hals.

Hij zocht naar een hartslag en kwam snel in actie toen hij die voelde. Hij was opeens weer de paramedicus.

Stelp het bloeden, behandel ze tegen shock, breng ze naar een helikopter.

Alleen was dit niet Vietnam: dit was Los Angeles, in de eenentwintigste eeuw.

Ze hebben hier beroepsmensen voor, Decker.

Hij maakte de polsen los, pakte zijn mobieltje en belde om een ambulance.

36

ONDER DE VEILIGE DEKMANTEL VAN DE DUISTERNIS, BESCHUT DOOR HET struikgewas, hield hij zich verborgen. Misschien was hij nerveus en stonk hij naar zweet als een opgejaagd dier, misschien grijnsde hij smalend wanneer hij zich voorstelde hoe de politie in actie kwam, rondsjouwde door het gebied dat hij op z'n duimpje kende, waar hij verstoppertje kon spelen. Decker was niet erg optimistisch dat ze hem te pakken zouden krijgen, zelfs niet toen de schijnwerpers van helikopters over het dichte bos zwiepten, en de agenten hun zaklantaarns heen en weer lieten gaan om onder alle struiken te kijken. Er waren doodgewoon te veel verborgen plekjes in deze heuvels.

Maar Decker moest wel een zoekactie houden, anders zouden ze Holt definitief kwijt zijn. En misschien zou de aanwezigheid van zo veel politie hem beletten de benen te nemen. Misschien zouden ze morgenochtend, met de hulp van het daglicht en een frisse ploeg, de plek vinden waar de schoft zich schuilhield.

Hij gaf zijn team twee regels.

Regel Een: laat je niet neerschieten.

Regel Twee: schiet niet, ook niet als er op je wordt geschoten.

Het was namelijk waarschijnlijker dat ze door eigen mensen zouden worden neergeschoten, dan door de vijand. Nadat hij de opdrachten had verdeeld, de posities had bepaald en het terrein in handelbare vierkanten had opgedeeld, controleerde hij zijn eigen uitrusting. Toen alles in orde bleek te zijn, besloot hij een deel van het terrein in zijn eentje te doorzoeken – een overmoedig en dom besluit. Zojuist had hij zijn mensen opdracht gegeven altijd met z'n tweeën op pad te gaan, hun op het hart gedrukt dicht bij elkaar te blijven, omdat dekking het wondermiddel van het overleven was. Daar kwam bij dat hij zijn eigen uithoudingsvermogen al meer dan dertig jaar niet op de proef had hoeven te stellen. Maar de stem van de wraak fluisterde de aanklacht: vier mensen omgebracht met kogels, één jonge vrouw bewusteloos geslagen en gruwelijk toegetakeld achtergelaten.

Hij wist dat Martinez met plezier met hem zou zijn meegegaan. Hij wist dat Bert, die net als hij in Vietnam had gevochten, een goede neus had en een zesde zintuig voor gevaar. Maar hij wilde niet verantwoordelijk zijn voor Berts welzijn. In plaats van hem mee te nemen, gaf hij zijn brigadier tijdelijk de leiding over de operatie. Martinez wist zodoende meteen dat hij iets van plan was.

'Waar ga je naartoe?'

'Een beetje rondkijken. Ik ben over twintig minuten terug.'

'Een beetje rondkijken? Hoe bedoel je? Je gaat er toch niet in je eentje op uit?'

Maar Decker was al weggelopen, bevond zich al dertig meter bij hem vandaan, en deed alsof hij hem niet hoorde. Hij had zijn walkietalkie, zijn mobiele telefoon, een geladen pistool en een zaklantaarn. Hij was op alles voorbereid, zoals dat een goede padvinder betaamt.

De nachtlucht rook naar vochtig hout en in het bos dansten de muggen. Hij wapperde met zijn hand voor zijn gezicht, sloeg een zwerm insecten weg terwijl hij de lichtbundel van de zaklantaarn over de bosgrond heen en weer liet gaan. Iedere voetstap kondigde zijn komst aan, want met iedere stap verpletterden zijn schoenzolen gevallen bladeren tot organisch afval. In het begin hoorde hij de andere agenten nog, maar naarmate hij verder afdwaalde, dieper doordrong in het donkere waas van struiken, werden de stemmen zwakker. De lichtpuntjes van hun zaklantaarns dansten als vuurvliegjes. Hij liep door... vijf minuten, tien, vijftien. Rondom hem klonken de geluiden van allerlei kleine beestjes, nachtelijk sjirpen, zoemen en piepen, nu en dan onderbroken door de roep van een nachtvogel. Decker meende in de verte zelfs het kwaken van kikkers te horen, een geluid dat zijn oren al heel lang niet had bereikt. Het bos gonsde van de geluiden en dat was juist geruststellend, want volslagen stilte is gereserveerd voor degenen die op het kerkhof liggen.

Buiten de grenzen van het te doorzoeken terrein, ver van de andere speurders, liet hij zijn gedachten de vrije loop.

In Vietnam was het meestal zijn taak geweest de brokstukken op te rapen nadat Charlie zijn verwoestende werk had gedaan. Maar af en toe, meestal tegen het einde van een dienstperiode, wanneer er alleen nog maar jonge rekruten over waren, groentjes, was hij tot kopman aangewezen. Hij had veel verkenners zien terugkeren met stompjes in plaats van benen en hij wilde niet tot die groep gaan behoren, maar hij had geen keus gehad. Als hij het werk overliet aan de groentjes, zouden er gegarandeerd nog meer jongens in doodskisten naar huis gaan. Hij was bij iedere verkenning bevangen door een paniekgevoel, maar had zijn best gedaan dat niet te laten merken. Erop terugblikkend meende hij dat hij daarin was geslaagd. Tenzij de mannen over wie hij het bevel voerde, zo bang waren geweest dat ze niet eens in de gaten hadden gehad dat hun commandant zijn zelfbeheersing maar nauwelijks had kunnen bewaren.

Een compagnie van punt A naar punt B brengen terwijl Charlie probeerde hen af te schieten. Wegen veiligstellen zodat troepenmachten er gebruik van konden maken. De sluipschutters waren erg goed, maar voor hen waren ze niet half zo bang als voor de landmijnen. Iets oerachtigs dat te maken had met een explosie in de buurt van je ballen.

Hij besefte dat hij transpireerde. Eigenaardig, want het begon juist af te koelen en de lucht in het bos was vochtig. Dat voelde prettig aan. Het vocht waste het roet van zijn gezicht en nek dat in het met rook gevulde huisje op hem was neergedaald.

Beelden joegen elkaar na in zijn gedachten.

Toen ze het bloed van Ruby's gezicht hadden gewassen, had Decker gezien dat de beenderstructuur nog vrijwel intact was. Haar jukbeenderen leken niet gebroken, net zomin als haar onderkaak, al kon je bij zo'n vluchtige inspectie geen haarscheurtjes zien. De bovenkaak leek ook in orde, op een paar gebroken tanden na. Haar neus was wél gebroken, haar lip gespleten en haar ogen waren gezwollen. Ze zou nog vrij lang pijn hebben, maar met behulp van pijnstillers zou ze op den duur genezen, en als haar rijke ouders de juiste artsen in de arm namen, zou alles weer helemaal in orde komen. Los Angeles was het Mekka van de plastische chirurgie: dagelijks werden gebitten hersteld en neusoperaties uitgevoerd.

De rest van haar lichaam was eveneens lelijk toegetakeld. Zweepslagen waren zichtbaar als rode slangen op haar rug en buik. Striemen en bloeduitstortingen hadden van haar dijen en torso een waanzinnige lappendeken gemaakt. Haar polsen en enkels waren aan het bed vastgebonden geweest toen hij haar had gevonden. Haar handen leken in orde; haar vingertoppen hadden weliswaar geleden onder een ontoereikende bloedsomloop – bleekroze vlees onder de glanzende, zwart gelakte nagels – maar dat zou waarschijnlijk wel in orde komen. Haar enkels waren met dikker touw vastgebonden en haar voeten waren blauwig grijs geweest toen Decker de knopen had losgemaakt, maar hadden alweer wat kleur gekregen tegen de tijd dat ze op de brancard was getild, en dat was een goed teken.

Decker streek met de rug van zijn hand over zijn voorhoofd, en voelde zand en gruis over zijn huid schrapen.

Tussen haar benen was sperma en bloed naar beneden gesijpeld, wat suggereerde dat ze niet alleen door een penis was gepenetreerd. Zodra de rook was opgetrokken zou het huisje worden uitgekamd, stukje voor stukje, plank voor plank. God mocht weten wat ze zouden vinden. Toen hij eraan dacht dat Jacob in dat hellegat was ontmaagd, verkrampte zijn maag weer van woede. *Dat zo'n intelligente jongen zo dom kon zijn!*

Maar intellect was van geen betekenis wanneer de lendenen het denkwerk overnamen. Het overkwam iedereen. Er was geen man op de wereld, homo noch hetero, die zich niet ooit door zijn pik had laten leiden. Soms was dat niet slecht. Zijn pik had hem bij Rina gebracht. Maar het was zijn hart dat ervoor had gezorgd dat hij bij haar was gebleven en dat hij opgewekt en zonder morren vele nieuwe dingen op de koop toe had genomen, zoals religie, carpools en romantische films.

Een *krak* bracht hem terug naar de planeet Aarde. Zijn hart bonkte tegen zijn ribben en zijn zintuigen kwamen weer op scherp te staan. Hij kon zichzelf wel voor zijn kop slaan dat hij met zijn gedachten zo ver weg was geweest. Over dom gesproken...

Hij bleef roerloos staan en wachtte af. Zweet parelde op zijn voorhoofd, droop over zijn gezicht. Zonder zich ervan bewust te zijn, had hij zijn pistool uit de holster gehaald en zijn zaklantaarn uit gedaan. De seconden verstreken. Langzaam draaide hij zijn hoofd naar links en rechts om de duistere omgeving af te zoeken. Opeens zag hij twee felgele ogen die hem opnamen. Ze leken groter dan die van een wilde kat. Decker gokte dat het een groot buideldier was of misschien een kleine prairiewolf. De ogen trokken zich terug en verdwenen.

Hij telde tot zestig, stak het pistool in de holster, deed de zaklantaarn aan en begon weer te lopen. De grond liep nu omhoog en hij vond het jammer dat hij geen geschiktere schoenen aanhad, want het werd steeds moeilijker zijn evenwicht te bewaren. Zijn schoenen hadden weliswaar rubberen zolen, maar de bovenkant was van leer en ze waren lang niet zo flexibel als zijn sportschoenen. De zaklantaarns van de zoekploeg waren geslonken tot lichtpuntjes zo klein als de sterren boven zijn hoofd.

Hij was gespannen, maar minder zenuwachtig dan hij had moeten zijn, gezien het feit dat hij min of meer verdwaald was. Hij had een kompas. Hij had een walkietalkie. Hij zou de weg terug weten te vinden, maar hij had geen zin om nu al terug te gaan naar de anderen; het lopen had een rustgevende uitwerking op hem, hielp hem zijn gedachten te ordenen. Hij paste goed op waar hij zijn voeten neerzette, niet vanwege landmijnen, maar omdat iedere stap zijn positie verraadde. Het abrupte geluid had hem weer in de aanval gebracht. *Hij* was de jager, en Holt de prooi. Eén foutje en de rollen konden worden omgedraaid. Hij liet zijn zaklantaarn heen en weer gaan. De brede lichtbaan gleed over de grond. Hij zocht naar recente voetafdrukken, een bergje bladeren of aarde dat was platgedrukt of verstoord... een aanwijzing over waar Holt zich ophield.

Allemaal heel leuk bedacht, maar hij schoot er niets mee op.

Hij liep verder heuvelopwaarts.

Hij dacht aan Holts jeugd en hoe beangstigend het voor Darrell moest zijn geweest zijn kleine broertje kwijt te raken, de kleuter die was weggedaan als een zak vodden. Als Philip Holt een sterker karakter had gehad, had hij de baby kunnen aanvaarden als zijn eigen kind. Decker had Rina's zonen met net zo veel liefde en toewijding opgevoed als zijn eigen dochters, of liever gezegd, daar was hij nog steeds mee bezig. Maar haar zonen waren natuurlijk niet het resultaat van een overspelige relatie, een levende herinnering aan het feit dat je vrouw met een andere man in bed had gelegen. Nadat Decker had ontdekt dat Jan overspelig was geweest, hadden ze korte tijd een verzoening overwogen. Doodse gesprekken, waarin ze allebei dingen zeiden waarin ze niet geloofden. De bitterheid die erop was gevolgd, had hem verbaasd. Ze hadden gedacht dat ze reuze volwassen waren, terwijl ze zich in werkelijkheid al die jaren als pubers hadden gedragen. Zelfs nu kon hij het niet verdragen samen met haar in één kamer te zijn.

Hij liep nog een paar minuten door, heuvelopwaarts, en stopte toen. Hij stond midden in het dichte bos en hij was helemaal alleen. Hij pakte net zijn walkietalkie om contact op te nemen met de rest van de wereld en te vragen hoe het met de zoekactie gesteld was, toen hij het hoorde.

Snel dook hij weg achter een muur van struikgewas.

Hij bleef roerloos staan.

Het was een laag, grommend geluid, zonder intonatie, zodat het klonk als een reeks snelle klikjes. Opeens voelde de nachtlucht verstikkend aan en zweette hij uit al zijn poriën. Stilte. De seconden gleden voorbij. Een paar dappere krekels durfden weer te sjirpen. Maar meteen werd hun het zwijgen opgelegd. Want daar was het weer... een dreigende waarschuwing.

Hier ben ik. Ik hoor hier thuis en jij niet. *Waag het niet me iets in de weg te leggen!*

Decker spande zijn ogen in, maar zag niets. Geen silhouet, geen schim, alleen grijze, onduidelijke struiken. Zijn dijspieren trilden vanwege zijn onhandige houding, half geknield, half staand. Hij wist dat hij binnen een paar minuten kramp zou krijgen. Hij weerstond de verleiding zijn voeten te verzetten, een gemakkelijker houding aan te nemen. Nachtdieren hadden bijzonder scherpe zintuigen.

Dat hij nú tegen een roofdier moest aanlopen! Maar waarom eigenlijk niet? Hij bevond zich op hún terrein. Hij was hun territorium binnengedrongen en dat vonden ze niet leuk. Hij woog zijn kansen af. Wolven jaagden in troepen, maar katten waren eenlingen. De grom die hem kippenvel had bezorgd, was niet afkomstig van een wolf, dus wist hij waar hij aan toe was. Een strijd van één tegen één.

Tien seconden... twintig... dertig... veertig. Een volle minuut, maar de tijd leek *heel* traag te verstrijken, net als op de loopband: de minuten leken altijd veel langer te duren wanneer hij aan het joggen was op dat rotding, wanneer hij zich in het zweet werkte zonder ergens naartoe te gaan. (Best wel een geschikte metafoor voor het leven zelf.) Bij seks was juist het tegenovergestelde het geval: dan verliep de tijd razendsnel.

Waarom was het leven zo onbillijk?

Hij had het gevoel dat er al een uur was verstreken, hoewel het waarschijnlijk maar een minuut was. Wilde katten waren van nature solitaire wezens en deze poema was geen uitzondering.

Althans, hij *hoopte* dat het er maar één was.

Want dat was waar hij tegenover stond: een poema of bergleeuw... of hoe je hem ook wilde noemen. De officiële naam was niet van belang. Het was in ieder geval een roofdier. Een beest met scherpe klauwen en fonkelende tanden. Het was een allemachtig grote kat en hij klonk allemachtig hongerig.

Hij overwoog hem met de zaklantaarn in de ogen te schijnen, maar verwierp dat plan, omdat hij niet wist hoe de poema zou reageren.

Het was beter om roerloos te wachten.

Maar zijn dijen begonnen erg pijn te doen.

Weer een grom. Toen een zacht geritsel, alsof het dier in de dode bladeren snuffelde. Decker probeerde de plek van het geluid nauwkeurig te bepalen – links voor hem. Heel behoedzaam legde hij de walkietalkie op de grond en haalde zijn pistool uit de holster.

Nog steeds gebukt en trillend van de inspanning, met in zijn ene hand het pistool en in zijn andere hand de zaklantaarn, flitsten zijn gedachten terug naar zijn jeugd en naar zijn oom, die hem had leren jagen. Die hem had geleerd dat dieren een bewegend voorwerp veel makkelijker in het vizier krijgen dan een stilstaand voorwerp. En dat dieren niet echt kleurenblind zijn, maar dat ze niet veel kleuren zien. Als je dus in het landschap opging, zat je vrij goed.

Hij herinnerde zich het eerste dier dat hij had gedood. Het was een hert geweest, een jong mannetjeshert waarvan de ontluikende hoorns nog bedekt waren met vacht. Zijn oom en vader hadden hem trots op de schouder geslagen, maar het had hem niet lekker gezeten. Hij had net gedaan alsof hij het prachtig vond en had bij het kampvuur dapper het hertenvlees gegeten, maar was daarna nooit meer gaan jagen. Zijn jongere broer, Randy, hield er ook niet van, maar was een enthousiast zeebaarsvisser. Zoals iedereen in Florida. Daar hield iedereen zich ermee bezig, net als met de Dolphins, de Marlins en waanzin.

Naarmate Deckers ogen aan de duisternis wenden, vertraagde het tempo van zijn ademhaling enigszins. Heel voorzichtig legde hij de zaklantaarn op de grond en nam het pistool in beide handen.

Hij hief het omhoog en wachtte.

De tijd verstreek. Hij hoorde nieuwe geluiden... het zachte knisperen van droge bladeren die werden vertrapt. Amper hoorbaar... als een fluistertoon. Toen weer een grom, die ditmaal meer op spinnen leek. Het beest klonk tevreden. Maar misschien was de wens de vader van de gedachte. Een paar seconden verstreken, toen hoorde Decker zachte poten die voorzichtig hun weg zochten. Heel duidelijk kon hij het da-dam, da-dam van een vierpotig dier onderscheiden.

Toen weer stilte.

Seconden verstreken. Een minuut.

Waar zat dat rotbeest?

Deckers lippen waren droog, en hij kreeg een brandend gevoel in zijn keel. Zijn luchtpijp begon hevig te kriebelen. Met tranende ogen hield hij de hoestbui in door hem weg te slikken.

Weer geluiden, maar niet van poten. Decker spitste zijn oren.

Het geluid hield het midden tussen likken en slurpen. Het dier was aan het drinken, al mocht Joost weten waar hij water had gevonden, want de grond was hard en rotsachtig, dichtbegroeid met struikgewas en alhoewel de vochtigheidsgraad hoog was, had het al maanden niet geregend.

Het slurpen hield op en werd gevolgd door een doodse stilte. Decker had alleen zijn ademhaling als gezelschap.

Een plotselinge *krak* knalde door de lucht en deed Decker huiveren. Het werd gevolgd door het krakende geluid van kaken die harde materie vermaalden. Krik, krak... en het waren bepaald geen Rice Krispies.

Hij had iemand tijdens zijn maaltijd gestoord.

Hij dacht aan de gele ogen die naar zijn idee van een buideldier waren. Dat kon kloppen. Het grote roofdier had een klein roofdier buitgemaakt. Een volkomen natuurlijke gang van zaken. Hij moest nu gewoon wachten tot de grote kat was verzadigd, dan zou het dier vanzelf weggaan. En dan kon hij ook weggaan.

Meer kraken, kluiven, kauwen.

Weer een harde *krak* die hem de stuipen op het lijf joeg.

Geen paniek, Deck.

Lik, lik... slurp, slurp... lik, lik.

Het dier dronk het bloed... nogal veel bloed voor een buideldier.

Meer geknaag.

En ook nogal veel vlees.

Misschien was het een groter dier. Er waren hier veel herten. En wilde honden en wolven... prairiewolven.

Abrupt stopten de geluiden.

Weer die zachte passen... *da-dam, da-dam.* Ritselende bladeren en twijgen.

Twee felle ogen tussen de struiken. In een smalle baan maanlicht zag Decker witte snijtanden.

Dwing me er niet toe, kat. Ik ben een scherpschutter!

Hij praatte in zichzelf, praatte zichzelf moed in. Want behalve de ogen zag hij niets. Een wild dier verwonden was het laatste wat je moest doen. Je kon hem beter aan het schrikken maken zodat hij op de vlucht sloeg. Zonder iets aan zijn gebukte houding te veranderen, liet hij één hand naar de grond zakken en tastte voorzichtig in het rond tot hij de staaf van zijn zaklantaarn voelde. Met zweterige vingers greep hij het metaal vast, maar zijn handpalm was zo nat dat hij er geen goede grip op kreeg. Hij legde hem weer op de grond en drukte zijn klamme hand op de grond zodat er zand aan zou blijven plakken. Hij pakte de zaklantaarn weer op en gooide hem voorzichtig op in zijn hand tot hij hem goed beet had.

Langzaam hief hij hem op tot de ooghoogte van de grote kat.

Zijn vinger gleed over de staaf tot hij het bedieningsknopje voelde.

Hij deed de zaklantaarn aan.
Er gebeurde niets.
Hij zwaaide de lichtbundel een paar keer heen en weer.
Seconden wandelden voorbij als nieuwsgierige toeschouwers.
Toen trokken de griezelige ogen zich terug. Hij hoorde het dier lopen... lopen, niet rennen. Maar het geluid was dat van zich verwijderende passen, niet van naderende.
Dat was gunstig.
Dank u wel, God.
Hij bad snel de *gomel*, een gebed dat werd gezegd wanneer je aan groot gevaar was ontsnapt. Het was een gebed dat hij al vaker had gezegd... want hij was al heel wat keren aan de dood ontsnapt. Hoe vaak zou dat nog gebeuren voordat het een keer misging?
Daar moet je nu niet aan denken.
Hij wachtte. En wachtte en wachtte en wachtte.
Toen waagde hij het zich op te richten. Meteen kwam de hoestbui los, een nare, droge blafhoest, nog erger dan in de jaren dat hij nog rookte. Tranen sprongen in zijn ogen, snot droop uit zijn neus, speeksel vloog in het rond. Met zijn pistool nog in zijn hand veegde hij met zijn mouw over zijn gezicht en liet de lichtbundel toen heen en weer gaan over het struikgewas waar het dier had gezeten. Het licht pikte echter niets op.
Hij liep naar voren om een kijkje te nemen. Hij had niet moeten schrikken van wat hij zag, maar puur afgrijzen deed gal in zijn keel opkomen.
Het onderste deel van het gezicht was verdwenen, zodat alleen de schedel, de oogkassen en een paar tanden over waren. Het haar zat nog vast aan de schedel: dik, bruin, kroezig haar dat er nu uitzag als de pruik van een clown. De torso was weggevreten tot op de ribben en alle ingewanden waren verdwenen, waardoor de heupen en benen los van de romp waren komen te liggen. Van één been was al het vlees weggevreten, maar het bot van het dijbeen was nog heel. Het andere been, dat een stukje bij de romp vandaan lag, was ongemoeid gelaten en zat nog in de spijkerbroek, met aan de voet een gymschoen. De grond was kleverig nat en er was niet veel bloed over in wat ooit een mensenlichaam was geweest. De kat had zijn dorst ermee gelest.
Decker liep voetje voor voetje achteruit, met de indringende stank van urine in zijn neus. Naast het hoopje botten, vlees en gescheurde kleding lag een grote kledder poep, nog warm en dampend in de koele nachtlucht. Het stonk verschrikkelijk. Decker kokhalsde. Hij liep een paar meter weg en gaf over. Toen pakte hij zijn walkietalkie en riep Martinez op. 'Ik heb hem gevonden.'
'Waar?' De stem van de rechercheur klonk opgewonden. 'Waar ben je? Is alles in orde met je?'
'Ja.' Hij haalde diep adem en blies die uit. 'Ik weet niet precies waar

ik ben... ergens ten noordoosten van het uitgezette zoekterrein. Ik zal mijn zaklantaarn op de hemel richten. Zeg tegen de helikopters dat ze ernaar moeten uitkijken, dan weten ze waar ik zit.'

'Heb je hulp nodig?'

'Nee. Hij is dood.'

'Dood?'

'Morsdood.'

'Moet ik de scherpschutters naar je toe sturen?'

'Niet nodig. Alleen de lijkschouwer. Laat hem een lijkenzak meebrengen. Eentje van klein formaat.'

37

HIJ WIST NIET ZEKER WAT HEM MÉÉR PIJN DEED: ZIJN LIJF OF ZIJN HOOFD, maar het maakte weinig uit. Advil was het enige wat hij bij zich had, dus moest hij het daarmee doen, al was de pijn veel heviger dan met zulke eenvoudige middelen kon worden bestreden. Decker voelde zich vies, moe en onpasselijk, en wilde eigenlijk alleen nog maar tussen de lakens kruipen. Op zijn bureau lag een stapel formulieren die afgewerkt moesten worden. Hij wist dat dat tot morgen kon wachten, maar het was al morgen. Moeizaam werkte hij zich door de berg heen, schrijvend tot hij kramp in zijn hand kreeg, terwijl hij probeerde de belangrijkste details op een rijtje te zetten. Maar hij was doodeenvoudig te moe om na te kunnen denken.

Marge kwam om even over zevenen binnen. 'Ik wou eigenlijk wel even naar huis voordat Vega naar school gaat.'

Decker probeerde haar gezicht scherp in beeld te krijgen, maar zag alleen een wazige vlek. 'Doe dat. We praten straks wel verder. Of morgen, als je dat liever hebt.'

'Nee, ik kom rond twee uur wel terug. Ben je er dan?'

'Ja.'

Ze bekeek zijn bloeddoorlopen, tranende ogen. 'Misschien zou je dan *niet* hier moeten zijn, Pete. Misschien zou ook jij naar huis moeten gaan. Je ziet er zo verfomfaaid uit, dat de leider van een heavy-metalband in vergelijking met jou stijlvol zou overkomen.'

Decker keek naar zijn verkreukelde pak. 'Als dit linnen was in plaats van wol, zou je me heel stijlvol vinden.'

'Het is geen linnen, Pete.' Ze staarde naar zijn kleding. 'Volgens mij is het niet eens wol.'

'Het is gedeeltelijk wol. Bied je verontschuldigingen aan.'

'Pardon.' Marge trok een stoel bij en ging tegenover hem zitten. 'Vind je het niet ironisch?'

Verward wachtte Decker af wat het antwoord op die vraag moest zijn.

'Dat de survivalist is verslonden,' verduidelijkte Marge. 'Hoe heeft dat kunnen gebeuren?'

Decker haalde zijn schouders op. 'Geen idee.'

'Was het een... buitensporig grote poema?'

'Dat weet ik niet, Marge. Zo dichtbij was ik nou ook weer niet.'

'Poema's vallen namelijk bijna nooit volwassen mannen aan. Ze nemen meestal genoegen met honden en kinderen. Als die vent een béétje survivalist was, zou hij zich niet door een poema hebben laten verrassen.'

'Misschien rook Holt naar angst. Dat kunnen dieren ruiken. Ook al was Holt een kille psychopaat, hij zal hem heus wel hebben geknepen toen de helft van de LAPD achter hem aan zat. Wie zou daar niet bang van worden? Of misschien had die poema gewoon erge honger. Of is Holt op een vrouwtjespoema gestuit die haar welpen wilde beschermen.'

Marge was niet overtuigd. 'Je probeert het recht te breien. Hij had beter moeten weten.'

'Misschien had Holt tegen Erin gelogen en was hij helemaal geen survivalist. Hij was een aartsleugenaar. Dus kan hij best ook daarover hebben gelogen.'

Marge wreef over haar voorhoofd. 'Was hij dan wel echt een computergenie, zoals Erin dacht?'

'Ik weet te weinig van computers om daarover te kunnen oordelen,' antwoordde Decker.

Marge pakte zijn mok lauw geworden koffie en dronk die leeg. 'Er zijn deskundigen voor nodig om Dee Baldwins bestanden te bekijken. Haar computer zit barstensvol firewalls.'

'En de bestanden van Merv?'

'Ook die hebben we nog niet allemaal bekeken, maar die van háár hebben te maken met de gestolen tests.'

'Dus afgaande op wat jij en Scott tot nu toe hebben gevonden, zaten we op het juiste spoor?'

Ze fronste. 'Wat was ons spoor ook alweer?'

'Dat Dee Baldwin van tevoren kopieën van de SAT-tests kreeg.'

'O ja. Nou, voorlopig weten we alleen dat ze Holt ergens voor betaalde. Ik denk niet dat het iets te maken had met zijn mooie ogen of zijn charmante karakter. Haar computer staat in verbinding met een aantal systemen, maar we weten niet welke. Er zitten ook veel dossiers in met SAT-tests die we zonder problemen konden openen. Volgens dr. Estes zijn dat oude tests, die ze gebruikte om haar cliënten voor te bereiden en die in wezen niet verschillen van SAT-tests en aanverwante boeken die je in de boekhandel kunt kopen.'

'We moeten alle tests bekijken en uitzoeken wanneer ze zijn ingevoerd in Baldwins computer. Daarna moeten we erachter zien te komen wanneer de tests officieel zijn gehouden. Als de computerdatum aan de testdatum voorafgaat, zelfs als die op dezelfde dag vallen, zou dat het bewijs zijn dat Dee ze toegespeeld kreeg van een insider.'

'Juist.' Marge noteerde de opdracht in haar boekje. 'Ik zal eens kijken hoe Scott ervoor staat. Misschien kunnen we vanmiddag teruggaan naar de praktijk in Beverly Hills.'

'En hoe zit het met Merv?'

Ze haalde somber haar schouders op.

'En Ernesto? Heb je de rest van zijn dossier gevonden?'

'Ja. Hij leek vooruit te gaan. Dat rendez-vous midden in de nacht kán dus in het kader van de therapie zijn geweest.'

'Of misschien, héél misschien, als we Ruby's brieven mogen geloven, was hij Mervin aan het inlichten over de illegale bezigheden van zijn vrouw.'

'Waarom?'

'Misschien leed hij aan een aanval van schuldbesef. Misschien dacht hij dat voor Merv hetzelfde gold. Misschien heeft Holt hen daarom allebei uit de weg geruimd. Ruby had hem ingelicht en hij heeft voor de rest gezorgd.'

'Wat deprimerend.'

'Ja.' Marge gaapte en slikte maagzuur terug.

'Ga naar huis,' beval Decker haar.

Marge negeerde hem. 'We zouden hier heel wat meer lijn in kunnen krijgen als Ruby Ranger wakker zou worden en ons alles tot in de details uit zou leggen.'

'Ze is wakker... ik bedoel bij bewustzijn,' zei Decker. 'Dat wil zeggen, ze is op dit moment niet bij bewustzijn, omdat ze wordt geopereerd, maar ze is heel even, nadat ze op de brancard was weggedragen en voordat ze op de operatie werd voorbereid, bijgekomen. Wat voor bewijzen hebben we tegen haar en inzake welke misdrijven?'

'We hebben niets,' zei Marge. 'Ze stond niet op Baldwins loonlijst, voor zover Scott en ik hebben kunnen bepalen.'

'Pech.'

'Maar we hebben nog niet alle bestanden geopend, dus wie weet? Hoe zit het met Erin?'

'Die is op borgtocht vrijgelaten.' Decker maakte draaiende bewegingen met zijn schouders. 'Die twee meisjes kunnen elkaar niet uitstaan. En al durf ik er niet op te zweren dat ze iets te maken hebben met de moorden, weet ik zeker dat ze allebei illegale dingen deden. Erin is aan drugs verslaafd en Ruby is een bekende hacker. Ik denk dat we hen tegen elkaar kunnen uitspelen.'

'Proberen Erin voor het OM te laten getuigen?'

'Erin of Ruby. Wie het eerst instort.'

'Erin is minderjarig. We kunnen haar makkelijker uit de gevangenis houden.'

'Maar als volwassene heeft Ruby veel meer te verliezen als ze niet voor het OM getuigt. We zullen het met de officier van justitie overleggen en afwachten hoe de zaak zich ontwikkelt. En misschien kan Ruby ons vertellen wat er met Ernesto is gebeurd.'

Even zwegen ze allebei.
'Arme Ernesto,' zei Decker. 'Eerst klooit Ruby met zijn hoofd. En net wanneer hij weer in het gareel begint te komen, wordt hij door die hufter vermoord.'
'Holt heeft ook Dee vermoord,' zei Marge. 'Hij heeft zijn eigen kip met de gouden eieren geslacht.'
'Volgens mij was Holt bang dat Dee hem zou verraden.' Decker wreef in zijn ogen. 'We zullen waarschijnlijk meer weten nadat we met Ruby hebben gepraat... áls we met Ruby kunnen praten. Veel dingen zijn nog onduidelijk. Een zwendel van deze afmetingen, met zo veel moorden... Ik hoop dat we iedereen te pakken krijgen. En nog belangrijker, ik bid dat er niet nog meer lijken boven water zullen komen.'
'Amen.'
'We moeten nauwgezet te werk gaan, tot alles is opgehelderd. Dat wil zeggen dat we de plaatsen delict nogmaals moeten uitkammen, om ons ervan te verzekeren dat we niets over het hoofd hebben gezien. We moeten de getuigen nogmaals ondervragen... en de buren. Misschien heeft iemand Holt het strandhuis van de Baldwins zien binnengaan, of hem daar naar buiten zien komen, ook al was het niet op de dag van de moord. We moeten de jongens van het survivalkamp nogmaals één voor één ondervragen.'
'Dat hebben we al gedaan.'
'Ik zei ook "nogmaals". Alles draait om de details. Wat mij betreft is dit onderzoek nog lang niet afgesloten. Er kunnen tientallen mensen zijn van wie we niet weten dat ze erbij betrokken zijn.'
'Ben ik helemaal met je eens. Maar op dit moment ben ik domweg te moe om na te kunnen denken.'
'Ja, was je niet van plan om naar huis te gaan?'
'Ja.' Maar Marge maakte geen aanstalten om op te staan.
'Is er een bepaalde reden waarom je treuzelt?'
'Vermoeidheid.'
'En?'
'En eerlijk gezegd... voel ik me hier competenter dan thuis.' Marge zuchtte. 'Hier gaat alles volgens een methode. Je doet een onderzoek, je volgt een procedure. Je loopt wel eens tegen obstakels aan, maar over het algemeen is het...' Ze tekende met haar rechterhand een strakke lijn. 'Thuis... ik weet het niet... verzinnen we regels al naargelang ze nodig zijn.'
Decker knikte.
Marge glimlachte. 'Het is waarschijnlijk anders wanneer je ze vanaf hun geboorte opvoedt.'
'Niet per se.'
'Tuurlijk wel,' zei Marge. 'Dan maak je alles samen mee.'
'In positieve en negatieve zin. Reken maar dat Jacob heel wat deuken in Rina's harnas heeft gemaakt.'

'Arme Rina. Hoe houdt ze het vol?'

'Rina laat niet veel merken. Niet dat ze er niet onder lijdt, maar...' Hij hief zijn handen op. 'Uiterlijk is ze volkomen kalm. Ik word er soms gek van. Ze zou uit haar vel moeten springen, zoals ik.' Hij smeet een potlood door de kamer. 'Misschien komt het omdat ze al zo veel te verwerken heeft gehad, dat ze zich niet zo druk maakt om een dolende tiener.'

'Je zei altijd dat Jacob zo meegaand was. Wat is er gebeurd?'

'Van alles. Het leven zit vol verrassingen, Marjorie.'

'Hij is een intelligente jongen, Pete. Hij komt heus wel op z'n pootjes terecht.'

'Dat zeg ik ook aldoor tegen mezelf.' Hij stapelde de formulieren op. 'Ik voel me behoorlijk disfuntioneel. Laten we maar naar huis gaan.'

'Om ons daar disfunctioneel te voelen?'

'We hebben ons bedje gespreid, Margie. We kunnen er net zo goed in gaan liggen.'

Het was pas acht uur 's ochtends, maar er was al bezoek. Misschien familie. Rina zag dat een paar van de vrouwen op Jill leken. Er waren ook vrij veel tieners. Misschien neven en nichten, of vrienden van Karl of klasgenoten van Ernesto. Ze praatten op gedempte toon, waarbij de jongens naar hun schoenen staarden en de meisjes hun rode ogen droogden met papieren zakdoekjes. Een van de vrouwen die op Jill leken, kwam naar haar toe, bekeek haar van top tot teen en knikte stuurs. 'Ik ben Brook Hart. Kan ik iets voor u doen?'

'Bent u een zus van Jill?' vroeg Rina.

'Ja. Waar kan ik u mee van dienst zijn, mevrouw...'

'Ik ben Rina Decker.'

'O.' Brook keek haar achterdochtig aan. 'De vrouw van de inspecteur.'

'Ja, maar ik ben hier niet vanwege de zaak.'

'Waarom dan wel? Met zo'n grote aktetas?' Brook kreeg een kleur. 'Sorry als ik wat cru overkom, maar dit is een erg moeilijke tijd voor ons allemaal. Dat begrijpt u natuurlijk wel.'

'Uiteraard. Ik kom voor meneer Golding. De inhoud van de aktetas is voor hem.'

'O.' Weer een achterdochtige blik. 'Wat zit er dan in?'

'Dingen van persoonlijke aard.'

'O. Hoe persoonlijk?'

'Is meneer Golding er?'

Brook fronste. 'Een moment alstublieft.'

'Dank u.'

Het moment werd een paar minuten. Rina probeerde er onopvallend uit te zien terwijl ze de mensen in het huis bekeek. Een van de meisjes leek nogal veel belangstelling voor haar te hebben. Misschien kwam dat vanwege Rina's kleding: een eenvoudige blauwe trui, een halflange spijkerrok die tot over haar laarzen reikte, een zwarte baret waaronder het grootste deel van haar zwarte haar schuilging. De vrouwen in de kamer droegen bijna allemaal een lange broek.

Het meisje keek nog steeds naar haar. Ondanks de neuspiercing was ze leuk om te zien: klein van stuk met donker haar, donkere ogen en kuiltjes in haar wangen. Rina kon zich niet herinneren haar ooit eerder te hebben gezien, maar toen het meisje naar haar glimlachte, glimlachte ze terug. De tiener kwam langzaam naar haar toe en stak haar hand uit.

'Ik ben Lisa Halloway. U bent toch Jacobs moeder?'

Rina sloot haar hand om de dunne vingers en gaf ze een kneepje. 'Ja. Hebben we elkaar al eens ontmoet?'

'Nee, maar u lijkt op hem... of liever gezegd, hij lijkt op u.'

'Leuk om met je kennis te maken, Lisa. Waar ken je Jacob van?'

'Gewoon, van feestjes en zo.'

De drugsfeestjes.

'Hoe is het met hem?' vroeg ze.

'Op dit moment is hij erg verdrietig en ontdaan over wat er met Ernesto Golding is gebeurd. Ik neem aan dat voor jou hetzelfde geldt.'

Er sprongen tranen in de ogen van het meisje. 'Ik was Ernesto's meisje... of eigenlijk niet meer.' Tranen rolden over haar wangen. 'Het is zo... onvoorstelbaar.'

Zonder erbij na te denken stak Rina haar handen uit. Het meisje stortte zich in haar armen en huilde hartverscheurend. Rina zuchtte en aaide Lisa's springerige krullen. Het kind was nog veel te jong om zo'n groot verdriet te kennen.

'Het leven is waardeloos!' snikte Lisa.

'Soms.'

'De hele tijd.'

'Nee, niet de hele tijd.'

Lisa maakte zich van haar los. 'Nou, maak me dan maar wakker wanneer het niet meer zo waardeloos is.'

'Dat zal niet nodig zijn.' Rina glimlachte naar haar. 'Je zult het vanzelf merken wanneer het zover is.'

Lisa deed een stap achteruit. 'Doet u Jacob de groeten van me?'

'Zal ik doen.'

'Zeg maar dat ik wel een keertje langskom.'

Ja vast, dacht Rina. 'Ik zal het zeggen,' zei ze. Ze keek het meisje na toen ze zich weer bij haar leeftijdgenoten voegde. Opeens merkte ze dat Carter Golding naast haar stond. Samen keken ze naar de tieners.

'Arme kinderen,' zei Golding. 'Wat vreselijk om op zo jonge leeftijd zoiets te moeten meemaken.'

Rina draaide zich naar hem toe. Zijn gezicht stond strak en hij zag bleek. Zijn baard leek in één keer grijs te zijn geworden. Hij was al niet erg lang, maar nu leek hij echt klein. Hij droeg een zwarte coltrui en een zwarte broek. Zijn voeten waren in witte sportsokken gestoken en zagen eruit alsof ze in het verband zaten. Ze vroeg: 'Hebt u vannacht wat geslapen?'

'Nee. Ik denk dat ik nooit meer zal kunnen slapen.'

'Het spijt me erg.'

'Mij ook.' Hij trok aan zijn baard. 'Brook kwam me vertellen dat u er bent.'

'Kunnen we ergens onder vier ogen praten?'

'Alle slaapkamers zijn bezet door familie. Behalve onze kamer, maar Jill slaapt en ik wil haar niet storen.'

'Natuurlijk niet. Misschien kunnen we in de keuken praten, of in uw werkkamer?'

'Dit huis heeft niet veel binnendeuren. Afgezien van de slaapkamers zijn er geen kamers die afgesloten kunnen worden. Ik wilde zo veel mogelijk openheid. Zo zien mijn vrouw en ik het leven. Open... niet verborgen. Zodat je precies weet waar je aan toe bent. Ziet u, ik wilde dat... omdat... mijn familie zo verborgen zat.' Hij keek haar aan. 'Ik neem aan dat u daarom hierheen bent gekomen.'

'Ja.'

'Wat is het vonnis?'

'Meneer Golding, is er misschien een badkamer waar we kunnen praten?'

'Is het zo erg?'

'Nee, het is ingewikkeld. Kunnen we de badkamer boven gebruiken? Ik neem tenminste aan dat uw badkamers wel deuren hebben?'

'Natuurlijk! We zijn niet gek!'

Rina voelde een blos opkomen. 'Dat weet ik.'

Golding schudde zijn hoofd. 'Sorry dat ik zo uitviel...'

'Het is goed, meneer Golding.'

'Nee, het is niet goed! En noem me toch gewoon Carter, verdomme!'

'Goed. Als u mij Rina noemt.'

Golding staarde haar aan en wendde toen zijn blik af. 'Ik weet niet wat ik heb. Ik kan me niet beheersen... ik kan het niet...'

'Carter, ik ben op mijn vierentwintigste weduwe geworden. Dat is niet hetzelfde als wat jij moet doorstaan, maar er zijn overeenkomsten. Verontschuldig je niet voor je gedrag. Dat heb ik ook nooit gedaan.'

Hij keek haar aan. 'Hoe is je man gestorven?'

'Aan een hersentumor.'

'Dat spijt me.' Zelfverachting spreidde zich uit over zijn gezicht toen hij zijn hoofd schudde. 'God, wat ben ik toch onbeschoft bezig!'

'De vraag stoort me niet. En je hoeft je niet schuldig te voelen. Kunnen we ergens praten?'

'Ja.' Hij knikte heftig. 'Ja, natuurlijk. Boven. Kom maar mee.'

Ze liep naast hem de trap op. Nu ze hem over haar eigen verdriet had verteld, was ze in zijn ogen menselijker geworden. Dat wist ze. Maar het was misschien bot overgekomen. Eerlijk gezegd had ze het er onnadenkend uitgeflapt. Jitschak was al meer dan tien jaar dood. Ze was langer met Peter getrouwd dan ze met Jitschak getrouwd was geweest. Ze dacht nog wel eens aan hem, maar zelden wanneer ze wakker was. In dromen... en de dromen waren altijd zo reëel... vroeg hij waarom ze niet op hem had gewacht. Dan werd ze wakker met een beklemmend schuldgevoel. Dat sloeg nergens op, maar het was nu eenmaal niet anders. Misschien voelde ze zich schuldig omdat hij in haar dromen nooit met verwijten kwam. Een scherpe toon was niet Jitschaks stijl geweest. In haar eerste huwelijk was *zij* degene geweest die nog wel eens opvliegend reageerde. Gek, dat het nu precies omgekeerd was.

Golding nam haar mee naar een kleine badkamer met alleen een wc en een wastafel met daarboven een ronde spiegel met facetrand. Ze werd een beetje in verlegenheid gebracht toen ze zichzelf zag gereflecteerd, want in joodse huizen werden de spiegels bedekt tijdens de eerste maand van rouw. Golding deed de deur op slot, deed het deksel van de wc naar beneden en bood haar aan te gaan zitten.

'Ik blijf wel staan,' zei Rina. 'Ga jij liever zitten.'

Golding protesteerde niet. 'Dankjewel dat je bent gekomen. En nog wel zo vroeg.'

'Eerlijk gezegd was ik om halfzes al op.'

'Had me maar gebeld. Ik was wakker.'

Rina glimlachte.

Golding zei: 'Sta je altijd zo vroeg op?'

'Nee, dit was een uitzondering, maar ik had het een en ander te doen. Ik ben eerst naar het politiebureau gegaan om mijn man over te halen me nog wat foto's te geven uit de opslagkamer voor bewijsmateriaal.'

'Wat voor foto's?'

'De foto's die waren achtergelaten in de synagoge. En foto's die ze in de kamer van je zoon hebben gevonden.'

'De foto's van de lijken?' Golding liet zijn hoofd tussen zijn knieën zakken. 'Mijn vader! Wat heeft hij gedaan?'

'Carter, ik zou nooit op een dag als vandaag bij je langs komen als ik slecht nieuws had. Laat me even mijn verhaal doen. Daarna mag je vragen stellen.'

Hij richtte langzaam zijn hoofd op. 'Dus het is geen slecht nieuws?'

'Nee.'

'Alleen ingewikkeld.' Golding rechtte zijn rug. 'Sorry. Ga door.'

Iemand draaide aan de deurknop.

'Bezet!' riep Golding. 'Ga weg.' Het geluid van weglopende voeten. Hij stootte een bittere lach uit. 'Ik ben te zeer van streek om beleefd te kunnen zijn. Ga door.'

Rina schraapte haar keel. 'Er zit veel giswerk bij, maar ik denk dat het als volgt is gegaan. Toen Ernesto paperassen en oude documenten aan het bekijken was om informatie te vergaren voor een opdracht voor school om een stamboom te maken, vond hij allerlei afgrijselijke foto's.'

'Vind je dat ik die foto's moet zien?'

'Ze zijn nogal gruwelijk, maar ik denk dat je ze zult willen zien nadat ik mijn verhaal heb gedaan. Mag ik het eerst afmaken?'

'Natuurlijk.'

'Ernesto vond de foto's tussen de spullen van je vader. Hij begon dieper te spitten en ontdekte tegenstrijdigheden over zijn grootvaders emigratie naar Amerika. Hij ging meteen van het ergste uit... en dat is erg jammer, want ik heb gesproken met iemand die mogelijk contact heeft gehad met je vader toen die nog jong was; toen ze allebei nog jong waren. Ik heb hem de meest recente foto laten zien die je me hebt gegeven: die van jou, je vader en je twee zonen. Hij herkende je vader niet, maar hij vond dat je zoon Karl leek op een man die hij in zijn jonge jaren had ontmoet.'

'Karl lijkt sprekend op mijn vader!' zei Carter opgewonden. 'Dat zegt iedereen. Wie is die man?'

'Hij is een van de zeer weinigen die levend uit Treblinka zijn gekomen.'

'Mijn vader heeft dus in het kamp gezeten?'

'Dat denk ik niet. Ik heb het over een jongen van ongeveer zestien jaar, een Pool, niet een jood. Het was in 1943, vlak voordat Treblinka door de nazi's in brand is gestoken. De jongen, die de zoon was van een Poolse politieagent, kroop vaak stiekem onder de buitenste omheining van het kamp door en sloop dan naar de binnenste omheining, die onder stroom stond. Hij nam foto's van de gevangenen, zowel van de levende als de dode. Ik weet niet waarom hij dat deed. Maar ik weet dat hij daarmee zijn eigen leven op het spel zette. Hij was geen lid van de SS en als hij betrapt was, zouden ze hem hebben doodgeschoten. Maar dat is nog niet alles. De jongen gaf de gevangenen eten: ersatzbrood, stukjes wortel en peen en aardappel... één keer zelfs wilde aardbeien. Voedsel was een luxe. In die dagen was voedsel erg schaars, niet alleen voor de gevangenen maar voor heel Polen. Wat hij deed, was dus erg mensllievend. Het is mogelijk dat die jongen jouw vader was.'

Carter haalde oppervlakkig maar hoorbaar adem. Hij fluisterde: 'Hoe heette die jongen?'

'Dat weet ik niet. En dat wist de man met wie ik heb gesproken ook niet.'

'Wie is Isaac Golding dan?'

'Ik heb geen idee. Ernesto had informatie dat Jitschak Golding in Treblinka was gestorven. Maar ik weet niet waar die informatie vandaan kwam.'

'Als mijn vader niets verkeerd had gedaan, waarom heeft hij dan die naam aangenomen?'

'Misschien heeft hij dat niet zelf gedaan, maar zijn ouders, omdat ze namen van dode mensen nodig hadden om aan de tribunalen te ontsnappen en valse paspoorten te krijgen. Ik zeg niet dát het zo is gegaan, maar het is mogelijk. Of misschien heeft je vader die naam aangenomen, omdat het de naam was van een gevangene uit het concentratiekamp die indruk op hem had gemaakt. Misschien was het een eerbetoon. Misschien kun je er zelf achter komen. Er zijn veel dossiers en lijsten. Je weet dat Jitschak Golding naar Treblinka is gestuurd. Als je maar lang genoeg zoekt, zul je misschien ergens de geschiedenis van Jitschak Golding vinden. Het hangt ervan af hoe ver je dit wilt uitdiepen.'

Ze zwegen beiden. Weer draaide iemand de deurknop om.

'Bezet!'

'Sorry,' antwoordde een gedempte stem achter de deur.

Uiteindelijk sprak Golding. 'De man met wie je hebt gesproken. Is hij betrouwbaar?'

'Zo betrouwbaar als mogelijk is, gezien het feit dat hij over de negentig is. Hij weet niet hoe de jongen heette en hij weet niet wie Jitschak Golding was, maar hij zei dat de foto's in Treblinka waren genomen. Hij zag het aan het prikkeldraad.' Rina wendde haar gezicht af en veegde haar tranen weg. 'Het was verschrikkelijk moeilijk voor hem om naar de foto's te moeten kijken, maar hij heeft het gedaan om jou antwoorden te geven, omdat hij niemand wil laten lijden. Hij noemde de jongen die de foto's had genomen een kleine held. Als die jongen jouw vader was, dan mag je daar blij om zijn.'

'En als hij het niet was?'

'Zoals ik al zei, hangt het ervan af hoe diep je wilt graven.'

'Hij noemde mijn vader een kleine held?'

'Ja.'

'Mijn vader was een kleine held. Je man zei dat mijn zoon misschien was gestorven als een kleine held... omdat hij probeerde dingen recht te zetten. Al zei hij dat waarschijnlijk alleen maar om me een hart onder de riem te steken.'

'Nee, zo is Peter niet,' zei Rina. 'Als hij heeft gezegd dat je zoon probeerde dingen recht te zetten, dan is dat zo.'

Weer zwegen ze beiden.

Toen zei Rina: 'Weet je, de meeste mensen doen nooit iets heldhaftigs, in kleine noch grote vorm. Jij hebt nu twee helden in je familie.'

'Je bedoelt dat ik twee helden *had*,' zei Carter met betraande wangen. Hij stond op. 'Dankjewel dat je dit voor me hebt gedaan, Rina. En nog zo snel ook.'

'Geen dank, Carter. We hebben allebei veel leed gekend en ik ben blij dat ik dit voor je heb kunnen doen.'

38

Er stonden politiemannen voor Ruby's kamer in het ziekenhuis. Jacobs blik ging automatisch naar hun pistolen. Peter zei dat hij even moest wachten en liet hem ongeveer drie deuren bij haar kamer vandaan achter. Hij zag zijn stiefvader praten met de agenten in uniform die de wacht hielden, en met agenten in burger. Na ongeveer vijf minuten kwam hij met een bezorgde blik op zijn gezicht weer naar hem toe.

'Ze is er nog erg slecht aan toe. Je mag vijf minuten bij haar blijven, maar niet langer. Goed?'

'Het is zeker niet helemaal volgens de regels?' vroeg Jacob.

'Het is geen probleem als je het kort houdt.'

'Ik zal je niet voor schut zetten.' Jacob glimlachte naar hem, maar hij was zenuwachtig. De eerste stap was de moeilijkste. Daarna was het een kwestie van je ene voet voor de andere zetten. Hij bleef op de drempel staan. In het bed dat het dichtst bij de deur stond, lag niemand. Het hare was aan de rechterkant, bij het raam. Ze was omringd door medische apparatuur: monitors, infuusslangetjes en machines die piepgeluidjes maakten.

Hij liep op zijn tenen naar het bed, tot waar ze hem kon horen. Ze had geen erg in hem. Dat kon ook moeilijk, want ze leek niet in staat te zijn haar hoofd te bewegen. Er hing een sterke, onaangename geur in de kamer. Jacob haalde de rug van zijn hand langs zijn mond en staarde naar haar terwijl de seconden wegtikten.

Haar ogen waren gesloten en om haar hoofd zat een tulband van verband. De zichtbare delen van haar gezicht waren rood, rauw en gezwollen. Een gaasverband bedekte het midden van haar gezicht, haar neus en wangen. Tussen haar gezwollen lippen zag hij gebroken tanden.

Ze lag nu al drie dagen in het ziekenhuis. Ze had naar hem gevraagd. Hij had er een etmaal voor nodig gehad om voldoende moed te verzamelen.

De oogleden gingen langzaam omhoog en Jacob zag de bruine irissen, omgeven door gelig, bloeddoorlopen oogwit. Ze draaide haar ogen naar hem toe en ze nam hem van boven tot beneden op. Ze mompelde iets. Hij verstond het niet en ging iets dichter bij het bed staan.

Ze fluisterde: 'Je bent gegroeid.'

Jacob likte aan zijn lippen. 'Een paar centimeter.'
'Hoe lang ben je nu?' sliste ze. 'Eén tachtig?'
'Bijna. Van alle mannen in onze familie ben ik nog steeds de kleinste.'
'Ja...' Het klonk als een zucht. 'Je vader is erg lang.'
'Die telt niet mee.' Jacob kromp ineen. 'Ik bedoel genetisch. Hij is mijn stiefvader.'
'Dat is ook zo.' Toen Ruby haar hoofd bewoog, zag hij de pijn in haar ogen. 'Wat heb je hem verteld?'
'Alles.'
De paarse oogleden gingen iets verder omhoog.
'Ik moest hem over het huis vertellen, dus moest ik hem alles vertellen.' Jacob dwong zichzelf haar aan te blijven kijken. 'Hij dacht dat je in levensgevaar verkeerde.'
De oogleden zakten weer dicht. 'Voor een smous was het niet slecht... nooit gedacht dat zo'n lul als jij... het zou kunnen.'
Jacob gaf geen antwoord. Hij staarde naar haar verbonden gezicht. 'Misschien is fantaseren over verkrachting prettiger dan de werkelijkheid.'
De oogleden vlogen open en de blik in haar ogen was nu haatdragend en woedend. 'Klerejong!'
Hij verhief zijn stem. 'Ik heb me in de ogen van mijn vader tot een nul vernederd om jou te redden en nu heb jij het lef mij "een smous" en "een lul" te noemen?'
'Hou je bek.' Ze haalde moeizaam adem en sprak op een zachte, trage toon. 'Er zijn erger dingen dan dat iemand je "een smous" en "een lul" noemt.' Weer sloot ze haar ogen. 'Ik ga de gevangenis in. Niet voor de moorden – daar wist ik niks van – maar voor het hacken. De halve FBI staat voor mijn deur.' Een poging te glimlachen. 'Alsof ik zou kunnen ontsnappen.'
Jacob zei niets.
'Dit is mijn eerste... overtreding... en ik ben een slachtoffer van kindermishandeling... door mijn vader. Ik zou voorwaardelijk moeten krijgen. Maar dat zal wel niet. Er zijn te veel mensen dood. Ik ga dus de bak in.'
'Het spijt me,' loog Jacob.
'Welnee.'
'Nee. Je hebt gelijk.'
De gekneusde lippen vertrokken tot iets wat een glimlach moest voorstellen. 'Maakt niet uit. Ik zal de filmrechten voor een paar miljoen verkopen. Bovendien... lesbiennes zijn best leuk. Ik hou meer van jongens, maar beffen kan ik als de beste...'
'Veel plezier ermee.'
'*Fuck you*, Lazaris!' beet ze hem toe. 'Goh, wat vind je jezelf geweldig. Jouw god heeft je er weliswaar van weerhouden het uniform aan te

trekken... maar hij kon je er niet van weerhouden te hijgen als een varken. Je vond het heerlijk, man.'

Jacob voelde de verbale dolkstoot tot diep in zijn binnenste. Hij probeerde het van zich af te schudden, als een dode huid. 'Misschien. Als ik had beseft wat er gebeurde.'

'Ja? Denk nog effe na! In het begin was je half van de wereld, maar later was je er helemaal bij. Je zou de hele nacht zijn doorgegaan, *Yonkie*, als ik je niet had tegengehouden!'

Die zat! Jacobs houding verslapte. Hij kon haar niet aankijken. 'Oké, ik vond het fijn. En wat dan nog?'

'En wat dan nog? Je haatte me... maar je bent evengoed met me naar bed gegaan. Wat zegt dat over jou?'

'Dat ik niet goed bij mijn hoofd ben. Gefeliciteerd, Ruby. Je hebt me vernederd.'

Ze slaagde erin zelfvoldaan te glimlachen. Maar dat duurde niet lang. Even later blonken er tranen in haar ogen. 'Zul je me schrijven wanneer ik in de nor zit?'

Wat een hunkering in haar stem! Hij was geschokt. Maar zijn haat was groter dan zijn medelijden. 'Nee.'

'Een verjaardagskaart dan? Voor je eerste meisje?'

Hij keek weer naar haar en zag rode, natte oogballen ... tranen die over het verband druppelden. Ze huilde bloed. Haar stem klonk nu kleintjes en bevend... ze smeekte, net zoals ze die avond had gedaan. Opeens drong de waarheid tot hem door. Ondanks alle bravoure, ondanks alle hatelijke woorden die ze hem naar het hoofd had geslingerd, mocht ze hem graag. Hij keek naar de monitor, zag de pulserende lijntjes waarover hij bij biologie had geleerd, de *s-lijntjes* en de *p-lijntjes*. Ja, zelfs Ruby had een hart. 'Wanneer ben je jarig?'

'25 augustus.'

'Goed. Ik zal je een kaart sturen.'

Ze zwegen.

Ruby sloot haar ogen. 'Je was de knapste van het hele stel, Lazaris... de natte droom van alle teefjes op het feest. Daarom heb *ik* je gekregen. Wanneer je eenmaal door hebt... hoe het moet... zul je een lief, mooi, *joods* meisje heel gelukkig maken.'

De neerbuigende woorden klonken verrassend aangenaam in Jacobs oren. 'Dat hoop ik.'

Einde van het bedrijf. Zonder verder nog iets te zeggen draaide hij zich om en liep de kamer uit. Zijn stiefvader stond een eindje verderop in de gang te praten met een hoge FBI-functionaris, maar staakte het gesprek toen hij Jacob zag aankomen.

'Zullen we gaan?' vroeg Decker.

Jacob knikte.

Zonder iets te zeggen liepen ze de lange gang door, langs een in het roze geklede verpleger die een karretje met buisjes bloed voor zich uit duwde. Toen ze alleen waren en buiten gehoorafstand van de anderen, zei Decker: 'Je bent geen lul.'

Jacob kreeg een kleur. 'Hoeveel heb je gehoord?'

'Niet gehoord. Afgeluisterd,' verbeterde Decker hem. 'Maar niet erg veel na die lul. Want toen liet je je stem dalen.'

'Praatte ik dan erg hard?'

'Je gaf uitdrukking aan je ongenoegen over het feit dat je voor een smous en een lul werd uitgemaakt. Daarna wilde ik overigens niets meer horen, dus ben ik weggelopen.'

'Dat was aardig van je.'

'Je kunt me geloven of niet, maar ik doe mijn best je privacy te respecteren.'

Ze liepen een paar ogenblikken zwijgend door.

Toen zei Decker: 'Ik heb het idee dat je in me teleurgesteld bent.'

Jacob bleef staan en keek hem aan. 'Wat?'

'Toen ik met ima trouwde, dacht je dat je een levensechte held als vader zou krijgen. Iemand die je zou beschermen en gevaar op een afstand zou houden. En misschien heb ik dat gedaan. Maar je dacht ook dat je er een vriend bij zou krijgen, met wie je zou gaan paardrijden, honkballen... iemand die misschien de coach van je team zou worden en met wie je diepzinnige gesprekken kon voeren. In plaats daarvan werd je opgezadeld met een norse man die niet alleen constant aan het werk is, maar ook nog eens je ima in beslag heeft genomen.'

Jacob slikte moeizaam. Zijn ogen bleven op Peters gezicht gericht. 'Dat vind ik helemaal niet.'

'Jawel. Maar je bent te beleefd om het te zeggen.' Met Jacob in zijn kielzog liep Decker naar de lift. Hij drukte op de knop en bleef staan wachten. Hij zei: 'Neem vannacht. Zelfs nadat ik je een klap had gegeven, kwam je naar me toe om afscheid te nemen. En in plaats van dat ik je een halve minuut van mijn aandacht schenk, stuur ik je weg omdat ik het druk heb...'

'Dat was begrijpelijk.'

'Maar het had ook anders gekund. Hoeveel tijd heb je nodig om iemand te omhelzen en een zoen te geven? Het spijt me dat ik je heb teleurgesteld.'

De lift pingelde. Ze zeiden geen van beiden iets terwijl ze afdaalden naar de parkeergarage.

Toen ze uitstapten, zei Jacob: 'Je hebt het helemaal mis. Ik heb jóú juist teleurgesteld. Ik heb jou en ima alleen maar verdriet bezorgd. Ik vraag me wel eens af waarom je je nog om me bekommert. Ik weet dat je niet anders kunt, omdat je met mijn moeder bent getrouwd, maar dat is het niet alleen. Ik weet dat je erg je best doet. Terwijl ik niet eens echt je zoon ben. Of misschien is dat juist de reden waarom je het ergens ook van je af kunt zetten.'

Decker draaide zich met een ruk om en greep Jacobs schouders. 'Jij en Sammy zijn net zo goed mijn zonen als Cynthia en Hannah mijn dochters zijn. Met of zonder biologische band, ook als er wat met ima zou gebeuren – wat god verhoede – zitten jullie de rest van jullie leven aan me vast.'

Jacob glimlachte met tranen in zijn ogen. 'Het klinkt als een doodvonnis.'

'Vertel dat maar eens aan Cindy. Ik weet zeker dat zij er soms zo over denkt.'

'Nou, het is mij best, pap. Ik hou van je.'

Decker omhelsde hem zo heftig dat hij botten hoorde kraken. 'Ik hou ook van jou, Jacob. En ik zal je verschrikkelijk missen. Al die jaren die al zijn verstreken... en die ik niet meer terug kan krijgen. Het spijt me...'

'Zeg dat toch niet aldoor!' Jacob liet zijn stem dalen. Hij maakte zich uit Deckers omhelzing los, sloeg toen zijn arm om zijn middel en zei: 'Zullen we nu maar gaan?'

'Goed idee.'

Ze liepen naar de auto.

Jacob zei: 'Ze zei dat ze de gevangenis in zal moeten.'

'Ik ben niet haar advocaat, maar ik denk dat ze daarin gelijk heeft.'

'Voor het hacken of voor de moorden?' Hij streek met zijn hand langs zijn ogen. 'Ze zegt dat ze niet wist wat Moke aan het doen was.'

'Geloof jij dat?'

Jacob dacht even na en schudde toen zijn hoofd.

Decker vroeg: 'Mag je haar?'

'Nee. Ik walg van haar!'

'Maar ze heeft evengoed iets.'

'Ja, als je van mummies houdt.'

Stilte.

Jacob zuchtte. 'Misschien.'

'Volkomen begrijpelijk.' Met hun armen om elkaars middel geslagen liepen ze tussen de rijen auto's door, op zoek naar die van Decker.

'Je hebt die avond goed werk gedaan,' zei Jacob. 'Ik stond er echt van te kijken hoe je reageerde en de leiding nam... hoe je meteen doorhad wat er aan de hand was. Ik was er trots op je zoon te zijn.'

Decker gunde zichzelf een flauwe glimlach. 'Dank je. Daar ben ik blij mee.' Hij keek de andere kant op. 'Maar ik vind nog steeds dat ik aan ima moet vertellen dat ik je daarnaartoe heb meegesleept...'

'Dan wordt ze alleen maar kwaad op ons allebei.'

'Ze moet weten hoe stom ik heb gedaan.'

'Dan komt ze ook te weten hoe stom *ik* heb gedaan. Waar is dat nou voor nodig? Bovendien was het wel leuk... om zoiets spannends mee te maken. Het was opwindend.'

'Je praat alsof je er lol in had, Yonkeleh.'

'Een beetje wel... of eigenlijk heel veel.'

'Zeg dat alsjeblieft niet!' riep Decker uit. 'Je moeder zou er een hartstilstand van krijgen.'

'Dan zeggen we toch gewoon niks? We houden het geheim.' Hij zuchtte. 'We hebben de afgelopen jaren al zo veel geheim gehouden.'

Decker sloeg zijn arm om de schouders van zijn zoon. Jacob was nog zo jong en ging nu al gebukt onder zo veel problemen. 'Ik weet dat je me niet echt gelooft, maar het komt heus wel in orde, Yonkeleh.'

'Denk je?'

'Ik weet het zeker. Het enige wat jij nodig hebt, is een mooi, intelligent, lief, joods, religieus meisje met een sexy lijf en een overactief libido.'

'Heel grappig.'

'Die bestaan echt, hoor.'

'Nee, pap, die bestaan *niet!*'

'Jawel.' Een flauwe glimlach gleed over Deckers gezicht. Hij trok zijn wenkbrauwen op. 'Geloof me, die bestaan.'

Jacob keek naar hem op. 'Jakkes!'

'Jakkes?'

'Ja, jakkes. Grijns niet zo. Je hebt het over mijn *moeder!*'

'We komen allemaal op dezelfde manier ter wereld, Yonkel, zowel de prins als de bastaard...'

'*Schei uit*! Ik hou van mijn moeder!'

'Ik hou ook van jouw moeder. Alleen... op een *andere* manier dan jij.'

'Doe niet zo walgelijk!' Hij liep met grote stappen naar de auto.

Decker glimlachte breed en stak zijn handen in zijn broekzakken. Arme Jacob. Hij dacht dat hij seks had uitgevonden.

Dankbetuiging

Bijzondere dank aan Malka Hier en de staf van het Museum of Tolerance in Los Angeles. Moge jullie kracht leiden tot steeds meer kracht.